Manual de preparación para el examen CISM®

16ª edición

CISM® Certified Information Security Manager®
An ISACA® Certification

ISACA®

Acerca de ISACA

ISACA® (www.isaca.org) es una comunidad global que hace avanzar a las personas y organizaciones en su búsqueda de la confianza digital. Durante más de 50 años, ISACA ha dotado a personas y empresas con el conocimiento, las credenciales, la educación, la formación y la comunidad para progresar en sus carreras, transformar sus organizaciones y construir un mundo digital más fiable y ético. Entre estas credenciales, ISACA promueve y valida las habilidades y conocimientos críticos para el negocio mediante credenciales respetadas a nivel global como Certified Information Systems Auditor® (CISA®), Certified in Risk and Information Systems Control® (CRISC®), Certified Information Security Manager® (CISM®), Certified in the Governance of Enterprise IT® (CGEIT®) y Certified Data Privacy Solutions Engineer™ (CDPSE™). ISACA es una asociación profesional global y organización de aprendizaje que aprovecha la experiencia de sus más de 180 000 miembros que trabajan en campos de confianza digital como seguridad de la información, gobernanza, aseguramiento, riesgo, privacidad y calidad. Está presente en 188 países, con más de 225 capítulos a nivel mundial. A través de su fundación, ISACA apoya la educación en TI y las trayectorias profesionales para poblaciones subrepresentadas y con recursos limitados.

Descargo de responsabilidad

Derechos reservados

ISACA

1700 E. Golf Road, Suite 400
Schaumburg, IL 60173, EE. UU.
Teléfono: +1.847.660.5505
Fax: +1.847.253.1755
Contacto: https://support.isaca.org
Sitio web: www.isaca.org

Participe en los foros en línea de ISACA: https://engage.isaca.org/onlineforums
X: https://x.com/ISACANews
LinkedIn: www.linkedin.com/company/isaca
Facebook: www.facebook.com/ISACAGlobal
Instagram: www.instagram.com/isacanews/

ISBN 979-8-89227-061-8
Manual de preparación para el examen CISM® 16ª edición

Manual de preparación para el examen CISM® 16ª edición

ISACA se complace en ofrecer la 16ª edición del *Manual de preparación para el examen CISM®*. El propósito de este manual es proporcionar al candidato CISM información técnica y referencias actualizadas para ayudarle a prepararse y estudiar para el examen de Gerente Certificado de Seguridad de la Información® (CISM).

El *Manual de preparación para el examen CISM* se actualiza para regularmente para mantenerse al día con los cambios que ocurren rápidamente en la gestión de la seguridad de la información. Tal como ha sucedido con los manuales anteriores, la 16ª edición es el resultado de la contribución de muchas personas calificadas que generosamente han ofrecido su tiempo y experiencia profesional. Respetamos y reconocemos la contribución que han hecho y esperamos que sus esfuerzos brinden un extenso valor educativo a los lectores de los manuales de preparación para el examen CISM.

Las preguntas de ejemplo contenidas este manual están diseñadas para ilustrar el tipo de preguntas que generalmente aparecen en el examen CISM y para ayudar a comprender mejor el contenido de este manual. El examen CISM es un examen basado en la práctica. La simple lectura del material de referencia que contiene este manual no preparará adecuadamente a los candidatos para el examen. Las preguntas de autoevaluación se incluyen solo para que sirvan de guía. Los resultados del puntaje obtenido no garantizan el éxito en futuros exámenes individuales.

La certificación ha tenido un efecto positivo en muchas carreras, incluyendo el reconocimiento internacional por la experiencia profesional y mejora en los conocimientos y habilidades. La certificación CISM se ha diseñado para profesionales de TI y de negocio que cuentan con experiencia práctica en la gestión de seguridad de la información. ISACA le desea éxito en el examen CISM.

Esta página se ha dejado en blanco deliberadamente

Agradecimientos

La *16a edición del Manual de preparación para el examen CISM®* es el resultado del esfuerzo colectivo de muchos voluntarios. Participaron miembros de ISACA de todo el mundo, ofreciendo generosamente su talento y experiencia. Este equipo internacional mostró un espíritu y desprendimiento que se han convertido en la marca distintiva de los colaboradores de los manuales de ISACA. Agradecemos sinceramente su participación y sus opiniones.

Autores

Edward B. McCabe, CISM, CGEIT, CRISC, CDPSE, COBIT 2019, ISMS LI, ISO 27001, SABSA Chartered Security Architect, The Rubicon Advisory Group, EE. UU.

Greg Witte, CISM, CISSP-ISSEP, Palydin LLC, EE. UU.

Revisores expertos

Andreas Abeck, CISM, ISO 27001 LI, Alemania

Lisa Abshire, MBA, CISA, CISM, CRISC, CISSP, USA

Michael Allen, CISA, CISM, CDPSE, EE. UU.

Neethu Aneesh, CISA, CISM, CDPSE, CCSK, CCSP, CIPP/E, CISSP, Australia

Md. Abul Kalam Azad, CISA, CISM, CRISC, CDPSE, CISSP, Eastern Bank Ltd., Bangladesh

Bruce Borchorst, CISA, CISM, CGEIT, CRISC, CCSK, PRINCE2, ITIL Expert, EE. UU.

Alistair Cockeram, CISM, CISSP, CCSP, SCCP, MCIIS, Fidelity International, Reino Unido

Vinod A. Devathas, PhD, CISA, CISM, CGEIT, CRISC, CPIM, GCD Services Pte. Ltd., Singapur

Howard Duck, CISA, CISM, CDPSE, CISSP, Conduent Inc., EE. UU.

Sherif El-Gendy, PhD, CISM, CDPSE, C|CISO, CCIP, CEH, FBCS, ISO 27001LI, ISO 27032LCM, Egipto

Paul Ellis, CISM, Arculus Cyber Security, Reino Unido

Adham Etoom, CISM, CRISC, FAIR, GCIH, PMP, Gobierno de Jordania/Centro de Ciberseguridad Nacional, Jordania

Thales Fernandes, CISM, CGEIT, CISSP, COBIT 5, GLEG, HDI-SCM, ITIL Expert, ISO 20000, ISO 27001, Lean IT OCEB2, PSM-I, España

Aaron Franks, CISM, Departamento de defensa, EE. UU.

Hakim Fubara, CISA, CISM, CISSP, Cognitor Consulting Ltd., Canadá

Mohamed Gohar, MBA, CISA, CISM, CGEIT, CRISC, CEH, CISSP, CLCSM, CLPTP, COBIT 5/2019, CPDE, ISO/IEC 27001 LI/LA, ISO/IEC 27005 LRM, ISO/IEC 27032 LCM, ISO/IEC 27035 LIM, ISO/IEC 27034 ASLI, ISO/IEC 38500 IT CGM, ISO 22301 LI/LA, ISO 31000 LRM, ITIL v3/v4 Expert/Pract/MP, LDRM, PECB Certified Auditor & Trainer, PeopleCert ITIL/Resilia Approved Trainer and Invigilator, PMP, Resilia Pract, SSGB, The Open Group TOGAF Authorized Trainer, TOGAF 9.2 Pract, Egipto

Stacy J. Hill, CISA, CISM, CGEIT, CRISC, CISSP, EE. UU.

Leighton R. Johnson, III, CISA, CISM, CRISC, CGEIT, CDPSE, CISSP-ISSEP, ISFMT, Inc., EE. UU.

Aileen Jones, CISA, CISM, CRISC, CISSP, ISSMP Certified, PMI/PMP, Internal Revenue Service, EE. UU.

Hasnain Ahmed Karimi, CISM, VOCUS, Australia

Robert Kendall, CISM, Capita, Reino Unido

Agradecimientos *(cont.)*

Ashok Kumar DL, CISA, CISM, CDPSE, CFE, CISSP, CRMA, Happiest Minds Technologies Limited, India
Scott Mahoney, MBA, CISA, CISM, CRISC, EE. UU.
Muhammad Umair Mazhar, CISM, CRISC, Australia
Pedro Montalvan, CISM, PSA MARINE PERU, Perú
Ng Yen Nee, CISM, Malasia
See Woh Ng, CISM, AIG Insurance New Zealand Limited, Nueva Zelanda
Nnamdi Nwosu, CISA, CISM, CGEIT, CRISC, CEH, University of the People, EE. UU.
Omar Olivos, CISM, GAC, Perú
Leonard Ong, CISA, CISM, CGEIT, CRISC, CDPSE, CSX-P, GE Healthcare, Singapur
Tafadzwa Padare, CISA, CISM, CCSP, CEH, CISSP, EcoCash Holdings Zimbabwe Limited, Zimbabue
Perkins Poon, CISA, CISM, CDPSE, CISSP, Hong Kong
Tabish Qureshi, CISA, CISM, CASP+, CEH v11, ITIL, MCS, MCSA, MCSE, Mic. Azure Sol. Arch Expert, Mic Azure Administrator Associate, PMP, Prince 2 Found & Pract, SAP Active Project Manager, Arabia Saudita
Md. Mushfiqur Raham, CISA, CISM, CGEIT, CRISC, CCISO, CISSP, LPT (Master), OSCP, First Security Islami Bank Limited, Bangladesh
Krishna Rajesh, CISM, India
Allan Rono, CISA, CISM, CRISC, Standard Chartered Bank, Kenia
Pativeth Ruangsuwan, CISM, MINOR Group, Tailandia
Chris Sandefur, CISM, CRISC, CDPSE, CISSP, CCSP, CySA+, PMP, NewNet Communication Technologies, EE.UU.
Anne Sempa-Morrison, CISM, EE.UU.
Ling Ai Seong, CISM, Singapur
Prashanth Srinivas S, CISA, CISM, CRISC, CDPSE, AZ-900, LA & LI ISO 27001, Cognizant, India
Katalin Szenes, PhD, CISA, CISM, CGEIT, CISSP, Obuda University, Budapest, Hungría
Sridhar Vedhanabatla, CISM, Gainsight, India
Gabriel Villas, CISM, QCloud Systems, EE. UU.
Bernard Wanyama, CISA, CISM, CGEIT, CRISC, SYNTECH ASSOCIATES Limited, Uganda

ISACA ha comenzado a planificar la 17ª edición del Manual de preparación para el examen CISM®. La participación de los voluntarios impulsa el éxito del manual. Si le interesa convertirse en miembro de un grupo selecto de profesionales involucrados en este proyecto global, visite engage.isaca.org para recibir notificaciones acerca de todas las oportunidades relacionadas con CISM.

Nuevo: Práctica laboral del CISM

A partir de 2022, el examen del Certified Information Security Manager® evaluará la nueva práctica laboral del CISM.

Periódicamente se realiza un análisis internacional de la práctica profesional para mantener la validez del programa de certificación CISM. Una nueva práctica profesional conforma la base del examen CISM, iniciando el 2022.

Las principales áreas de enfoque de la práctica laboral son las tareas realizadas actualmente y el conocimiento utilizado por los CISM. La recopilación de las evidencias de las prácticas laborales de los CISM permite a ISACA garantizar que el programa de CISM siga cumpliendo con los altos estándares establecidos para la certificación de profesionales de todo el mundo.

Los resultados del análisis de las prácticas de trabajo de CISM se consideran cuidadosamente e influyen directamente en el desarrollo de las nuevas especificaciones de las pruebas para garantizar que el examen CISM refleje las mejores prácticas más actuales.

La nueva práctica profesional refleja las áreas de estudio que deben evaluarse. La práctica profesional completa CISM se puede encontrar en *www.isaca.org/credentialing/CISM.*

Antigua práctica laboral del CISM	Nueva práctica laboral del CISM
Gobierno de la Seguridad de la Información (24 %)	**Gobierno de seguridad de la información (17 %)**
Gestión de Riesgos de la Información (30 %)	**Gestión de riesgos de la seguridad de la información (20 %)**
Desarrollo y gestión del programa de seguridad de la información (27 %)	**Programa de seguridad de la información (33 %)**
Gestión de los Incidentes de Seguridad de la Información (19 %)	**Gestión de Incidentes (30 %)**

Esta página se ha dejado en blanco deliberadamente

ÍNDICE

Capítulo 1

ÍNDICE *(CONT.)*

ÍNDICE *(CONT.)*

Capítulo 2

ÍNDICE *(CONT.)*

Capítulo 3

ÍNDICE *(CONT.)*

ÍNDICE *(CONT.)*

ÍNDICE *(CONT.)*

ÍNDICE *(CONT.)*

ÍNDICE *(CONT.)*

Capítulo 4

ÍNDICE *(CONT.)*

ÍNDICE *(CONT.)*

Apéndice A

Apéndice B

Glosario

ÍNDICE *(CONT.)*

Acrónimos

Acerca de este manual

Visión General

El *Manual de preparación CISM, 16a edición*, es una guía de referencia diseñada para ayudar a los candidatos en su preparación para tomar el examen CISM. **El manual es una fuente de preparación para el examen, pero no debe considerarse como la única fuente ni verse como una recopilación global de toda la información y la experiencia que se requiere para aprobar el examen.** Ninguna publicación individual ofrece tal cobertura y detalle.

A medida que los candidatos leen el manual y encuentran temas que son nuevos para ellos o temas con respecto al cual sientan que tienen un conocimiento y experiencia limitados, deberán consultar referencias adicionales. El examen estará compuesto de preguntas que prueban el conocimiento técnico y práctico del candidato, y su capacidad para aplicar dichos conocimientos (basados en la experiencia) en determinadas situaciones.

Organización de este manual

El *Manual de preparación para el Examen CISM, 16a edición*, está divido en cuatro capítulos que cubren los dominios evaluados en el examen, en los porcentajes que se mencionan a continuación:

Dominio 1	Gobernanza de seguridad de la información	17 por ciento
Dominio 2	Gestión de riesgos de la seguridad de la información	20 por ciento
Dominio 3	Programa de seguridad de la información	33 por ciento
Dominio 4	Gestión de incidentes	30 por ciento

El manual se ha desarrollado y organizado para contribuir al estudio de estas áreas. Los candidatos al examen deben evaluar sus fortalezas, con base en conocimiento y experiencia, en cada una de estas áreas.

Nota

Cada capítulo define las tareas que se espera que los candidatos a CISM entiendan e incluye una serie de conocimientos relacionados que se requieren para llevar a cabo dichas tareas. Estas constituyen las prácticas actuales para el profesional de riesgos de TI. **La práctica profesional detallada del CISM se puede ver en *www.isaca.org/credentialing/CISM/CISM-job-practice-areas*.**

Formato de este manual

Todos los capítulos del *Manual de preparación para el examen CISM* siguen el mismo formato:

- La sección "Visión General" suministra un resumen del objetivo del capítulo, junto con:
  - La descripción del contenido del examen del área
  - La descripción de tareas relacionadas
  - Recursos sugeridos para continuar estudiando
  - Preguntas de autoevaluación
- La sección Contenido incluye:
  - El contenido de soporte de las distintas áreas de la práctica profesional
  - Definiciones de los términos que aparecen con mayor frecuencia en el examen

Por favor, tenga en cuenta que este manual ha sido escrito en inglés de Estados Unidos, exceptuando el material importado de publicaciones escritas en inglés internacional.

Envíe sus sugerencias para mejorar el manual de preparación o los materiales de referencia sugeridos a *studymaterials@isaca.org*.

Preparación para el examen CISM

El examen CISM evalúa el conocimiento práctico de un candidato, basado en experiencias y aplicación de los dominios de la práctica profesional, como se describe en este manual de preparación. Recomendamos que el candidato consulte múltiples recursos para prepararse para el examen, incluyendo este manual de preparación y publicaciones externas. Esta sección incluye algunos consejos de estudio para el examen.

Lea para entender cuáles son las áreas que requieren mayor atención. Consulte las fuentes para ampliar esas áreas y adquirir experiencia en ellas.

Las preguntas del examen real ponen a prueba la aplicación práctica del conocimiento relevante del candidato. Al final de cada capítulo, un ejemplo de autoevaluación con preguntas, respuestas y explicaciones introduce la estructura de la pregunta y el contenido general. Recuerde que las preguntas de ejemplo podrían diferir de las preguntas que aparecen en el examen real. Use el material de referencia para encontrar otras publicaciones que ofrezcan más información detallada sobre los temas que se tratan en el manual.

Primeros pasos

Contar con el tiempo adecuado para prepararse para el examen CISM es crítico. La mayoría de los candidatos dedican entre tres y seis meses de estudio antes de presentarse al examen. Reserve un tiempo específico cada semana para estudiar y aumente este tiempo a medida que se acerque la fecha del examen. Esto ayuda a desarrollar un plan de estudio para preparar el examen.

Uso del Manual de preparación para el examen CISM

El *Manual de preparación para el examen CISM* está dividido en cuatro capítulos, cada uno de los cuales corresponde a un área de la práctica profesional. Si bien el manual de preparación no incluye cada concepto que podría ser evaluado en el examen CISM, sí abarca una amplitud de conocimientos que proporciona una sólida base para el candidato al examen. El manual es una fuente de preparación para el examen, pero no debe considerarse como la única fuente ni verse como una recopilación global de toda la información y la experiencia que se requiere para aprobar el examen.

Características del manual de preparación

El Manual de preparación para el examen CISM incluye varias características que ayudan al candidato a afrontar la práctica laboral de CISM y mejorar su aprendizaje y retención del material.

Característica del manual de preparación	Descripción
Visión General	La visión general proporciona el contexto del área, incluyendo áreas de práctica profesional y objetivos de aprendizaje aplicables y enunciados de tareas.
Recursos sugeridos para continuar estudiando	Puesto que muchos de los conceptos presentados dentro del manual de preparación son complejos, es posible que a los candidatos les parezca útil consultar fuentes externas para complementar su comprensión de dichos conceptos. Los recursos sugeridos para cada capítulo son recursos destinados a contribuir a mejorar su labor de estudio.
Preguntas y respuestas de autoevaluación	Las preguntas de autoevaluación de cada capítulo no tienen por objeto medir la capacidad del candidato para responder correctamente a las preguntas en el examen CISM de cada área. Las preguntas tienen por objeto que los candidatos se familiaricen con la estructura de las preguntas, y pueden ser o no similares a aquellas que aparecen en el examen real.
Glosario	El glosario que se incluye al final del manual contiene los términos que se aplican a: • El material incluido en los capítulos • Áreas relacionadas no específicamente tratadas en el manual Como el glosario es una extensión del texto del manual, puede referir a áreas que el candidato quiere explorar más a fondo usando referencias adicionales.

Tipos de preguntas en el examen CISM

Las preguntas del examen CISM se desarrollan con el fin de medir y evaluar el conocimiento práctico, así como la aplicación de principios de gestión de seguridad de la información. Todas las preguntas son tipo opciones múltiples y se debe escoger la mejor respuesta.

Se advierte al candidato que debe leer cada pregunta cuidadosamente. Saber qué se formula en estos tipos de preguntas ayudará en gran medida a responderlas correctamente. La mejor respuesta es una de las opciones proporcionadas. Pueden existir muchas soluciones posibles a los problemas planteados en las situaciones, dependiendo de la industria, la ubicación geográfica, etc. Es recomendable considerar la información provista en la pregunta y determinar la mejor respuesta entre las opciones proporcionadas.

Todas las preguntas del examen CISM plantean un problema (pregunta) y cuatro opciones (selecciones de respuesta). Se pide al candidato que elija la respuesta correcta o la mejor respuesta entre las opciones. El enunciado se puede formular como una pregunta o como un enunciado incompleto. En algunos casos, puede incluirse una situación o una descripción. Estas preguntas normalmente describen una situación y requieren que el candidato conteste a dos o más preguntas basándose en la información proporcionada. Un enfoque útil para estas preguntas incluye lo siguiente:

- Leer toda la pregunta y determinar qué está preguntando. Buscar las palabras clave, tales como "mejor", "más", "primero", etc., y los términos clave que puedan indicar qué dominio o concepto se está evaluando.
- Leer todas las opciones y luego leer nuevamente la pregunta para ver si se puede eliminar alguna de las opciones basándose en el entendimiento inmediato de la pregunta.

Volver a leer las opciones restantes y recurrir a cualquier experiencia personal para determinar cuál es la mejor respuesta a la pregunta.

Preparación para el examen

Durante la preparación para el examen, el candidato debe reconocer que la seguridad de la información constituye una profesión global y que las percepciones y experiencias individuales pueden no reflejar la posición o circunstancia más global. Dado que el examen y los manuales de CISM se redactan para la comunidad internacional de seguridad de la información, el candidato debe mostrarse flexible cuando lea una condición que pueda ser contraria a su experiencia.

Nótese que las preguntas del examen CISM son formuladas por experimentados profesionales de seguridad de la información de todo el mundo. Cada pregunta del examen es revisada por el Grupo de Trabajo de Desarrollo de Ítems para el Examen CISM de ISACA, que está conformado por miembros internacionales. Esta representación geográfica garantiza que todas las preguntas del examen sean entendidas de la misma manera en todos los países y en todos los idiomas.

Utilizar los recursos de preparación para el examen ISACA

El *Manual de preparación para el examen CISM* puede utilizarse conjuntamente con otro tipo de actividades de preparación para el examen CISM. Los productos siguientes están basados en la práctica profesional de CISM, y las áreas de práctica profesional referidas pueden utilizarse para encontrar contenido relacionado dentro del *Manual de preparación para el examen CISM.* Estos recursos incluyen:

- *Manual de preguntas, respuestas y explicaciones de preparación para el examen CISM 10ª edición*
- Base de datos de preguntas, respuestas y explicaciones para preparación para el examen CISM – Suscripción de 12 meses
- Curso en línea de preparación para el examen CISM
- Cursos de preparación para el examen CISM (proporcionados por las organizaciones de ISACA locales y las organizaciones de formación acreditadas)

Acerca el manual de preguntas, respuestas y explicaciones de preparación para el examen CISM

Los candidatos también pueden querer complementar su estudio y preparación para el examen utilizando el *Manual de preguntas, respuestas y explicaciones de preparación para el examen CISM®, décima edición.* El *Manual de preguntas, respuestas y explicaciones de preparación para el examen CISM, 10ª edición,* consta de 1000 preguntas de estudio de opción múltiple, con respuestas y explicaciones organizadas según los dominios de la práctica de trabajo actual de la CISM. Las preguntas contenidas en esta publicación son representativas de los tipos de pregunta que podrían aparecer en el examen e incluyen explicaciones de las respuestas tanto correctas como incorrectas. Las preguntas se clasifican por dominios de CISM y como un ejemplo de examen. Estas publicaciones son ideales para utilizarse junto con el *Manual de preparación para el examen CISM 16ª edición.*

Estos manuales pueden utilizarse como fuentes de estudio a lo largo del proceso de preparación o como parte de una revisión final para determinar cuándo los candidatos podrían necesitar un estudio adicional. Cabe hacer notar que estas preguntas y respuestas sugeridas se proporcionan a manera de ejemplo; no pretenden ser preguntas reales contenidas en el examen, por lo que pueden diferir en contenido de aquellas que en realidad se incluyen en el examen.

Acerca de la Base de datos de preguntas, respuestas y explicaciones de preparación para el examen CISM

Otro material de estudio disponible es la Base de datos de preguntas, respuestas y explicaciones de preparación para el examen CISM®: subscripción de 12 meses. La base de datos en línea consta de 1000 preguntas, respuestas y explicaciones incluidas en el *Manual de preguntas, respuestas y explicaciones de preparación para el examen CISM, 10ª edición.*

Con este producto, los candidatos a CISM pueden identificar con rapidez sus puntos fuertes y débiles al contestar ejemplos de exámenes aleatorios de diversa longitud y clasificar los resultados por dominio. Los ejemplos de exámenes también pueden elegirse por área, facilitando un estudio enfocado, área por área. También existen otras opciones de filtro, como omitir las preguntas que ya se han respondido correctamente.

Nota

Cuando utilice los materiales de preparación para presentarse al examen CISM, los candidatos deben tener en cuenta que éstos abarcan un amplio espectro de temas relacionados con la gestión de seguridad de la información. **Los candidatos no deben dar por hecho que leer estos manuales y responder las preguntas de repaso lo prepararán completamente para el examen.** Dado que las preguntas reales del examen suelen estar relacionadas con experiencias prácticas, los candidatos deberán recurrir a su propia experiencia y otras fuentes de consulta y basarse en las experiencias de colegas y otras personas que han obtenido la designación CISM.

Capítulo 1

Gobernanza de seguridad de la información

Visión General

Parte A: Gobierno de la empresa

Parte B: Estrategia de seguridad de la información

Visión General

Este capítulo revisa el conjunto de conocimientos y tareas asociadas necesarias para desarrollar una estructura de gobierno de seguridad de la información alineada con los objetivos de la organización.

Ofrece un resumen de lo que un gerente de seguridad de la información debe hacer a fin de establecer y mantener un marco de referencia del gobierno de la seguridad de la información y dar apoyo a los procesos para asegurar que la estrategia de seguridad de la información esté alineada con las metas y los objetivos de la organización.

Este dominio representa el 17 % del examen CISM (aproximadamente 26 preguntas).

Área 1 Descripción del contenido del examen

A. Gobierno de la empresa

1. Cultura organizativa
2. Requisitos legales, regulatorios y contractuales
3. Estructura, roles y responsabilidades organizativas

B. Estrategia de seguridad de la información

1. Desarrollo de estrategias de seguridad de la información
2. Marcos y normas de gobierno de la información
3. Planificación estratégica

Objetivos de aprendizaje/ Enunciados de tareas

Tras finalizar este capítulo, el gerente de seguridad de la información deberá ser capaz de:

- Identificar las influencias internas y externas para la organización que tienen un impacto con la estrategia de seguridad de la información.
- Establecer y/o mantener una estrategia de seguridad de la información alineada con las metas y los objetivos de la organización.
- Establecer y/o mantener un marco de referencia del gobierno de la seguridad de la información.
- Integrar el gobierno de la seguridad de la información dentro del gobierno corporativo.
- Establecer y mantener políticas de seguridad de la información para orientar el desarrollo de normas, procedimientos y pautas.
- Desarrollar casos de negocio para apoyar la inversión en seguridad de la información.
- Obtener el compromiso constante del personal directivo y de otras partes interesadas para apoyar la implementación exitosa de la estrategia de seguridad de la información.
- Definir, comunicar y monitorear las responsabilidades de seguridad de la información en toda la organización y las líneas de autoridad.
- Alinear el programa de seguridad de la información con los objetivos operativos de otras funciones del negocio.
- Integrar los requisitos de seguridad de la información en contratos y actividades de partes externas.
- Supervisar el cumplimiento de las partes externas de los requisitos de seguridad establecidos.
- Establecer y/o mantener un proceso para la identificación y clasificación de activos de información.
- Identificar los requisitos legales, regulatorios, organizativos y otros requisitos de cumplimiento aplicables.
- Establecer y mantener procesos para investigar y documentar los incidentes de seguridad de la información según los requisitos legales y regulatorios.

Recursos sugeridos para lectura adicional

Brotby, W.; IT Governance Institute; *Information Security Governance: Guidance for Information Security Managers*, ISACA, EE. UU., 2008

Brotby, W.; *Information Security Governance: A Practical Development and Implementation Approach,* Wiley & Sons, 2009

Committee of Sponsoring Organizations of the Treadway Commission (COSO), *Internal Control—Integrated Framework*, EE. UU., 2017

International Organization for Standardization (ISO), *ISO/IEC 27001:2022 Information security, cybersecurity and privacy protection—Information security management systems—Requirements*, Suiza, 2022

ISO, *ISO/IEC 27002:2022 Information security, cybersecurity and privacy protection—Information security controls*, Suiza, 2022

ISO, *ISO/IEC 27014:2020 Information security, cybersecurity and privacy protection—Governance of information security*, Suiza, 2020

ISACA, *CMMI v2.0, https://cmmiinstitute.com/cmmi*

ISACA, COBIT, EE. UU., *www.isaca.org/cobit*

ISACA, *Guía de diseño COBIT 2019: Diseñar una solución de gobierno de tecnologías de la información,* EE. UU., 2018

ISACA, *Guía de implementación COBIT 2019: Implementación y optimización de una solución de gobierno de Información y Tecnología,* EE. UU., 2018

ISACA, *COBIT Focus Area: Information Security,* EE. UU., 2020, *www.isaca.org/cobit*

National Association of Corporate Directors (NACD), *NACD Director's Handbook on Cyber-Risk Oversight,* EE. UU., 2020, *www.nacdonline.org*

National Institute of Standards and Technology (NIST), *Integrating Cybersecurity and Enterprise Risk Management (ERM)*, EE. UU., 2020, *https://doi.org/10.6028/NIST.IR.8286*

PricewaterhouseCoopers, *The Global State of Information Security Survey 2017, https://www.pwc.com/sg/en/risk-assurance/assets/gsiss/global-state-of-information-security-survey-2017-sg.pdf*

Preguntas de autoevaluación

Las preguntas que se incluyen en el examen de certificación CISM están desarrolladas con el propósito de medir y probar el conocimiento práctico sobre la gestión de la seguridad de la información. Todas las preguntas son de opción múltiple y están diseñadas para que se obtenga una mejor respuesta. Todas las preguntas del examen CISM tienen el formato de planteamiento de un problema (pregunta) y cuatro opciones (opciones de respuesta). Se pide al candidato que elija la respuesta correcta o la mejor respuesta entre las opciones. El enunciado se puede formular como una pregunta o como un enunciado incompleto. Muchas veces una pregunta del examen de certificación CISM requerirá que el candidato elija la respuesta más probable o la mejor.

En cada caso, el candidato debe leer la pregunta cuidadosamente, eliminar las respuestas que sean claramente incorrectas y luego hacer la mejor elección posible. Conocer el formato en que se presentan las preguntas y cómo estudiar para obtener el conocimiento de lo que se va a probar será de gran ayuda para responder las preguntas correctamente.

1. Una estrategia de la seguridad de la información es importante para una empresa **PRINCIPALMENTE** porque:

   A. proporciona una base para determinar la mejor arquitectura de seguridad lógica.
   B. proporciona el enfoque para lograr los resultados que la gerencia desea.
   C. proporciona orientación a los usuarios sobre cómo operar de manera segura en el desempeño de sus funciones cotidianas.
   D. ayuda a los auditores de TI a asegurarse de que se cumplen las reglas y regulaciones.

2. ¿Cuál de las siguientes opciones es la razón **MÁS** importante para proporcionar una comunicación efectiva sobre la seguridad de la información?

   A. Hace que la seguridad de la información sea más agradable para los empleados que se resisten.
   B. Mitiga el eslabón más débil en el panorama de la seguridad de la información.
   C. Informa a las unidades de negocio sobre la estrategia de seguridad de la información.
   D. Ayuda a que la organización cumpla los requisitos normativos de seguridad de la información.

3. ¿Cuál de los siguientes enfoques ayuda **MEJOR** a que el gerente de seguridad de la información logre el cumplimiento con los varios requisitos normativos?

   A. Recurrir al área jurídica corporativa para informarse sobre cuáles son las regulaciones más relevantes.
   B. Mantenerse actualizado sobre todas las regulaciones aplicables y solicitar al área jurídica su interpretación.
   C. Solicite la participación de todos los departamentos afectados y considere las regulaciones como otro riesgo.
   D. Ignore muchas de las regulaciones que no tienen penalizaciones.

4. La consideración **MÁS** importante para desarrollar políticas de seguridad es que:

   A. Se basen en un perfil de amenaza.
   B. Sean completas y no omitan ningún detalle.
   C. La gerencia las apruebe.
   D. Todos los empleados las lean y las entiendan.

5. El **PRINCIPAL** objetivo de seguridad al elaborar buenos procedimientos es:

   A. Asegurarse de que funcionan según lo previsto.
   B. Que no sean ambiguos y que cumplan con las normas.
   C. Que estén redactados en un lenguaje sencillo y sean ampliamente distribuidos.
   D. Que se pueda controlar el cumplimiento.

6. ¿Cuál de las siguientes opciones ayuda **MÁS** a asegurar que la asignación de roles y responsabilidades sea efectiva?

   A. La alta gerencia apoya las asignaciones.
   B. Las asignaciones son coherentes con las competencias existentes.
   C. Las asignaciones se asignan a las habilidades requeridas.
   D. Las asignaciones se dan de manera voluntaria.

7. ¿Cuál de los siguientes beneficios es el **MÁS** importante para una empresa con un gobierno efectivo de seguridad de la información?

   A. Mantener un cumplimiento normativo apropiado
   B. Garantizar que las interrupciones estén dentro de niveles aceptables
   C. Priorizar la asignación de recursos correctivos
   D. Maximizar el retorno sobre inversiones en seguridad

8. Desde el punto de vista del gerente de seguridad de la información, los factores **MÁS** importantes con respecto a la retención de datos son:

   A. Requisitos normativos y de negocio.
   B. Integridad y destrucción de documentos.
   C. Disponibilidad de medios y almacenamiento.
   D. Confidencialidad y cifrado de datos.

9. ¿Cuál de los siguientes roles está en la **MEJOR** posición para revisar y confirmar que una lista de acceso de usuarios es apropiada?

   A. El propietario de los datos
   B. El gerente de seguridad de la información
   C. Administrador de dominio
   D. El gerente de negocio.

10. En la implementación del gobierno de la seguridad de la información, el gerente de seguridad de la información es responsable **PRINCIPALMENTE** de:

   A. Desarrollar la estrategia de seguridad.
   B. Revisar la estrategia de seguridad.
   C. Comunicar la estrategia de seguridad.
   D. Aprobar la estrategia de seguridad.

Respuestas en la página 22

Esta página se ha dejado en blanco deliberadamente

Capítulo 1 Clave de respuestas

Preguntas de autoevaluación

1. A. Las políticas deben desarrollarse para apoyar a la estrategia de seguridad, y la arquitectura solo puede desarrollarse después de que las políticas finalicen (es decir, la estrategia de seguridad no es la base de la arquitectura, las políticas lo son).
   B. Una estrategia de seguridad definirá el enfoque para lograr los resultados del programa de seguridad que la gerencia desea. Asimismo, debe ser una declaración de cómo la seguridad se alinea con los objetivos de negocio y los apoya. Establece la base para un buen gobierno de la seguridad.
   C. Una estrategia de seguridad puede incluir requisitos para que los usuarios operen de manera segura, pero no trata de qué manera se logrará eso.
   D. Los auditores de TI no determinan el cumplimiento basándose en la estrategia, sino en elementos como las normas y los objetivos de control.

2. A. La comunicación eficaz puede ayudar a hacer que la seguridad de la información sea más agradable, pero no es el aspecto más importante.
   B. En la gran mayoría de los casos, los fallos en la seguridad se atribuyen directamente al hecho de que los empleados no conocen o no siguen las políticas o los procedimientos. La comunicación es importante para garantizar que se tiene una concienciación continua de las políticas y los procedimientos de seguridad entre el personal y los socios de negocios.
   C. La comunicación eficaz permitirá que se informe a las unidades de negocio sobre los diferentes aspectos de la seguridad de la información, que incluye la estrategia, pero no es el aspecto más importante.
   D. La comunicación eficaz ayudará a lograr el cumplimiento porque es poco probable que los empleados cumplan con las regulaciones, a menos que sean informados sobre ellas. Sin embargo, no es la consideración más importante.

3. A. En general, el área jurídica corporativa participa sobre todo en los asuntos bursátiles y los archivos relacionados exigidos por los reguladores, y con los asuntos contractuales. Es poco probable que el personal jurídico esté actualizado sobre los requisitos legales y las regulaciones de la seguridad de la información.
   B. Aun cuando puede ser útil mantenerse al día en lo que a regulaciones nuevas y vigentes se refiere, esto, en la práctica, es casi imposible, en particular para empresas multinacionales.
   C. Puesto que los departamentos como recursos humanos, finanzas y jurídico son los que casi siempre están sujetos a las nuevas regulaciones y tienen que participar en la determinación de cómo cumplir mejor los requisitos nuevos y los existentes, por lo general, son quienes estarían más al tanto de dichas regulaciones. Tratar las regulaciones como otro riesgo las coloca en la perspectiva apropiada y se deben tener implementados los mecanismos para gestionarlas. El hecho de que existan tantas regulaciones hace improbable que todas ellas se puedan tratar de manera específica y eficiente. En la actualidad, muchas de ellas no tienen consecuencias significativas y, de hecho, pueden tratarse dando cumplimiento a otras regulaciones. La respuesta más relevante a los requisitos normativos es determinar el posible impacto que tendría para la empresa del mismo modo en que se determina para cualquier otro riesgo.
   D. Incluso si algunas regulaciones tienen pocas penalizaciones, o ninguna, ignorarlas sin considerar otros impactos posibles (por ejemplo, daño a la reputación), y si podrían ser relevantes para la organización, no es, en general, un enfoque prudente.

4. **A. La base para desarrollar políticas de seguridad aplicables es tratar las amenazas viables para la organización mediante la priorización de la posibilidad de ocurrencia y su posible impacto en el negocio. Las políticas más estrictas deben aplicarse a las áreas de mayor valor para el negocio. Esto garantiza que se mantenga la proporcionalidad de la protección.**
   B. Las políticas son declaraciones de la intención y dirección de la gerencia a un nivel alto y proporcionan pocos detalles, o ninguno.
   C. No se le pedirá a la gerencia que firme políticas en desarrollo antes de que se finalicen.
   D. Los empleados no leen ni entienden las políticas mientras se están desarrollando.

5. A. Aunque es importante garantizar que los procedimientos funcionen según lo previsto, el

hecho de que no sea así no lo convertiría en un problema de seguridad.

B. Todas las respuestas son importantes, pero el primer criterio debe ser garantizar que no exista ambigüedad en los procedimientos y que, desde una perspectiva de seguridad, cumplan con las normas aplicables y, por ende, con la política.

C. Es importante escribir con claridad los procedimientos que se proporcionan a todo el personal, pero no es tan importante como garantizar que los procedimientos cumplen las políticas.

D. El cumplimiento es importante, pero es esencial que se consiga con un procedimiento correcto.

6. A. El apoyo de la alta gerencia siempre es importante, pero no es crucial para la efectividad de las actividades que llevan a cabo los empleados.

B. El nivel de efectividad de los empleados estará determinado por el conocimiento y las capacidades que tengan; en otras palabras, por sus competencias.

C. Relacionar los roles con las tareas que se requieren puede ser útil, pero no garantiza que los empleados puedan llevar a cabo dichas tareas.

D. Si bien es más posible que los empleados estén entusiasmados por un trabajo para el que se han ofrecido, ser efectivos no es un requisito.

7. A. Mantener el cumplimiento normativo apropiado es útil, pero es un resultado secundario.

B. Lo esencial de los esfuerzos relacionados con la seguridad es garantizar que el negocio pueda continuar operando con un nivel aceptable de interrupción que no limite demasiado las actividades que generan ingresos.

C. Priorizar la asignación de recursos correctivos es útil, pero es un resultado secundario.

D. Maximizar el retorno sobre inversiones en seguridad es útil, pero es un resultado secundario.

8. **A. Los requisitos normativos y de negocio son los factores que impulsan la retención de datos.**

B. La integridad es un factor clave para la seguridad de la información. Sin embargo, tanto los requisitos regulatorios como los de negocio son los factores que impulsan la retención de datos.

C. La disponibilidad es un factor clave para la seguridad de la información. Sin embargo, tanto los requisitos normativos como los de negocio son los factores que impulsan la retención de datos.

D. La confidencialidad es un factor clave para la seguridad de la información. Sin embargo, tanto los requisitos normativos como los de negocio son los factores que impulsan la retención de datos.

9. **A. Los propietarios de los datos son responsables de reconfirmar de manera periódica las listas de acceso a los sistemas que les pertenecen.**

B. Los gerentes de seguridad de la información se encargan de coordinar las revisiones de la lista de acceso de usuarios pero no tienen responsabilidad alguna sobre el acceso a los datos.

C. Los administradores del dominio podrían proporcionar el acceso desde un punto de vista técnico; sin embargo, no lo aprueban.

D. El gerente de negocio es incorrecto porque los gerentes de negocio no tienen por qué ser los propietarios de los datos.

10. **A. El gerente de seguridad de la información es responsable de desarrollar una estrategia de seguridad basada en los objetivos de negocio con la ayuda de los propietarios del proceso de negocio y la alta gerencia.**

B. La estrategia de seguridad de la información es responsabilidad de un comité de dirección y/o la alta gerencia.

C. El gerente de seguridad de la información no es necesariamente responsable de comunicar la estrategia de seguridad.

D. La aprobación final de la estrategia de seguridad de la información debe darla la alta gerencia.

Esta página se ha dejado en blanco deliberadamente

Parte A: Gobierno de la empresa

Información se puede definir como "datos dotados de significado y propósito". La información desempeña un papel fundamental en todos los aspectos de nuestras vidas. La información se ha convertido en un componente indispensable para llevar a cabo los negocios de prácticamente todas las empresas. En un creciente número de compañías, la información es el negocio. Asimismo, una amplia gama de tecnologías sigue haciendo posible el acceso a la información. En conjunto, la información y las TI constituyen elementos clave en cada empresa.

La TI de la empresa es cada vez más importante. Puesto que la mayoría de las infraestructuras críticas nacionales del mundo desarrollado están bajo el control del sector privado, muchas de las tareas de protección de los recursos de información crítica recaen directamente sobre las corporaciones privadas. En muchas empresas, la responsabilidad de la protección de los recursos reside en dos componentes importantes y distintos: el gobierno y la gestión. El COBIT los describe así:

- El **gobierno** garantiza la necesidad de que varias partes interesadas sean evaluadas para determinar que se alcancen los objetivos integrales y acordados de la empresa. Esos objetivos se usan entonces para establecer una dirección (mediante la priorización y la toma de decisiones) y para supervisar el rendimiento y el cumplimiento.
- La **gestión** planifica, construye, ejecuta y controla las actividades en consonancia con la dirección establecida por el órgano de gobierno, para alcanzar los objetivos de la empresa.

Dada la importancia de la TI, es de esperar que estos factores sean consideraciones clave para el órgano de gobierno. Sin embargo, los estudios continúan demostrando que un gran porcentaje de empresas no aborda de manera adecuada ni los problemas de seguridad emergentes ni los existentes. Algunos líderes de empresa siguen creyendo que los programas de seguridad de la información existentes no son suficientes para cumplir con las necesidades de la empresa y a menudo sienten que el presupuesto para la seguridad es inapropiado para hacer frente a los riesgos actuales de forma efectiva.

Los fallos en la seguridad de la información pueden considerarse principalmente como un fallo de gobierno y no pueden resolverse solo con la tecnología. La necesidad de protección adecuada de los recursos de información debe ser planteada a nivel directivo, al igual que otras funciones de gobierno críticas, para que se tomen medidas. La complejidad, relevancia y criticidad de la seguridad de la información y su gobierno exigen que sea tratada y apoyada por los niveles más altos de la organización.

Asimismo, los objetivos de gobierno cada vez tienen más en cuenta la necesidad de determinar los requisitos internos y externos de los programas y prácticas de privacidad de la empresa. Si bien estos objetivos difieren de las consideraciones de seguridad de la información y son competencia del ingeniero de privacidad de datos,[1] el órgano de gobierno debe garantizar que tanto la seguridad como la privacidad se abordan de forma adecuada en toda la empresa.

En última instancia, para lograr una mejora significativa en la seguridad de la información, la alta gerencia y el consejo de dirección deben ser responsables del gobierno de seguridad de la información y deben proporcionar el liderazgo, las estructuras organizacionales, la supervisión, los recursos y procesos necesarios para asegurar que el gobierno de seguridad de la información sea una parte integral y transparente del gobierno de la empresa. Puesto que el riesgo de seguridad de la información es un riesgo de negocio y está directamente relacionado con los objetivos de negocio en la mayoría de las empresas, es necesario equilibrar la responsabilidad entre los profesionales de seguridad y los directivos con respecto a las decisiones de riesgo empresarial.

De manera progresiva, aquellos que comprenden el alcance y la profundidad del riesgo a los que está expuesta la información están tomando la postura de que, al ser un recurso crítico, la información debe tratarse con el mismo cuidado, precaución y prudencia que recibiría cualquier otro activo esencial para la supervivencia de la empresa.

A menudo, la protección se enfoca a los sistemas de TI que procesan y almacenan la vasta mayoría de la información en vez de la información per se. Sin embargo, este enfoque es demasiado limitado para cumplir con el nivel de integración, aseguramiento del proceso y seguridad en general que se requiere.

La seguridad de la información adopta una perspectiva más amplia, según la cual el contenido, la información y el conocimiento en el que se basa tienen que contar con una protección adecuada, sin importar cómo se maneja, procesa, transporta o almacena. Esta protección incluye, cada vez en mayor medida, la necesidad de tener en

[1] Véase la práctica de trabajo de CDPSE en *www.isaca.org/credentialing/certified-data-privacy-solutions-engineer* para obtener más contexto.

cuenta la tecnología basada en la nube y otras plataformas de tecnología virtual.

Las empresas existen para crear valor a sus partes interesadas. En consecuencia, el objetivo de gobierno de cualquier empresa (comercial o no) será la creación de valor. La creación de valor significa lograr beneficios con un coste óptimo de los recursos mientras se optimiza el riesgo (**figura 1.1**). Los beneficios pueden ser variados, por ejemplo, para empresas comerciales pueden ser beneficios financieros, mientras que para entidades de gobierno pueden ser un servicio público de alta calidad.

Figura 1.1—El objetivo de gobierno: Creación de valor

Fuente: ISACA, *COBIT 2019*, EE. UU., 2018

Las empresas tienen partes interesadas y "crear valor" significa cosas diferentes (a veces contradictorias) para cada una de ellas. El gobierno es negociar y decidir entre las exigencias de diferentes grupos de interés. Siendo así, el sistema de gobierno debe considerar a todas las partes interesadas al tomar decisiones de evaluación de beneficios, riesgos y recursos. Las necesidades de las partes interesadas deben transformarse en una estrategia factible de empresa (por ejemplo, mediante la cascada de metas COBIT).

La alta gerencia se enfrenta cada vez más a la necesidad de seguir siendo competitiva en la economía global y presta atención a la promesa de obtener ganancias indefinidamente si se utilizan aún más recursos de información. Incluso a medida que esas empresas obtienen tales ganancias, la creciente dependencia de la información y los sistemas que la soportan, y los constantes riesgos que se derivan de una gran variedad de amenazas en aumento, obligan a la gerencia a tomar decisiones difíciles y, a menudo costosas, sobre cómo tratar la seguridad de la información con efectividad. Además, una gran cantidad de leyes y regulaciones nuevas y vigentes exige cada vez más el cumplimiento y mayores niveles de responsabilidad debido a los esfuerzos de gobierno para abordar los ataques cada vez más sofisticados y las crecientes pérdidas que presentan las crecientes amenazas a sus infraestructuras nacionales críticas.

COBIT proporciona algunos principios útiles para el gobierno de empresa, incluidos requisitos básicos de un sistema de gobierno para la información y tecnología de la empresa, y un marco de gobierno que puede usarse para construir un sistema de gobierno.

Se establece que un sistema de gobierno para la TI de la empresa:

- Se construye a partir de una serie de componentes que pueden ser de distinto tipo y que funcionan conjuntamente de forma holística.
- Es dinámico y se adapta a los cambios del entorno y al impacto de dichos cambios.
- Distingue claramente entre las actividades y las estructuras de gobierno y de gestión.
- Se adapta a las necesidades de la empresa, utilizando una serie de factores de diseño como parámetros para personalizar y priorizar los componentes del sistema de gobierno.
- Cubre la empresa de principio a fin, centrándose no solo en la función de TI, sino en todo el procesamiento de tecnología e información que la empresa pone en funcionamiento para lograr sus objetivos, independientemente de dónde se realice el procesamiento en la empresa.

1.1 Importancia del gobierno de la seguridad de la información

Desde la perspectiva de una organización, el gobierno de la seguridad de la información es cada vez más crítico. Para muchos, la información ha pasado a ser esencial para su supervivencia. La información y el conocimiento en el que ésta se basa es uno de los activos más importantes de la empresa porque sin ellos sería imposible dirigir el negocio. Los sistemas y procesos que manejan la información son comunes en las empresas de todo el mundo. Esta dependencia en la información y sus sistemas relacionados han hecho del gobierno de la seguridad de la información un aspecto crítico del gobierno corporativo en su conjunto. Además de tratar los requisitos legales y reglamentarios, un gobierno efectivo de la seguridad de la información es una buena práctica de negocio. Una gestión prudente proporciona una serie de beneficios significativos, entre los que se encuentran:

- Tratar la creciente posibilidad de que la organización y su alta gerencia se enfrenten de manera habitual a la responsabilidad civil o legal como resultado de imprecisiones en la información, una protección insuficiente de la información o el inadecuado cumplimiento regulatorio.
- Brindar confianza en el cumplimiento de las políticas.
- Aumentar la previsibilidad y reducir la incertidumbre en las operaciones de negocio al reducir el riesgo a niveles definibles y aceptables.
- Proporcionar la estructura y el marco general para optimizar la distribución de los recursos limitados de seguridad.
- Brindar un nivel de certeza de que las decisiones cruciales no se basan en información errónea.
- Proporcionar un fundamento sólido para obtener una gestión de riesgos eficiente y efectiva, una mejora de procesos, una respuesta a incidentes y gestión de continuidad rápidas.
- Brindar una mayor confianza en las interacciones con socios comerciales.
- Mejorar la confianza en las relaciones con los clientes.
- Proteger la reputación de la empresa.
- Posibilitar nuevas y mejores formas para procesar las transacciones electrónicas.
- Brindar responsabilidad por la protección de la información durante las actividades críticas de negocio, tales como las fusiones y las adquisiciones, la recuperación de los procesos de negocio y la respuesta normativa.
- Gestionar los recursos de seguridad de la información de manera eficaz.

1.1.1 Resultados del gobierno de la seguridad de la información

El gobierno de la seguridad de la información incluye los elementos necesarios para proporcionar a la alta gerencia la garantía de que su dirección e intención se reflejan en la postura de seguridad de la empresa. Esto se logra utilizando un enfoque estructurado para implementar un programa de seguridad. Una vez que se cuenta con dichos elementos, la alta gerencia puede tener la confianza de que una seguridad de la información adecuada y efectiva protegerá los activos de información de la empresa que son fundamentales. El objetivo del gobierno de la seguridad de la información es desarrollar, implementar y gestionar un programa de seguridad que alcance los siguientes seis resultados básicos:

1. **Alineación estratégica**: alinear la seguridad de la información con la estrategia de negocio para apoyar los objetivos de la organización, tales como:
   - Requerimientos de seguridad dirigidos por requerimientos de una empresa y que proporcionan orientación sobre lo que debe hacerse junto con los medios para medir los logros.
   - Soluciones de seguridad compatibles con los procesos de la empresa que toman en cuenta la cultura, el estilo de gobierno, la tecnología y la estructura de la empresa.
   - Inversiones en seguridad de la información de acuerdo con la estrategia y operaciones de la empresa, y que permitan el desarrollo de un perfil bien definido de amenaza, vulnerabilidad y riesgo.
2. **Gestión de riesgos**: mitigar los riesgos y reducir el posible impacto que tendrían en los recursos de información a un nivel aceptable, mediante la implementación de medidas apropiadas tales como:
   - Entender de forma colectiva el perfil de amenaza, vulnerabilidad y riesgo de la empresa.
   - Entender la exposición al riesgo y las posibles consecuencias del ataque.
   - Conciencia de las prioridades de la gestión de riesgos con base en las posibles consecuencias.
   - Mitigación del riesgo suficiente para alcanzar consecuencias aceptables del riesgo residual.
   - Aceptación/transferencia del riesgo a partir de un entendimiento de las posibles consecuencias del riesgo residual.
3. **Entrega de valor**: optimizar las inversiones en la seguridad en apoyo a los objetivos del negocio, tales como:
   - Un conjunto estándar de prácticas de seguridad (es decir, requerimientos mínimos de seguridad posteriores a prácticas adecuadas y suficientes que sean proporcionales al riesgo y al impacto potencial).
   - Gastos generales de seguridad de la información que se mantienen a un nivel mínimo manteniendo al mismo tiempo un programa de seguridad que permita que la empresa logre sus objetivos.
   - Priorización y distribución del esfuerzo en áreas con las mayores probabilidades de impacto y beneficio para el negocio.

- Soluciones institucionalizadas y de uso general basadas en soluciones que ofrecen la mayor rentabilidad.
- Soluciones completas que abarquen procesos de empresa y tecnología y que se basan en la comprensión del negocio integral de una empresa.
- Una cultura de mejora continua basada en el entendimiento de que la seguridad es un proceso constante, no un incidente.

4. **Optimización de recursos:** utilizar el conocimiento y la infraestructura de seguridad de la información con eficiencia y efectividad para:

   - Garantizar que el conocimiento se capte y esté disponible.
   - Garantizar que los procesos completos se añaden al manual de TI de la organización en forma de políticas y procedimientos.
   - Documentar los procesos y las prácticas de seguridad.
   - Desarrollar arquitecturas de seguridad para definir y utilizar los recursos de la infraestructura de manera eficiente.

5. **Medición del desempeño**: monitorizar y reportar procesos de seguridad de la información para garantizar que se alcancen los objetivos, entre otros:

   - Un conjunto de medidas bien definidas, acordadas y significativas debidamente alineadas con los objetivos estratégicos y que proporcionan la información necesaria para tomar decisiones efectivas en los niveles estratégicos, gerenciales y operativos.
   - Un proceso de medición que ayude a identificar deficiencias y proporcionar retroalimentación sobre los avances hechos para resolver los problemas.
   - Aseguramiento independiente proporcionado por evaluaciones y auditorías externas.
   - Criterios para identificar las métricas más útiles de la variedad de cosas que pueden ser medidas.

6. **Integración del proceso de aseguramiento**: integrar todos los factores de aseguramiento relevantes para garantizar que los procesos operan de acuerdo con lo planeado de principio a fin mediante:

   - Determinar todas las funciones de aseguramiento organizacionales.
   - Desarrollar relaciones formales con otras áreas de aseguramiento.
   - Coordinar todas las funciones de aseguramiento para una seguridad más rentable.
   - Asegurar que coincidan los roles y las responsabilidades entre las funciones de aseguramiento y no dejen brechas en la protección.
   - Emplear un enfoque de sistemas para planificación, implementación, métrica y gestión de seguridad de la información.

Puesto que estos elementos se desarrollan y actualizan, el proceso por el cual la entidad llevará a cabo el gobierno de la información y la tecnología debería ejemplificarse como política y compartirse con las partes interesadas pertinentes.

1.1.2 Alcance y estatutos del gobierno de la seguridad de la información

La seguridad de la información trata todos los aspectos de la información, en cualquier medio (por ejemplo, escrita, oral, electrónica), sin importar si ha sido creada, vista, transportada, almacenada o destruida. Esto difiere de la seguridad de tecnologías de información, la cual trata con la seguridad de la información dentro de las fronteras del dominio de la tecnología por lo general en una capacidad de custodia. Es importante notar esta diferencia. TI no suele ser el propietario de la mayor parte de la información de sus sistemas; más bien, es propietario de la maquinaria que la procesa. La información está bajo el cuidado, control y custodia de TI, y TI funciona como custodia de los propietarios de datos.

Muchas empresas tienen una función de seguridad corporativa además de una operación de seguridad de TI. Garantizar la seguridad de los sistemas de TI es una función esencial que debe regirse por las políticas y estándares de la seguridad de la información. Sin embargo, la información confidencial que se divulga durante una conversación en un ascensor o se envía por correo postal estaría fuera del ámbito de la seguridad de TI y entraría directamente en el ámbito de la seguridad de la información.

La ciberseguridad es un área de preocupación e importancia para la gestión y el gobierno de seguridad de la información. Incluye tanto información como seguridad de TI. Si bien las definiciones varían considerablemente, una posición común sostiene que la ciberseguridad es una subdisciplina de la seguridad de la información. Las áreas específicas de preocupación de la ciberseguridad incluyen amenazas persistentes avanzadas (APT), malware, ransomware, phishing en todas sus formas y gran cantidad de otras amenazas relacionadas con el ciberespacio.

En la **figura 1.2** se muestra la relación de la ciberseguridad con la seguridad de la información.

Figura 1.2—Relación entre seguridad de la información y ciberseguridad

Fuente: ISACA, *Cybersecurity Fundamentals Study Guide, 3ª edición*, EE. UU., 2021

En la **figura 1.3** se muestra cómo estas dos áreas difieren y se solapan dentro de una empresa. Nótese que en muchas áreas ha habido una convergencia de la ciberseguridad y la seguridad de la información en los últimos años.

Figura 1.3—Seguridad de la información vs. ciberseguridad

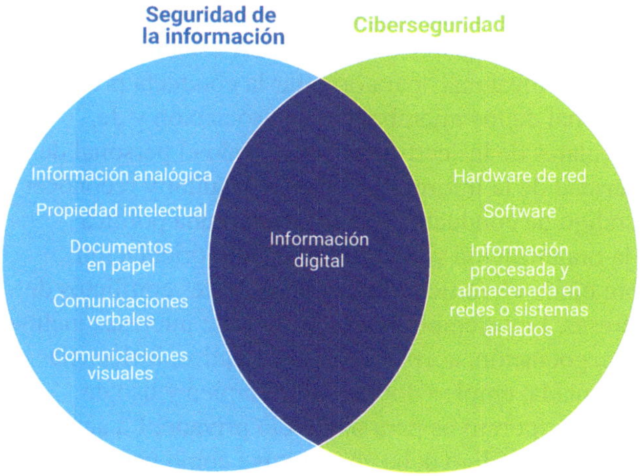

Fuente: ISACA, *Cybersecurity Fundamentals Study Guide, 3ª edición*, EE. UU., 2021

En el contexto del gobierno de la seguridad de la información, es importante que la estrategia de seguridad de la información establezca claramente el alcance y las responsabilidades de la seguridad de la información y se vea reflejada en las políticas. También es fundamental que la seguridad de la información sea completamente respaldada por la alta gerencia y las diferentes unidades de la organización. Si las responsabilidades de la seguridad de la información no están claramente definidas, es imposible determinar la obligación de rendición de cuentas.

1.2 Cultura organizativa

La seguridad de la información se ve principalmente afectada por la transparencia y la rendición de cuentas a través de la cultura de la empresa. La cultura está representada por el comportamiento organizacional, los métodos de navegación y de influencia en las estructuras formales e informales de la empresa necesarios para realizar el trabajo, las actitudes, los estándares, el nivel de trabajo en equipo, la existencia o no de problemas territoriales y la dispersión geográfica. La cultura se ve afectada por los antecedentes de los individuos, la ética de trabajo, los valores, las experiencias, los filtros o puntos ciegos y las percepciones de la vida que los individuos traen al lugar de trabajo. Cada empresa tiene una cultura, independientemente de si ha sido diseñada expresamente o ha surgido simplemente con el tiempo como un reflejo de la dirección, y debe tenerse en cuenta al determinar los roles y las responsabilidades.

La seguridad de la información implica principalmente actividades lógicas y analíticas. Sin embargo, la construcción de relaciones, el trabajo en equipo e influir en las actitudes de la organización hacia una cultura de seguridad positiva depende más de las buenas habilidades interpersonales. El gerente perspicaz del programa de seguridad de la información reconocerá la importancia de desarrollar ambos tipos de habilidades esenciales para ser un gerente efectivo.

Construir una cultura consciente de la seguridad depende de que los individuos, en sus roles respectivos, realicen sus trabajos de una manera que proteja los activos de la información. Todos los individuos, independientemente de su nivel o rol dentro de la organización, deberían ser capaces de expresar claramente la manera en que la seguridad de la información se relaciona con su rol. Para que esto suceda, el gerente de seguridad debe planificar las comunicaciones, participar en comités y proyectos y proporcionar una atención individualizada a las necesidades de los usuarios finales y de los gerentes. El departamento de seguridad debería poder responder a las preguntas “¿En qué me beneficia?” y “¿Por qué debería importarme?” para cada persona de la empresa. Una vez respondidas estas preguntas, las comunicaciones eficaces se pueden adaptar para dar soporte a los mensajes adecuados.

Algunos indicadores de una cultura de seguridad exitosa son la participación oportuna del departamento de seguridad de la información en los proyectos, el conocimiento de los usuarios finales sobre cómo identificar y reportar incidentes, la habilidad de la empresa de identificar al gerente de seguridad y el conocimiento de las personas sobre sus roles en la protección de los activos de información de la empresa y en la integración de la seguridad de la información en sus prácticas diarias.

1.2.1 Reglas generales de uso/política de uso aceptable

Para contribuir a una cultura de empresa segura y consciente del riesgo, todos los participantes tienen que entender qué comportamiento es aceptable, qué actividades se requieren y qué acciones están explícitamente prohibidas. Una política de uso aceptable proporciona un resumen adaptado al usuario de lo que el personal debe y no debe hacer. Esta política puede especificar, en términos cotidianos y en una forma directa y concisa, las obligaciones y las responsabilidades de todos los usuarios. Sin duda, es necesario comunicar de manera efectiva la política de uso aceptable a todos los usuarios y asegurarse de que la hayan leído y entendido. La política de uso debe difundirse a todo el personal nuevo que tendrá acceso a los activos de información, sin importar su condición laboral.

Normalmente, estas reglas de uso para todo el personal incluyen la política y los estándares para el control de acceso, la clasificación, etiquetado y manejo de documentos e información, los requisitos de reporte y las limitaciones en cuanto a divulgación, informática móvil, uso desleal y cumplimiento. También pueden incluir reglas de uso de Internet y correo electrónico. Las reglas de uso constituyen las referencias de seguridad general para toda la empresa. Siempre es necesario ofrecer información complementaria o adicional a grupos específicos en la empresa, de acuerdo a sus responsabilidades.

El gerente de seguridad de la información debería trabajar con recursos humanos (RR. HH.) y/o el departamento de cumplimiento para que el nuevo personal contratado confirme haber entendido y estar de acuerdo con la política de uso aceptable.

1.2.2 Ética

La ética son creencias y principios que orientan la toma de decisiones. Además de la ética personal, las empresas utilizan la ética empresarial para tomar decisiones sobre cómo llevan a cabo sus operaciones. La ética constituye la base de cómo se toman las decisiones en una empresa.

Muchas empresas han implementado sesiones de formación sobre ética para proporcionar orientación sobre lo que la empresa considera un comportamiento lícito y apropiado. Este enfoque es el más común cuando las personas deben participar en actividades particularmente sensibles, tales como monitorizar las actividades de los usuarios, realizar pruebas de penetración y el acceso a datos confidenciales del personal. El personal de seguridad de la información tiene que ser sensible a los posibles conflictos de interés y a las actividades que de alguna forma pudieran considerarse perjudiciales para la empresa. Los objetivos y actividades para el comportamiento ético deberían coordinarse con los objetivos y actividades para la protección de la privacidad y los datos a fin de garantizar una visión coherente e integral. Estas actividades podrían incluir la integración de marcos de ética de datos[2] que puedan contribuir a definir los procesos para un uso de datos apropiado y responsable en la empresa.

Los gerentes de seguridad de la información pueden orientar a otros en la empresa compartiendo y cumpliendo sus propios estándares éticos. ISACA establece un Código de ética profesional[3] para orientar la conducta profesional y personal de los miembros de la asociación y de los titulares de las certificaciones. Todo el personal de seguridad de la información debe consultar y reconocer el código de conducta de la empresa o una política de la organización similar para obtener orientación sobre cómo identificar y reportar posibles conflictos de intereses. Los ejemplos de conflictos de intereses incluyen autonegociación, aceptación de obsequios, influencia inapropiada, empleo doble o pluriempleo y uso de activos corporativos para beneficio privado. La aceptación firmada del código debe conservarse como parte de los registros de los empleados.

---

2 Consulte lo siguiente para obtener ejemplos de marcos de ética de datos: GOV.UK, "Guidance overview: Data Ethics Framework", 13 de junio de 2018, *www.gov.uk/government/publications/data-ethics-framework*, Floridi, L.; M. Taddeo; "What is data ethics?", *Philosophical Transactions of the Royal Society A: Mathematical, Physical and Engineering Sciences*, 2016, *www.turing.ac.uk/research/publications/what-data-ethics*

3 ISACA, "Código de ética profesional", *www.isaca.org/credentialing/code-of-professional-ethics*

Hacer énfasis en las habilidades sociales que son esenciales para las prácticas éticas, como la empatía y la honestidad, es importante en el entorno de seguridad empresarial, dado que los profesionales de la seguridad a menudo no ponen el énfasis en las habilidades que son esenciales para las prácticas éticas. El informe *State of Cybersecurity 2023* de ISACA reveló que solo el 13 % de los encuestados considera la empatía como una habilidad blanda importante y solo el 17 % califica la honestidad como importante.[4] Esto es preocupante, especialmente porque el 62 % de los encuestados encontró que el crimen cibernético no está debidamente notificado. Una sólida cultura ética fomenta las denuncias sin repercusiones y garantiza que la empresa tenga un programa de seguridad sólido.

El uso de la IA puede presentar una gran cantidad de preocupaciones éticas para las empresas, incluido el uso de contenido generado por IA con información creada por competidores o contenido plagiado, el uso de datos personales para fines que no fueron divulgados previamente a los interesados, la sustitución de empleados humanos por la IA y la imprevisibilidad de la IA.[5]

1.3 Requisitos legales, regulatorios y contractuales

Cada empresa se enfrenta a una amplia gama de requisitos derivados de las leyes locales e internacionales, otros mandatos de supervisión regulatoria y disposiciones específicas de contratos relacionados con la seguridad de la información. Para preparar la creación de una estrategia, el gerente de seguridad de la información debe recopilar la mayor cantidad de información posible sobre estos requisitos generales. Resulta inevitable que la seguridad de la información esté vinculada a las cuestiones de privacidad, propiedad intelectual y legislación contractual. Cualquier esfuerzo por diseñar e implementar una estrategia efectiva de seguridad de la información tiene que basarse en un entendimiento sólido de los requerimientos y restricciones legales aplicables.

Diferentes regiones en una empresa internacional pueden regirse por leyes contradictorias. Por ejemplo, el nivel de enfoque legislativo sobre la privacidad difiere en diferentes partes del mundo, lo que da lugar a leyes y normativas de privacidad más estrictas en algunas jurisdicciones. En algunos países, se realizan investigaciones profundas sobre los antecedentes de empleados nuevos, investigaciones que pueden ser ilegales en otros países. Para tratar estas situaciones, la empresa internacional debe establecer diferentes estrategias de seguridad para cada división regional, o puede basar su política en los requerimientos más restrictivos para alcanzar consistencia en toda la empresa.

De igual modo, existen varios temas legales y regulatorios relacionados con negocios por Internet, transmisiones globales y flujos de datos transfronterizos (por ej. privacidad, leyes fiscales y aranceles, restricciones de importación/exportación de datos, órdenes o citaciones, restricciones sobre criptografía, garantías, patentes, derechos de autor, secretos comerciales y seguridad nacional). Varían dependiendo de la ubicación de la empresa y podrían suponer restricciones y límites para las estrategias de seguridad. La investigación de tales temas debe llevarse a cabo de manera conjunta con las áreas de jurídico y de cumplimiento regulatorio, así como cualquier otra área de negocio que pudiera verse afectada.

Desde el punto de vista del gerente de seguridad de la información, el cumplimiento regulatorio se debe tratar como cualquier otro riesgo y el alcance del cumplimiento es, en última instancia, una decisión de negocio que debe tomar la alta gerencia con aporte al riesgo y potencial impacto.

Los departamentos legales corporativos suelen enfocarse principalmente en contratos y garantías, o en asuntos bursátiles de la compañía. El resultado es que, en muchos casos, no hacen un seguimiento directo de los requisitos regulatorios, por lo que el gerente de seguridad de la información no debe depender del departamento jurídico para identificarlos. Por lo general, aquel departamento que se vea afectado será el que tenga pleno conocimiento de los temas tanto legales como regulatorios. Sin embargo, es prudente que el gerente de seguridad de la información solicite una revisión e interpretación jurídica de los requisitos legales que tengan implicaciones en términos de seguridad con la finalidad de garantizar que haya claridad en cuanto a la posición oficial de la empresa a este respecto. Capacidades automatizadas de Gobierno, riesgo y cumplimiento (GRC) pueden ayudar a mantener un catálogo completo de requisitos legales y reglamentarios.

Además, se podría requerir al gerente de seguridad de la información que apoye los estándares legales relacionados con la privacidad de la información y las transacciones, la recopilación y el manejo de registros de auditoría, las políticas de retención de correos electrónicos, los

---

4 ISACA, *State of Cybersecurity 2023*, EE. UU., 2023

5 ISACA, *Artificial Intelligence: A Primer on Machine Learning, Deep Learning, and Neural Networks*, EE. UU., 2024

procedimientos de investigación de incidentes, así como la cooperación con las autoridades legales. Los temas legales también deben tenerse en consideración cuando se investigue o controle a un empleado de la empresa, o bien, cuando se vayan a tomar medidas disciplinarias por comportamiento inadecuado. Debido a que los requisitos legales y regulatorios difieren considerablemente en las distintas regiones y jurisdicciones, es conveniente involucrar a los departamentos de RR. HH. y jurídicos antes de que se realicen esas acciones.

1.3.1 Requerimientos sobre el contenido y la retención de registros de negocio

Los registros de negocio constituyen un gran subconjunto de la información que se protegerá mediante la estrategia de seguridad que se va a desarrollar, por lo que es importante que el gerente de seguridad de la información comprenda los requisitos subyacentes con respecto a dichos registros. Como el encargado de proporcionar información para crear la estrategia, el gerente de seguridad de la información debe comprender los requisitos de negocio con respecto a todos los tipos de registros empresariales. A menudo, los representantes del departamento legal de la empresa pueden ayudar a determinar qué tipos de registros deben protegerse para garantizar su confidencialidad, integridad y disponibilidad. Los representantes de asuntos legales también pueden proporcionar información sobre los requisitos legales y reglamentarios para los documentos de la empresa (incluidos los mensajes y archivos electrónicos).

Los requisitos del negocio pueden exceder los requisitos legales y regulatorios impuestos por los organismos correspondientes, debido a la naturaleza del negocio de la empresa. Algunas empresas tienen necesidades de negocio que requieren de acceso a datos que tienen una antigüedad de entre 10 y 20 años o más. Este tipo de datos puede incluir, por ejemplo, registros de clientes, registros de pacientes e información de ingeniería. Como regla, la estrategia de retención y la política posterior deben cumplir, como mínimo, con los requerimientos legales en la jurisdicción y la industria de las que se trate.

Dependiendo de la ubicación y el sector industrial en los que se encuentre una organización, los organismos reguladores imponen requerimientos con los que debe cumplir una empresa, que incluyen registros legales, médicos y fiscales.

Regulaciones como Sarbanes-Oxley[7] han impuesto varios requerimientos de retención obligatoria para diversos tipos y categorías de información, independientemente del medio de almacenamiento. La estrategia de retención de la empresa requerirá que el gerente de seguridad de la información se mantenga actualizado sobre estos requerimientos y garantice el cumplimiento. También puede que haya requisitos que surjan de cualquier orden de preservación legal de conservación, de acuerdo con el cual una empresa o persona debería retener datos específicos a instancias de las fuerzas del orden u otras autoridades. Generalmente también sucede que la información archivada se debe indexar adecuadamente para su localización y recuperación.

Los procesos civiles y criminales se basan cada vez más en la evidencia obtenida de correos electrónicos y otras comunicaciones electrónicas como respuesta a una solicitud de información o citación judicial. Si la información se ha archivado sin haber sido clasificada y categorizada, la búsqueda del material necesario puede llegar a ser una tarea difícil y costosa, como ya ha ocurrido en muchos casos de gran repercusión. La creciente utilización de este tipo de descubrimientos también contribuye a la necesidad de considerar minuciosamente una política de retención que limite el tiempo, dentro de los límites de los requisitos legales, durante el que cierta información, como los correos electrónicos, se guarda. En general, la mejor opción es tener una política que requiera la destrucción de cualquier dato cuya conservación no sea exigida por ley o por razones específicas del negocio.

El gerente de seguridad de la información debe, junto con los departamentos correspondientes, hacer cumplir y mantener una política de retención de datos que incluya un cronograma de retención de datos. Además, se deben conservar certificados de destrucción como prueba del cumplimiento de los requisitos de eliminación segura, cuando un tercero autorizado elimine cualquier medio.

1.4 Estructura, roles y responsabilidades organizativas

El gobierno de empresa requiere la responsabilidad y la rendición de cuentas de todos los participantes. Debido a sus interdependencias, las estructuras operativas organizacionales, los diversos roles definidos dentro de esas estructuras y las responsabilidades de los

[7] Corporate Finance Institute, "Sarbanes-Oxley Act," *https://corporatefinanceinstitute.com/resources/knowledge/other/sarbanes-oxley-act/*

participantes en cada rol constituirán entradas clave en una estrategia de seguridad de la información.

COBIT señala algunos atributos de una estructura organizacional exitosa que deben ser entendidos por los gerentes de seguridad de la información al preparar el desarrollo de la estrategia. Si estos atributos no están en su lugar, las actividades de estrategia podrían incluir el trabajo con partes interesadas de la empresa para incorporarlos. Las consideraciones clave para una estructura organizativa efectiva:

- La estructura organizativa se establece formalmente.
- La estructura organizativa tiene un mandato claro, documentado y bien entendido.
- Los principios operativos se documentan y someten a seguimiento.
- Los niveles de autoridad y las responsabilidades para la toma de decisiones se definen y documentan, incluidos cuadros u organigramas organizativos claros en los casos en que sea posible.
- Se entienden e implementan las disposiciones para la delegación de la autoridad.
- Se definen y aplican los procedimientos de escalamiento.
- Los objetivos de desempeño de las estructuras organizativas se identifican, monitorizan y ajustan tal y como sea necesario.
- Las interfaces entre la estructura organizativa y otras partes interesadas se gestionan para garantizar una comunicación eficaz y una asignación clara de responsabilidad.
- Las evaluaciones regulares dan como resultado la mejora continua requerida de la estructura organizativa, en su composición, mandato o cualquier otro parámetro.

Un examen de la estructura y jerarquía organizativa dentro de la empresa permitirá al gerente de seguridad de la información comprender las diversas partes interesadas involucradas en la coordinación, creación y gestión de la estrategia de seguridad de la información. Es posible que esa jerarquía no siempre sea intuitiva. La tendencia a segmentar la seguridad en funciones separadas pero relacionadas ha creado la necesidad de integrar la diversidad de procesos de aseguramiento que se encuentran en una empresa típica. Estas actividades suelen fragmentarse y segmentarse en silos que tienen diferentes estructuras jerárquicas.

La terminología asociada con estas actividades generalmente refleja entendimientos distintos de sus procesos y resultados que, en ocasiones, tienen poco en común. Estos silos de aseguramiento pueden incluir la gestión de riesgos, la gestión de cambios, la auditoría interna y externa, las oficinas encargadas de la privacidad, las oficinas de seguros, RR. HH. y asuntos jurídicos entre otros. Evaluar los procesos de negocio de principio a fin (junto con sus controles), independientemente del proceso específico de aseguramiento del que se trate, puede mitigar la tendencia de que existan brechas en la seguridad entre las diversas áreas de aseguramiento.

La convergencia es otra consideración estructural. Las actividades relacionadas con la seguridad se han separado en ocasiones en diferentes divisiones, tales como seguridad física, seguridad informática, gestión de riesgos, privacidad, cumplimiento y seguridad de la información. Este enfoque no ha favorecido la obtención de resultados óptimos, lo que ha llevado a que profesionales y gerentes vuelvan a considerar esta separación. El director de seguridad de la información (CISO) puede ascender a director de seguridad (CSO), con responsabilidad sobre una amplia gama de tipos de riesgo, lo que puede ayudar a integrar mejor los elementos de seguridad.

La integración tanto de los roles como de la infraestructura para la seguridad física y la seguridad de la información es cada vez más común. Puesto que no es posible proporcionar seguridad de la información de manera efectiva sin una serie de consideraciones físicas, la evolución es natural. Es razonable esperar que la integración de muchas actividades relacionadas con la seguridad esté centrada en la seguridad de la información durante la década venidera. Como resultado, la integración de la seguridad física y de otras funciones de seguridad será, cada vez más, uno de los aspectos relevantes para la gestión.

La convergencia es un enfoque holístico e integral que va más allá de los activos y considera los factores como la cultura, la estructura organizativa y los procesos. Lograr la convergencia requiere algo más que la integración organizacional. Consiste en integrar las disciplinas de seguridad con la misión del negocio a fin de generar valor para los accionistas mediante operaciones uniformes y predecibles, al mismo tiempo que se optimiza la asignación de recursos de seguridad.

A medida que surgen nuevas tecnologías y que las amenazas se vuelven cada vez más complejas e impredecibles, los altos ejecutivos de seguridad reconocen la necesidad de fusionar las áreas de seguridad en toda la empresa. Un incidente que ocurrió en el Sumitomo Mitsui Bank de Londres, Inglaterra, en el cual intrusos (hackers) intentaron robar £229 millones del banco, enfatiza este principio.[8] Aun cuando el banco tuviera implementadas sólidas medidas de seguridad de TI, hubo una falla en la seguridad física. Los atacantes, que se hicieron pasar por empleados de limpieza, instalaron dispositivos en los teclados de las computadoras (registradores de teclas) que les permitieron obtener información de acceso valiosa. Este incidente pone en relieve y refuerza la necesidad de agrupar, de hecho, hacer que converjan, todos los componentes de la seguridad de una empresa a través de un enfoque integrado y deliberado. Para que sea efectivo, el enfoque de convergencia debe llegar a la gente, procesos y tecnología, y permitir que las empresas eviten, detecten, respondan a cualquier tipo de incidente de seguridad y se recuperen de él.

Además de los costes a los que se enfrentan las compañías para contrarrestar sus consecuencias inmediatas, los incidentes relacionados con la seguridad pueden ocasionar daños más costosos a largo plazo, tales como daños a la reputación y la marca. Más allá del impacto en la capitalización del mercado, los órganos reguladores podrían intervenir si el problema amenaza los bienes públicos, promulgando requisitos más estrictos que rijan las futuras prácticas de negocio.

1.4.1 Roles y responsabilidades

Las definiciones claras, tanto de los roles en la organización como de las responsabilidades de quienes los tienen, son clave para un gobierno eficaz de la seguridad de la información. Debido a que todos en la empresa tienen algunas responsabilidades de seguridad de la información, es esencial definirlas claramente y comunicar esas responsabilidades en toda la empresa de manera recurrente.

Un **rol** es una designación asignada a un individuo en virtud de una función de trabajo u otra clasificación. Una **responsabilidad** es una descripción de algún procedimiento o función relacionados con el rol que alguien es responsable de cumplir. Los roles son importantes para la seguridad de la información ya que permiten la asignación de responsabilidades y derechos de acceso en base al hecho de que un individuo desempeñe una función en lugar de tener que asignarlas a individuos particulares. Existen típicamente numerosas funciones de trabajo en la empresa que respaldan las funciones de seguridad, y la capacidad de asignar autorizaciones de acceso en base a roles simplifica la administración.

Una herramienta importante para documentar y coordinar la responsabilidad es el gráfico RACI (o matriz RACI).

El nombre del gráfico deriva de los nombres de las actividades que describe para cada rol. Esta matriz representa un conjunto de roles en un eje y un conjunto de responsabilidades en otro. En la intersección, se incluye la indicación de una o más asignaciones de rol relevantes, tal y como se muestra a continuación:

- El rol de **responsable (R)** tiene la función operativa principal de completar la actividad y generar el resultado esperado. ¿Quién realiza la tarea? ¿Quién dirige la tarea?
- El rol de **Quien rinde cuentas (A)** conlleva toda la rendición de cuentas. Como principio, el rol de quien rinde cuentas no se puede compartir. ¿Quién rinde cuentas por el éxito y la finalización de la tarea?
- El rol de **Consultado (C)** proporciona información para la actividad. ¿Quién está proporcionando información?
- El rol de **Informado (I)** recibe datos de los logros y/o entregables de la actividad. ¿Quién está recibiendo información?

Hay que tener en cuenta que, si bien la parte de quien rinde cuentas (A) puede delegar parte o toda la responsabilidad a otros participantes, esa parte conserva la responsabilidad de garantizar que una tarea o actividad se cumpla de manera aceptable. Por lo tanto, mientras que varias partes pueden tener indicaciones de R incluidas en la matriz, generalmente habrá solo un rol con una A en cada fila.

Los gráficos RACI pueden utilizarse de manera efectiva para definir los diferentes roles asociados con un programa de seguridad de la información. Es necesario designar los roles de forma clara para garantizar una implementación eficaz. La **figura 1.4** muestra una serie de roles organizativos típicos y actividades de gobierno relacionadas.

[8] Wattanajantra, A.; "Hackers hit bank's London offices in £229 million heist," ITPro, 22 de enero de 2009, *www.itpro.com/609610/hackers-hit-banks-london-offices-in-229-million-heist*

Figura 1.4—Ejemplo de gráfico RACI

Tema de decisión	**Alcance**	**Responsable, quien rinde cuentas, consultado e informado (RACI)**							
		Comité ejecutivo	**Comité de gobierno de TI**	**Comité de riesgos empresariales**	**Gestor de carteras**	**Comité de dirección (programas/proyectos)**	**Gestión de TI**	**Propietarios del proceso de negocio**	**Empleados**
Gobierno	• Integrar con gobierno de la empresa • Establecer principios, estructuras y objetivos	A/R	R	C			C	R	I
Estrategia de la empresa	• Definir metas y objetivos empresariales • Decidir cómo y si TI puede habilitar y apoyar los objetivos de la empresa	A/R	R	C			C	R	I
Políticas de TI	• Proporcionar políticas, procedimientos, guías y otra documentación precisas, comprensibles y aprobadas a las partes interesadas • Desarrollar e implementar políticas de TI • Garantizar que las políticas deriven en resultados beneficiosos conforme a los principios rectores • Reforzar las políticas de TI	I	A	C			R	C	C
Estrategia de TI	• Incorporar la dirección de la empresa y de TI a la hora de trasladar los requisitos del negocio a ofertas de servicio y desarrollar estrategias para proporcionar estos servicios de forma eficaz y transparente. • Comunicarse con la dirección del negocio y la alta gerencia a la hora de alinear la planificación estratégica de TI con las necesidades empresariales actuales y futuras. • Entender las capacidades actuales de TI • Proporcionar un esquema de priorización para los objetivos del negocio que cuantifique los requisitos del negocio	I	A	C	I		R	C	C

Fuente: ISACA, *Guía de implementación COBIT 2019: Implementación y optimización de una solución de gobierno de Información y Tecnología, EE. UU., 2018*

Habilidades

Se deben considerar las habilidades cuando se desarrollan los gráficos RACI. Las habilidades son la capacitación, la práctica y la experiencia del personal en una función de trabajo determinada. Es importante comprender las habilidades del personal disponible para asegurar su asociación a las competencias requeridas para la implementación del programa. Las habilidades específicas necesarias para la implementación del programa pueden adquirirse a través de la formación o de la utilización a partir de recursos externos. Los recursos externos, como los consultores, frecuentemente constituyen una elección costo-eficiente para las habilidades requeridas solo para un corto período de tiempo para proyectos específicos.

Al decidirse que cierto personal tendrá responsabilidades específicas de seguridad de la información, deberían establecerse acuerdos formales de empleo que hagan referencia a aquellas responsabilidades. Esos acuerdos deben tenerse en cuenta al evaluar a los candidatos al empleo.

Consejo de administración

Los miembros del consejo tienen que ser conscientes de los activos de información de la empresa, de los riesgos hacia esos activos y de las operaciones críticas de negocio en curso. Al consejo de dirección se le debe suministrar con regularidad los resultados de alto nivel de las evaluaciones de riesgo exhaustivas y del análisis de impacto en el negocio (BIA). Esta información debe informar a los miembros del consejo sobre la validación y la ratificación de los activos clave que quieren proteger y que los niveles de protección y las prioridades sean adecuados a una norma de debido cuidado.

Las expectativas de seguridad deben cumplirse en todos los niveles de la empresa. Las penalizaciones por incumplimiento deben ser definidas, comunicadas y ejecutadas desde el nivel del consejo de dirección hacia bajo.

Más allá de estos requisitos, el consejo tiene la obligación permanente de proporcionar un nivel de supervisión en relación con las actividades de seguridad de la información. Considerando la responsabilidad legal y ética de los directores para ejercer la diligencia debida en la protección de los activos clave de la organización, que deben incluir su información confidencial y también la crítica, es necesario un nivel continuo de participación y supervisión de la seguridad de la información.

Existen razones específicas que obligan a que el consejo de dirección participe en las actividades relacionadas con la seguridad de la información y provean supervisión. Una preocupación común es la responsabilidad. A fin de protegerse contra demandas interpuestas por sus accionistas, la mayoría de las empresas cuentan con seguros específicos para brindar un nivel de protección al consejo en el ejercicio de sus responsabilidades de gobierno. Sin embargo, un requerimiento típico de este seguro establece que los directores deben actuar de buena fe cuando apliquen el debido cuidado en el cumplimiento de sus obligaciones. No tratar el riesgo relacionado con la seguridad de la información podría considerarse una omisión en el ejercicio de la diligencia debida y podría anular la protección que ofrece el seguro.

La Ley Sarbanes-Oxley de EUA obliga a todas las empresas que cotizan en el mercado de valores de los Estados Unidos a mantener un comité de auditoría con un nivel obligatorio de experiencia y competencia demostrable. Este comité suele estar conformado por miembros del consejo de dirección de la compañía. Una de las responsabilidades claves del comité es la supervisión permanente de los controles internos de la empresa que afectan directamente la fiabilidad de los estados de cuenta financieros. La mayoría de los controles financieros son técnicos y de procedimiento, y su parte técnica es responsabilidad del gerente de seguridad de la información. Es importante que el gerente de seguridad mantenga un canal de comunicación abierto con este comité.

Los inversionistas institucionales y otros han entendido que los prospectos a largo plazo para una empresa se ven gravemente afectados por el estado general de gobierno. Las empresas de calificación corporativa proporcionan una calificación o métrica de gobierno basada en varios factores. Cabe la probabilidad de que no proporcionar un nivel adecuado de gobierno y apoyo a las actividades que protegen los activos principales de la empresa se vea reflejado en dichas calificaciones. El peso y la relevancia de las calificaciones estarán motivados por el impacto y las consecuencias que tendría en las empresas la pérdida de información sensible o significativa. Lo esencial es que aquel consejo de dirección debe proporcionar dirección, vigilancia y cumplir con los requisitos de métricas apropiadas. Una reunión de 2019 del Consejo Asesor de Supervisión de Riesgos de la Asociación Nacional de Directores Corporativos afirmó que la presentación de informes sobre riesgos cibernéticos al consejo debe evolucionar para mantenerse al día con las necesidades cambiantes de la empresa y del propio consejo.[9]

Alta gerencia

Como con cualquier otra iniciativa importante, la seguridad de la información debe contar con liderazgo y apoyo continuo de la alta gerencia para tener éxito. El equipo de la alta gerencia de una empresa es responsable de garantizar que las funciones, los recursos y la infraestructura de apoyo organizacionales necesarios se encuentren disponibles y que se usen de forma apropiada para satisfacer las directivas del consejo en relación con la seguridad de la información, conseguir el cumplimiento normativo y responder a otras exigencias.

Asimismo, el área de TI suele enfrentarse a presiones de desempeño, en tanto que el área de seguridad tiene que lidiar con temas relacionados con el riesgo y la normativa. Estos imperativos caen, con demasiada frecuencia, en los extremos opuestos del espectro. El resultado puede ser que exista tensión entre TI y seguridad, por lo que es importante que la alta gerencia fomente la cooperación, actúe de mediador en caso de diferencias en puntos de vista y que sea clara con respecto a las prioridades, de tal forma que sea posible mantener un equilibrio adecuado entre el desempeño, los costes y la seguridad.

Propietarios del proceso de negocio

El desarrollo de una estrategia efectiva de seguridad de la información requiere la implicación y la cooperación de los dueños del proceso de negocio. Un resultado exitoso es la alineación de las actividades de seguridad de la información con los objetivos de negocio. El grado al cual este resultado se logre determinará la rentabilidad del programa de seguridad de la información para alcanzar los objetivos deseados de brindar un nivel predecible y definido de aseguramiento para los procesos de negocio y un nivel aceptable del impacto que pueden tener los incidentes adversos.

Comité de dirección

Hasta cierto grado, la seguridad afecta todos los aspectos de una empresa y debe aplicarse en toda la empresa para que sea eficaz. Para asegurar que todas las partes interesadas afectadas por consideraciones de seguridad estén involucradas, muchas empresas forman un comité directivo constituido por altos representantes de los grupos afectados. Este comité directivo ayuda a lograr el consenso sobre las prioridades y los compromisos. Actúa como un canal de comunicación eficaz y permite garantizar que el programa de seguridad esté alineado con los objetivos de negocio. También puede ser fundamental para alcanzar la modificación del comportamiento hacia una cultura más conducente a una seguridad adecuada.

Algunos temas, agendas y decisiones comunes en un comité directivo de seguridad incluyen los siguientes:

- Estrategia de seguridad e iniciativas de integración, en particular, esfuerzos para integrar la seguridad en las actividades de las unidades de negocio.
- Acciones y avances específicos relacionados con el apoyo a las unidades de negocio con respecto a las funciones del programa de seguridad de la información y viceversa.
- Riesgos emergentes, prácticas de seguridad en las unidades de negocio y asuntos de cumplimiento.

El gerente de seguridad de la información debe asegurarse de que los roles, las responsabilidades, el alcance y las actividades del comité directivo de seguridad de la información estén claramente definidos. Esto debe incluir el establecimiento de objetivos y temas de agenda claros para evitar una productividad deficiente o distracciones de las prioridades del comité.

Es importante que se distribuyan los materiales, que se fomenten las revisiones y que se sostengan discusiones sobre soluciones antes de que se lleven a cabo reuniones de todo el comité, de tal forma que los participantes en las reuniones se puedan centrar en resolver problemas y tomar decisiones. El uso de subcomités y asignaciones de acción individuales resulta apropiado para este tipo de estrategia de gestión.

Director de seguridad de la información

Todas las empresas tienen un CISO, independientemente de que alguien posea oficialmente ese título. Puede ser el director de información (CIO), el director de seguridad (CSO), el director de finanzas (CFO) o el director ejecutivo (CEO). En muchas empresas, el CISO también trabaja en colaboración estrecha con el delegado de privacidad (CPO) o el delegado de privacidad de datos (DPO), que tiene la responsabilidad general del programa de gestión de la privacidad empresarial.

El alcance y la amplitud de la seguridad de la información es tal que la autoridad requerida para tomar decisiones y la responsabilidad para actuar recaerán inevitablemente en un responsable de mando intermedio o alto directivo. La responsabilidad legal se extenderá, por defecto, hasta la

[9] National Association of Corporate Directors, "NACD Risk Oversite Advisory Council: Current and Emerging Practices in Cyber-Risk Oversight," 4 de junio de 2019, *www.nacdonline.org/insights/publications.cfm?ItemNumber=65591*

estructura de mando y, en última instancia, residirá en la alta gerencia y el consejo de dirección. El no implementar estructuras de gobierno apropiadas puede ocasionar que la alta gerencia no tenga conocimiento de esta responsabilidad y se exponga a la responsabilidad que conlleva. Suele resultar en una falta de alineación efectiva de los objetivos organizacionales con las actividades de seguridad.

Si bien el ascenso del gerente de seguridad de la información a un rol ejecutivo es una tendencia mundial, no se produce en todos los sectores, y las responsabilidades y la autoridad de los gerentes de seguridad de la información varían en gran medida entre las empresas. Actualmente estas responsabilidades van desde el CISO o el vicepresidente de seguridad, quien informa al CEO o al consejo de dirección, hasta los administradores de sistemas que tienen una responsabilidad de dedicación parcial por la gestión de la seguridad, quienes informan al gerente de TI o al CIO.

Según PricewaterhouseCoopers, que un CISO cuente con un presupuesto inadecuado para ejecutar con éxito el programa de seguridad y poder brindar la atención adecuada a las necesidades de los gerentes o usuarios finales es una preocupación principal.[10] Es esencial que el gerente de seguridad de la información pueda demostrar por qué un presupuesto adecuado es un componente necesario para garantizar que los programas de seguridad de la información sean capaces de abordar el riesgo actual y emergente. Como se muestra en el Capítulo 2 Gestión de riesgos de la seguridad de la información, la identificación y cuantificación del riesgo ayuda al gerente a construir y respaldar un caso de negocio eficaz.[11] A través de este proceso, el gerente de seguridad de la información no solo solicita más recursos, sino que también trabaja con las partes interesadas para alinear objetivos, la optimización de recursos y la gestión del riesgo.

Roles y responsabilidades de gestión de riesgos

Gestionar los riesgos de manera efectiva a un costo aceptable es la base para los objetivos y los impulsores para el gobierno de la seguridad de la información y programas para implementarlo, desarrollarlo y gestionarlo. Si bien la gestión de riesgos es, en última instancia, responsabilidad de la alta gerencia y el consejo de dirección, todos en una empresa tienen un rol que desempeñar. Es importante que todas las actividades de gestión de riesgos estén integradas y operen bajo un conjunto consistente de reglas y objetivos claros. Esto ayudará a evitar brechas en la protección, proporcionar un nivel más consistente de protección, reducir esfuerzos redundantes innecesarios e impedir que las diferentes partes de la empresa operen con propósitos cruzados.

La *Publicación especial 800-30 Revisión 1 del Instituto Nacional de Estándares y Tecnología (NIST) de EE. UU.: La Guía para realizar evaluaciones de riesgos* describe los roles claves del personal que debe respaldar y participar en el proceso de gestión de riesgos. Si bien los detalles específicos de diferentes empresas y países pueden variar, esta visión de alto nivel llega en general a la mayoría de las empresas. En muchas empresas, el gerente de seguridad de la información es el CISO con rango de nivel ejecutivo, informando directamente a la alta gerencia.

La **figura 1.5** describe algunos roles y componentes relevantes de las estructuras organizativas cuya comprensión ayuda a orientar el desarrollo de la estrategia de seguridad de la información como se describe en la Parte B.

Los componentes clave del sistema de gobierno incluyen la cultura, los requisitos y las funciones y responsabilidades, que brindan información útil y necesaria para comprender las necesidades de la empresa y contribuyen al desarrollo de una estrategia para optimizar el riesgo empresarial y la utilización de recursos. A continuación, se describen las actividades específicas para el desarrollo de una estrategia.

---

10 PricewaterhouseCoopers, "The Global State of Information Security Survey 2017", *https://www.pwc.com/sg/en/risk-assurance/assets/gsiss/global-state-of-information-security-survey-2017-sg.pdf*

11 Columbus, L.; "The Best Cybersecurity Predictions For 2021 Roundup," Forbes, 15 de diciembre de 2020, *www.forbes.com/sites/louiscolumbus/2020/12/15/the-best-cybersecurity-predictions-for-2021-roundup/*

Figura 1.5—Roles y estructuras organizativas relacionadas con la seguridad de la información

Rol	Descripción
Consejos de dirección y alta gerencia de gobierno	La alta gerencia, de acuerdo con la norma de debido cuidado y de responsabilidad final para el logro de la misión de la organización, debe garantizar que los recursos necesarios se apliquen efectivamente para desarrollar las capacidades necesarias para lograr la misión. La alta gerencia debe valorar e incorporar los resultados de la actividad de evaluación de riesgo en el proceso de toma de decisiones. Un programa efectivo de gestión de riesgos que valora y mitiga el riesgo de misión relacionado con TI requiere el respaldo y la participación de la alta gerencia.
Director general de riesgo (CRO)	El CRO, por lo general, se encarga de la gestión de riesgo empresarial total, que puede incluir la seguridad de la información. En general, este puesto incluye todos los riesgos no relacionados con la información, tales como riesgo operativo, riesgo ambiental y riesgo crediticio.
Director de Informática (CIO)	El CIO es responsable de la planificación, el presupuesto y el rendimiento de la TI. Sus responsabilidades incluyen a menudo sus componentes de seguridad de la información consistentes con las políticas y los estándares dentro del ámbito del CISO o del gerente de seguridad de la información.
Director de seguridad de la información (CISO)	El CISO, generalmente, desempeña la mayoría de las mismas funciones que un gerente de seguridad de la información, pero mantiene el estado de director en una empresa, por lo general, acompañado de más autoridad. El CISO suele rendir cuentas al CEO, al director de operaciones (COO) y al consejo de dirección. Con frecuencia, el puesto incluye responsabilidad sobre más elementos estratégicos y de gestión que los habituales del rol de gerente de seguridad de la información.
Gerente de seguridad de la información (ISM)	Los gerentes de seguridad de la información son responsables de los programas de seguridad de la empresa y esto suele incluir la gestión de riesgos de la información. Por lo tanto, desempeñan un rol principal en la introducción de una metodología apropiada y estructurada para identificar, evaluar y minimizar el riesgo a los recursos de la información, que incluyen los sistemas de TI que apoyan las misiones de su empresa. En general, los gerentes de seguridad de la información actúan como consultores principales en respaldo a la alta gerencia para garantizar que se llevan a cabo actividades adecuadas.
Propietarios de sistemas e información	Los propietarios de sistemas e información son responsables de garantizar que existan los controles apropiados para abordar la confidencialidad, la integridad y la disponibilidad de los sistemas de TI y datos que poseen. Por lo general, los propietarios de sistemas e información son responsables de los cambios en sus sistemas de TI y de garantizar el cumplimiento y la aplicación de las políticas. De esta manera, generalmente tienen que aprobar o rechazar los cambios a sus sistemas de TI y están involucrados en las políticas y los estándares que los rigen (por ejemplo, mejora de sistema, cambios principales a software y hardware, y requerimientos de cumplimiento). Por lo tanto, los propietarios de sistemas e información deben entender su rol en el proceso de gestión de riesgos, los objetivos de dicha gestión y los requisitos para apoyar a este proceso.
Gerentes de negocios y operativos	Los gerentes responsables de las operaciones de negocios y el proceso de compras de TI deben asumir un rol activo en el proceso de gestión de riesgos. Estos gerentes tienen la autoridad y la responsabilidad de tomar decisiones de compensación básicas para el logro de una misión. Su participación en el proceso de gestión de riesgos permite el logro de la seguridad apropiada para los sistemas de TI que, de ser gestionados apropiadamente, proveen la efectividad de una misión con un gasto aceptable de recursos.

Figura 1.5—Roles y estructuras organizativas relacionadas con la seguridad de la información (cont.)

Rol	Descripción
Profesionales de seguridad de TI	Los profesionales de seguridad de TI (por ejemplo, administradores de red, sistema, aplicaciones y bases de datos; especialistas en computación; analistas de seguridad; consultores de seguridad) son responsables de la implementación apropiada de los requerimientos de seguridad en sus sistemas de TI. A medida que ocurren los cambios en el entorno de sistemas de TI existente (por ejemplo, expansión en conectividad de red, cambios a la infraestructura existente y políticas organizacionales, estándares o procedimientos, introducción de nuevas tecnologías), los profesionales de seguridad de TI deben respaldar o utilizar el proceso de gestión de riesgos para identificar y valorar nuevos riesgos potenciales y garantizar la implementación de nuevos controles de seguridad necesarios para defender sus sistemas de TI.
Capacitación en concienciación sobre la seguridad (profesionales en el tema/seguridad)	El personal de la empresa son los usuarios de los sistemas de TI. El uso de los sistemas y los datos de TI de acuerdo con las políticas, directrices y reglas del comportamiento de una empresa es importante para reducir los riesgos y proteger los recursos de TI de la empresa. Para gestionar el riesgo a niveles aceptables, es esencial formar a los usuarios y custodios de los sistemas, los datos y las aplicaciones para que conozcan sobre la seguridad, los procesos y los requisitos para llevar a cabo operaciones seguras. Por esa razón, los encargados de la formación en seguridad de TI o los profesionales en el tema o en la seguridad deben entender los objetivos y los procesos de gestión de riesgos de la empresa para poder elaborar el material apropiado para la formación e incorporar los requisitos de gestión de riesgos en los programas de formación para los usuarios finales.

Parte B: Estrategia de seguridad de la información

El gobierno de la seguridad de la información es responsabilidad tanto del consejo de dirección como de la alta gerencia. Debe ser una parte integral y transparente del gobierno de la empresa, y debe complementar o incluir el marco de gobierno de TI. Mientras que la alta gerencia es responsable de considerar y responder a los cada vez más complejos y potencialmente destructivos problemas de seguridad de la información, se requiere que el consejo de dirección incluya a la seguridad de la información como un elemento intrínseco del gobierno, integrado a los procesos con los que cuentan para gobernar otros recursos críticos de la organización. Estas incluyen procesos de monitorización y presentación de informes que garanticen que los procesos sean efectivos y que la exigencia de cumplimiento sea suficiente para reducir el riesgo a niveles aceptables.

Para demostrar la integración del modelo de madurez de la capacidad (CMMI®), una estrategia debe incluir métodos para garantizar un enfoque integrado y reproducible para el gobierno y la gestión. Para optimizar el valor, el riesgo y los recursos, todos en la empresa deben trabajar en la misma dirección. Muchos de los procesos descritos en esta guía contribuyen a la colaboración entre varias áreas de negocio; esta colaboración puede mejorarse y mantenerse usando muchas de las prácticas descritas en el conjunto de productos integrados del CMMI. Los modelos CMMI de ISACA van más allá de la ingeniería de software para ayudar a las empresas de todo el mundo, en cualquier industria, a comprender su nivel actual de capacidad y rendimiento y ofrecer una guía para optimizar los resultados comerciales. Por lo tanto, el CMMI constituye un valor útil para crear una estrategia reproducible, predecible y coherente.

Tal como se establece en el "ISACA Business Model for Information Security" (Modelo de negocios de seguridad de la información de ISACA) (consulte 1.5.5 El estado deseado), "Ya no basta con comunicarle a todas las partes interesadas por qué existimos [la organización] y qué es lo que constituye el éxito; debemos comunicar también cómo vamos a proteger nuestra existencia".[12] Esto indica que una estrategia organizacional clara de preservación tiene igual importancia que una estrategia para el progreso y deben ir de la mano.

Además de proteger los activos de información, es preciso contar con un gobierno efectivo de seguridad de la información para atender los requerimientos legales y regulatorios, lo cual se está volviendo obligatorio en la aplicación del debido cuidado.

1.5 Desarrollo de estrategias de seguridad de la información

La optimización del riesgo es un elemento clave para el gobierno y la gestión de la TI de la empresa. Las actividades y las estructuras de gestión, que difieren de y derivan de las actividades de gobierno, se describen en la estrategia de seguridad de la información. Según la base descrita en la Parte A, la estrategia de seguridad de la información proporcionará el plan de acción mediante el cual el gerente de seguridad de la información cumplirá con las necesidades de la empresa, incluidas aquellas que permitan a la empresa alcanzar un nivel aceptable de riesgo mientras optimiza los recursos.

Cada uno de los siguientes elementos es clave para determinar los elementos necesarios de una estrategia, determinar los criterios de riesgo (descritos en el Capítulo 2 Gestión de riesgos de la seguridad de la información) e implementar un programa holístico de seguridad de la información (descrito en el Capítulo 3 Desarrollo y gestión del programa de seguridad de la información).

1.5.1 Metas y objetivos del negocio

El gobierno corporativo consiste en ejercer un conjunto de responsabilidades y prácticas por el consejo de dirección y la alta gerencia, con los fines de brindar una dirección estratégica, garantizar que se logran los objetivos, determinar que el riesgo se administre de forma apropiada y verificar que los recursos de la empresa se utilizan con responsabilidad. La estrategia es el plan para lograr un objetivo. La dirección estratégica del negocio se define por los objetivos establecidos en la estrategia. Para que sea valiosa para la empresa, la seguridad de la información debe apoyar a la estrategia del negocio y las actividades que se llevan a cabo para lograr los objetivos.

El gobierno de seguridad de la información es un subconjunto del gobierno corporativo. Proporciona una dirección estratégica a las actividades de la seguridad y garantiza que se logren los objetivos. Garantiza que el riesgo de la seguridad de la información sea gestionado de manera apropiada y que los recursos de información de la empresa se usen de manera efectiva y eficaz.

[12] Von Roessing, R.; "The ISACA Business Model for Information Security", 2010, *https://link.springer.com/chapter/10.1007/978-3-8348-9363-5_4*

Observe que el requisito principal para la TI es un nivel adecuado de desempeño; para la seguridad de la información, es gestionar el riesgo hasta un nivel aceptable. Una vez que los resultados, los requisitos y los objetivos que cumplirán con los requisitos estén establecidos, se puede tener en cuenta la arquitectura de seguridad conceptual de alto nivel. La arquitectura de seguridad debe ser simplemente una superposición en la arquitectura empresarial, si bien, idealmente, éstas deben crearse de manera simultánea para integrar los elementos de seguridad.

Cuando se formula la estrategia de gestión de riesgos/seguridad de la información, se puede desarrollar una arquitectura lógica que muestre diferentes funciones y flujos de datos. Luego, se puede diseñar un mapa de ruta con los pasos específicos necesarios para alcanzar las metas definidas en la estrategia. Los detalles específicos incluyen los objetivos de control necesarios para alcanzar los niveles de riesgo aceptable. Algunos de los objetivos se lograrán mejor con tecnologías definidas en la arquitectura física. La arquitectura física consta de dispositivos específicos, como servidores, bases de datos, cortafuegos (firewalls), conmutadores (switches) y enrutadores (routers), junto con sus interconexiones. Los controles deben desarrollarse para ser coherentes con los estándares, y la selección de los controles afectará a las cuestiones específicas de las arquitecturas operativas y físicas. Tanto la estrategia como los procedimientos de seguridad de la información son aportes dentro de la arquitectura operativa.

La **figura 1.6** muestra la relación entre el gobierno de seguridad de la información y TI y la secuencia del proceso de desarrollo. Una vez que se ha desarrollado la estrategia de seguridad de la información, ésta debe informar la estrategia de TI para garantizar protección adecuada para los activos de la información y para alinear los procesos de gestión y desarrollo de TI con los requisitos de la seguridad de la información.

Figura 1.6—Relación de los elementos de gobierno

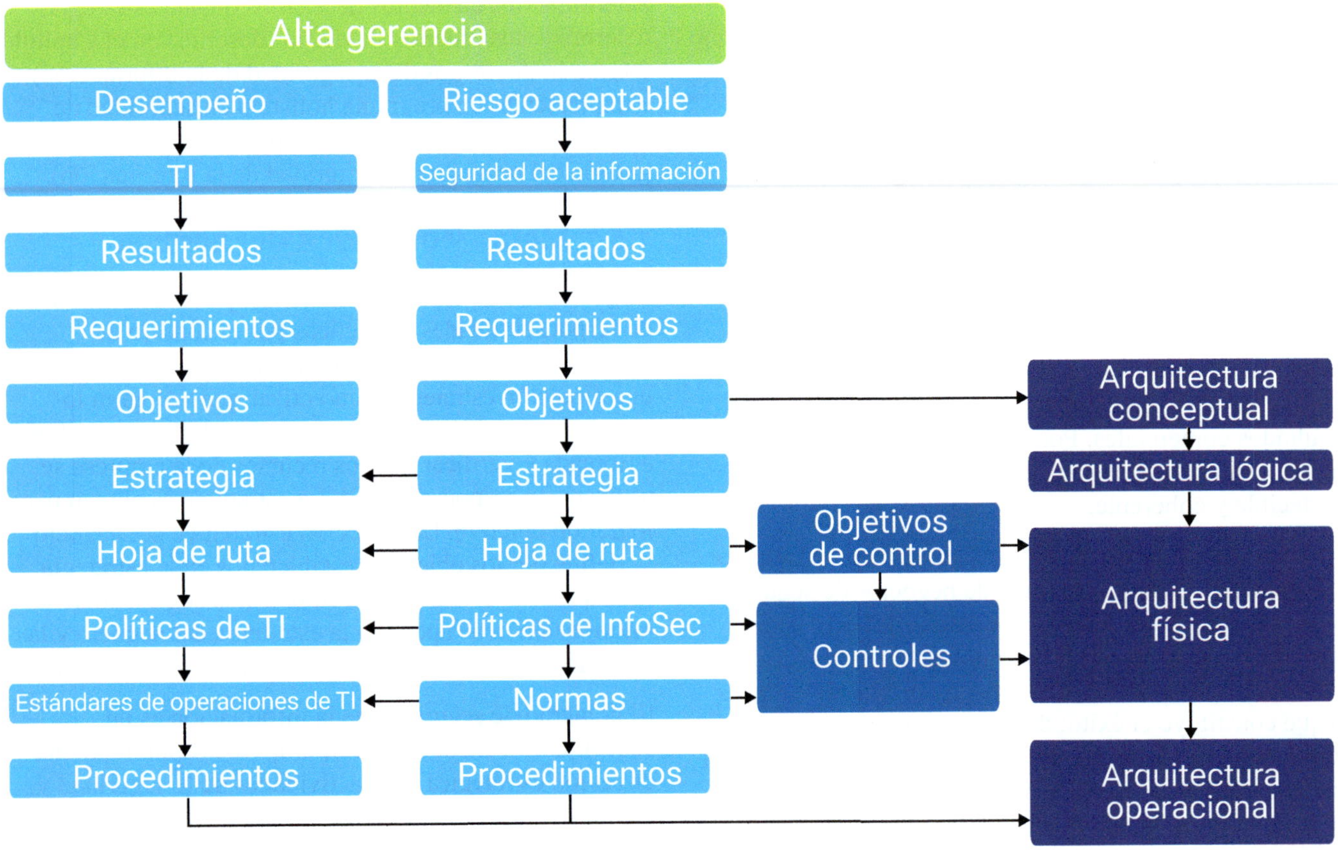

Las definiciones de estrategia varían mucho en alcance, énfasis y detalle, pero generalmente coinciden con el concepto militar según el cual la estrategia representa "el plan para lograr un objetivo". Como es típico, el concepto básico se ha expandido y desarrollado de manera más compleja, aunque esto no siempre sirve para mejorar el entendimiento del concepto. Se necesitan dos elementos iniciales para desarrollar un plan: un objetivo u objetivos definidos y un entendimiento de las condiciones actuales. Esencialmente, una estrategia requiere del conocimiento sobre dónde está y dónde debe ir, y luego el análisis diferencial entre estas dos fases para determinar qué debe lograrse para salvar la brecha. Si bien es una noción directa, se deben examinar muchas consideraciones y una variedad de actividades para desarrollar ambos objetivos y determinar qué se requiere para lograrlos.

La **figura 1.7** muestra a los participantes en el desarrollo de una estrategia de seguridad y sus relaciones, y los alinea con los objetivos de negocio. La flecha que indica "Estrategia de negocio" brinda la base para un mapa de ruta para alcanzar los "Objetivos de negocio". Además, la estrategia de negocio debe hacer una de las principales contribuciones a los planes de la "Gestión de riesgos" y la "Estrategia de seguridad de la información". Este flujo sirve para promover la alineación de la seguridad de la información con los objetivos de negocio. El equilibrio entre las contribuciones radica en determinar el estado deseado de la seguridad en comparación con el estado actual o existente. Se deben considerar los procesos del negocio junto con los riesgos organizacionales clave, incluidos los requisitos normativos, el análisis de riesgos y el análisis de impacto correspondiente para determinar los niveles de protección y las prioridades. Una limitación constante durante todo el proceso es la capacidad y el apetito de riesgo de la empresa que se tratan en 2.4.1 Determinación de la Capacidad de Riesgo y el Riesgo Aceptable (Apetito de Riesgo).

Figura 1.7—Participantes en el desarrollo de la estrategia de seguridad de la información

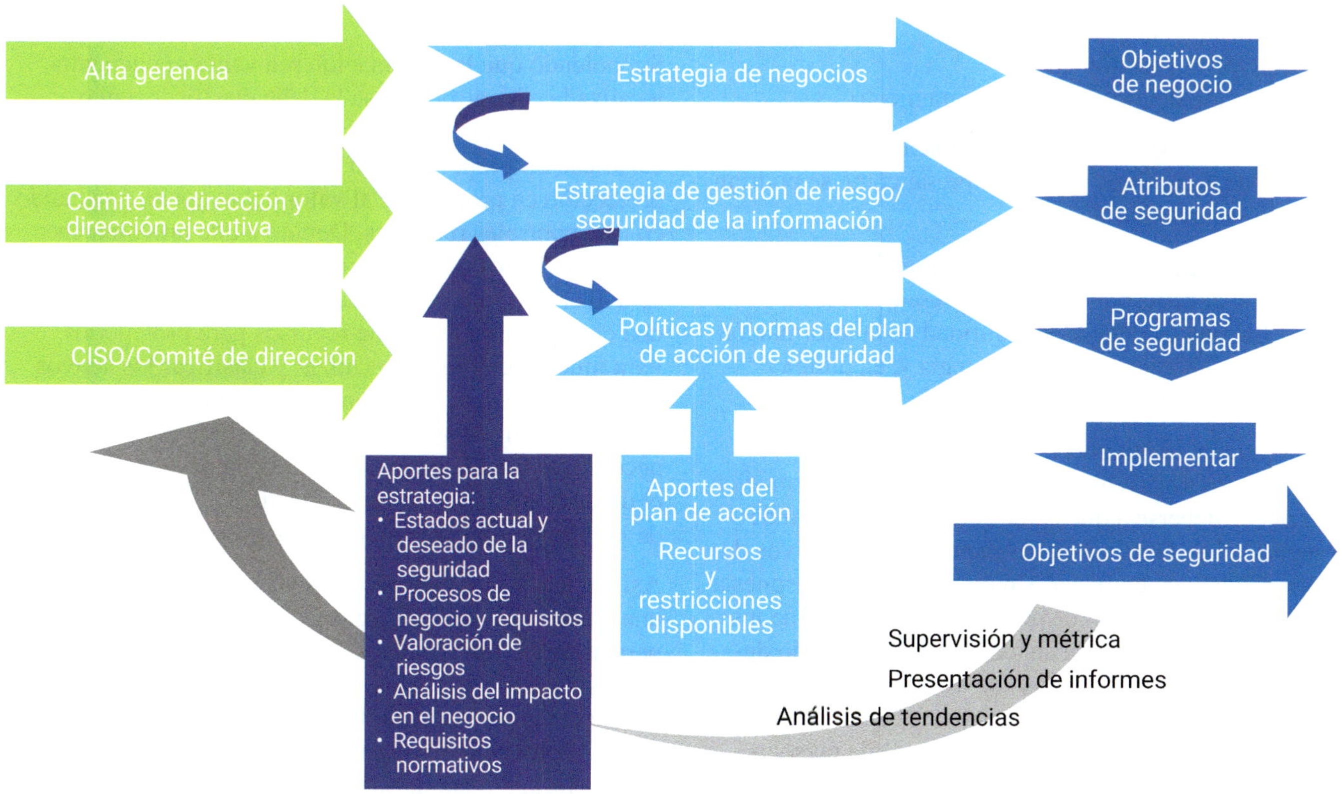

Fuente: ISACA, *Information Security Governance: Guidance for Information Security Managers, EE. UU., 2008*

El objetivo de la estrategia de seguridad es el estado deseado definido por atributos de negocio y seguridad. La estrategia establece la base para un plan de acción que esté compuesto por uno o más programas de seguridad que, conforme se vayan implementando, alcancen los objetivos de seguridad. Cada plan de acción debe formularse según los recursos disponibles y las limitaciones existentes, incluyendo la consideración de los requisitos legales y regulatorios pertinentes.

Tanto la estrategia como los planes de acción deben contener disposiciones para la monitorización y métricas definidas para determinar el nivel de éxito. Esta retroalimentación le permite al CISO y al comité directivo realizar correcciones a medio camino y asegurar que las iniciativas de seguridad sean las adecuadas para alcanzar los objetivos definidos.

1.5.2 Objetivos de la estrategia de seguridad de la información

Se deben definir los objetivos de la estrategia de seguridad de la información y se deben desarrollar métricas para determinar si se están alcanzando tales objetivos. Por lo general, los seis resultados definidos del gobierno de la seguridad de la información proporcionan una orientación de alto nivel. Los seis resultados son:

- Alineación estratégica
- Gestión de riesgos efectiva
- Entrega de valor
- Optimización de recursos
- Medición del rendimiento
- Integración del proceso de aseguramiento

La estrategia debe abordar lo que cada una de las áreas seleccionadas significa para la empresa; cómo se podrían lograr y qué constituirá el éxito.

La primera pregunta, y a menudo sorprendentemente difícil, que debe responder una empresa que busca desarrollar una estrategia de seguridad de la información es: ¿Cuál es el objetivo de la estrategia y, en última instancia, del programa que permite?

La mayoría de las empresas no define de manera específica los objetivos de la seguridad de la información. Esto puede deberse a que parece obvio que la meta de la seguridad de la información es proteger los activos de información de la empresa. Sin embargo, dicha respuesta supone el conocimiento de dos factores: Uno es que los activos de información se conocen con algún grado de precisión, lo cual no es el caso de la mayoría de las empresas. El segundo es que existe un entendimiento asumido de lo que significa "proteger". Cada persona entiende el concepto en general. Lo que resulta mucho más difícil es establecer qué activos necesitan cuánta protección y contra qué.

En parte, esto es porque las empresas en general tienen poco conocimiento de la información que existe dentro de ellas. Por lo general, no se cuenta con un proceso para eliminar información o datos inútiles, desactualizados o potencialmente peligrosos o bien aplicaciones no utilizadas. Es sumamente raro encontrar un catálogo o índice de información/ proceso completo que defina lo que es importante y lo que no lo es, o incluso quién es dueño de qué. En consecuencia, todo se protege bajo la premisa de que el almacenamiento es menos costoso que la clasificación de datos, la cesión de propiedad y la identificación de usuarios. En el caso de las grandes empresas, esto puede equivaler a terabytes de datos inútiles y literalmente miles de aplicaciones desactualizadas y no utilizadas que se han acumulado durante décadas.

Esta situación dificulta elaborar un plan racional de protección de datos, ya que posiblemente no tenga mucho sentido gastar recursos en proteger datos o información inútiles o peligrosos, o bien aplicaciones que ya no se utilizan. En este contexto, la descripción de "datos peligrosos" se refiere a aquella información que podría utilizarse para perjudicar a la organización, por ejemplo, pruebas perjudiciales obtenidas en litigios que pudieran haberse destruido conforme a una política de retención legal y apropiada.

Suponiendo que la información relevante se encuentra localizada e identificada, se la debe clasificar según su criticidad y sensibilidad o valor de negocio. La clasificación proporciona la base para solicitar medidas de protección en proporción al valor del negocio, resultando en más controles rentables. Debido a que un volumen enorme de datos e información de una empresa típica no será ni crítico ni confidencial, sería un desperdicio gastar una cantidad importante de recursos para protegerlos. Para muchas empresas, localizar y clasificar los activos de información puede ser una tarea significativa y, a menudo, se muestran renuentes a asignar los recursos necesarios. Sin embargo, se trata de un paso crucial en el desarrollo de una estrategia práctica y útil de seguridad de la información y de un programa rentable de seguridad.

Así como se asignan valores a los recursos físicos de una empresa, se deben asignar valores a la información para priorizar los esfuerzos de protección limitados por el presupuesto y determinar los niveles de protección que se requieren. Es difícil realizar valuaciones exactas de la información. En algunos casos, puede ser el costo de generarla o reemplazarla. En otros, la información en forma de conocimiento o secretos comerciales es difícil o imposible de reemplazar y podría ser invaluable. Sin duda alguna es sensato brindar una fuerte protección a la información invaluable.

Un enfoque que se ha utilizado es crear unos cuantos niveles aproximados de valor, por ejemplo, de cero a cinco, donde cero significa que no tiene valor y cinco significa que es crítico. Se le asignará un valor cero a la información, incluidas las aplicaciones, si no se puede determinar quién es su propietario y no se ha utilizado durante un tiempo. La información de valor cero puede entonces archivarse durante un periodo específico, para lo cual se pueden enviar notificaciones a los propietarios del negocio y, en caso de que no se presente ninguna objeción, se puede destruir. Por ende, la información de valor cinco (crítica) se convierte en la más alta prioridad para los esfuerzos de protección en función proporcional a las otras valoraciones.

Otro enfoque que podría ser de mayor utilidad y mucho más fácil de llevar a cabo es una evaluación de la dependencia del negocio que se utiliza como un indicador de valor. Este proceso comienza mediante la definición de los procesos críticos de negocio, para después determinar qué información y activos físicos se utilizarán en el proceso. La contribución que hacen estos recursos a las ganancias proporcionará una medida de su criticidad que puede utilizarse para orientar los esfuerzos de protección.

Generalmente, la sensibilidad será un llamado más subjetivo. La divulgación no intencional de información sensible puede tener muchas ramificaciones que pueden ser difíciles de determinar con exactitud. Los propietarios de datos, normalmente, son la mejor fuente para determinar las posibles consecuencias de la "fuga de datos" y es la persona que comúnmente determina el nivel de clasificación para los datos. El nivel de clasificación proporcionará posteriormente la base para los esfuerzos de protección y el control de acceso. La mayoría de las empresas utilizará tres o cuatro clasificaciones de sensibilidad y criticidad, como confidencial, de uso interno y pública.

Para la mayoría de las empresas, la clasificación de activos representa una tarea de enormes proporciones pero que debe llevarse a cabo para la información con la que se cuente si se desea que el gobierno de la seguridad sea eficiente, efectivo y relevante. Si se hace de forma correcta, la clasificación mitiga el coste de sobreproteger información no importante y el riesgo de descuidar información de gran valor. Asimismo, es una tarea cuyos costes crecerán de manera exponencial con el paso del tiempo si no se atiende. Deben desarrollarse políticas, normas y procesos para exigir que la clasificación avance y evitar que los problemas relacionados empeoren. La sobre clasificación es un problema serio para la implementación de la clasificación. Esto puede ser particularmente problemático en empresas con una cultura de culpa donde los errores no son bien tolerados. En estos entornos, los propietarios de datos pueden pecar por exceso de precaución al marcar datos como más sensibles o críticos de lo que se justifica, anulando los posibles beneficios de la clasificación. Existe una solución práctica para las empresas en las que la TI opera en un sistema de devolución de cargos y los servicios de TI son un coste a las unidades de negocio. En dichos casos, los cargos adicionales por las clasificaciones más altas tenderán a compensar la tendencia a sobreclasificar.

Otra parte fundamental de establecer las metas para la seguridad de la información es garantizar que todos los activos tengan un dueño definido y una responsabilidad definida. Esto puede hacerse de manera efectiva usando los gráficos RACI como se describe en 1.4.1 Roles y responsabilidades.

En resumen, no será posible desarrollar una estrategia rentable de seguridad de la información que esté alineada con los requerimientos del negocio antes de:

- Definir los requisitos del negocio para la seguridad de la información.
- Determinar que los objetivos de seguridad de la información cumplan con los requerimientos.
- Localizar e identificar los recursos y activos de la información.
- Valuar los activos y recursos de información.
- Clasificar los activos de información según su criticidad y sensibilidad.
- Implementar un proceso para garantizar que todos los activos tengan un propietario definido.

1.5.3 Garantizar la integración de objetivos y de negocio.

Si una estrategia de seguridad de la información es la base para un plan de acción que permita alcanzar los objetivos de seguridad, sin duda es necesario definir dichos objetivos. Es preciso definir los objetivos a largo plazo en términos de un estado deseado de seguridad por varias razones. Si no se tiene una perspectiva bien estructurada de los resultados que se desea obtener de un programa de seguridad, será imposible desarrollar una estrategia significativa.

Si no se cuenta con una estrategia, será imposible desarrollar un plan de acción significativo, y la empresa procederá a implementar soluciones puntuales tácticas y no habrá nada que proporcione una integración total. Los sistemas no integrados que resultarían de ello serían cada vez más difíciles de gestionar, y su protección se volverá cada vez más costosa y difícil, o incluso imposible.

Muchas empresas no asignan los recursos adecuados para tratar este tipo de situaciones hasta que ocurre un incidente grave. Esto puede dar lugar a resultados mucho más costosos que abordar los problemas de forma adecuada al principio. En un caso, por ejemplo, una brecha en el registro de las tarjetas de crédito de los clientes le acabó costando al empresario cientos de millones de USD para resolverla.[13] Los numerosos fallos en el gobierno, la gestión y las prácticas de seguridad descubiertas posteriormente al revisar el evento podrían haber sido resueltas por una fracción de las pérdidas esperadas.

Muchos objetivos se establecen en términos de abordar el riesgo. Los objetivos de la estrategia de seguridad de la información también deben establecerse en términos de metas específicas para apoyar mejor las actividades de negocio. Algunas medidas de mitigación de riesgos como protección antivirus o contra otro programa dañino (malware), deberían aplicarse a la empresa en general. Dicha protección, por lo general, no se considera un facilitador específico de negocio, sino un apoyo a la salud general de la empresa al reducir cualquier impacto adverso que pudiera dificultar las actividades.

Es probable que una revisión de los planes de negocio estratégicos de la empresa revele oportunidades para que las actividades de seguridad de la información apoyen más o permitan una nueva posibilidad de negocio en particular al reducir el riesgo, las pérdidas y las posibles interrupciones operativas. Otras fuentes de información para guiar los esfuerzos de seguridad incluyen actividades de gestión de cambios, informes de auditoría y conversaciones del comité directivo. Como ejemplo, la implementación de una infraestructura de llave pública (PKI) puede permitir la realización de transacciones de alto valor entre socios comerciales o clientes confiables. Utilizar redes virtuales privadas (VPN) puede darle a la fuerza de ventas una conectividad remota segura que le permita una fuerte protección para información sensible. En otras palabras, la seguridad de la información puede facilitar que se lleven a cabo actividades de negocio que de otro modo serían demasiado arriesgadas o, como sucede con mucha frecuencia, se realizan con la esperanza de que nada falle.

Interrelaciones de negocio

Cuando se determinan los objetivos estratégicos, es fundamental asegurarse de que existen interrelaciones directas a metas y actividades específicas del negocio. Estas interrelaciones pueden comenzar desde la perspectiva de los objetivos específicos de una línea de negocio particular, teniendo en cuenta estos objetivos específicos. La revisión y el análisis de todos los elementos de una determinada línea de producto pueden ilustrar cómo funcionaría este enfoque.

Por ejemplo, una empresa que produce cereales para el desayuno. La materia prima llega a la planta por automotor justo a tiempo. Los granos se vacían en tolvas que alimentan a las diversas maquinarias de procesamiento. El cereal terminado se empaca y se transporta al almacén en un proceso continuo y altamente automatizado en una cuestión de horas.

Este proceso relativamente sencillo se basa en muchos flujos de información que están sujetos a fallos en la disponibilidad, confidencialidad o integridad. Cualquier avería o interrupción significativa en los sistemas que respaldan la cadena de abastecimiento (por ejemplo, pedidos, seguimiento o pagos) es probable que ocasione una interrupción en la producción. Todas las actividades de procesamientos automatizados de la planta están vinculadas al procesamiento de datos y los flujos de información. Cualquier interrupción o falla en los datos ocasionaría una falla en el proceso, que va desde la detención de la manufactura hasta la entrega de productos defectuosos. Una seguridad de la información efectiva debe basarse en el entendimiento y la consideración de todos los flujos de información que sean críticos para que se garantice la continuidad de las operaciones. Obviamente, cualquier cosa que pueda afectar negativamente a la integridad y disponibilidad de la información necesaria en este proceso continuo e interdependiente constituye un problema. La interrelación con el negocio, en este caso, es la capacidad de un programa de seguridad efectivo de evitar interrupciones en los sistemas de información esenciales para la producción.

Un análisis del ejemplo anterior podría considerar decenas de informaciones fraccionadas que se gestionan y procesan en esta operación de producción. Investigar la historia del proceso podría revelar fallos anteriores que indican deficiencias en el sistema. La mayoría de los fallos de sistema se deben a errores humanos y con el análisis se podrían reducir errores, implementando mejores controles o con controles adicionales, o garantizando la redundancia de procesos automatizados más confiables.

Entre los errores comunes se incluyen los de introducción de datos, que podrían evitarse mediante la verificación de intervalos u otros procesos técnicos,

---

[13] Artic Wolf, *10 Major Retail Industry Cyber Attacks*, 8 de junio de 2023, *https://arcticwolf.com/resources/blog/10-major-retail-industry-cyber-attacks/*

o el fallo de instrumentación que resulta en un procesamiento incorrecto. Pueden ser necesarios cambios de procedimientos o un proceso de validación de ingreso de datos para solucionar este tipo de errores. Los fallos de instrumentación se podrían abordar mediante autoevaluaciones periódicas o redundancia de la instrumentación. Las preocupaciones de la seguridad de la información incluyen el control del acceso a los sistemas de producción para impedir el acceso no autorizado, la respuesta a incidentes y otros aspectos de la gestión de riesgos.

El desarrollo y análisis de interrelaciones del negocio pueden develar asuntos de seguridad de la información a nivel operativo que pueden mejorar visiblemente el valor de la seguridad de la información realizando procesos del negocio más sólidos, al disminuir errores y mejorar la productividad. La mejora de las interrelaciones del negocio de manera regular puede ser uno de los resultados positivos de un comité de dirección para la seguridad de la información si se incluyen representantes de alto nivel de las unidades de negocios y departamentos principales. Las interrelaciones también se pueden establecer mediante reuniones regulares con dueños de negocio para sostener discusiones sobre asuntos relacionados con la seguridad. Esto también puede dar origen a la oportunidad de formar a propietarios de procesos de negocio acerca de las posibles ventajas que la seguridad puede ofrecer a su operación.

1.5.4 Evitar sesgos y dificultades comunes

Al preparar la estrategia de desarrollo, es importante evitar algunas dificultades habituales que pueden influir indebidamente en los objetivos que se tienen que cumplir y las actividades llevadas a cabo para cumplir con las metas de la empresa. Algunos experimentos y estudios muestran una variedad de causas que están detrás de una toma de decisión viciada. La concienciación puede llevar a formas de compensación para reducir los efectos adversos. Algunas de las principales dificultades son:

- **Exceso de confianza:** la investigación muestra una tendencia de las personas a tener un exceso de confianza en su capacidad para hacer cálculos exactos. La mayoría de las personas se muestra renuente a calcular una amplia variedad de posibles resultados y prefiere estar precisamente en un error que vagamente en lo correcto. La mayoría de las personas también tiende a confiar demasiado en sus propias capacidades. Para las estrategias organizacionales que se basan en evaluaciones de capacidades principales, esta confianza excesiva puede resultar en particular problemática.
- **Optimismo:** las personas tienden a ser optimistas en sus pronósticos. Una combinación de confianza y optimismo excesivos puede tener un impacto desastroso en las estrategias que se basan en los cálculos de lo que podría suceder. Por lo general dichas proyecciones son precisas a un grado no realista y demasiado optimistas.
- **Anclaje**: los estudios muestran que una vez que se ha presentado un número a alguien, esa persona se "anclará" en el primer número, incluso cuando se proporcione información posterior no relacionada. Aunque podría resultar útil para efectos de mercadotecnia, el anclaje puede tener consecuencias graves en el desarrollo de estrategias cuando resultados futuros se anclan a experiencias pasadas.
- **La tendencia del status quo:** la mayoría de las personas muestra una fuerte tendencia a persistir con enfoques familiares y conocidos incluso cuando se haya comprobado que son inadecuados o ineficaces. La investigación también indica que la preocupación por las pérdidas es, por lo general, mayor que la emoción de una posible ganancia. El efecto de legado es una tendencia similar en la cual la gente prefiere conservar lo que es suyo o lo que conoce; el simple hecho de poseer algo lo hace más valioso para el dueño.
- **Contabilidad mental:** se define como "la inclinación a categorizar y tratar al dinero de manera diferente dependiendo de dónde viene, dónde se mantiene y cómo se gasta".[14] La contabilidad mental es común incluso en salas de juntas de empresas conservadoras y racionales. Algunos ejemplos de contabilidad mental incluyen:
  - Estar menos interesado en los gastos derivados de los cargos por reestructuración que del estado de resultados.
  - Imponer límites de costos a un negocio básico mientras se gasta libremente en un negocio nuevo.
  - Crear nuevas categorías de gastos como inversiones de los ingresos o inversiones estratégicas.
- **El instinto gregario:** es una característica humana fundamental conformar y buscar la validación de otros. Esto puede observarse por la obsesión de influir en la seguridad (así como todos los demás aspectos de

[14] Outlier Allocators, "The Man in the Green Bathrobe and Mental Accounting," 19 de julio de 2013, *https://24sevenfinance.wordpress.com/2013/07/19/the-man-in-the-green-bathrobe-and-mental-accounting/*

la actividad humana), como cuando de pronto alguien se involucra en el manejo de identidades o la detección de intrusos. El instinto gregario suele ser evidente entre los líderes de opinión. Las implicaciones que tiene para el desarrollo de la estrategia deben quedar claras.

- **Falso consenso:** las personas tienen una tendencia bien documentada de sobreestimar el grado en el que los demás comparten sus puntos de vista, creencias y experiencias. A la hora de desarrollar estrategias, el falso consenso puede causar que se ignoren o minimicen amenazas o debilidades importantes de los planes y que persistan con estrategias destinadas al fracaso.

En una investigación de C. F. Camerer y G. Loewenstein se descubrieron las siguientes causas comunes de la toma de decisiones erróneas:

- **Tendencia a la confirmación**: buscar opiniones y hechos que respalden las propias creencias.
- **Recuerdos selectivos**: recordar solo hechos o experiencias que refuerzan las suposiciones actuales.
- **Asimilación sesgada:** aceptar solo hechos que apoyan la posición o perspectiva actual.
- **Evaluación subjetiva:** fácil aceptación de evidencia que sustenta la hipótesis de uno, al mismo tiempo que se cuestiona y casi invariablemente se rechaza, la evidencia contradictoria.
- **Pensamiento de grupo**: la presión para llegar a un acuerdo en culturas orientadas a formar equipos.

Durante las décadas pasadas se han realizado numerosos estudios sobre el tema del alejamiento de selecciones racionales, que serían dignos de revisión para reducir el riesgo de tomar decisiones erróneas. La reflexión clave es que a medida que los administradores de seguridad de la información colaboran con sus colegas para determinar los problemas y los objetivos que debe abordar la estrategia, deben tener cuidado de evitar el énfasis incorrecto o exagerado que pueden introducir estos sesgos y trampas.

AI and Decision Making

El auge de la inteligencia artificial (IA) ofrece un excelente ejemplo de sesgo ético en la toma de decisiones sobre seguridad de la información. Muchas empresas utilizan algoritmos de IA para ayudar en los procesos de toma de decisiones de seguridad de la información. Algunos ejemplos son el uso de software de reconocimiento facial para permitir el acceso y la ejecución de aplicaciones de clientes a través de una base de datos para determinar las primas de seguro. Los problemas surgen si los datos utilizados para entrenar estos modelos se apoyan en sesgos existentes. De este modo, una empresa que usa un algoritmo sesgado puede estar participando involuntariamente en prácticas discriminatorias. Sin embargo, las empresas pueden abordar estas preocupaciones cultivando una cultura que permita un debate abierto y honesto sobre los sesgos humanos. Comprender y diversificar la IA ayudará a minimizar el sesgo en las decisiones empresariales basadas en la IA.[15]

A pesar de los desafíos y riesgos, la IA presenta una oportunidad para aumentar la productividad, especialmente a medida que mejora su capacidad para dar forma a las decisiones empresariales.[16] Las empresas deben reconocer que muchos empleados ya están utilizando la IA de alguna forma, ya sea mediante asistentes de IA integrados en los sistemas operativos informáticos o utilizando ChatGPT para varias tareas.[17]

Algunos usos de la IA en la toma de decisiones empresariales incluyen:[18]

- **Gestión de proyectos:** la IA y el aprendizaje automático (ML) se utilizan en herramientas de gestión de proyectos para mejorar la eficiencia del flujo de trabajo, normalmente mediante la automatización de tareas manuales y tomando decisiones poco importantes de la empresa. Esta eficiencia mejorada del flujo de trabajo permite a los gestores de proyectos liberar tiempo para centrarse en decisiones más estratégicas.
- **Análisis de vulnerabilidades:** la IA generativa (GenAI) puede ayudar a las empresas a examinar la información para determinar las soluciones que una empresa debe priorizar en función de la información de vulnerabilidad. Por ejemplo, los modelos de lenguaje grandes (LLM) pueden ayudar a seleccionar el parche de software adecuado entre miles de parches disponibles para mitigar los canales de explotación conocidos. La GenAI también se puede utilizar para

---

15 Manyika, J.; J. Silberg; B. Presten; "What Do We Do about the Biases in AI?," *Harvard Business Review,* 25 de octubre de 2019, *https://hbr.org/2019/10/what-do-we-do-about-the-biases-in-ai*

16 Gibbons, S.; "How AI Is Good for Modern Business Decision-Making," *Forbes,* 6 de junio de 2023

17 ISACA, *Using the Digital Trust Ecosystem Framework to Achieve Trustworthy AI,* EE. UU., 2024

18 *Op cit* Gibbons

implementar políticas de confianza cero en entornos de trabajo híbridos.[19]
- **Detección de amenazas:** los LLM basados en infracciones de seguridad pasadas pueden ayudar a detectar infracciones futuras mucho más rápido que los métodos manuales. También es posible desarrollar contrarrespuestas a partir de modelos de GenAI basados en las acciones del atacante. La GenAI se puede utilizar para cubrir brechas en el intercambio de información, al crear datos sintéticos para simular patrones de ataque novedosos que luego se pueden utilizar para entrenar a otros sistemas de ML para defenderse contra estos escenarios.[20]

La IA es una tecnología emergente no regulada; por lo tanto, falta visibilidad de los efectos a largo plazo o las implicancias del uso de la IA. Es importante que las empresas que desean implementar la IA comprendan claramente los problemas empresariales que intentan resolver con el uso de la IA, en lugar de simplemente usar la tecnología por el simple hecho de usarla.

Las preguntas que las empresas deben hacer al considerar el uso de la IA incluyen:
- ¿Qué hace la empresa y por qué lo hace?
- ¿Cómo lo hace?
- ¿Cómo están aprovechando los competidores empresariales las herramientas de IA?
- ¿En qué herramientas y talentos confía la empresa y cuáles son sus métricas para el éxito?
- ¿Cuánto costará la inversión en IA y cuánto ROI ofrece?
- ¿Hasta qué punto confía la empresa en que sus protocolos y mecanismos de seguridad ayudarán a garantizar la calidad, integridad y confidencialidad de los datos (p. ej., IP e PII)?
- ¿Cómo podrían evolucionar la estrategia y los objetivos actuales de la empresa cuando la IA elimine las importantes barreras de costes y talento?
- ¿Qué pueden aportar el personal y los socios a la mesa de innovación de IA?

Las empresas deben tomar las siguientes cuatro medidas cuando se tome la decisión de utilizar la IA:[21]
1. Identificar los beneficios de la IA.
2. Identificar el riesgo de la IA.
3. Adoptar un enfoque continuo de gestión de riesgos.
4. Implementar protocolos de seguridad de IA adecuados.

1.5.5 El estado deseado

El término “estado deseado” se utiliza para denotar un panorama completo de todas las condiciones relevantes en un punto particular en el futuro. Para un panorama sólido, debe incluir principios, políticas y marcos de referencia; procesos; estructuras organizacionales; cultura, ética y comportamiento; información; servicios, infraestructura y aplicaciones; y personas, habilidades y competencias.

Definir un estado de seguridad en términos puramente cuantitativos es imposible. En consecuencia, un estado deseado de seguridad debe definirse hasta cierto punto en términos cualitativos de atributos, características y resultados. Según COBIT, puede incluir objetivos de alto nivel, entre otros: “Proteger los intereses de aquellos que dependen de la información y los procesos, los sistemas y las comunicaciones que la manejan, almacenan y entregan, de sufrir algún daño que sea consecuencia de fallas en la disponibilidad, confidencialidad e integridad de dicha información”. Resulta evidente que aun cuando la aseveración anterior es útil para declarar la intención y el alcance, no ofrece la claridad suficiente para definir los procesos u objetivos.

Los elementos cualitativos, tales como los resultados deseados, deben definirse con la mayor precisión posible para brindar orientación en cuanto al desarrollo de la estrategia. Por ejemplo, si el cumplimiento regulatorio específico es un resultado deseado, se vuelve evidente un número significativo de requerimientos técnicos y de procesos. En caso de que las características incluyan un método pacífico para exigir un cumplimiento que sea coherente con la cultura de la empresa, entonces el desarrollo de la estrategia presentará límites en los tipos de métodos que se van a considerar para tal efecto.

Una serie de enfoques útiles se encuentran disponibles para proporcionar un marco general que ayude a alcanzar un estado deseado de seguridad bien definido. Estos, y quizás otros, aspectos se deben evaluar para determinar cuál se integra, ajusta y funciona mejor para la empresa. Puede ser útil combinar diferentes estándares y marcos generales para proporcionar una visión multidimensional del estado deseado.

Varios de los enfoques más aceptados se describen en las secciones siguientes.

[19] Reber, D., Jr.; “Three Ways Generative AI Can Bolster Cybersecurity,” Nvidia, 16 de noviembre de 2023, *https://blogs.nvidia.com/blog/generative-ai-cybersecurity/*, Mamgai, A.; “Generative AI With Cybersecurity: Friend or Foe of Digital Transformation?,” 16 de octubre de 2023, *https://www.isaca.org/resources/news-and-trends/industry-news/2023/generative-ai-with-cybersecurity-friend-or-foe-of-digital-transformation*

[20] *Ibid.*

[21] ISACA, *The Promise and Peril of the AI Revolution: Managing Risk*, EE. UU., 2023

COBIT

COBIT proporciona un marco de referencia exhaustivo para el gobierno y la dirección de la TI de la empresa y trata ampliamente la seguridad de TI, el gobierno, el riesgo y la seguridad de la información en general. Debido a que muchos aspectos de la seguridad de la información involucran la TI y actividades relacionadas, COBIT puede servir como marco de referencia para determinar el estado deseado para la seguridad de la información efectiva.

COBIT incluye varias áreas prioritarias que describen un tema, dominio o asunto de gobierno determinado que puede abordarse como una serie de objetivos de gobierno y gestión y sus componentes. Algunos de los ejemplos de áreas prioritarias son: pequeñas y medianas empresas, seguridad de la información, riesgo, transformación digital, computación en la nube, privacidad y DevOps. Las áreas prioritarias pueden incluir una combinación de componentes y variantes genéricos de gobierno y proporcionan consideraciones sobre el gobierno de seguridad de la información.

COBIT se basa en dos conjuntos de principios:

- Principios que describen los requisitos fundamentales de un sistema de gobierno para la información y la tecnología de la empresa.
- Principios para un marco de referencia de gobierno que puede usarse para crear un sistema de gobierno para la empresa.

Los seis principios para un sistema de gobierno son (**figura 1.8**):

1. Cada empresa necesita un sistema de gobierno para satisfacer las necesidades de las partes interesadas y generar valor del uso de la tecnología e información (TI). El valor refleja un equilibrio entre beneficios, riesgos y recursos, y las empresas necesitan una estrategia y un sistema de gobierno práctico para materializar este valor.
2. Un sistema de gobierno para la TI de la empresa (GEIT) se construye a partir de una serie de componentes, a veces de distinto tipo, que funcionan conjuntamente de forma holística.
3. Un sistema de gobierno debería ser dinámico. Esto significa que cada vez que se cambia un factor de diseño (p. ej. un cambio de estrategia o tecnología), debe considerarse el impacto de este cambio en el sistema del GEIT. Una visión dinámica de GEIT hará que un sistema GEIT esté preparado para el futuro.
4. Un sistema de gobierno debe distinguir claramente entre actividades de gobierno y gestión, y estructuras.
5. Un sistema de gobierno debería personalizarse de acuerdo con las necesidades de la empresa, utilizando una serie de factores de diseño como parámetros para personalizar y priorizar los componentes del sistema de gobierno.
6. Un sistema de gobierno debería cubrir la empresa de principio a fin, centrándose no solo en la función de TI, sino también en todo el procesamiento de tecnología e información que la empresa pone en funcionamiento para lograr sus objetivos, independientemente de dónde se realice el procesamiento.

Figura 1.8—Principios del sistema de gobierno

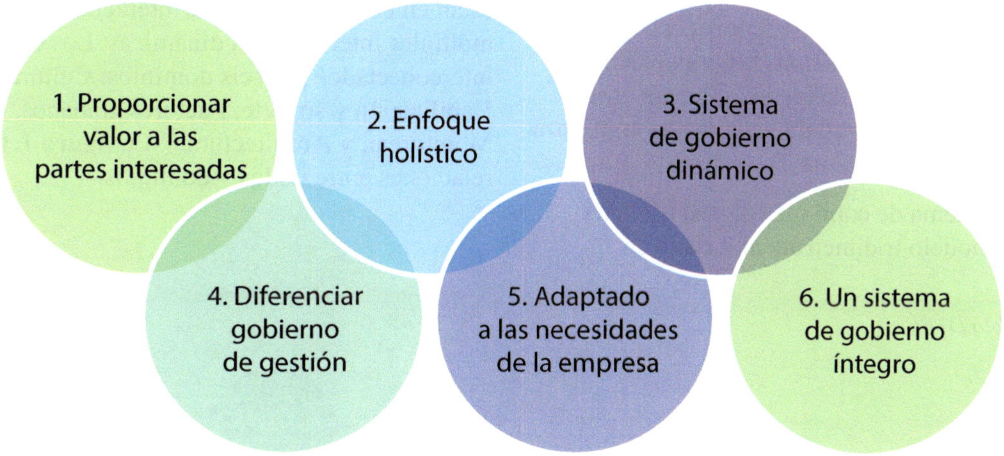

Fuente: ISACA, *COBIT 2019: Introduction and Methodology*, EE. UU., 2018

Los tres principios para un marco de gobierno son (**figura 1.9**):

1. Un marco de referencia de gobierno se debería basar en un modelo conceptual que identifique los componentes principales y las relaciones entre componentes para maximizar la consistencia y permitir la automatización.
2. Un marco de referencia de gobierno debería ser abierto y flexible. Debería permitir la incorporación de nuevo contenido y permitir que se aborden nuevos asuntos de la forma más flexible, mientras mantiene la integridad y uniformidad.
3. Un marco de gobierno debería alinearse con los principales estándares, marcos y regulaciones relacionados.

Figura 1.9—Principios del marco de gobierno

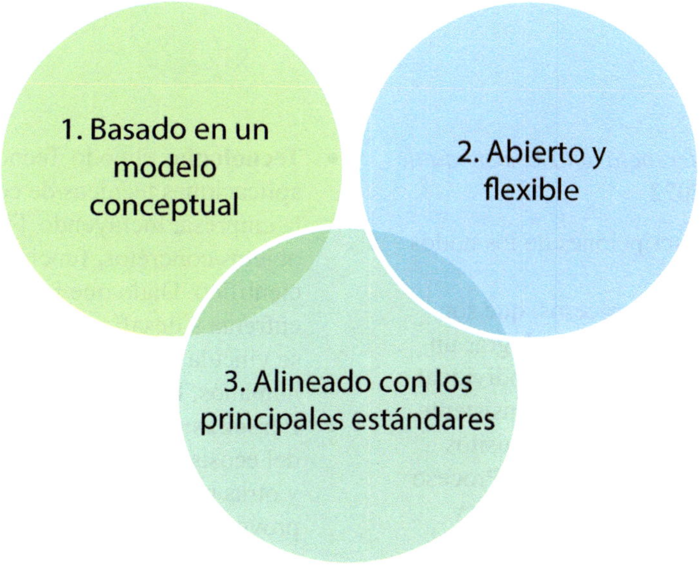

Fuente: ISACA, *COBIT 2019: Introduction and Methodology*, EE. UU., 2018

Marco del ecosistema de confianza digital

La confianza digital es la confianza en la integridad de las relaciones, interacciones y transacciones entre proveedores y consumidores dentro de un ecosistema digital. La capacidad de las personas, las organizaciones, los procesos, la información y la tecnología para crear y mantener un mundo digital confiable afecta a la confianza digital.[22]

El marco del ecosistema de confianza digital (DTEF) de ISACA es un modelo tridimensional basado en la teoría de que existen múltiples dependencias entre cuatro elementos principales (nodos): personas, procesos, tecnología y organización. En el modelo, estos nodos están en el nivel más alto e interactúan a través de múltiples interacciones dinámicas. Los cuatro nodos están interconectados por seis dominios: Cultura, Emergencia, Habilitación y soporte, Factores humanos, Dirigir y Monitorear, y Arquitectura.[23] La **figura 1.10** ilustra las relaciones entre nodos y dominios.

Figura 1.10—Modelo DTEF

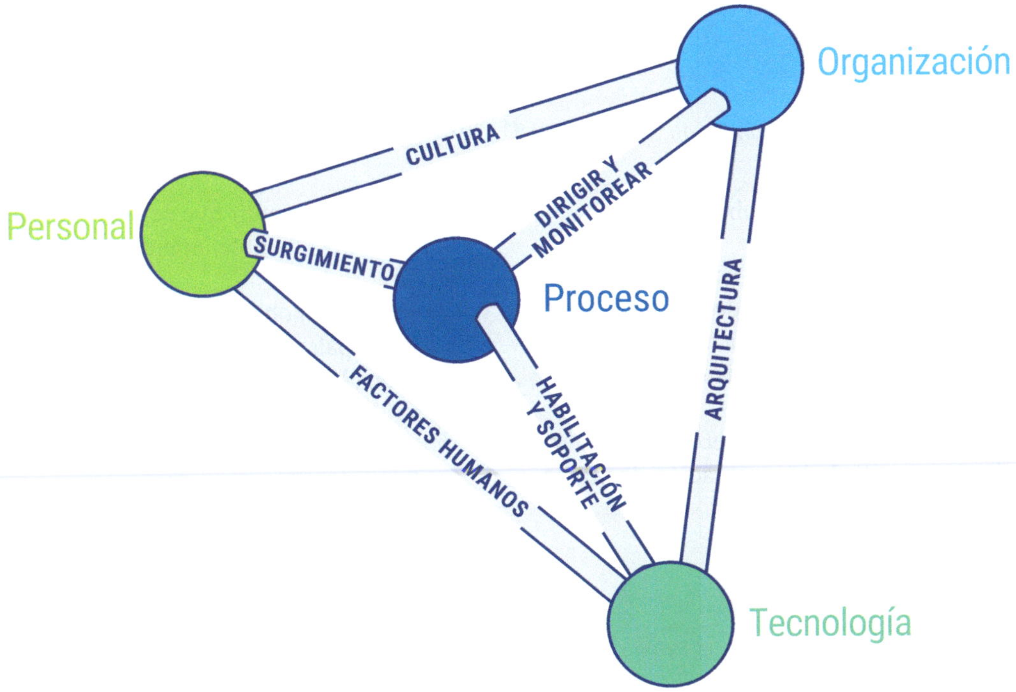

Fuente: ISACA, *Marco de Referencia del Ecosistema de Confianza Digital*, EE. UU., 2022

A continuación se muestran descripciones de los nodos DTEF:

- **Proceso:** este nodo comprende procesos, que son actividades estructuradas diseñadas para lograr un resultado particular a través de una tarea individual o una serie de tareas aplicadas de manera consistente. El nodo Proceso ayuda a organizar los requisitos para respaldar la confianza digital. El nodo Proceso se vincula directamente a los dominios Dirigir y Monitorear, Emergencia, y Habilitación y soporte.
- **Tecnología:** el nodo Tecnología incluye todas las aplicaciones técnicas de conocimiento utilizadas en la empresa, incluyendo TI empresarial tradicional, objetos concretos, funcionalidad y conocimiento científico. Dado que la TI no es la única área que se enfrenta a desafíos tecnológicos, el nodo Tecnología se vincula directamente a los dominios de Factores humanos, Habilitación y soporte, y Arquitectura.
- **Personas:** este nodo incluye a los humanos dentro del ecosistema, como partes interesadas, empleados y otras personas asociadas con la empresa, incluidos proveedores y servicios gestionados. El nodo Personas se vincula directamente a los dominios de Emergencia, Cultura y Factores humanos.

---

22 ISACA, *Marco de Referencia del Ecosistema de Confianza Digital*, EE. UU., 2022
23 ISACA, *Using the Digital Trust Ecosystem Framework to Achieve Trustworthy AI*, EE. UU., 2024

- **Organización:** el nodo Organización incluye el diseño general de la empresa y está influenciado por su estrategia. La organización comprende un conjunto de componentes que respaldan sus objetivos. El nodo Organización se vincula directamente a los dominios Cultura, Dirigir y monitorear, y Arquitectura.

Los nodos se vinculan entre sí a través de los dominios DTEF:

- **Dirigir y monitorear:** dirigir y monitorear traduce los conceptos y las medidas de gobierno existentes (el nodo de la organización) para ayudar a una empresa a cumplir su misión y sus objetivos, al tiempo que establece límites y controles a nivel de proceso (el nodo Proceso). Este dominio es un catalizador para completar tareas específicas en el DTEF.
- **Cultura:** cultura es un patrón de conductas, convicciones, supuestos, actitudes y maneras de ejecutar actividades. La cultura empresarial general puede influir en los comportamientos individuales y grupales. El DTEF examina la cultura en dos capas: organizativa e individual.
- **Arquitectura:** el DTEF analiza más ampliamente la arquitectura, más allá de la infraestructura, para que la arquitectura comience como un concepto, estrategia y conjunto de objetivos de diseño que una empresa apoya. Luego, estos evolucionan hacia un modelo, o visión, sobre el cual se pueden construir la empresa y sus interrelaciones y principios rectores.
- **Habilitación y soporte:** la Habilitación y soporte es la interconexión dinámica a través de la cual la tecnología permite el proceso y cómo el proceso respalda la implementación y el funcionamiento de la tecnología. La Habilitación y soporte se centra en generar el retorno de la inversión deseado por la empresa y en cumplir los objetivos empresariales.
- **Surgimiento:** el surgimiento es la aparición de nuevas oportunidades de negocio, nuevos comportamientos, nuevos procesos y otros elementos relevantes que se generan a medida que evolucionan los subsistemas entre las personas y los procesos. El surgimiento puede crear orden a partir del caos, aunque de una manera impredecible. El surgimiento considera la creación de procesos, ya sean formales o informales, que utilizan las empresas.
- **Factores humanos:** los factores humanos, también conocidos como interacción humano-computadora, analizan cómo interactúan las personas con la tecnología y cómo se logran los objetivos específicos de confianza digital. Los factores humanos conectan los nodos Personas y Tecnología.

El DTEF utiliza factores de confianza para establecer una base de contenido dentro de cada dominio. Por ejemplo, el dominio Arquitectura está categorizado dentro de los siguientes cuatro factores de confianza:

1. Crear una arquitectura de confianza empresarial
2. Gestionar la arquitectura de la información y la tecnología
3. Gestionar recursos de confianza digital
4. Alinear la tecnología de confianza digital con las necesidades de la organización

Los factores de confianza describen las acciones generales necesarias para mantener la confianza digital y ayudar a evitar o reducir sesgos.

El DTEF proporciona una estructura que sustenta la confianza digital a lo largo de un ecosistema, teniendo en cuenta cómo las relaciones influyen en el nivel de compromiso con los consumidores, clientes y usuarios. **La figura 1.11** ilustra los elementos estructurales clave del DTEF.

Figura 1.11—Jerarquía del DTEF

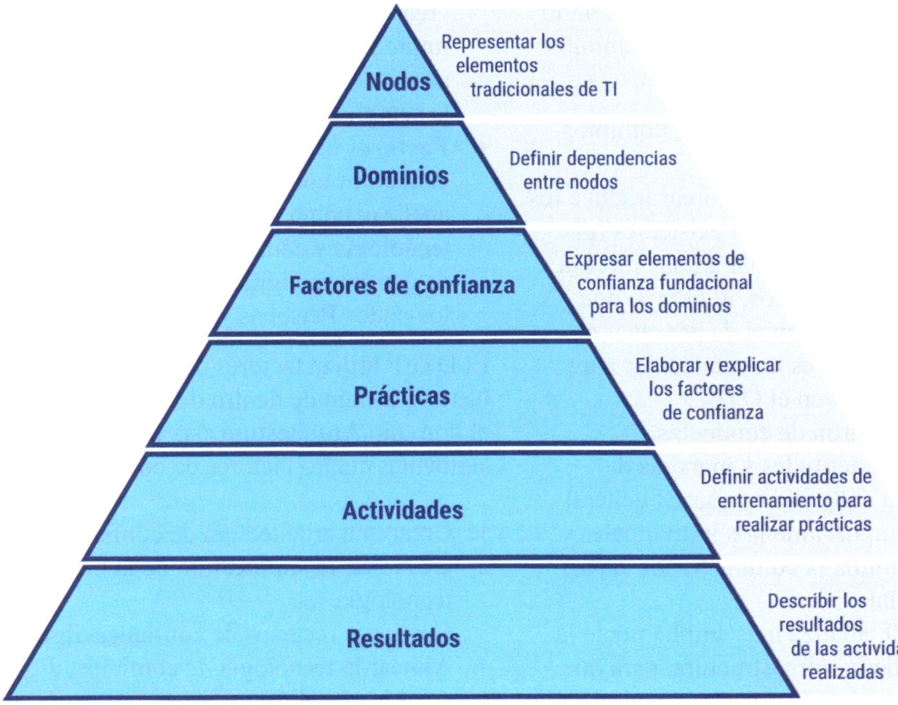

Fuente: ISACA, *Using the Digital Trust Ecosystem Framework to Achieve Trustworthy AI,* EE. UU., 2024

El DTEF muestra que la confianza digital se extiende más allá de la transformación digital y la TI; más bien, la confianza digital afecta a toda la empresa y puede ayudar a las empresas a lograr una ventaja competitiva.

Gobierno, gestión de riesgos y cumplimiento

Gobierno, gestión de riesgos y cumplimiento (GRC) es un ejemplo del creciente reconocimiento de la necesidad de convergencia, o de integración del proceso de aseguramiento.

GRC es un término que refleja un enfoque que las empresas pueden adoptar para integrar estas tres áreas. Aunque con frecuencia se hace referencia al GRC como una actividad de negocio individual, éste incluye múltiples actividades superpuestas y relacionadas dentro de una empresa, las cuales pueden incluir auditoría interna, programas de cumplimiento tales como la Ley de Sarbanes-Oxley, gestión de riesgos empresariales, riesgo operativo, gestión de incidentes de seguridad y otras.

Gobierno es responsabilidad de la alta gerencia y el consejo de dirección, y se centra en crear los mecanismos que una empresa utiliza para garantizar que el personal siga las políticas y los procesos establecidos.

Gestión de riesgos es el proceso por el cual una empresa administra el riesgo a niveles aceptables, dentro de tolerancias aceptables. Identifica riesgos potenciales y sus impactos asociados, y prioriza su mitigación según los objetivos de negocio de la empresa. La gestión de riesgos desarrolla e implementa controles internos para administrar y mitigar riesgos en toda la empresa.

Cumplimiento es el proceso que registra y monitorea las políticas, los procedimientos y los controles necesarios para garantizar que las políticas y los estándares se adhieran a él.

Es importante reconocer que una integración efectiva de procesos de GRC requiere que el gobierno esté implementado antes de que se puedan gestionar los riesgos efectivamente y exigir cumplimiento.

Se han desarrollado numerosos productos de software de GRC para ayudar a las empresas a implementar y mantener procesos de GRC. Estos se describen con más detalle en el Capítulo 3 Desarrollo y gestión del programa de seguridad de la información.

Si bien un programa de GRC se puede usar en cualquier área de una empresa, suele enfocarse en las áreas financiera, de TI y legal. El GRC financiero se usa para garantizar el correcto funcionamiento de procesos financieros y el cumplimiento de requerimientos regulatorios. De modo similar, el GRC de TI busca garantizar el correcto funcionamiento y el cumplimiento de políticas de procesos de TI. El GRC legal puede centrarse en el cumplimiento regulatorio general.

1.5.6 Desarrollo de estrategias de seguridad de la información

Con la información descrita en la sección anterior, se puede desarrollar una estrategia de seguridad significativa, una estrategia para ir del estado actual al estado deseado. Saber dónde nos encontramos y hacia dónde nos dirigimos proporciona un punto de partida esencial para el desarrollo de la estrategia; facilita el marco para crear un plan de acción. La hoja de ruta delinea esencialmente los pasos específicos que se deben dar para implementar la estrategia.

Los objetivos de seguridad de la información, junto con los procesos, métodos, herramientas y técnicas disponibles, proporcionan los medios para elaborar una estrategia de seguridad. Una buena estrategia de seguridad debe abordar y mitigar el riesgo, ofreciendo al mismo tiempo un nivel aceptable de cumplimiento con los requerimientos legales, contractuales y de los estatutos de la empresa. Debe brindar apoyo comprobable a los objetivos comerciales de la organización y maximizar el valor para las partes interesadas. La estrategia de seguridad también debe considerar de qué manera la organización va a incluir buenas prácticas de seguridad en cada uno de los procesos y áreas de negocio.

A menudo, aquellos responsables de desarrollar una estrategia de seguridad piensan en términos de controles como los medios para implementar la seguridad. Los controles, aun cuando son importantes, no son el único elemento con el que cuenta un estratega. En algunos casos, llevar a cabo la reingeniería de un proceso puede reducir o eliminar un riesgo sin que sean necesarios los controles. Es posible mitigar los posibles impactos si se modifica la arquitectura en vez de los controles. Otra consideración a tener en cuenta es que mitigar el riesgo a veces puede reducir las oportunidades de negocio hasta tal punto que esto se vuelva contraproducente. También es esencial considerar cómo las actividades de mitigación del riesgo impactan en la productividad para que se pueda encontrar un cuidadoso equilibrio entre la efectividad/eficiencia operativa y la seguridad. En general, esto se puede lograr mediante la realización de un análisis de costo-beneficio de las actividades de control propuestas.

En última instancia, la meta de seguridad es el aseguramiento del proceso de negocio, independientemente del negocio (es decir, garantizar la operación continua del negocio respaldando y minimizando las interrupciones en las operaciones a un costo aceptable). Esto sirve para proteger el valor y la creación de valor. Aun cuando el negocio de una dependencia gubernamental no resulte de manera directa en ganancias, continúa estando en el negocio de brindar servicios rentables a sus ciudadanos y tiene que seguir protegiendo los activos que se le han dado en custodia. Cualquiera que sea el negocio del que se trate, su meta operativa primaria es maximizar el éxito de los procesos de negocio y minimizar los impedimentos para ejecutar esos procesos.

1.5.7 Elementos de una estrategia

¿Qué debe incluir una estrategia de seguridad? Ya se han definido el punto de partida y el de destino. Lo siguiente que hay que considerar es qué recursos están disponibles y cuáles son las limitaciones que deben considerarse cuando se desarrolle una directriz. Los recursos son los mecanismos que se utilizarán para alcanzar varias partes de la estrategia, limitados por las restricciones. El proceso de desarrollo de la estrategia debe incluir hacer algunas suposiciones realistas sobre los efectos de los proyectos de TI actuales y planificados, evaluar las actividades de reingeniería de procesos comerciales en curso y discutir cómo se pueden administrar el personal y los presupuestos de manera más efectiva.

Hoja de ruta

La directriz típica para alcanzar un estado deseado seguro y definido incluye personas, procesos, tecnologías, entre otros recursos. Sirve para delinear las rutas y los pasos necesarios para navegar hacia los objetivos de la estrategia.

Es probable que las interacciones y las relaciones entre los diferentes elementos de una estrategia sean complejas. En consecuencia, será prudente considerar las etapas iniciales para desarrollar una arquitectura de seguridad tales como las discutidas en 3.4.1 Arquitecturas de seguridad de la información empresarial. Las arquitecturas pueden ofrecer un enfoque estructurado para definir los impulsores de negocio, las relaciones de recursos y los flujos de procesos. Una arquitectura también puede ayudar a asegurar que los elementos contextuales y conceptuales, como los impulsores de negocio y las consecuencias, se incluyan en la etapa de desarrollo de la estrategia.

Alcanzar el estado de seguridad deseado será una meta a largo plazo formada por una serie de proyectos e iniciativas. Tal como sucede con la mayoría de los proyectos grandes y complejos, será necesario desglosarlos en varios proyectos a corto plazo que puedan lograrse en un tiempo razonable, dadas las inevitables limitaciones de recursos y los ciclos presupuestarios. Toda hoja de ruta puede y debe trazarse, teniendo en consideración que no existe un estado estable para la seguridad de la información y con el tiempo será necesario modificar algunos objetivos. Algunos objetivos, tales como alcanzar un determinado nivel de madurez, realizar la reingeniería de procesos de alto riesgo o lograr objetivos de control específicos, tal vez no requieran de ninguna modificación.

Los proyectos a corto plazo alineados con los objetivos a largo plazo pueden ayudar a proporcionar puntos de control y oportunidades para hacer correcciones a mitad de camino. También brindarán métricas para validar la estrategia en su conjunto.

Por ejemplo, un objetivo a largo plazo definido en la estrategia puede ser la clasificación de datos según la confidencialidad y criticidad. Dada la magnitud del esfuerzo que se necesita en una gran empresa, es posible que se requieran varios años para su realización. La estrategia puede incluir el requerimiento para determinar que el objetivo que deberá completarse cada año fiscal será el 25 por ciento de los datos utilizando varios enfoques tácticos. Un segundo componente de la estrategia podría ser elaborar políticas y estándares que excluyan las prácticas que dan lugar al problema, para que no se agrave mientras se ejecuta el proceso de corrección.

El desarrollo de una estrategia para alcanzar objetivos a largo plazo y la hoja de ruta para llegar hasta ellos, junto con metas intermedias a menor plazo, establecerá la base para elaborar políticas y normas sólidas en apoyo a este esfuerzo.

Recursos y limitaciones: resumen

Las siguientes subsecciones describen los recursos típicos de implementación de una estrategia de seguridad de la información y algunas de las limitaciones que se deben considerar.

COBIT define algunos componentes (antes llamados facilitadores) del sistema de gobierno como factores que, de manera individual y colectiva, influyen en el hecho de que algo funcione (en este caso, el gobierno y la gestión de seguridad de la información y la TI de la empresa). Estos componentes son impulsados por la cascada de metas (es decir, las metas de más alto nivel definen lo que los diferentes facilitadores deben alcanzar). Los componentes del sistema de gobierno son:

- **Principios, políticas y marcos de referencia:** son vehículos para convertir el comportamiento deseado en una guía práctica para la gestión diaria.
- **Procesos:** describen un conjunto organizado de prácticas y actividades para lograr ciertos objetivos y producir un conjunto de resultados respaldando el logro de las metas generales.
- **Estructuras organizativas:** son las entidades claves de la toma de decisiones en una empresa.
- **La cultura, la ética y el comportamiento:** características de individuos y de la empresa que son, muy a menudo, subestimados como un factor de éxito en las actividades de gestión y gobierno.
- **Información:** toda la información producida y utilizada por la empresa. La información abarca toda la empresa y se requiere para mantener a la empresa en funcionamiento y bien gobernada, pero a nivel operativo, la información es muy a menudo el producto clave de la misma empresa.
- **Servicios, infraestructura y aplicaciones:** la infraestructura, la tecnología y las aplicaciones que brindan a la empresa servicios y procesamientos de tecnología de la información.
- **Personas, habilidades y competencias:** son necesarias para la finalización exitosa de todas las actividades y para tomar decisiones correctas y aplicar medidas correctivas.

Los componentes del sistema de gobierno pueden funcionar como recursos y como restricciones y deben ser considerados desde ambas perspectivas.

Recursos

Los recursos con los que cuenta la empresa se deberán cuantificar y considerar cuando se desarrolle una estrategia de seguridad. En la medida de lo posible, la estrategia debe maximizar el uso de valores y capacidades existentes.

Los recursos pueden considerarse los mecanismos que están disponibles, en una combinación óptima, para alcanzar el estado deseado de seguridad con el paso del tiempo. Entre ellos se incluyen:

- Políticas
- Normas
- Procedimientos
- Directrices
- Arquitecturas
- Controles: físicos, técnicos y de procedimientos
- Contramedidas
- Defensas en capas

- Tecnologías
- Protección del personal
- Estructura organizacional
- Funciones y responsabilidades
- Habilidades
- Capacitación
- Concienciación y formación
- Auditorías
- Exigencia de cumplimiento
- Evaluación de amenazas
- Evaluación de la vulnerabilidad
- Análisis de impacto en el negocio (BIA)
- Análisis de riesgos
- Análisis de dependencia del recurso
- Proveedores de servicios externos
- Otros proveedores de soporte y aseguramiento organizacional
- Instalaciones
- Seguridad en el entorno

Limitaciones

Se deben considerar varias limitaciones cuando se desarrolle una estrategia de seguridad y el plan de acción posterior. A continuación se mencionan las limitaciones más comunes:

- **Legales:** leyes y requerimientos normativos.
- **Físicas:** limitaciones en la capacidad, espacio y ambiente.
- **Éticas:** apropiadas, razonables y habituales.
- **Culturales:** tanto dentro como fuera de la empresa.
- **De costes:** tiempo, dinero.
- **Personal:** resistencia al cambio y resentimiento contra nuevas limitaciones.
- **Estructura organizacional:** cómo se toman las decisiones y quién lo hace, protección territorial.
- **Recursos:** de capital, tecnológicos y humanos.
- **De capacidades:** conocimiento, capacitación, habilidades y conocimientos especializados.
- **Tiempo:** ventana de oportunidad y cumplimiento forzoso.
- **Apetito de riesgo:** amenazas, vulnerabilidades, impactos.

Algunas de las limitaciones, tales como la ética y la cultura, pueden tratarse para la definición del estado deseado. Otras surgirán como consecuencia de desarrollar el plan de acción y la directriz. Las limitaciones también pueden ser la magnitud del esfuerzo, los retos en torno a los sistemas heredados, la integración con tecnologías existentes o los procesos y adopción de tecnologías emergentes como la inteligencia artificial, el aprendizaje automático, la automatización de los procesos robóticos, etc.

1.6 Marcos y normas de gobierno de la información

Para lograr un gobierno efectivo de la seguridad de la información, la gerencia debe establecer y asegurar el mantenimiento de un marco para guiar el desarrollo y la gestión de un programa completo de seguridad de la información que apoye los objetivos del negocio.

Por lo general, el marco de gobierno constará de lo siguiente:

- Una estrategia integral de seguridad que esté vinculada de manera intrínseca con los objetivos de negocio.
- Políticas de seguridad aplicables que expresen claramente la intención de la gerencia y traten cada aspecto de la estrategia, los controles y la regulación.
- Un conjunto completo de estándares para cada política que garantice que las personas, los procedimientos, las prácticas y las tecnologías cumplan con los requisitos de la política y establezcan las líneas base de seguridad adecuadas para la empresa.
- Una estructura organizacional efectiva de seguridad que tenga autoridad suficiente y recursos adecuados, libre de conflictos de interés.
- Estructuras y flujos de trabajo detallados que ayuden a definir las responsabilidades y obligaciones de rendición de cuentas para el gobierno de la seguridad de la información.
- Métricas y procesos de monitoreo institucionalizados que garanticen el cumplimiento, proporcionen retroalimentación sobre la eficacia del control y suministren la base para la toma de decisiones gerenciales.

Este marco provee la base para el desarrollo de un programa económico de seguridad de la información que respalde las metas de negocio de la empresa. La implementación y gestión de un programa de seguridad se trata en el capítulo 3 Desarrollo y gestión del programa de seguridad de la información. El objetivo del programa es un conjunto de actividades que aseguren que los activos de información reciben un nivel de protección proporcional a su valor o al riesgo que implica para la empresa que los activos sean comprometidos. Las relaciones entre TI, seguridad de la información, controles, arquitectura y los otros componentes de un marco de referencia de gobierno se representan en la **figura 1.12**. Mientras que el vínculo entre TI y seguridad de la información puede ocurrir en diversos niveles más altos, la estrategia es el punto donde la seguridad de la información debe integrarse con TI para alcanzar sus objetivos.

Figura 1.12—Normas y marcos generales vigentes

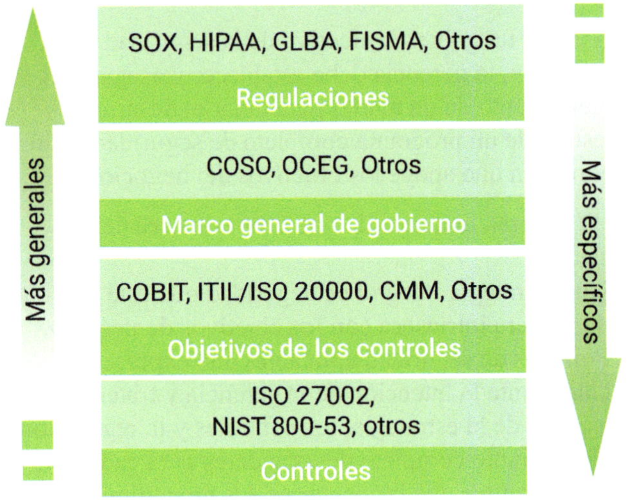

1.6.1 Cuadro de mando

Según el instituto Balanced Scorecard, "El cuadro de mando es un sistema de gestión y planificación estratégica utilizado por las organizaciones para comunicar y alinearse en torno a una estrategia, priorizar y medir su rendimiento.[24] El cuadro de mando, como se muestra en la **figura 1.13**, utiliza cuatro perspectivas:

Figura 1.13—Dimensión del cuadro de mando

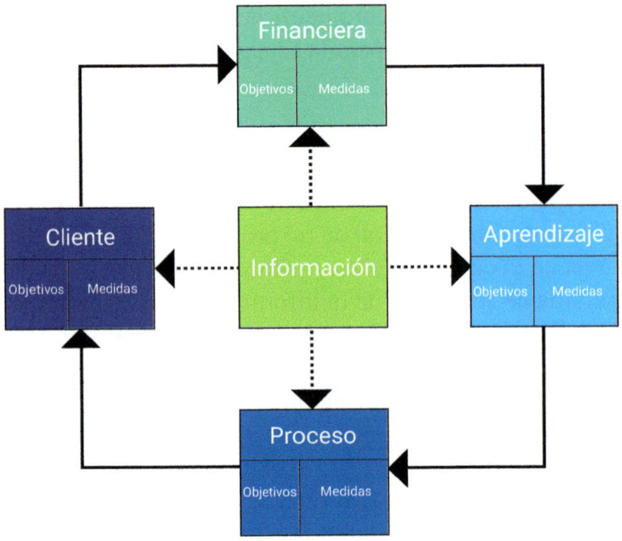

Fuente: ISACA, *Board Briefing on IT Governance, 2nd Edition, EE. UU., 2003*

Desarrolla métricas, recopila datos y los analiza con relación a cada una de estas perspectivas:

- Aprendizaje y crecimiento
- Proceso de negocio
- Cliente
- Financiera

1.6.2 Enfoques sobre la Arquitectura

La arquitectura de seguridad de la información en la empresa (EISA) es un subconjunto de la arquitectura de la empresa. Un marco de arquitectura se puede describir como una estructura fundacional, o conjunto de estructuras, que se puede utilizar para desarrollar una gran variedad de arquitecturas, incluida la arquitectura del proceso de negocio, que algunas veces se menciona como arquitectura contextual, así como las arquitecturas conceptual, lógica, física, funcional y operacional más tradicionales.

Muchas metodologías han evolucionado, incluidos los modelos de procesos, los marcos y los enfoques ad hoc que favorecen algunas consultorías. Esta evolución ocurrió al ser evidente que una perspectiva de arquitectura limitada a la TI era inadecuada para abordar el diseño del negocio y el desarrollo de los requerimientos de seguridad.

Numerosos enfoques de arquitectura proporcionan los enlaces con el aspecto comercial de la protección de la información y métodos para su diseño. Los enfoques de arquitectura que incluyen procesos de negocio que pudieran ser apropiados para definir el estado deseado de seguridad incluyen (pero no se limitan necesariamente a) modelos de marcos tales como COBIT, el marco Open Group Architecture Framework (TOGAF), el marco Zachman Enterprise Architecture Framework, y el marco Extended Enterprise Architecture Framework (E2AF). Estos modelos pueden definir la mayoría o la totalidad del estado deseado de la seguridad, siempre que se utilicen apropiadamente para reflejar e implementar la estrategia de seguridad de la organización.

La arquitectura debe describir un método para diseñar un objetivo o estado deseado de la empresa en términos de un conjunto de componentes básicos y para mostrar cómo estos componentes se integran. La arquitectura objetivo se conoce como la arquitectura de referencia y sirve para establecer los objetivos más lejanos en el tiempo para el diseño técnico, de sistemas y procesos.

[24] Balanced Scorecard Institute, "Balanced Scorecard Solutions", *https://balancedscorecard.org/solutions/bscsolution/*

1.6.3 Marcos de gestión de riesgos empresariales

Algunos marcos de gestión de riesgos empresariales (ERM) incluyen elementos que pueden ser útiles para preparar una planificación estratégica y el consiguiente desarrollo del programa:

- El **marco integrado COSO ERM** define los componentes esenciales de gestión de riesgos empresariales, analiza los principios y conceptos clave de ERM, sugiere un lenguaje ERM común y proporciona una dirección y orientación claras para la gestión de los riesgos empresariales.
- La norma **ISO 31000:2018** documenta los principios, un marco y un proceso para gestionar el riesgo a fin de ayudar a las empresas a aumentar la probabilidad de alcanzar los objetivos, identificar oportunidades y amenazas, y asignar y utilizar eficazmente los recursos para el tratamiento del riesgo.
- El **British Standard (BS) 31100: 2021**, el *Código de prácticas de gestión de riesgos*, proporciona un proceso para implementar y mantener los conceptos descritos en ISO 31000, incluidas funciones clave como identificar, evaluar, responder, informar y revisar.

1.6.4 Marcos y modelos de gestión de la seguridad de la información/ciberseguridad

Además de las prácticas generales de ERM descritas anteriormente, existen varios marcos conocidos que se desarrollaron con un enfoque centrado en la gestión de riesgos de seguridad de la información.

Serie ISO/IEC 27000

ISO/IEC 27001:2022: Information security, cybersecurity and privacy protection—Information security management systems—Requirements puede proporcionar un marco útil para establecer e implementar un programa de gestión de la seguridad de la información, y su mantenimiento y mejora continua. *ISO/IEC 27002:2022: Information security, cybersecurity and privacy protection —Information security controls* proporciona controles que se pueden utilizar con el programa de gestión de seguridad de la información creado con ISO/IEC 27001:2022.

Las cuatro cláusulas de control de seguridad de ISO/IEC 27002:2022 son:

- Controles de la organización
- Controles de las personas
- Controles físicos
- Controles tecnológicos

ISO/IEC 27002:2022 proporciona dos anexos de información que proporcionan orientación adicional sobre cómo las empresas pueden aplicar atributos de control a sus propios programas.

Las normas ISO/IEC 27000 no exigen controles específicos sino que dejan que los usuarios seleccionen e implementen los controles apropiados, utilizando un proceso de evaluación de riesgos para identificar los controles más apropiados para sus requerimientos específicos. Los usuarios son libres de seleccionar controles que no están incluidos en el estándar, bajo la condición de que se cumplan sus objetivos de control. La norma ISO/IEC es tratada como una lista de verificación de controles genéricos, un "menú" del que las empresas seleccionan su propio conjunto.

Marco de ciberseguridad NIST

Llamado formalmente Marco del NIST para Mejorar la Ciberseguridad de las Infraestructura Críticas, el marco de ciberseguridad del NIST proporciona una guía de alto nivel para alinear el programa de ciberseguridad con los objetivos de la empresa. En respuesta a una incidencia cada vez mayor de ataques a la seguridad cibernética, el NIST convocó una serie de talleres para desarrollar un proceso mediante el cual una empresa pudiera identificar oportunidades de mejora en el programa de seguridad de la información. El marco destaca la necesidad de una integración eficaz de la gestión de riesgos y apoya ampliamente la mejora en la gestión de riesgos de la cadena de suministro.

El marco de ciberseguridad del NIST no proporciona controles que se apliquen. En cambio, guía a los profesionales a través del proceso de determinar las brechas entre el estado actual de la práctica y un estado objetivo deseado que podría cumplir mejor con su misión empresarial, incluidas las necesidades de gestión de riesgos. El análisis de las deficiencias entre estados permite el uso de marcos basados en controles (incluidos los enumerados aquí) para mejorar la gestión de riesgos de seguridad de la información.

Marco de gestión de riesgo NIST

El marco de gestión de riesgos (RMF) del NIST proporciona un proceso que integra las actividades de gestión de riesgos de seguridad, privacidad y cadena de suministro cibernético en el ciclo de vida del desarrollo del sistema. Originalmente destinado a ayudar a las agencias gubernamentales de EE. UU. a evaluar y mejorar la seguridad de la información, se ha ampliado para aplicarse a cualquier empresa y está disponible sin coste alguno. El RMF proporciona un enfoque basado en el riesgo para la categorización de activos relevantes, la selección e implementación de controles para lograr una protección adecuada y disposiciones para supervisar la eficacia y eficiencia continuas de las medidas de gestión de riesgos.

Otros enfoques

Existen otros enfoques y métodos que pueden ser útiles, tales como otras normas ISO sobre la calidad (ISO 9001:2015), el método Six Sigma para la calidad y la gerencia del negocio, las publicaciones de NIST, el Foro de la Seguridad de la Información (ISF) y la Ley Federal de los EE. UU. para la Modernización de la Seguridad de la Información (FISMA). Algunos de éstos se enfocan más en procesos gerenciales y manejo de calidad que en objetivos de seguridad estratégicos. Sin embargo, un argumento válido podría ser que, si el objetivo de una estrategia de seguridad es implementar totalmente componentes relevantes de ISO/IEC 27001:2013 y 27002:2013, es probable que se cumpla con la mayoría de o, con todos, los requerimientos de seguridad. Es probable que ése sea un enfoque innecesariamente costoso, y los estándares sugieran que se deben adaptar con cuidado a los requerimientos específicos de la empresa que los está adoptando. Sin duda surgirán otras metodologías en el futuro que sean más eficaces que las que se mencionaron con anterioridad. Esto no pretende ser una lista exhaustiva sino tan solo la presentación de algunos de los enfoques de mayor aceptación para llegar a objetivos de seguridad de la información bien definidos.

Puede ser de utilidad emplear una combinación de métodos para describir el "estado deseado" a fin de contribuir a la comunicación con otros y como una forma de contraverificar los objetivos para garantizar que se han incluido todos los elementos pertinentes. Por ejemplo, una combinación de objetivos de control COBIT, CMMI, cuadro de mando (balanced scorecard) y un apropiado modelo arquitectónico sería una combinación altamente efectiva. Aun cuando pareciera una exageración, cada enfoque presenta un punto de vista diferente que, en conjunto, probablemente garantice que no se ha omitido ningún aspecto importante. Puesto que es improbable que un programa eficaz de seguridad se desarrolle a partir de una estrategia errónea, éste sería un enfoque prudente.

1.7 Planificación estratégica

A partir de los marcos descritos anteriormente, el paso final para crear una estrategia de seguridad de la información eficaz es la planificación estratégica en sí. Los planes para implementar y mantener la estrategia de seguridad reflejan los adoptados para la propia estrategia empresarial: fuerza laboral y estructura organizativa, garantía de cumplimiento de los requisitos obligatorios y actividades específicas para cumplir las responsabilidades de protección del valor de la empresa.

1.7.1 Composición y habilidades de los empleados

La seguridad del personal es un área importante de la estrategia de la seguridad de la información que se debe considerar como un medio preventivo de proteger a una empresa. Debido a que las exposiciones al daño más costosas y perjudiciales son casi siempre el resultado de actividades iniciadas desde el interior, ya sean intencionales o no intencionales, la primera línea de defensa es intentar garantizar la confianza y la integridad del personal existente y del nuevo. Los procesos para asegurarse de que estos atributos en la fuerza de trabajo (incluido el personal interno y los proveedores de servicios externos) se implementarán a través del programa de seguridad de la información, pero los requisitos y los planes deben incluirse en la estrategia.

Estructura de la organización

La estructura organizativa tendrá un efecto significativo en el desarrollo de una estrategia de seguridad de la información. Es probable que una estructura flexible y cambiante sea útil en el desarrollo de una estrategia de seguridad. En estructuras más rígidas, los esfuerzos por desarrollar una estrategia pueden ser percibidos por diferentes facciones como una amenaza a su autonomía o autoridad. Esto sucede cada vez con más frecuencia desde que la función de seguridad de la información ha aumentado en importancia y posición en la estructura de la organización.

Si bien en el pasado era suficiente que la seguridad de la información informara al CIO, esa estructura se volvió inadecuada para enfrentar de manera efectiva el aumento del riesgo, las crecientes pérdidas y la sofisticación de los atacantes. A menudo, también resulta en un conflicto de interés. Como resultado, la seguridad de la información tiene cada vez más responsabilidades de nivel intermedio y reporta al COO, CEO o al consejo de dirección. Hay algunas razones para esto. Una es que los extensos requerimientos de seguridad de la información están fuera del alcance y enfoque del típico CIO. Otra razón es el conflicto de interés inherente que surge al ser la seguridad de la información una actividad principalmente regulatoria, mientas que el CIO muchas veces está enfocado en el coste y el desempeño de TI. Debido a los esfuerzos por garantizar la seguridad, a menudo la seguridad de la información se percibe como una limitación para las operaciones de TI. Los CIO y departamentos de TI suelen estar bajo presión para incrementar el desempeño y reducir los costes; un presupuesto para la seguridad reducido a menudo es el resultado de esas presiones. Por último, para que la seguridad de la información se considere efectiva, tiene que estar alineada con el negocio en lugar de estarlo con la tecnología.

Enfoques centralizados y descentralizados para coordinar la seguridad de la información

La cultura de una empresa afectará muchos aspectos de la estrategia, incluyendo la determinación de si un enfoque centralizado o descentralizado es más eficaz para la seguridad de la empresa. Aun cuando se pueden obtener muchos beneficios a través de la centralización y la normalización de la seguridad, con frecuencia la estructura de una empresa lo hace un enfoque ineficiente.

Las compañías multinacionales que eligen un enfoque centralizado deben considerar cuidadosamente diferentes requerimientos legales locales en cada país en que tengan presencia. Por ejemplo, algunos países podrían no permitir que los datos de negocios se almacenen o procesen fuera de las fronteras nacionales; algunos gobiernos pueden recaudar impuestos como una retención de impuesto por el software o hardware utilizado por las entidades dentro de su jurisdicción, independientemente de la ubicación física del software o hardware.

Un ejemplo de enfoque distribuido sería una empresa que ha crecido a través de adquisiciones y opera más como entidades independientes que como una sola entidad. En esta situación, es común que existan grupos de TI separados junto con software y hardware diferentes. En este ejemplo, sería común que existieran diferentes empresas de seguridad con enfoques, políticas y procedimientos independientes. En estas situaciones, aún se podrían obtener beneficios al crear un conjunto único de políticas de seguridad generales para toda la empresa, y resolver las diferencias locales mediante normas y procedimientos locales.

Un proceso de seguridad descentralizado tiene ventajas en cuanto a que los administradores de la seguridad por lo general están más cerca de los usuarios y comprenden mejor los problemas locales. A menudo, pueden responder con mayor rapidez a las solicitudes de cambios en privilegios de acceso o incidentes de seguridad. Sin embargo, también existen desventajas. Por ejemplo, la calidad del servicio puede variar dependiendo de la ubicación, en función del nivel de capacitación brindado al personal local y en la medida en que éste pueda verse sobrecargado con tareas no relacionadas.

Aunque podrían existir diferentes enfoques y técnicas a utilizar para la seguridad, dependiendo de si se adopta un enfoque centralizado o descentralizado; las responsabilidades y objetivos generales de la seguridad no cambiarán. Deben cumplir con los siguientes requisitos:

- Estar estrechamente alineado con los objetivos del negocio
- Contar con el patrocinio y aprobación de la alta gerencia
- Contar con un sistema de monitoreo
- Contar con sistemas de generación de reportes y de gestión de crisis
- Contar con procedimientos de continuidad organizacional
- Contar con gestión de riesgos
- Contar con programas adecuados de sensibilización y capacitación en materia de seguridad

Roles y responsabilidades de los empleados

Con la cantidad de tareas que deben llevar a cabo los empleados, es importante que la estrategia incluya un mecanismo que defina todos los roles y las responsabilidades de seguridad, como se describe en 1.4 Estructura, roles y responsabilidades organizativas, y que los incluya en las descripciones de puesto de los empleados. En última instancia, si a los empleados se les paga según su cumplimiento para llevar a cabo sus responsabilidades laborales, existen mayores probabilidades de que se alcancen los objetivos del gobierno de la seguridad. El desempeño laboral y los objetivos anuales del empleado se pueden incluir en las mediciones relacionadas con la seguridad.

El gerente de seguridad de la información debe coordinar con el director de RR. HH. para definir los roles y las responsabilidades de seguridad. Las capacidades relacionadas que se requieren para cada puesto de trabajo deben estar definidas y documentadas.

Habilidades

Las habilidades que se requieren para implementar una estrategia de seguridad son un elemento importante. Es probable que elegir una estrategia que utilice las habilidades con las que ya se cuenta sea una opción más rentable, pero en ciertas ocasiones puede resultar necesario desarrollar nuevas habilidades o externalizar determinadas actividades requeridas. Tener un inventario de las habilidades o competencias ayudaría a determinar los recursos que están disponibles para desarrollar una estrategia de seguridad. Asimismo, las pruebas de competencias pueden servir para determinar si se cuenta con las habilidades requeridas o si se pueden alcanzar mediante capacitación.

Concienciación y formación

La capacitación, la formación y la concienciación son elementos fundamentales para la estrategia en su conjunto, ya que la seguridad con frecuencia es más débil al nivel del usuario final. Es esencial considerar la necesidad de desarrollar métodos y procesos que permitan que las políticas, los estándares y los procedimientos sean más fáciles de seguir, implementar y monitorear. Un programa recurrente de concienciación sobre la seguridad dirigido a los usuarios finales refuerza la importancia de la seguridad de la información y en la actualidad varias jurisdicciones lo han establecido como requerimiento por ley para varios sectores.

Se ha demostrado que en casi todas las empresas, la mayoría del personal no conoce las políticas y normas de seguridad, ni siquiera cuando éstas existen. Los programas de concienciación y capacitación pueden lograr que se reconozca de un modo generalizado que la seguridad es importante para la organización. Debido a que la seguridad depende en gran medida del cumplimiento individual, debe implementarse un programa robusto de concienciación sobre la seguridad y debe ser considerado en el desarrollo de la estrategia.

Ampliar y profundizar las habilidades apropiadas del personal de seguridad mediante capacitación pueden mejorar en gran medida la eficacia de la seguridad en una empresa. El reto consiste en determinar cuáles son las habilidades "apropiadas" que se deben mejorar y cómo hacerlo para brindar una protección efectiva contra una variedad de riesgos a los que está expuesta la seguridad.

Puede ser difícil y costoso encontrar empleados que tengan la combinación necesaria de habilidades de seguridad que resulte efectiva en los ambientes diversos y siempre cambiantes, y el complejo clima regulatorio. Una forma en la cual algunas empresas intentan asegurar que se cuente con todas las habilidades necesarias es contratando a gente sobrecalificada. El problema con este enfoque es que resulta costoso contratar y retener a estas personas, y al no tener retos, a menudo se sienten insatisfechas con el trabajo. Esto puede conducir a una rotación excesiva de empleados, actitudes improductivas o desempeño por debajo de los niveles aceptados.

Capacitar al personal de seguridad recientemente incorporado o al ya existente para dotarlos de las habilidades que se necesitan para satisfacer los requerimientos de seguridad específicos tanto existentes como emergentes puede ser una opción más rentable. Éste es un argumento sólido para un programa continuo de capacitación dirigido a satisfacer las necesidades de la empresa y, al mismo tiempo, establecer una ruta de desarrollo profesional para los empleados basada en la mejora continua.

Para que la capacitación sea una opción efectiva, tiene que estar enfocada en los sistemas, procesos y políticas específicos de la empresa, a la forma única y específica en que la empresa hace negocios, y a su contexto de seguridad, también único. Cualquier cosa menos de eso es probable que sea inadecuada; cualquier cosa más de eso desperdiciará recursos. Si se ejecuta de la forma debida, el enfoque puede integrarse a la perfección con los programas e iniciativas existentes, apoyar las áreas deficientes y alinear los procesos de seguridad con los procesos de negocio.

1.7.2 Disposiciones de aseguramiento

Debido a que muchos de los objetivos de gobierno y gestión se relacionan con garantizar que se aborden, cumplan y controlen diversos requisitos de la empresa y del negocio, la planificación estratégica debe incluir los métodos mediante los cuales se realizará la supervisión de dichas disposiciones. Esos métodos garantizarán que el plan estratégico esté cumpliendo con éxito las promesas realizadas, y permitirán la comunicación continua y la notificación a las partes interesadas para confirmar que se alcancen los objetivos de cumplimiento.

Auditorías

Las auditorías, tanto internas como externas, son uno de los procesos principales que se utilizan para identificar deficiencias en la seguridad de la información desde una perspectiva de controles y cumplimiento, y son uno de los recursos esenciales en el desarrollo de la estrategia.

Las auditorías internas en grandes empresas las lleva a cabo un departamento de auditoría interna que, por lo general, informa a un comité de auditoría del consejo de dirección o a un alto dirigente. Por ejemplo, el Glosario de Normas del Instituto de Auditores Internos describe al director ejecutivo de auditoría (CAE) como un alto puesto responsable de administrar de manera efectiva la actividad de auditoría interna de acuerdo con el estatuto de auditoría interna y los elementos obligatorios del Marco Internacional de Prácticas Profesionales.[25]

Normalmente, una subunidad de auditoría interna o un grupo de auditoría de TI independiente se centra en los recursos de TI. En empresas más pequeñas, las auditorías o revisiones de TI pueden ser llevadas a cabo por el gerente de seguridad de la información o pueden ser delegadas a un director de seguridad de la información. Normalmente, se centran en el cumplimiento de las políticas por parte del personal, en los procesos y en la tecnología.

Las auditorías externas suelen llevarse a cabo por parte de terceros independientes y suelen incluir áreas de TI y de seguridad de la información, dependiendo de los objetivos de la auditoria. Debido a que estas auditorías pueden ser una herramienta de monitoreo altamente efectiva para el gerente de seguridad de la información, es importante garantizar que el departamento de seguridad tenga acceso a esta información. Para facilitar el flujo de información que es esencial para una gestión de la seguridad efectiva, es importante que el gerente de seguridad de la información desarrolle una buena relación de trabajo con otros proveedores de aseguramiento.

Debido al incremento de la supervisión de las entidades reguladoras, muchas empresas tienen que presentar diversos informes de auditoría y otros tipos de informes ante las agencias reguladoras. Muchos reportes tienen implicaciones sobre la seguridad de la información que pueden proporcionar conocimientos útiles e información de monitoreo al gerente de seguridad de la información. Por ejemplo, de acuerdo con las disposiciones de cumplimiento de la Ley Sarbanes-Oxley de los EE. UU., los controles financieros de las compañías públicas se deben someter a prueba anualmente en un plazo de 90 días a partir de la presentación de la información financiera ante la Comisión de la Bolsa de Valores de los EE. UU. (SEC). Es importante que el gerente de seguridad de la información tenga acceso a los resultados de estas pruebas y éstos deben formar parte de las consideraciones para la estrategia.

Exigencia de cumplimiento

Las violaciones a la seguridad son una preocupación constante para los gerentes de seguridad de la información y es importante que se desarrollen procedimientos para manejarlas como parte del desarrollo de la estrategia. El respaldo y la aprobación de la alta gerencia para estos procedimientos son fundamentales, en especial en lo que respecta a exigir su cumplimiento. A menudo los gerentes de seguridad han encontrado que los mayores problemas de cumplimiento tienen que ver con la gerencia. Si la gerencia no muestra compromiso ni cumplimiento, será difícil, si no imposible, exigir el cumplimiento de dichos procedimientos en la empresa.

En una empresa en la que la apertura y la confianza se valoran y se promueven por parte de la gerencia, el enfoque más efectivo de cumplimiento será probablemente un sistema de auto-reporte y cumplimiento voluntario, basándose en el entendimiento de que la seguridad es claramente para el beneficio de todos. Este enfoque también suele requerir que estos procesos se planifiquen cuidadosamente, se comuniquen claramente y se implementen en cooperación. Determinar cómo cumplir estas metas es un elemento de la estrategia.

Una consideración importante para la exigencia del cumplimiento es priorizar los requerimientos de cumplimiento. En una empresa típica, existen algunas políticas y procedimientos que son más críticos que otros y, desde una perspectiva de seguridad, puede requerir el 100 por ciento de cumplimiento (por ejemplo, la operación de una planta nuclear). Debido a que el monitoreo de todos los cumplimientos por igual puede no ser práctico, posible o rentable, la priorización de los requerimientos de cumplimiento deben enfocarse en áreas de mayor riesgo e impacto.

1.7.3 Evaluación y gestión de riesgos

Informada mediante los modelos de seguridad de la información descritos en la Parte A, la estrategia de seguridad de la información debe incluir un plan integral para identificar, evaluar y tratar los riesgos de seguridad de la información. La planificación estratégica incluye determinar cómo obtener una dirección de riesgo para proteger a diversos valores de la empresa de una amplia gama de amenazas y las vulnerabilidades (en forma de condiciones o debilidades preexistentes) que dichas amenazas pueden atacar.

[25] The Institute of Internal Auditors, "Standards Glossary", *https://na.theiia.org/standards-guidance/mandatory-guidance/Pages/Standards-Glossary.aspx*

La publicación especial 800-37 Revisión 2 del NIST señala que:[26]

> *La estrategia de gestión de riesgos hace explícitas las amenazas, los supuestos, las restricciones, las prioridades, las compensaciones y la tolerancia al riesgo tenidos en cuenta para tomar decisiones operativas y de inversión. Esta estrategia incluye las decisiones y consideraciones a nivel estratégico sobre cómo los altos ejecutivos y directivos deben gestionar los riesgos de seguridad y privacidad (incluidos los riesgos de la cadena de suministro)... La estrategia de gestión de riesgos incluye una expresión de tolerancia al riesgo organizacional; metodologías aceptables de evaluación de riesgos y estrategias de respuesta a los riesgos; un proceso para evaluar constantemente los riesgos de seguridad y privacidad en toda la organización y enfoques para supervisar el riesgo a lo largo del tiempo.*

Los detalles sobre la amenaza, la vulnerabilidad y la exposición al riesgo se describen en el Capítulo 2 Gestión de riesgos de la seguridad de la información, pero estos factores de alto nivel deben incluirse en la planificación estratégica.

Los siguientes temas se describen en profundidad en los siguientes capítulos, pero se introducen aquí como elementos que deben tenerse en cuenta en la planificación estratégica, y la implementación y operación consiguientes deben considerarse parte del propio programa de seguridad de la información.

Análisis del impacto en el negocio

La evaluación de riesgos comienza con una comprensión de los activos de la empresa que son necesarios para lograr sus objetivos, en particular, los recursos que son críticos o sensibles. Un BIA es un ejercicio que determina las consecuencias que tendría en una organización la pérdida de confidencialidad, integridad o disponibilidad. Las consecuencias se expresan a veces como impactos financieros. Puesto que el riesgo que no tiene un impacto apreciable no siempre se aborda, los BIA son un componente relevante al desarrollar una estrategia que gestione posibles impactos adversos. Los BIA establecen la base para desarrollar un enfoque para la clasificación de información y abordar los requisitos de continuidad del negocio. Consulte 4.3 Análisis del impacto en el negocio.

Análisis de la dependencia de recursos

El análisis de dependencia empresarial es similar al análisis de dependencia de los recursos, pero es menos granular e incluye los elementos que se considerarían en un plan de continuidad del negocio, como grapas y clips. La dependencia de los recursos es similar a la planificación de recuperación en caso de desastre y considera los sistemas, el hardware y el software necesarios para realizar funciones organizativas específicas. La dependencia de los recursos puede ofrecer otra perspectiva sobre la criticidad de los recursos de información. Hasta cierto grado, puede utilizarse en lugar de un análisis de impacto para garantizar que la estrategia incluye los recursos que son críticos para las operaciones de negocio. El análisis se basa en la determinación de los recursos (como los sistemas, el software y la conectividad) y las dependencias (como los procesos de entrada y los repositorios de datos) que requieren las operaciones críticas para la empresa.

Servicios externalizados

La externalización (outsourcing) es común tanto a nivel nacional como internacional, a medida que las compañías se concentran en competencias fundamentales y formas de recortar gastos. Desde el punto de vista de seguridad de la información, estos acuerdos pueden presentar riesgos que pueden ser difíciles de cuantificar y potencialmente difíciles de mitigar. Casi siempre, tanto los recursos como las habilidades de las funciones que se contratan a proveedores externos no se encuentran dentro del control de la empresa, lo cual puede representar un riesgo. Los proveedores pueden operar con base en diferentes criterios y puede ser difícil controlarlos. La estrategia de seguridad debe garantizar que externalizar servicios de seguridad no representa un punto único crítico de fallo o que existe un plan de respaldo adecuado en caso de un fallo del proveedor del servicio.

El uso creciente de los servicios en la nube presenta una serie de riesgos nuevos y a menudo inciertos además de una variedad de posibles beneficios. Los beneficios y riesgos de la nube se analizan con más detalle en 3.12.6 Computación en la nube. El riesgo que supone la externalización también puede materializarse debido a fusiones y adquisiciones. Normalmente, las diferencias significativas en la cultura, los sistemas, la

[26] National Institute for Standards and Technology, Special Publication 800-37 Revision 2 "Risk Management Framework for Information Systems and Organizations: A System Life Cycle Approach for Security and Privacy", diciembre de 2018, *https://csrc.nist.gov/publications/detail/sp/800-37/rev-2/final*

tecnología y las operaciones entre las partes presentan numerosos retos de seguridad que deben identificarse y abordarse. En estas situaciones, la seguridad es muchas veces una consideración tardía y el gerente de seguridad debe esforzarse para concienciar respecto a actividades cuestionables y evaluar el riesgo para que lo tenga en cuenta la gerencia.

La evaluación formal de los riesgos se lleva a cabo determinando primero las amenazas viables para los recursos de la información que afronta una empresa. Entre estas se encuentran las amenazas físicas y ambientales (por ejemplo, inundaciones, incendios, terremotos, pandemias) y las amenazas tecnológicas (por ejemplo, software dañino, fallos del sistema, ataques internos y externos).

Lo siguiente que hay que tener en cuenta es la probabilidad de que estas amenazas se materialicen y su probable magnitud. Ésta es la fase de identificación del riesgo de la evaluación del riesgo. Por ejemplo, es probable que ocurra un terremoto en determinadas zonas, pero que normalmente no sea lo suficientemente fuerte como para causar daños. En tales casos, deberán considerarse los terremotos más fuertes que han ocurrido históricamente con menos frecuencia y que han causado daños. Algunas amenazas pueden ser extremas, pero pueden ser demasiado raras como para tenerlas presente (p. ej., la caída de un asteroide) y pueden ignorarse.

El siguiente paso es determinar el grado de debilidad organizacional y la exposición a tales amenazas. La combinación de la frecuencia y la magnitud y el grado de vulnerabilidad de la empresa determinarán el nivel relativo de riesgo. Utilizando esta información para calcular las expectativas de pérdidas anuales probables, teniendo en cuenta la frecuencia, magnitud y la exposición, la gerencia se encuentra en posición de decidir si es aceptable.

La frecuencia de su ocurrencia y su magnitud probable pueden indicarse por las veces que han ocurrido estas amenazas en el pasado y por la experiencia de empresas similares. La consideración de la frecuencia es importante aunque la magnitud sea moderada. Aunque un evento sencillo pueda constituir un riesgo aceptable, si ocurre con frecuencia, es posible que el riesgo agregado no sea aceptable. Por ejemplo, una empresa puede aceptar una pérdida de 10 000 USD una vez al año, pero este nivel de pérdida puede no ser aceptable si ocurre cada día. Consulte 2.3 Análisis, evaluación y valoración de riesgos.

Evaluación de amenazas

Aunque la evaluación de amenazas se efectúa como parte de la evaluación global de riesgos, es un elemento importante para la propia consideración estratégica. Una razón de ello es que las opciones de tratamiento de riesgos deben considerar el enfoque más rentable para hacer frente a cualquier riesgo en particular. Por ejemplo, las medidas de mitigación pueden afrontar directamente las amenazas, pueden reducir o eliminar las vulnerabilidades o pueden afrontar y compensar los impactos. La elección más rentable se encuentra analizando por separado la amenaza y la vulnerabilidad, así como la exposición y el impacto.

Otra razón para desarrollar un perfil de amenaza es que la estrategia debe tener presente amenazas viables independientemente de si se conoce la existencia de una vulnerabilidad actual. Se trata de un enfoque proactivo y tiene en cuenta que no se pueden conocer todas las vulnerabilidades y que continuamente se introducen otras nuevas que pueden resultar en un riesgo no aceptable.

Por otra parte, el desarrollo de políticas debe trazar un perfil de amenazas. En un sentido amplio, las amenazas son relativamente constantes (por ejemplo, incendios, inundaciones, terremotos, software nocivo, robo, fraude, ataques, errores), mientras que las vulnerabilidades cambian frecuentemente debido a los cambios que se producen en el negocio, en los procesos, en la tecnología y en el personal. Las políticas existentes deben someterse a revisión como parte del desarrollo de la política, especialmente en las organizaciones más antiguas, puesto que puede existir una cantidad de políticas que ya no sean relevantes y no aborden ninguna amenaza concebible o requerimiento racional. Consulte 2.1.2 Amenazas.

Evaluación de vulnerabilidades

En la mayoría de las empresas es habitual utilizar de evaluaciones técnicas de vulnerabilidades mediante escaneos automáticos, pero en sí pueden tener un valor limitado para el desarrollo de la estrategia de seguridad. Las evaluaciones integrales de la vulnerabilidad que incluyen elementos físicos, tales como procedimientos, prácticas, tecnologías, instalaciones, acuerdos de nivel de servicio y requisitos legales y contractuales, son fundamentales. Por lo general, los procesos y las instalaciones son a menudo los componentes más vulnerables; sin embargo, con frecuencia son los menos evaluados, dada la gran dificultad que implica aplicarles evaluaciones. El proceso de desarrollo de una estrategia ofrece oportunidades para hacer frente a muchas de estas vulnerabilidades con un enfoque prudente y proactivo. Aunque no exista ninguna amenaza conocida o aparente para los puntos débiles descubiertos durante estos análisis, es necesario considerar oportunidades rentables para hacer frente a la debilidad sistémica durante el desarrollo de las estrategias. Consulte Vulnerabilidades.

Seguro

Los recursos de la estrategia incluyen la opción de resolver algunos riesgos con coberturas de seguro. Generalmente, los tipos de riesgo apropiados para ser asegurados son eventos poco comunes de alto impacto como inundaciones, huracanes, incendios, malversación o demandas de responsabilidad. Los tipos de seguros más comunes que se pueden considerar incluyen los seguros de primera persona, tercera persona y de fidelidad. Los seguros de primera persona protegen a la empresa en caso de daños producidos por la mayoría de las causas y pueden incluir interrupción del negocio, pérdida directa y costos de recuperación. El seguro a terceros maneja posibles responsabilidades frente a terceros. Por lo general, incluye defensa contra demandas y cubre daños hasta límites predeterminados. El seguro o garantía de fidelidad ofrece protección contra robos o apropiaciones indebidas de parte de empleados o agentes.

Otros proveedores de soporte y aseguramiento organizacional

Cuando se desarrolla una estrategia de seguridad, varios proveedores de servicio de aseguramiento y soporte dentro de la empresa deberían considerarse como parte de los recursos de seguridad de la información. Estos pueden incluir una variedad de departamentos como el legal, cumplimiento, auditoría, adquisiciones, seguros, recuperación en caso de desastre, seguridad física, capacitación, oficina de proyectos y RR. HH. Otros departamentos o grupos, como gestión de cambios o aseguramiento de la calidad, también incluyen elementos de aseguramiento en su operación.

Normalmente, estas funciones de aseguramiento casi nunca están bien integradas. Las consideraciones estratégicas incluyen enfoques para garantizar que estas funciones operen adecuadamente a fin de evitar brechas que puedan ocasionar que la seguridad se vea comprometida. La estrategia de seguridad debe tratar de reducir o eliminar la duplicación de esfuerzos y ayudar a evitar que diferentes grupos trabajen en propósitos cruzados (es decir, evitar que las actividades de aseguramiento de un grupo se vean perjudicadas por las actividades de otro grupo).

1.7.4 Plan de acción para implementar la estrategia

La implementación de una estrategia de seguridad de la información requiere normalmente varios proyectos o iniciativas. Un análisis de las brechas entre el estado actual y el estado deseado para cada métrica definida identifica los requerimientos y las prioridades necesarios para un plan de acción global o mapa de ruta con el fin de lograr los objetivos y cerrar las brechas.

Análisis de brechas: base para un plan de acción

Será necesario realizar un análisis de brechas para diversos componentes de la estrategia que ya se discutieron con anterioridad, tales como niveles de madurez, objetivos de control y objetivos de riesgo e impacto. El análisis identificará los pasos necesarios para pasar del estado actual al estado deseado con el fin de lograr los objetivos definidos. Podría ser necesario repetir este ejercicio cada año o con mayor frecuencia a fin de proporcionar métricas de desempeño y de metas, y la información necesaria para posibles correcciones a medio camino para responder a los ambientes cambiantes u otros factores. Un enfoque típico del análisis de brechas es trabajar en sentido inverso desde el punto final hasta el estado actual y determinar los pasos intermedios que se requieren para alcanzar los objetivos.

Algunas áreas comunes que se deben revisar incluyen:

- Una estrategia de seguridad que cuente con la aceptación y el apoyo de la alta gerencia.
- Una estrategia de seguridad que tenga un vínculo intrínseco con los objetivos de negocio.
- Políticas de seguridad que estén completas y que sean coherentes con la estrategia.
- Normas completas para todas las políticas pertinentes y mantenidas de forma constante.
- Procedimientos completos y precisos para todas las operaciones importantes.
- Asignación clara de roles y responsabilidades.
- Una estructura organizacional que otorgue una autoridad apropiada a la gestión de seguridad de la información sin que existan conflictos de interés inherentes.
- Activos de información que se han identificado y clasificado para determinar su criticidad y sensibilidad.
- Controles efectivos que se han diseñado, implementado y mantenido.
- Métricas de seguridad y procesos de supervisión eficaces.
- Procesos eficaces de cumplimiento y exigencia de cumplimiento.

- Capacidades de respuesta funcionales y probadas ante emergencias e incidentes.
- Planes probados de continuidad del negocio / recuperación en caso de desastre.
- Procesos de gestión de cambios que cuenten con la debida aprobación de seguridad.
- Riesgo que esté debidamente identificado, evaluado, comunicado y gestionado.
- Una concienciación adecuada sobre seguridad por parte de todos los usuarios y la debida formación.
- El desarrollo y la entrega de actividades que puedan influenciar sobre la seguridad de manera positiva en la cultura y el comportamiento del personal.
- Se entiendan y traten los temas regulatorios y legales.
- Tratamiento de temas relacionados con la seguridad de los proveedores de servicio externos.
- Resolución oportuna de los temas relacionados con incumplimientos y otras desviaciones.

Métricas del plan de acción

El plan de acción para implementar la estrategia requerirá métodos para supervisar y medir el progreso y el logro de las etapas importantes. Tal como sucede con cualquier plan de proyecto, se deben monitorear el progreso realizado y los costos incurridos de manera continua a fin de determinar su conformidad al plan y permitir que se hagan correcciones durante su ejecución en el momento oportuno. Es probable que exista una variedad de metas que se puedan alcanzar a corto plazo y que requieran de recursos y un plan de acción para alcanzarlas.

Existen varios enfoques que pueden aplicarse para monitorear y medir el progreso de manera continua. Se pueden utilizar uno o más métodos para evaluar el estado actual, se pueden aplicar de manera regular para determinar y dar seguimiento a los cambios de dicho estado. Por ejemplo, se podría utilizar un cuadro de mando (balanced scorecard) de manera efectiva, dado que en sí mismo sería un medio de dar seguimiento continuo al progreso. Otro enfoque que se usa comúnmente es el CMMI para definir tanto el estado actual como los objetivos. El modelo de evaluación de procesos ofrece una base para llevar a cabo un análisis de brechas continuo para determinar los avances realizados para alcanzar las metas.

Asimismo, cada plan de acción se beneficiará por desarrollar un conjunto apropiado de Indicadores Clave de Desempeño (KPI), definiendo Factores Críticos de Éxito (CSF) y estableciendo Indicadores Clave de Metas (KGI) consensuados. Por ejemplo, el plan de acción para alcanzar un cumplimiento regulatorio para Sarbanes-Oxley puede requerir, entre otras cosas:

- Un análisis detallado por parte del personal jurídico competente para determinar los requerimientos regulatorios aplicables a cada unidad de negocio afectada.
- Conocimiento del estado actual del cumplimiento.
- Definición por parte de la gerencia del estado requerido de cumplimiento.

Indicadores clave de metas

Definir objetivos claros y lograr un consenso en las metas es fundamental para desarrollar métricas significativas. Para un plan de seguridad de la información, las metas clave podrían incluir:

- Alcanzar niveles de cumplimiento sobre pruebas de controles de Sarbanes-Oxley.
- Llevar a cabo una validación y certificación independientes del cumplimiento con las pruebas de controles.
- Elaborar la declaración requerida sobre la eficacia del control.

Para todas las empresas que cotizan en bolsa en los Estados Unidos, Sarbanes-Oxley requiere que se prueben todos los controles financieros dentro de los noventa días posteriores a la presentación de la información, para determinar su eficacia. Los resultados de las pruebas deben estar firmados por el CEO y el CFO y deben estar certificados por auditores independientes designados. Los resultados deberán entonces incluirse en los archivos públicos de la empresa que se envían a la SEC.

Indicadores clave de desempeño

Entre los indicadores que muestran los factores de desempeño claves o críticos que se requieren para alcanzar los objetivos se encuentran los siguientes:

- Planes de pruebas a la eficacia del control.
- Progreso realizado en las pruebas a la eficacia del control.
- Resultados de las pruebas aplicadas a la eficacia del control.

Para que la gerencia dé seguimiento al progreso en las pruebas realizadas, es preciso desarrollar planes de pruebas adecuados que sean congruentes con las metas que se hayan definido y que incluyan los CSF. Dado el tiempo limitado (90 días) con el que se cuenta para llevar a cabo las pruebas requeridas, la gerencia necesitará contar con informes sobre los avances y los resultados de las pruebas.

Consideraciones generales de métricas

Las consideraciones para las métricas de la seguridad de la información incluyen garantizar que aquello que se esté midiendo, sea, de hecho, relevante. Puesto que la seguridad es difícil de medir con objetividad, suelen utilizarse métricas relativamente superfluas tan solo porque están disponibles fácilmente. Las métricas sirven para un solo propósito: proporcionar la información necesaria para tomar decisiones. Por lo tanto, es crítico entender qué decisiones se deben tomar y quién las toma y, luego, buscar maneras de proporcionar esa información adecuada y oportunamente. Métricas diferentes resultarán más o menos útiles para distintas partes de la empresa y deben de determinarse de manera conjunta con los dueños del proceso de negocio y con la gerencia.

Las métricas generalmente se ubicarán en una de tres categorías: estratégicas, tácticas y operacionales. Comúnmente, la alta gerencia no se interesa en métricas técnicas detalladas, como el número de ataques de virus frustrados o de contraseñas (password) restablecidas, sino en información de naturaleza estratégica (por ejemplo, un riesgo emergente significativo que pueda impactar en el logro de los objetivos del negocio). Mientras las métricas técnicas pueden ser significativas para el gerente de seguridad de TI, la alta gerencia suele desear un resumen de información importante desde una perspectiva de gerencia, información que normalmente excluye datos técnicos detallados. Esto incluye:
- Avances de acuerdo al plan y presupuesto.
- Cambios significativos en el riesgo y posibles impactos a los objetivos del negocio.
- Resultados de las pruebas al plan de recuperación ante desastres.
- Resultados de auditorías.
- Estado del cumplimiento regulatorio.

Es probable que el gerente de seguridad de la información desee recibir información más detallada, que incluya:
- Métricas del cumplimiento de políticas.
- Procesos, sistemas u otros cambios significativos que pudieran afectar el perfil de riesgo.
- Estado de la aplicación de parches.
- Excepciones y desviaciones a las políticas o normas.

En organizaciones que cuenten con un gerente de seguridad de TI, es probable que sean de utilidad la mayor parte de los datos técnicos de seguridad que se encuentren disponibles. Esto incluye:
- Resultados del análisis de vulnerabilidad.
- Cumplimiento de las normas de configuración de servidores.
- Resultados de la supervisión del sistema de detección de intrusos (IDS).
- Análisis de logs del firewall.

Suele ser difícil diseñar e implementar métricas útiles de gestión de la seguridad de la información. El enfoque se encuentra normalmente en las vulnerabilidades de TI obtenidas mediante escaneo automático sin saber si existe alguna amenaza, el alcance de la exposición o si hay algún impacto potencial. Desde la perspectiva de gestión de seguridad de la información y estratégica, no se trata de una información valiosa.

Esta situación a menudo resulta en la recopilación de enormes cantidades de datos para intentar garantizar que no se ha pasado por alto nada significativo. El resultado puede ser que el mero volumen de datos dificulte ver la "foto completa", y será necesario desarrollar procesos para filtrar datos técnicos hasta obtener la información necesaria para gestionarlo con efectividad.

Es posible lograr mejoras en el monitoreo integral mediante un análisis detallado de las métricas que están disponibles a fin de determinar su relevancia. Por ejemplo, resultaría interesante saber cuántos paquetes rechazaron los cortafuegos; sin embargo, aclara en poco el riesgo al que se enfrenta la empresa o los impactos potenciales. Podría tratarse de información que es de utilidad para el departamento de TI pero que no tiene valor alguno para la gestión de seguridad de la información. Por otra parte, conocer el tiempo que toma recuperar los servicios críticos después de que ha ocurrido un incidente grave podría ser de suma utilidad para todas las partes involucradas.

Las actividades de diseño y monitoreo de métricas deben tener en consideración lo siguiente:
- Lo que es importante para las operaciones de seguridad de la información.
- Los requerimientos de la gestión de seguridad de la información.
- Las necesidades de los dueños del proceso de negocio.
- Lo que desea saber la alta gerencia.

La comunicación con cada uno de los componentes podría servir para determinar los tipos de informes de seguridad que les resultarían útiles. Entonces es posible desarrollar procesos de presentación de información que le proporcionen a cada grupo la información de seguridad que requiera para tomar decisiones informadas relacionadas con la seguridad.

Metas intermedias del plan de acción

Para la mayoría de las empresas, se puede definir de inmediato una variedad de metas específicas a corto plazo que sean congruentes con la estrategia de seguridad de la información en su conjunto, una vez que se ha concluido la estrategia general. Según la determinación del BIA de los recursos de negocio críticos y el estado de seguridad según se haya establecido a partir del análisis de deficiencias del CMMI anterior, la priorización de las actividades correctivas debe ser clara.

Si el objetivo de la estrategia de seguridad es alcanzar la certificación CMMI 4 (administrado cuantitativamente), entonces un ejemplo de un plan de acción de corto plazo (o táctico) podría establecer lo siguiente:

Durante los siguientes 12 meses:
- Cada unidad de negocio tiene que identificar las aplicaciones actuales en uso.
- Tiene que revisarse el 25 por ciento de toda la información almacenada para determinar su propiedad, criticidad y sensibilidad.
- Cada unidad de negocio deberá llevar a cabo un BIA de los recursos de información a fin de identificar los recursos críticos.
- Las unidades de negocio tienen que dar cumplimiento a las regulaciones.
- Deben definirse todos los roles y las responsabilidades de seguridad.
- Se desarrollará un proceso para garantizar los vínculos con los procesos de negocio.
- Se debe realizar una valoración de riesgo exhaustiva para cada unidad de negocio.
- Todos los usuarios deben recibir formación sobre una política de uso aceptable.
- Todas las políticas deben revisarse y modificarse según sea necesario para que sean coherentes con los objetivos estratégicos de la seguridad.
- Deben existir estándares para todas las políticas.

Las metas y las etapas importantes a corto plazo deberán formar parte de los planes de acción; sin embargo, se deben definir los objetivos del estado deseado en conjunto a largo plazo para maximizar las posibles sinergias y garantizar que todos los planes de acción a corto o mediano plazo estén acordes a las metas finales. Por ejemplo, una solución táctica que deba ser remplazada porque no se integrará en el plan general es probable que resulte más costosa que una que sí se integrará.

Es importante que la estrategia y el plan a largo plazo sirvan para integrar actividades tácticas a corto plazo. Ello contrarrestará la tendencia de implementar soluciones puntuales que son típicas del modo de operación en crisis "apaga incendios" que caracteriza a muchos departamentos de seguridad. Tal como han descubierto muchos gerentes de seguridad, numerosas soluciones no integradas que se han implementado en respuesta a una serie de crisis durante varios años se vuelven cada vez más costosas y difíciles de manejar.

1.7.5 Objetivos del programa de seguridad de la información

Implementar la estrategia con un plan de acción tendrá por resultado un programa de seguridad de la información. El programa es, en esencia, el plan de proyecto para implementar y establecer la gestión en curso de alguna parte o partes de la estrategia.

El programa de seguridad de la información protege los intereses de aquellos que dependen de la información y los procesos, los sistemas y las comunicaciones que manejan, almacenan y entregan la información. Su objetivo es protegerlos de los perjuicios resultantes de fallas de disponibilidad, confidencialidad e integridad.

Las definiciones que van surgiendo añaden conceptos como los de utilidad y posesión de la información (esta última para lidiar con robos, engaños y fraudes). La economía en red sin duda ha añadido la necesidad de que exista confianza y determinación de responsabilidad en las transacciones electrónicas.

Para la mayoría de las empresas, el objetivo de seguridad se cumple cuando:
- La información está disponible y se puede utilizar cuando se la requiere, y los sistemas que la proporcionan pueden resistir ataques en forma apropiada (disponibilidad).
- La información se divulga solo a aquellos que tengan derecho a conocerla y solo puede ser observada por ellos (confidencialidad).
- La información está protegida contra modificaciones no autorizadas (integridad).
- Se puede confiar en las transacciones de negocio y en el intercambio de información entre locaciones de la empresa o con socios (autenticidad y no repudio).

La prioridad relativa e importancia de la disponibilidad, la confidencialidad, la integridad, la autenticidad y el no repudio varían según los datos que se encuentran dentro del sistema de información y del contexto de negocio en el cual se utilicen. Por ejemplo, la integridad puede tener particular importancia con respecto al manejo de información debido al impacto que la información tiene en las decisiones críticas relacionadas con la estrategia. La confidencialidad puede ser lo más importante de acuerdo con los requerimientos legales o regulatorios para proteger la información personal, financiera o médica, o bien, para proteger los secretos comerciales.

Es importante entender que estos conceptos aplican de igual forma a los sistemas electrónicos que a los físicos. Por ejemplo, la confidencialidad está expuesta tanto al riesgo de ingeniería social o "búsqueda en la basura (dumpster diving)" como al de un ataque externo exitoso. La integridad de la información puede ser transgredida, al menos con la misma facilidad, por capturas físicas fraudulentas en el sistema que por un compromiso electrónico.

Muchas pérdidas significativas son el resultado de ataques internos. Los controles que se utilizan para detectar anomalías y garantizar la integridad de los sistemas deben ocuparse tanto de los ataques internos no técnicos como de los externos.

Estudio de casos

La CISO de una fábrica grande con tres años de experiencia comenzó a darse cuenta de que la función de la seguridad de la información estaba teniendo menos influencia, y que las recomendaciones sobre riesgos de la información estaban siendo cada vez más ignoradas por las unidades de negocio de la empresa. A pesar de continuar con los esfuerzos para comunicarse con los gerentes de varios departamentos corporativos y unidades de negocio y de tener un programa de capacitación y concienciación sobre la seguridad considerado como positivo, estaba teniendo poco éxito en obtener la aceptación de la gerencia para implementar los controles necesarios.

La importancia decreciente de la seguridad de la información se hizo aparente cuando no fue invitada a una serie de reuniones concernientes a cambios significativos en las operaciones de la compañía. Durante reuniones posteriores sobre presupuesto, varios ejecutivos (incluido el CEO) dijeron que no estaban seguros del valor que aportaba la seguridad de la información a la empresa y sugirieron que el presupuesto podría ser asignado mejor en otro lugar. Además, la CISO observó que no había sido invitada a una reunión del consejo para presentar las actualizaciones sobre el programa de seguridad de la información desde hace más de un año.

La empresa cotiza en bolsa y funciona desde hace casi 90 años. Ha sido rentable por todos los años, excepto algunos pocos, de su existencia, a pesar de que las ganancias fueron bajas durante la reciente recesión mundial. La empresa cuenta con aproximadamente 9000 empleados y algunos cientos de contratistas a largo plazo. Fabrica una amplia variedad de pequeñas herramientas manuales y eléctricas y se conoce internacionalmente por la gran variedad de productos de alta calidad que fabrica.

El CEO también es presidente del consejo de dirección y designa personas para el consejo en función de su voluntad para que aprueben sus iniciativas con poca demora. En consecuencia, el consejo proporciona poca supervisión y orientación al negocio y, a pesar de que el comité de auditoría del consejo está cada vez más preocupado por los riesgos no mitigados a los que se enfrenta la empresa, tiene poca influencia sobre el CEO. Debido a la escasa valoración del CEO sobre la seguridad de la información, la CISO está preocupada de que su trabajo esté en riesgo a menos que ella pueda mejorar la percepción de la gerencia sobre el valor de la seguridad de la información.

Una complicación adicional es la caída de ventas de los bienes producidos acaecida durante la reciente recesión. Los competidores estaban vendiendo productos por debajo del costo para reducir los inventarios y aumentar el flujo de caja. El CEO ve el aumento de la competencia y la disminución de las ganancias como una justificación adicional para reducir los gastos que no están directamente relacionados con la producción de ingresos.

Las unidades de negocio son la columna vertebral de esta empresa. Salvo por compartir la maquinaria y los equipos utilizados en la fabricación, cada una es un silo extremadamente independiente con la misión de ser lo más rentable posible.

Los gerentes de las unidades de negocio son muy valorados y están ubicados en un nivel casi superior en el organigrama; todos presentan informes al COO. Cada unidad de negocio enfrenta, a menudo, cortos plazos para superar a la competencia en el mercado con nuevos productos. Como resultado, los administradores de las unidades de negocio deben planificar cuidadosamente su uso de la maquinaria y los equipos dentro de cada planta porque, a menudo, varias unidades de negocio necesitan maquinaria y equipos al mismo tiempo. Además, la maquinaria y los equipos deben estar disponibles las 24 horas del día, los 7 días de la semana. Toda la maquinaria y los equipos son controlados por un software de automatización de procesos en computadoras que funcionan en salas de control. Este software está muy distribuido hasta el punto de que cualquier tipo de interrupción o corte de la red es probable que afecte de manera adversa la producción.

La CISO ha comenzado a darse cuenta de que la práctica de seguridad de la información establecida hace tres años no es la adecuada para tratar a las actuales amenazas en constante aumento. A pesar de que hizo esfuerzos para ajustar el programa según los cambios que ocurrieron dentro de la empresa, está claro que algunas áreas no fueron suficientemente consideradas. Una de esas áreas es las métricas de seguridad de la información relevantes para las preocupaciones de la gerencia. Actualmente, se utilizan los siguientes tipos de métricas para medir el éxito del programa de seguridad de la información:

- Porcentaje de sistemas Windows que ejecutan software antivirus que es actualizado diariamente.
- Porcentaje de tráfico entrante de red que es evaluado por un cortafuegos (firewall) en una pasarela (gateway) exterior.
- Porcentaje de tráfico de red que es monitoreado por un sistema de detección de intrusos.
- Porcentaje de sistemas que son emparchados dentro del período de tiempo requerido.

- Porcentaje de sistemas que cumplen con los estándares de seguridad básicos.
- Porcentaje de correo basura (spam) que es eliminado por el control de correo basura de la empresa.
- La cantidad de vulnerabilidades omitidas durante los escaneos automáticos.

La CISO observa que las métricas que consideraba suficientes hace tres años cuando el programa fue implementado, claramente, no son suficientes como para ser útiles para la gerencia en su proceso de toma de decisiones o debidamente persuasivos como para generar el respaldo necesario al programa de seguridad de la información. Considera que, si bien las actuales métricas han sido útiles en términos operativos, no son relevantes o significativas a un nivel táctico y estratégico, y ésta es la causa subyacente de que la gerencia no pueda entender el valor del programa de seguridad de la información y la necesidad de varias mejoras que aumentarían las necesidades de presupuesto.

1. ¿Qué aspectos del gobierno de la seguridad de la información podría utilizar la CISO para abordar algunos de los problemas y que podrían mejorar su posición en la empresa?

2. ¿De qué manera y en qué áreas importantes puede ayudar la seguridad de la información a que el negocio logre sus metas?

3. ¿Cuán adecuado es el actual conjunto de métricas de seguridad de la información en términos de direcciones y metas de negocio de la empresa?

4. ¿De qué manera puede mejorarse el conjunto de métricas actual? ¿Por qué?

Respuestas en la página 74

Esta página se ha dejado en blanco deliberadamente

Capítulo 1 Clave de respuestas

Estudio de casos

1. Los siguientes aspectos podrían ayudar a que la CISO mejore su posición en la empresa:
   - Obtener el compromiso de la gerencia: Obtener el compromiso de la gerencia en esta situación ayudaría a que la CISO explique la importancia de la seguridad de la información para la empresa y la ayudaría a influir en el consejo de dirección para que tenga en cuenta a la seguridad de la información en sus decisiones.
   - Desarrollo de caso de negocio: Desarrollar un caso de negocio es una herramienta clave para obtener el compromiso de la gerencia. Provee la información requerida para que una empresa decida si un proyecto debe proceder. El caso de negocio se puede utilizar para probar el valor de TI y las iniciativas de seguridad de la información en la empresa y brindar una justificación concreta para los costes.
   - Desarrollo de la estrategia de seguridad de la información: Una estrategia de seguridad de la información puede ayudar a garantizar la alineación estratégica, la entrega de valor y la optimización de recursos para el negocio. Ayudará a definir la dirección de la seguridad de la información en términos del negocio, asegurando de esa manera que tenga un beneficio comprobado para la empresa.
   - Métricas del programa de seguridad de la información: Las métricas del programa de seguridad de la información se pueden utilizar para justificar que el programa está cumpliendo con las metas definidas y proporcionando valor al negocio.

2. La seguridad de la información puede ayudar a este negocio a alcanzar sus metas al implementar controles que aseguren que los objetivos de seguridad están alineados con las metas de la organización y la estrategia de negocio.

3. El actual conjunto de métricas de seguridad de la información no se vincula demasiado con las metas del negocio. Las métricas no son muy significativas en el contexto de cómo la seguridad de la información respalda la estrategia del negocio; simplemente miden los factores arbitrarios que tal vez no reflejen de manera adecuada la función de la seguridad de la información. Este conjunto de métricas parece estar basado en discusiones con el CEO, que no tiene una comprensión suficiente de la función de la seguridad de la información y cómo puede alinearse para cumplir los objetivos del negocio.

4. El actual conjunto de métricas podría mejorarse aplicándole los conceptos SMART. Deben ser específicas, mensurables, alcanzables, relevantes y oportunas. Deben estar relacionadas con los objetivos del programa de seguridad de la información, ya que respaldan los objetivos del negocio. Algunos objetivos de muestra incluyen:
   - Porcentaje mensual de los procesos de manufactura que son interrumpidos por problemas de seguridad.
   - Tiempo de inactividad de computadoras utilizadas en ingeniería asistida por computadoras y manufactura asistida por computadoras debido a problemas de seguridad, respaldado por una cuantificación de impacto en términos financieros.
   - Impacto en las transacciones con otras entidades (por ejemplo, transportistas y proveedores) que se vieron afectadas por problemas de seguridad.
   - Tiempo medio por incidente de seguridad desde el tiempo de inicio hasta el cierre del incidente.
   - Costo mensual de las interrupciones en los procesos de manufactura debido a problemas de seguridad.
   - Cantidad y costo de eventos o incidentes de seguridad que podrían haberse evitado si se hubieran implementado ciertos controles.
   - Cantidad y naturaleza de los objetivos de seguridad que no se alcanzaron debido a restricciones de financiamiento o falta de cooperación de las unidades de negocio.
   - La proporción de informes periodísticos positivos en comparación con los informes negativos.
   - Nivel de madurez de las actividades de seguridad de la información de la empresa.

Capítulo 2

Gestión de riesgos de la seguridad de la información

Visión General

Parte A: Evaluación de riesgo de la información

Parte B: Respuesta al riesgo de la información

Visión General

Este capítulo hace una revisión de la información que debe comprender el gerente de seguridad de la información para aplicar apropiadamente los principios y las prácticas en un programa de seguridad de la información de la empresa.

Esta área representa el 20 % del examen CISM (aproximadamente 30 preguntas).

Área 2 Descripción del contenido del examen

A. Evaluación de riesgo de la información

1. Riesgo emergente y escenario de amenazas
2. Análisis de vulnerabilidades y deficiencias de controles
3. Evaluación y análisis del riesgo

B. Respuesta al riesgo de información

1. Opciones de tratamiento del riesgo/respuesta al riesgo
2. Propiedad del riesgo y del control
3. Supervisión y presentación de informes de riesgos

Objetivos de aprendizaje/ Enunciados de tareas

Tras finalizar este capítulo, el gerente de seguridad de la información deberá ser capaz de:

- Identificar las influencias internas y externas para la organización que tienen un impacto con la estrategia de seguridad de la información.
- Establecer y/o mantener un proceso para la identificación y clasificación de activos de información.
- Participar y/o supervisar el proceso de identificación, evaluación y tratamiento de riesgos.
- Participar y/o supervisar el proceso de evaluación de vulnerabilidades y análisis de amenazas.
- Identificar, recomendar o implementar opciones adecuadas de tratamiento y respuesta al riesgo para llevar el riesgo a niveles aceptables en función del apetito por el riesgo de la organización.
- Determinar si los controles de seguridad de la información son adecuados y gestionan el riesgo de manera efectiva hasta un nivel aceptable.
- Facilitar la integración de la gestión de riesgos de la información entre el negocio y los procesos de TI.
- Supervisar factores internos y externos que pueden requerir la reevaluación del riesgo.
- Reportar sobre el riesgo de seguridad de la información, incluyendo el incumplimiento legal y los cambios en los riesgos de la información, a las partes interesadas clave para facilitar el proceso de toma de decisiones en la gestión de riesgos.

Recursos sugeridos para lectura adicional

Brotby, W.; *Information Security Management Metrics: A Definitive Guide to Effective Security Monitoring and Measurement,* Auerbach Publications, EE. UU., 2009

Chapman, R.; *Simple Tools and Techniques for Enterprise Risk Management, Second Edition*, John Wiley & Sons Inc., EE. UU., 2011

Committee of Sponsoring Organizations of the Treadway Commission (COSO); *Enterprise Risk Management: Understanding and Communicating Risk Appetite*, EE. UU., 2012

COSO; *Enterprise Risk Management: Integrating with Strategy and Performance – Executive Summary*, EE. UU., 2017

COSO; *Enterprise Risk Management for Cloud Computing*, EE. UU., 2021

Duke, A.; *Thinking in Bets: Making Smarter Decisions When You Don't Have All the Facts*, Random House, EE. UU., 2018

Freund, J.; J. Jones; *Measuring and Managing Information Risk,* Butterworth-Heinemann, EE. UU., 2014

Hubbard, D.; *The Failure of Risk Management: Why It's Broken and How to Fix It.* Wiley, Reino Unido, 2020

Hubbard, D.; *How to measure anything, 3ª edición,* Wiley, EE. UU., 2014

Hubbard, D.; *How to measure anything in cybersecurity risk,* Wiley, EE. UU. 2016

International Organization for Standardization (ISO), *ISO 31000:2018 Risk management—Guidelines,* Suiza, 2018

ISO, *ISO/IEC 27005:2022 Information technology —Security techniques—Information security risk management*, Suiza, 2022

International Electrotechnical Commission (IEC), *IEC 31010:2019 Risk management — Risk assessment techniques*, Suiza, 2019

ISACA, *COBIT 2019 Focus Area: Information and Technology Risk,* EE. UU., 2021

ISACA, COBIT, *www.isaca.org/cobit*

ISACA, *COBIT® 5 for Risk*, EE. UU., 2013

ISACA, *Cybersecurity Fundamentals Study Guide, 3ª edición*, EE. UU., 2021

ISACA, *Implementing and Continually Improving IT Governance,* EE. UU., 2010

ISACA, *The Risk IT Framework 2nd Edition*, EE. UU., 2020

ISACA, T*he Risk IT Practitioner Guide 2nd Edition*, EE. UU., 2020

Jordan, Ernest; Luke Silcock; *Beating IT Risks*, John Wiley & Sons Inc., EE. UU., 2005

National Institute of Standards and Technology (NIST), *NIST Special Publication 800-30 Revision 1: Guide to Conducting Risk Assessments*, EE. UU., 2012

NIST, *NIST Special Publication 800-39 Managing Information Security Risk: Organization, Mission, and Information System View,* EE. UU., 2011

Panko, R.; *Risk Management and Intrusion Detection,* Prentice Hall, EE. UU., 2006

Parmenter, D.; *Key Performance Indicators: Developing, Implementing, and Using Winning KPIs,* Wiley, Alemania, 2015

Rodriguez, A.; V. Chadha; *Key Risk Indicators,* Risk Books, Reino Unido, 2015

Snyder, W.; F. Swiderski; *Threat Modeling,* Microsoft Press, EE. UU., 2004

Taleb, N.; *The Black Swan Second Edition: The impact of the Highly Improbable,* Random House, EE. UU., 2010

Vose, D.; *Risk Analysis: A Quantitative Guide,* Wiley, Alemania, 2008

Westerman, G.; R. Hunter; *IT Risk: Turning Business Threats Into Competitive Advantage*, Harvard Business School Press, EE. UU., 2007

Preguntas de autoevaluación

Las preguntas que se incluyen en el examen de certificación CISM están desarrolladas con el propósito de medir y probar el conocimiento práctico sobre la gestión de la seguridad de la información. Todas las preguntas son de opción múltiple y están diseñadas para que se obtenga una mejor respuesta. Todas las preguntas del examen CISM tienen el formato de planteamiento de un problema (pregunta) y cuatro opciones (opciones de respuesta). Se pide al candidato que elija la respuesta correcta o la mejor respuesta entre las opciones. El enunciado se puede formular como una pregunta o como un enunciado incompleto. Muchas veces una pregunta del examen de certificación CISM requerirá que el candidato elija la respuesta más probable o la mejor.

En cada caso, el candidato debe leer la pregunta cuidadosamente, eliminar las respuestas que sean claramente incorrectas y luego hacer la mejor elección posible. Conocer el formato en que se presentan las preguntas y cómo estudiar para obtener el conocimiento de lo que se va a probar será de gran ayuda para responder las preguntas correctamente.

1. El objetivo general de la gestión de riesgos es:

   A. Eliminar tantas vulnerabilidades como sea posible.
   B. Reducir el riesgo al nivel más bajo posible.
   C. Gestionar el riesgo a un nivel aceptable.
   D. Implementar contramedidas eficaces.

2. El gerente de seguridad de la información debe tratar el cumplimiento regulatorio como:

   A. Un mandato de la organización.
   B. Una prioridad de la gestión de riesgos.
   C. Una cuestión puramente operacional.
   D. Otro riesgo a gestionar.

3. Para tratar los cambios en el riesgo, un programa eficaz de gestión de riesgos debe:

   A. Garantizar que se cuenta con procesos de supervisión continua.
   B. Establecer referencias de seguridad adecuados para todos los recursos de información.
   C. Implementar un proceso completo de clasificación de datos.
   D. Cambiar las políticas de seguridad de forma oportuna para tratar los riesgos cambiantes.

4. La clasificación de información es importante para administrar el riesgo de forma apropiada **PRINCIPALMENTE** porque:

   A. Garantiza la responsabilidad sobre los recursos de información según se requiera mediante roles y responsabilidades.
   B. Es un requisito legal de conformidad con diversas regulaciones.
   C. Garantiza la protección adecuada de activos acorde con el grado de riesgo.
   D. La protección de activos puede basarse entonces en las posibles consecuencias de un ataque.

5. Las vulnerabilidades identificadas durante una evaluación deben:

   A. Manejarse como un riesgo, aun cuando no exista una amenaza.
   B. Priorizarse para su solución basada únicamente en su impacto.
   C. Ser una base para analizar la eficacia de los controles.
   D. Evaluarse para determinar las amenazas, el impacto y el coste de mitigación.

6. Los acuerdos de indemnización se pueden utilizar para:

   A. Garantizar un nivel de servicio acordado.
   B. Reducir el impacto sobre los recursos organizacionales.
   C. Transferir la responsabilidad a un tercero.
   D. Proporcionar una contramedida eficaz a las amenazas.

7. El riesgo residual se puede determinar al:

   A. Evaluar las vulnerabilidades que permanecen.
   B. Realizar un análisis de amenazas.
   C. Llevar a cabo una evaluación del riesgo.
   D. Implementar una transferencia del riesgo.

8. Los dueños de los datos son los **PRINCIPALES** responsables de desarrollar estrategias de mitigación de riesgos, ¿para tratar cuál de las siguientes áreas?

   A. Seguridad de la plataforma
   B. Cambios de derechos
   C. Detección de intrusiones
   D. Controles antivirus

9. Un análisis de riesgos debe:

   A. Limitar el alcance a un estudio comparativo de compañías similares.
   B. Suponer un grado de protección igual para todos los activos.
   C. Tratar la posible magnitud y posibilidad de pérdida.
   D. Dar mayor peso a la posibilidad en comparación con la magnitud de la pérdida.

10. ¿Cuál de las opciones siguientes es el **PRIMER** paso para seleccionar los controles apropiados que se implementarán en una nueva aplicación de negocios?

   A. Análisis de impacto en el negocio (BIA)
   B. Análisis de rentabilidad
   C. Análisis del retorno de la inversión
   D. Evaluación de riesgos

Respuestas en la página 80

Esta página se ha dejado en blanco deliberadamente

Capítulo 2 Clave de respuestas

Preguntas de autoevaluación

1. A. No es posible eliminar todas las vulnerabilidades; las vulnerabilidades que no tienen impacto o exposición no requieren del gasto de recursos para solucionar o lograr su eliminación.
   B. La reducción del riesgo al nivel más bajo por lo general es más costosa e innecesariamente restrictiva. La meta es lograr objetivos de control que darán como resultado niveles de riesgo aceptables.
   C. El objetivo de la gestión de riesgos es gestionar el riesgo a un nivel aceptable en la empresa.
   D. Las contramedidas son un control dirigido y parte del proceso de tratamiento de riesgos para alcanzar el objetivo general de la gestión de riesgos.

2. A. Un requisito normativo, aunque sea impuesto por la empresa, se debe tratar como cualquier otro riesgo.
   B. Un requisito normativo es una prioridad hasta que el nivel de riesgo se compare con otro riesgo. Las prioridades para la gestión de riesgos, generalmente, se basan en la probabilidad y el impacto; mientras más probable el compromiso y más severas las consecuencias, mayor es la prioridad.
   C. El cumplimiento normativo no es solo un problema operacional, sino un problema de gestión.
   D. Existen numerosas regulaciones que pueden afectar a una empresa. La prioridad será una decisión de la gerencia basada en aquellas regulaciones con el mayor nivel de ejecución (riesgo) y las sanciones más graves (consecuencias o impacto) además del coste del cumplimiento (mitigación), como con cualquier otro riesgo. En algunos casos, la gerencia puede decidir que el coste de las posibles sanciones será menor que el coste del cumplimiento. Si bien, en general, es preferible cumplir tanto como sea razonablemente posible, el alcance del cumplimiento regulatorio es una decisión de la gerencia, no una decisión de seguridad. Todos los riesgos deben priorizarse y el cumplimiento no puede presentar el mayor riesgo.

3. **A. El riesgo cambia a medida que cambian con el tiempo las amenazas, las vulnerabilidades o el impacto potencial. El programa de gestión de riesgos debe incluir procesos instalados para supervisar dichos cambios y modificar las contramedidas, según sea pertinente, para mantener los niveles aceptables de riesgo residual.**
   B. Los niveles mínimos de seguridad se establecen para alcanzar niveles específicos de riesgo identificado. Los niveles mínimos no abordan los cambios en el riesgo y pueden necesitar cambios cuando el riesgo cambia.
   C. La clasificación de datos se basa en el valor de los datos para el negocio (es decir, la criticidad o la sensibilidad de los datos) y no aborda los cambios en el riesgo.
   D. Las políticas no requieren cambios como resultado de los cambios en el riesgo. Es posible que los estándares y los procedimientos deban ser modificados para abordar cambios significativos en el riesgo.

4. A. La clasificación no garantiza la responsabilidad.
   B. La clasificación, por lo general, no es un requisito legal.
   C. La clasificación no se basa en el riesgo.
   D. La clasificación se basa entonces en las posibles consecuencias de un ataque.

5. A. Las vulnerabilidades pueden no estar expuestas a posibles amenazas. Además, puede no haber ninguna amenaza, o muy poco o ningún impacto, incluso si se explotaron. Si bien las amenazas siempre están evolucionando, sin información adicional, no se puede determinar el tratamiento adecuado.
   B. La priorización de las vulnerabilidades se debe hacer según la probabilidad de ataque (que se ve afectada por el nivel de exposición), impacto y coste de la solución.
   C. Las vulnerabilidades descubiertas mostrarán, en alguna medida, si se han implementado los controles existentes para abordar un posible riesgo, pero no indican la efectividad del control.
   D. Las vulnerabilidades no identificadas se deben evaluar y priorizar según si existe una amenaza creíble, el impacto que tendría si se explota la vulnerabilidad y el coste de mitigación. Si existe una amenaza potencial, pero poco o ningún impacto en caso de que se explote la vulnerabilidad, existe poco riesgo y podría no ser rentable abordarla.

6. A. Los acuerdos de indemnización no se utilizan para definir los niveles de servicio; estos se establecen en los acuerdos de niveles de servicio.
   B. Los acuerdos de indemnización sirven para reducir los impactos económicos al incluir en el alcance del convenio una compensación por eventos adversos.
   C. La responsabilidad no se puede transferir mediante un acuerdo de indemnización o cualquier otro instrumento.
   D. Los acuerdos de indemnización no son una contramedida ante las amenazas, pero se pueden considerar un control compensatorio.

7. A. Determinar las vulnerabilidades que permanecen aun después de implementadas las contramedidas no indica nada sobre las amenazas, por lo que no se puede determinar el riesgo.
   B. El riesgo no se puede determinar tan solo mediante un análisis de amenazas.
   C. Independientemente de si el riesgo es residual, se determina mediante una evaluación del riesgo.
   D. Transferir todo el riesgo no es relevante para determinar el riesgo residual.

8. A. La seguridad de la plataforma es responsabilidad de TI.
   B. A los propietarios de los datos les compete y son responsables de quién tiene acceso a sus recursos y, por lo tanto, necesitan ocuparse de la estrategia para mitigar el riesgo en el uso de los recursos de datos.
   C. La detección de intrusos es responsabilidad de TI.
   D. Los controles antivirus son, por lo general, temas que competen a la seguridad de TI.

9. A. Un análisis de riesgos por lo general no considera que el análisis comparativo de compañías similares proporcione información relevante distinta de aquella para efectos comparativos.
   B. Asumir un grado igual de protección sería razonable solo en el caso inusual de que todos los activos sean similares en sensibilidad y criticidad.
   C. Un análisis de riesgos trata la posible magnitud y posibilidad de pérdida.
   D. Debido a que la posibilidad determina (sobre una base anualizada) la magnitud de la pérdida, ambos elementos se deben considerar en el cálculo.

10. A. Si se determina que el riesgo es inaceptable, se puede utilizar un análisis de impacto al negocio (BIA) para establecer el nivel de mitigación necesario.
   B. Se puede utilizar un análisis de rentabilidad para determinar si el coste de mitigación es adecuado, considerando el posible impacto después de que se ha realizado un BIA.
   C. El análisis de retorno de la inversión se centra en el valor para el negocio del control comparado con su coste a través del tiempo.
   D. Es necesario considerar primero el riesgo y determinar si es aceptable para la empresa. La evaluación de riesgos puede identificar amenazas y vulnerabilidades y calcular el riesgo. Para evaluar los controles, se compara el coste del control frente al posible impacto si se explotara el riesgo.

Esta página se ha dejado en blanco deliberadamente

Parte A: Evaluación de riesgo de la información

La gestión de riesgos es un proceso encaminado a alcanzar un equilibrio óptimo entre concretar oportunidades para obtener ganancias y minimizar las vulnerabilidades a la vez que se reduce el potencial de pérdida. Esto suele alcanzarse garantizando que el impacto de las amenazas que explotan las vulnerabilidades esté dentro de los límites y costos aceptables. La gestión de riesgos es diferente que gestionar el riesgo, que se utiliza, a menudo, como sinónimo con mitigación del riesgo o tratamiento del riesgo/respuesta.

En términos prácticos de negocio, la gestión de riesgos significa que el riesgo se administra de modo que no afecte de manera material a la empresa ni degrade de forma catastrófica un proceso comercial hasta un punto más allá de lo que se considera aceptable. El riesgo es inherente a todas las actividades; normalmente, se tomará un nivel más alto del riesgo estratégico para intentar lograr retornos más altos. Sin embargo, cada empresa necesita definir su apetito y tolerancia al riesgo y garantizar que son apropiados a fin de alcanzar las metas organizativas que pretende lograr.

La base para una gestión de riesgos eficaz es una evaluación integral de los riesgos, basada en una comprensión sólida del universo de los riesgos de la empresa, que no deja de cambiar. Si no se comprende la naturaleza y el alcance del riesgo al que están expuestos los recursos de información, así como el posible impacto en las actividades de la empresa, no es posible desarrollar un programa de gestión de riesgos pertinente y práctico. La estructura de la función de riesgos de una empresa puede ser centralizada o descentralizada. Las empresas maduras, por lo general, gestionan el riesgo mediante un grupo o departamento de gestión de riesgo empresarial (ERM) para asegurar su coherencia. Existen casos en los que las empresas tienen un departamento de riesgo de TI diferente, mientras que otras tienen el riesgo de TI como un equipo en el grupo de ERM. En algunos casos, la gestión de seguridad de la información, los programas de gestión de incidentes de seguridad o la resiliencia del negocio pueden estar integrados en un programa existente de gestión de riesgo. En otras, el riesgo se gestiona en diferentes departamentos y unidades operacionales, lo cual crea la necesidad de iniciativas para asegurar la continuidad y la integración de las actividades de gestión de riesgos.

Debido a que las decisiones sobre gestión de riesgos suelen tener consecuencias financieras importantes, y pueden implicar hacer cambios en toda la empresa, es imperativo que la alta gerencia respalde el proceso y entienda y acepte completamente los resultados del programa.

La gestión de riesgos puede tener diferentes significados para distintas personas en una misma empresa. Por ejemplo, la alta gerencia puede estar considerando solo el riesgo que impediría que la empresa ejecute su estrategia y puede tener dificultades para justificar la inversión en controles para abordar las amenazas que se perciben como de baja probabilidad de ocurrencia. Es posible que los gerentes de las líneas de negocios solo observen las amenazas a sus operaciones y la capacidad para cumplir con sus objetivos de desempeño. Para un auditor de TI, la gestión de riesgos puede significar la prevención de pérdidas, mientras que un gerente de seguros podría definirla como la financiación de riesgos rentable. Es muy importante que la empresa proporcione de forma clara su definición de gestión del riesgo.

La efectividad de la gestión de riesgos depende en gran medida del grado en el que sea parte de la cultura de una empresa y la medida en que la gestión del riesgo sea responsabilidad de todos.

Los siguientes factores de la empresa influirán en el diseño y la implementación de un programa de gestión del riesgo efectivo:

- Cultura
- Misión y objetivos
- Estructura organizacional
- Apoyo de la alta gerencia
- Capacidad de absorber pérdidas
- Productos y servicios
- Procesos de gestión y operación
- Prácticas organizativas específicas
- Condiciones físicas, ambientales y normativas

Los esfuerzos de gestión de riesgo efectivos no solo funcionan para reducir el impacto y la probabilidad de que se materialice un riesgo, sino que también facilitan el proceso de toma de decisiones. Esto es importante, puesto que los esfuerzos de gestión de riesgos permitirán que se tomen decisiones informadas sobre cuánto riesgo desea correr la empresa, qué inversiones traerán mayores beneficios y cómo priorizar los limitados recursos para cumplir con la estrategia de la empresa. La gestión de riesgos sienta las bases para un buen gobierno.

Uno de los resultados del buen gobierno es la gestión eficaz del riesgo. Ésta incluye ejecutar medidas apropiadas para responder a los riesgos y reducir a un nivel aceptable el posible impacto que tendrían en los recursos de información, y proporcionar:

- Un entendimiento del perfil de amenaza, vulnerabilidad y riesgo de la empresa.
- Un entendimiento de la exposición al riesgo y las posibles consecuencias de la inestabilidad.
- Conciencia de las prioridades de la gestión de riesgos con base en las posibles consecuencias.
- Una estrategia organizacional de mitigación de riesgos adecuada para obtener consecuencias aceptables a partir del riesgo residual.
- Aceptación y atención organizacional según un entendimiento de las posibles consecuencias del riesgo residual.
- Pruebas cuantificables de que los recursos de la gerencia se utilizan de forma apropiada y rentable.
- Un entendimiento de los procesos de la empresa, los activos de información y su necesidad de protección.
- Un entendimiento del riesgo emergente en el entorno operativo de la empresa.

2.1 Riesgo emergente y escenario de amenazas

El entorno en el que opera una empresa no deja de cambiar en muchos aspectos, incluido el comercial, geopolítico, normativo, legal y de uso de las tecnologías. Las potenciales amenazas y sus riesgos resultantes para la empresa también evolucionan. Por ejemplo, la pandemia de COVID desencadenó una migración a gran escala de empleados, que pasaron de sus lugares de trabajo presenciales al teletrabajo. El gerente de seguridad de la información debe conocer y monitorear estos cambios en términos de cómo pueden afectar a los activos de información de la empresa, los procesos de negocio, la capacidad para demostrar el cumplimiento, la privacidad, la seguridad y el riesgo en general.

2.1.1 Identificación de riesgos

Antes de que una empresa pueda analizar el riesgo potencial y emergente, es importante saber cómo identificar el riesgo. La identificación del riesgo es el proceso mediante el cual se determina el tipo y la naturaleza de las amenazas viables y se examinan las vulnerabilidades de la empresa que están sujetas a esas amenazas. Las vulnerabilidades que pueden ser explotadas por las amenazas identificadas constituyen un riesgo identificado. El proceso de identificación del riesgo es esencial para la gestión de riesgos efectiva, ya que solo se puede evaluar y tratar correctamente el riesgo identificado.

Es necesario identificar todos los activos de información, incluidos aquellos que pueden existir con terceros (como proveedores de servicio, proveedores externos, contratistas). (consulte el capítulo 3 Desarrollo y gestión del programa de seguridad de la información para obtener más información). Se deben determinar las amenazas, tanto reales como potenciales. La viabilidad de una amenaza tiene en cuenta los siguientes dos elementos: La amenaza existe o es razonable pensar que se va a producir; y la amenaza está sujeta a algún tipo de control (p. ej., administrativo, técnico o físico).

La identificación del riesgo muchas veces se logra a través del esfuerzo de un grupo con mayor conocimiento que desarrolla una variedad de escenarios de riesgo y supuestos (p. ej., técnicas estructuradas "qué pasaría si...", técnicas de diagramación). Estos ejercicios consideran que todas las vulnerabilidades significativas de la empresa se conocen y, que el tipo y la naturaleza de las amenazas que podrían explotarlas están identificados. Las vulnerabilidades adoptan muchas formas. Comúnmente pueden entenderse como una debilidad técnica, o pueden estar ocultas en procesos de negocio particulares o en procedimientos no monitoreados. La falta de conocimiento por parte del personal también puede crear vulnerabilidades, como la exposición de información a través de conversaciones en espacios públicos (como un ascensor o un restaurante). Los servicios externos contratados son una fuente de vulnerabilidades que pueden ser difíciles de determinar.

También es difícil identificar todas las amenazas viables. Debido a que los atacantes determinados y bien financiados creen tener esquemas cada vez más sofisticados para comprometer a las empresas, determinar el rango de posibles amenazas es un desafío formidable aún para los defensores que cuentan con más experiencia.

Se debe evaluar cada una de las vulnerabilidades identificadas en términos de amenazas viables que podrían comprometerlas y tener como consecuencia un impacto. Este ejercicio generará una lista de riesgos identificados para el posterior análisis para determinar la probabilidad y el alcance de posibles impactos. Las vulnerabilidades significativas que no están sujetas a una amenaza identificada deben agregarse a la lista de análisis ya que tal vez una posible amenaza no se ha descubierto o podría desarrollarse en el futuro. Un enfoque prudente puede ser considerar que lo que puede salir mal eventualmente saldrá mal; el proceso en sí está sujeto a un error humano.

A pesar de estos desafíos, se pueden reducir considerablemente las probabilidades de sufrir un ataque exitoso mediante el esfuerzo diligente de un grupo con mayor conocimiento que identifique el posible riesgo y las opciones de corrección de forma continua. Por lo general, esto se logra mediante la tormenta de ideas con varios miembros de las distintas unidades organizativas.

Información de buena calidad y vasto conocimiento de la empresa, así como sus entornos tanto interno como externo, son factores de gran importancia para identificar el riesgo. La información histórica sobre esta empresa u otras similares también podría ser muy útil, ya que puede conducir a predicciones seguras sobre los problemas actuales y los problemas en evolución a los que la empresa aún no se ha enfrentado.

Identificar lo que podría suceder rara vez es suficiente. La importancia de estudiar todas las causas y situaciones razonablemente posibles radica en el hecho de que existen muchas formas en las que puede ocurrir un evento. Entre los métodos y las herramientas que se utilizan para identificar el riesgo y su incidencia están el modelado de amenazas, las listas de verificación, opiniones basadas en la experiencia y los registros, diagramas de flujo, análisis de sistemas, tormenta de ideas, análisis de escenarios y técnicas de ingeniería de sistemas.

Al seleccionar una metodología para la identificación de riesgos, se deberían considerar las siguientes técnicas:

- Talleres, que pueden proporcionar un compromiso efectivo y hacer uso de las diversas experiencias.
- Técnicas estructuradas, tales como la elaboración de diagramas de flujo, la revisión del diseño del sistema, el análisis de sistemas, los estudios de peligrosidad y operatividad, así como la revisión de los modelos operativos.
- Análisis de escenarios o de supuestos para situaciones que no se han definido con tanta claridad, como la identificación del riesgo estratégico y los procesos con una estructura más general, como se muestra en la **figura 2.1**.
- Amenazas identificadas interna y externamente elaboradas con vulnerabilidades identificadas y supuestas.

Figura 2.1—Desarrollo del escenario de riesgo relacionado con la I&T

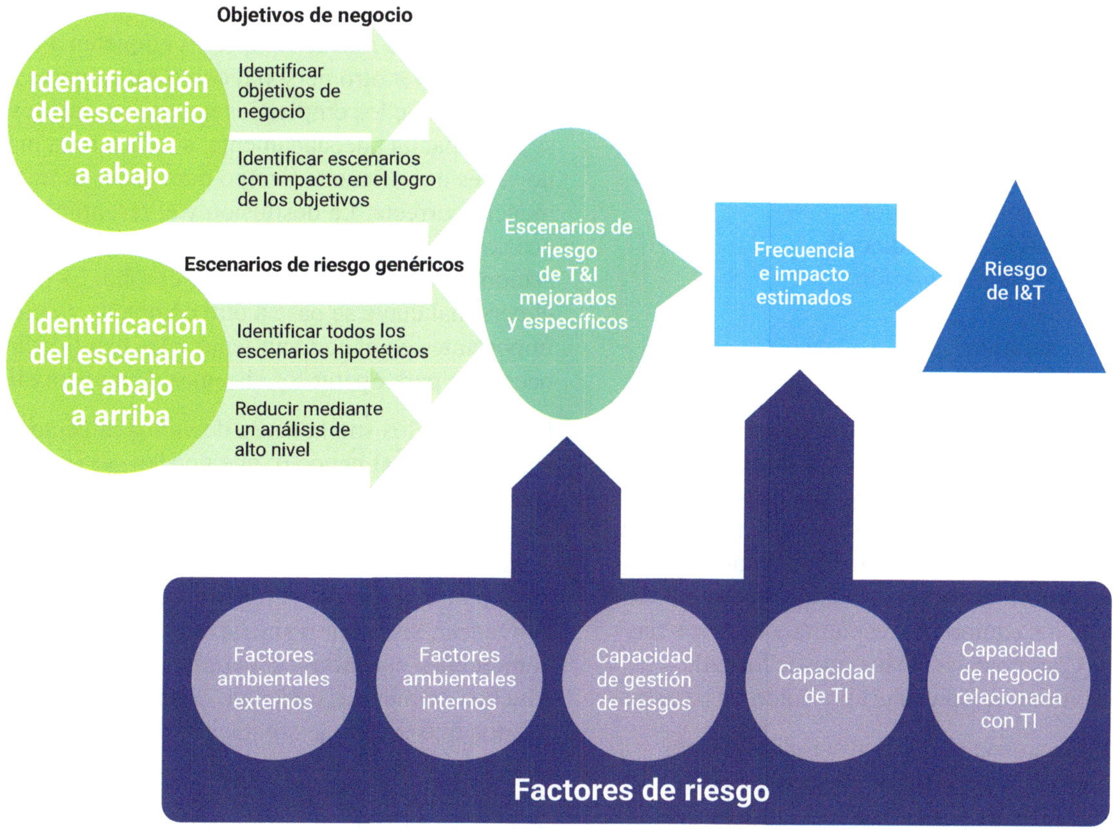

Fuente: ISACA, *Risk IT Framework*, 2nd Edition

2.1.2 Amenazas

Deben evaluarse las amenazas a los recursos de información y la probabilidad de que explotarán una vulnerabilidad existente. En este contexto, las amenazas son circunstancias o eventos que tienen la probabilidad de ocasionar daño a un recurso de información al explotar vulnerabilidades en el sistema.

Las amenazas pueden ser el resultado de acciones accidentales, acciones intencionales/deliberadas o eventos naturales. Las amenazas pueden originarse a partir de fuentes internas o externas, y los ataques reales pueden aprovechar una combinación de fuentes internas y externas. Pueden ser causadas por eventos naturales o factores políticos, económicos o competitivos. Las amenazas siempre existen y, por lo general, están más allá del control directo de la empresa. No es necesario que cada empresa tome en cuenta todas las amenazas concebibles. Por ejemplo, una empresa que opera en una región con una calificación sísmica de cero no tiene que invertir esfuerzos en la documentación de su exposición a volcanes o terremotos. Sin embargo, es importante identificar los distintos tipos de amenazas que aplican y que pueden comprometer a los sistemas o afectar a la empresa.

Las amenazas se pueden dividir en varias categorías, entre las que se incluyen:

- Físico
- Eventos naturales
- Pérdida de servicios esenciales
- Perturbación debido a la radiación
- Compromiso de la información
- Fallos técnicos
- Acciones no autorizadas
- Poner en peligro las funciones

El gerente de seguridad de la información debe documentar todas las amenazas que pueden aplicarse a los sistemas y los procesos de negocio en revisión. Esto requiere el uso de recursos señalados anteriormente pero, además, debe incluir el examen de la causa de fallas pasadas, informes de auditoría, informes de medios, información de los equipos de respuesta a emergencias informáticas (CERT), datos de los proveedores de seguridad y comunicación con grupos internos o pares.

Mientras que las amenazas pueden ser dirigidas por agentes individuales, el gerente de seguridad de la información debe saber y ser consciente de que esos agentes de amenazas tienden a ser imaginativos, creativos y determinados, y explorarán nuevos métodos y vías de ataque. Para contrarrestar los agentes de amenazas, el gerente de seguridad de la información también debe ser determinado y creativo, y buscar descubrir la mayor cantidad de amenazas posible. Una amenaza no identificada es una amenaza para la cual, probablemente, la empresa no está preparada y es más vulnerable que una amenaza que está bien documentada.

Las fuentes de información sobre amenazas son las siguientes:

- Evaluaciones
- Auditorías
- Planes de continuidad del negocio
- Consultoras en ciberseguridad.
- Finanzas
- Publicaciones gubernamentales
- Recursos humanos
- Aseguradoras
- Gestión
- Medios
- Proveedores de productos
- Compañías de seguridad
- Proveedores de servicios
- Agencias de monitoreo de amenazas
- Usuarios

Amenazas internas

A pesar de que muchas empresas etiquetan a sus empleados y a otro personal como sus mejores activos, es posible que los empleados no estén contentos si no se los capacita adecuadamente, si se los trata mal o no se les da suficiente tiempo para hacer su trabajo de manera correcta. La desilusión y el resentimiento pueden ocasionar un mayor riesgo de errores, negligencia y acciones más conscientes, como el robo. Es probable que el personal clave se pase a otra compañía y deje brechas importantes en el conocimiento y las habilidades que se necesitan para operar los sistemas de manera eficaz.

Los empleados son la causa de varios impactos significativos al negocio, que pueden ser intencionales o accidentales. Un empleado descontento puede poner en peligro los sistemas de forma intencionada o divulgar datos que expongan a la empresa a un riesgo legal o de reputación. A los empleados se los puede convencer, sobornar o amenazar para que revelen secretos comerciales por motivos ideológicos o económicos. Muchos empleados tienen un nivel de acceso a sistemas y datos que excede los requisitos del trabajo real, que puede explotarse en un ataque. Por lo tanto, la solución al problema del empleado consiste en parte en la aplicación de la necesidad de saber y en la menor cantidad de privilegios y segregación de funciones (SoD), pero esta es una solución imperfecta. Cualquier sistema contiene personas a quienes se ha concedido confianza; es difícil predecir o evitar que uno de ellos elija violar la confianza.

El típico atacante interno malintencionado es un empleado actual o anterior, un contratista u otro socio de negocio que tiene o tuvo acceso autorizado a la red, al sistema o a los datos de una empresa e intencionalmente interceptó, retiró, interrumpió, modificó o fabricó datos en los sistemas de información de la empresa. El primer paso para abordar amenazas del personal es comenzar con el proceso de contratación y revisar las calificaciones y actitudes de los posibles empleados. Los candidatos a empleo pueden enviar información incorrecta en las solicitudes de trabajo y alegar una educación, un certificado o una experiencia que, en realidad, no poseen. Quizás valga la pena realizar una revisión de referencias y desempeño, y verificaciones de antecedentes, siempre y cuando la ley lo permita. Al momento de la contratación, se debe informar al empleado sobre la ética y las políticas de la organización, y se debe solicitar que firme un acuerdo de no divulgación (NDA).

Durante el período de empleo, se debe recordar a los empleados las políticas de la organización y sus responsabilidades mediante sesiones de concientización y revisiones de gestión periódicas. Uno de los mejores controles basados en los empleados es implicarlos activamente para comprender las frustraciones, las quejas o los problemas que pueden sufrir y buscar resolverlos. Durante períodos de huelga, despidos, fusiones, adquisiciones, traslados o reorganización, es más probable que el perfil de amenazas por parte de empleados aumente y, en consecuencia, su riesgo asociado. Un empleado al que recientemente se lo bajó de categoría o no se lo ascendió, también puede presentar un riesgo.

Al terminar el empleo, la empresa debe asegurarse de que el empleado devuelva todos los activos de la organización como tarjetas de identificación, equipos (p. ej., portátiles, teléfonos móviles, tarjetas de acceso, etc.) y uniformes para que no puedan usarse para obtener acceso no autorizado en el futuro. Además, se debe eliminar o desactivar de inmediato el acceso a los sistemas, a la red y a las instalaciones antes de la partida del empleado para minimizar la posibilidad de delitos de oportunidad.

Las empresas deben implementar una supervisión continua de todos los sistemas del negocio. Los comportamientos anómalos del personal y otros trabajadores internos pueden detectarse y señalarse mediante el uso de inteligencia artificial y aprendizaje automático.

Amenazas externas

En un entorno de red, donde los datos se almacenan fuera del sitio o los alojan proveedores de servicios en la nube, las amenazas a los sistemas de información pueden originarse desde diversas fuentes y pueden adoptar varias formas, que incluyen:

- Actos criminales
- Corrupción de datos
- Enfermedad (epidemia/pandemia)
- Espionaje
- Fallas en las instalaciones (congelamiento de tuberías/rotura de tuberías)
- Incendio
- Inundación
- Fallas de hardware
- Accidentes industriales
- Robo de activos
- Fallas mecánicas
- Sobretensión/falla en el suministro de servicio
- Sabotaje
- Actividad sísmica
- Tormentas severas
- Errores de software
- Interrupción en la cadena de suministros
- Terrorismo
- Robo

Los eventos naturales como inundaciones, tormentas, terremotos o tornados son imprevisibles y pueden ser extremadamente dañinos. El uso de datos gubernamentales y servicios de monitoreo del clima pueden identificar las amenazas asociadas con los eventos naturales y permitir que el profesional de riesgos adopte las medidas necesarias para estar preparado.

Una amenaza de personas externas incluye un hacker, un ladrón o una amenaza persistente avanzada (APT) que es un intento hábil y determinado de penetración en los sistemas, a menudo con motivos militares, políticos o económicos.

La mayoría de las violaciones son el resultado de objetivos de oportunidad, no de ataques determinados. Tal como se observa en los informes anuales de Verizon[27] y otras empresas, muchas empresas sufren violaciones/brechas de seguridad porque se descubrió que son objetivos fáciles y los agentes de amenazas aprovecharon las vulnerabilidades.

[27] Verizon, "2021 Data Breach Investigations Report", *www.verizon.com/business/resources/reports/dbir/*

Amenazas persistentes avanzadas

El término de amenazas persistentes avanzadas (APT) se refiere a atacantes suficientemente motivados para intentar explotar sistemas y redes. Las habilidades cada vez más intensificadas disponibles para la comunidad de intrusión y la efectividad de las herramientas que poseen hacen que el riesgo de compromiso sea mucho más significativo. Las APT pueden ser patrocinadas por gobiernos, crimen organizado o la competencia. El gerente de seguridad de la información debe ser consciente de que las APT presentan un riesgo significativo para las empresas de casi todos los tipos a nivel mundial y debe garantizar que se implementen las medidas adecuadas para detectar e identificar esta amenaza.

El Instituto de Estándares y Tecnología de Estados Unidos (NIST) define las APT como:[28]

> *Un adversario que posee niveles sofisticados de experiencia e importantes recursos que le permiten crear oportunidades para lograr sus objetivos utilizando múltiples vectores de ataques (p. ej. cibernéticos, físicos y engaños). Estos objetivos, normalmente, incluyen establecer y extender los puntos de apoyo dentro de la infraestructura de TI de las organizaciones atacadas con el propósito de extraer información, perjudicar o dificultar los aspectos críticos de una misión, programa u organización; o posicionarse para llevar a cabo estos objetivos en el futuro. La amenaza persistente avanzada: (i) busca sus objetivos repetidamente durante un período de tiempo prolongado; (ii) se adapta a los esfuerzos de los defensores para resistirlo; y (iii) se propone mantener el nivel de interacción necesario para ejecutar sus objetivos.*

Los típicos ataques de APT han exhibido, en general, el siguiente ciclo de vida:

- **Exposición inicial al riesgo**: los atacantes utilizan ingeniería social y spear phishing por correo electrónico, mediante virus de día cero. Pueden instalar un software malintencionado (malware) en un sitio web que sea probable que los empleados de la víctima visiten.
- **Establecimiento del punto de apoyo**: los atacantes pueden instalar un software de administración remota en la red de la víctima o crear túneles y puertas traseras de la red que permiten el acceso furtivo a su infraestructura.
- **Escalado de privilegios:** las APT utilizan vulnerabilidades conocidas del software y violaciones de contraseñas para adquirir privilegios de administrador en el ordenador de la víctima y pueden ampliarlos para cuentas de administrador de dominio de Windows.
- **Reconocimiento interno**: los atacantes recolectan información sobre la infraestructura circundante, las relaciones de confianza y la estructura de dominios de Windows.
- **Movimiento lateral**: amplían el control hacia otras estaciones de trabajo, servidores y elementos de la infraestructura y extraen datos de los mismos.
- **Conservación de presencia**: las APT garantizan el control continuo en los canales de acceso y las credenciales adquiridas en los pasos anteriores.
- **Misión finalizada:** los atacantes retiran los datos robados de la red de la víctima.

La **figura 2.2** muestra las típicas fuentes de APT. Debido a la sofisticación requerida, experiencia, tiempo y costos involucrados, estos esfuerzos normalmente son solo montados contra los objetivos de elevado valor.

Figura 2.2—Fuentes típicas de APT

Amenaza	Lo que buscan	Impacto al negocio
Agencias de inteligencia	Secretos políticos, militares o comerciales	Pérdida de secretos comerciales, ventaja competitiva
Grupos criminales	Las transferencias de dinero, oportunidades de extorsión, información de identidad personal o cualquier secreto para su posible venta posterior	Pérdida financiera, acceso a datos de clientes a gran escala o pérdida de secretos comerciales

[28] National Institute of Standards and Technology (NIST), Special Publication 800-39 “Managing Information Security Risk: Organization, Mission, and Information System View” marzo de 2011, *https://csrc.nist.gov/publications/detail/sp/800-39/final*

Figura 2.2—Fuentes típicas de APT (cont.)

Amenaza	Lo que buscan	Impacto al negocio
Grupos terroristas	Producción de terror generalizado a través de la muerte, destrucción y alteración	Pérdida de la producción y servicios, irregularidades del mercado de valores y riesgo potencial para la vida humana
Grupos activistas	Información confidencial o interrupción de servicios	Violación de datos grave o pérdida del servicio
Fuerzas armadas	Inteligencia o posicionamiento para apoyar futuros ataques contra infraestructuras nacionales críticas	Graves daños a las instalaciones en caso de conflicto militar

Fuente: ISACA, *Advanced Persistent Threats: How to Manage the Risk to Your Business*, EE. UU., 2013

Modelado de amenazas

El modelado de amenazas ayuda a identificar la variedad de actores asociados con un escenario determinado (no necesariamente con el mismo nivel de rigor que la atribución, aunque una atribución positiva puede acelerar el proceso).

En general, el modelado de amenazas:
- Crea una abstracción del sistema.
- Genera un perfil de los atacantes, incluidos sus objetivos, métodos y habilidades.
- Crea un catálogo de amenazas potenciales.

Además, el modelado de amenazas proporciona respuestas de alto nivel a preguntas básica, como:
- ¿Con qué frecuencia un actor de amenazas encontrará activos en la ubicación del proveedor?
- ¿Cuál es el peligro de que descubran a ese actor de amenazas mientras intenta comprometer esos activos?
- ¿Qué valor percibido pueden tener los datos empresariales de terceros para un adversario?
- ¿Qué habilidades necesita un adversario para comprometer con éxito los sistemas de los proveedores y acceder a los datos de la empresa?
- ¿Cuánto tiempo necesita el adversario para comprometer los sistemas y acceder a los datos?
- ¿Qué recursos y materiales necesita el adversario?
- ¿Qué nivel de esfuerzo se requiere en conjunto por parte del actor de amenazas para comprometer al proveedor?

Se pueden combinar varios métodos de modelado de amenazas para crear una visión más sólida y completa de las posibles amenazas. No todos los métodos son exhaustivos; algunos son abstractos y otros se centran en las personas. Algunos métodos se centran específicamente en preocupaciones sobre el riesgo o la privacidad. En la **figura 2.3** se enumeran los métodos del modelo de amenazas.

Figura 2.3—Metodologías comunes de modelos de amenazas

Modelo	Beneficios	Antecedentes
STRIDE (suplantación de identidad, manipulación de datos, rechazo, divulgación de la información, denegación del servicio, elevación de privilegios)	• Ayuda a identificar las técnicas de mitigación pertinentes • El más maduro • Fácil de usar pero requiere mucho tiempo	Inventada en 1999 y adoptada por Microsoft en 2002, STRIDE es en la actualidad el método de modelado de amenazas más maduro. STRIDE evalúa el diseño detallado del sistema y modela el sistema en marcha. STRIDE se utiliza para identificar entidades del sistema, eventos y los límites del sistema por medio de la creación de diagramas de flujos de datos (DFD).

Figura 2.3—Metodologías comunes de modelos de amenazas (cont.)

Modelo	Beneficios	Antecedentes
PASTA (Proceso para simulación de ataques y análisis de amenazas)	• Ayuda a identificar las técnicas de mitigación pertinentes • Contribuye directamente a la gestión de riesgos • Fomenta la colaboración entre las partes interesadas • Incluye la priorización integrada de mitigación de riesgos • Laborioso, pero con mucha información	PASTA es un marco de modelado de amenazas centrado en los riesgos desarrollado en 2012. Incluye siete etapas, cada una de ellas con múltiples actividades. PASTA intenta aunar los objetivos del negocio y los requerimientos técnicos.
LINDDUN (Vinculación, identificación, no rechazo, detectabilidad, divulgación de la información, desconocimient o, incumplimiento)	• Ayuda a identificar las técnicas de mitigación pertinentes • Incluye la priorización integrada de mitigación de riesgos • Puede requerir mucho trabajo	Los árboles de ataque LINDDUN son diagramas que representan los ataques a un sistema en forma de árbol. La raíz del árbol es el objetivo del ataque y las hojas son formas de lograr ese objetivo. Cada objetivo está representado como un árbol separado. Así, el análisis de amenazas del sistema produce una serie de árboles de ataques.
Persona non grata (PnG)	• Ayuda a identificar las técnicas de mitigación pertinentes • Contribuye directamente a la gestión de riesgos • Obtiene resultados uniformes cuando se repiten • Tiende a detectar solo algunos subgrupos de amenazas	La PnG se centra en las motivaciones y habilidades de los atacantes humanos. Caracteriza a los usuarios como arquetipos que pueden hacer un uso indebido del sistema y obliga a los analistas a visualizar el sistema desde el punto de vista de un uso no intencionado. La idea es presentar un experto técnico a un potencial atacante del sistema y examinar las habilidades, motivaciones y objetivos del atacante. Este análisis ayuda al experto a conocer las vulnerabilidades del sistema desde el punto de vista de un atacante. PnG tiende a funcionar muy bien con el enfoque Agile, que usa personalidades.
Trike	• Ayuda a identificar las técnicas de mitigación pertinentes • Contribuye directamente a la gestión de riesgos • Incluye la priorización integrada de mitigación de riesgos • Fomenta la colaboración entre las partes interesadas • Cuenta con componentes automatizados • Cuenta con documentación vaga, insuficiente	Trike se creó como un marco para auditorías de seguridad que usa como técnica el modelado de amenazas. Analiza el modelado de amenazas desde una perspectiva defensiva y de gestión de riesgos. Como con muchos otros métodos, Trike empieza definiendo un sistema. El analista construye un modelo de requerimientos enumerando y entendiendo los actores, los activos, las acciones previstas y las reglas del sistema. Este paso crea una matriz actor-activo-acción, en la que las columnas representan los activos y las filas representan los actores.

Figura 2.3—Metodologías comunes de modelos de amenazas (cont.)

Modelo	Beneficios	Antecedentes
VAST (Amenaza visual, ágil y simple)	• Ayuda a identificar las técnicas de mitigación pertinentes • Contribuye directamente a la gestión de riesgos • Incluye la priorización integrada de mitigación de riesgos • Fomenta la colaboración entre las partes interesadas • Obtiene resultados uniformes cuando se repiten • Cuenta con componentes automatizados • Está diseñado explícitamente para su escalabilidad • Tiene poca documentación disponible para el público	El método de modelado VAST se basa en ThreatModeler, una plataforma automática de modelado de amenazas. Su escalabilidad y usabilidad permiten que sean adoptadas por grandes empresas, para toda su infraestructura, para producir resultados procesables y confiables para las diferentes partes interesadas. VAST requiere la creación de dos tipos de modelos para reconocer las diferencias entre las operaciones y las preocupaciones de los equipos de desarrollo e infraestructura: • Modelos de amenazas de aplicaciones, que usan diagramas de flujos de procesos que representan el punto de vista de arquitectura. • Modelos de amenazas de operaciones, que se crean desde el punto de vista de un atacante basados en DFD. Este enfoque permite la integración de VAST en el desarrollo empresarial y en los ciclos de vida de DevOps.

La base de conocimientos MITRE ATT&CK es un repositorio de tácticas y técnicas sobre los comportamientos de los ciberdelincuentes, basado en la web y accesible desde Internet. Las empresas utilizan la base de conocimientos como uno de los elementos fundamentales para desarrollar modelos de amenazas relevantes y aplicables para actividades proactivas de búsqueda de amenazas o respuesta a incidentes. Este recurso contiene técnicas de ataque asignadas a tácticas de actores de amenazas que proporcionan detalles específicos sobre la cadena de ataque/destrucción o los procedimientos de ataque paso a paso, además de cualquier detalle de detección y mitigación disponible.

OWASP también proporciona una serie de hojas de referencia de modelado de amenazas para ayudar a las empresas en sus esfuerzos de modelado de amenazas. Se encuentran en *https://cheatsheetseries.owasp.org/cheatsheets/Threat_Modeling_Cheat_Sheet.html*.

Inteligencia de amenazas

La inteligencia de amenazas, o inteligencia de ciberamenazas (CTI), es información que una empresa utiliza para comprender las amenazas a las que puede haber estado expuesta en el pasado la organización, las que enfrenta en la actualidad o a las que enfrentará en el futuro. Esta información se utiliza para prepararse, identificar y prevenir amenazas de seguridad y ciberseguridad que intentan aprovecharse de recursos valiosos.

La inteligencia de amenazas, y más específicamente, la CTI, analiza e investiga a los actores de amenazas emergentes y campañas de espionaje y alimenta esos datos para efectuar un análisis de ciberfusión para operaciones de seguridad, los cuales pueden adaptar la competencia de las operaciones de seguridad contra amenazas en constante evolución para la empresa.

Aunque un único indicador de amenazas puede ser ambiguo, cuando se agrega y analiza con información de amenazas de otras fuentes, durante el análisis de ciberfusión, el indicador se enriquece y demuestra un valor adicional.[29]

Fuentes de inteligencia de amenazas

La información de inteligencia de amenazas que se puede correlacionar con indicadores de amenazas existentes puede ayudar a enriquecer las actividades de búsqueda de amenazas y respuesta a incidentes. Los indicadores de compromiso (IoC) y otros datos de amenazas de fuentes internas y externas se pueden aprovechar para descubrir actividades anómalas o sospechosas, independientemente de las contramedidas de seguridad automatizadas, y para

[29] National Institute of Standards and Technology, *NIST Special Publication 800-150: Guide to Cyber Threat Information Sharing*, USA, 2016, *https://nvlpubs.nist.gov/nistpubs/specialpublications/nist.sp.800-150.pdf*

obtener contexto para las tácticas y técnicas específicas del actor de amenazas.

Los datos de inteligencia de ciberamenazas se clasifican comúnmente en tres tipos de información:

- **Táctico**: se compone de todos los indicadores y comportamientos técnicos para respaldar los esfuerzos de detección y respuesta ante amenazas.
- **Operacional**: estos datos están organizados en comportamientos antagónicos, consejos de remediación y ejemplos de procedimientos de búsqueda de amenazas.
- **Estratégico**: esta información de alto nivel describe las amenazas y sus impactos financieros y de recursos asociados en la empresa, e informa la gestión de riesgos y la toma de decisiones de los líderes.

Los factores importantes que una empresa debe considerar incluyen:

- Calidad y antigüedad de la fuente de alimentación/datos
- Disponibilidad de recursos adecuadamente capacitados
- Impacto para el negocio de la implementación de diversas fuentes de inteligencia de amenazas (antes de la implementación)

Un programa/práctica de inteligencia de amenazas maduro se esfuerza por optimizar la calidad de los datos de entrada o minimizar la retención de ruido de todas las fuentes, al tiempo que garantiza la relevancia contextual con otras fuentes de inteligencia y sistemas de logs.

Existen muchas fuentes de inteligencia de amenazas comerciales y de código abierto (de diversa relevancia y aplicabilidad para la empresa) disponibles a través de plataformas de intercambio de comunidades y canales de suscripción. Las siguientes son fuentes de proveedores y comunidades comerciales y de código abierto que producen datos de inteligencia sobre amenazas tácticas y operativas para empresas que están desarrollando una práctica de ciberseguridad madura. Estas fuentes de datos incluyen amenazas emergentes que son relevantes para industrias particulares o usuarios de tecnologías específicas:

- Plataforma de intercambio de información de malware (MISP)
- MITRE ATT&CK
- Repositorio abierto de inteligencia sobre amenazas cibernéticas (CTI) de OASIS TC.
- Equipo de preparación para emergencias informáticas de EE. UU. (US-CERT)
- Base nacional de datos de vulnerabilidades (NVD)
- YARA, búsqueda de patrones multiplataforma para investigadores de malware

2.1.3 Definición de un marco general de gestión de riesgos

Para desarrollar un programa sistemático de gestión de riesgos de una empresa, se debe utilizar un modelo de referencia del marco general de seguridad de la información y adaptarlo a las circunstancias de la empresa. El modelo de referencia reflejará el estado deseado discutido en el capítulo 1 Gobernanza de seguridad de la información (p. ej., una breve visión de un futuro estado que cumple con todos los objetivos de la gestión de riesgos). Hay varias publicaciones/normas disponibles para dar orientación sobre los enfoques de gestión de riesgos de seguridad y de tecnologías de la información. Por ejemplo:

- COBIT
- Publicación especial 800-39 del NIST Gestionando el riesgo de seguridad de la información: Organization, Mission and Information System View

Los estándares mencionados en la lista tienen requerimientos similares para la gestión de riesgos, que incluyen:

- **Política:** la alta gerencia/dirección ejecutiva de una empresa debe definir y documentar su política de gestión de riesgos, que incluyen los objetivos y los compromisos. La política tiene que ser relevante para el contexto estratégico, las metas, los objetivos y la naturaleza del negocio de la empresa. La gerencia debe garantizar que se entienda esta política y que los estándares se desarrollen, apliquen y se mantengan en todos los niveles de la empresa.
- **Planificación y recursos:** deben definirse y documentarse la responsabilidad, la autoridad y las interrelaciones del personal que desempeña y verifica el trabajo que influye en la gestión de riesgos (consulte 1.4 Estructura, roles y responsabilidades organizativas). La empresa debe identificar las necesidades de recursos y facilitar la implementación de los programas de gestión de riesgos mediante la asignación de personal capacitado para la gestión de las actividades del trabajo en curso y verificar las actividades para su revisión interna.
- **Programa de implementación**: la empresa debe definir los pasos necesarios para implementar un sistema efectivo de gestión de riesgos.
- **Revisión de la gestión:** la dirección ejecutiva debe garantizar la revisión periódica del sistema de gestión de riesgos con el fin de asegurar su estabilidad y efectividad continua para satisfacer los requisitos del programa. Se debe mantener registros de dichas revisiones.

- **Proceso de gestión de riesgos**: la gestión de riesgos puede aplicarse tanto al nivel estratégico como al nivel táctico en la empresa: productos/servicios, negocios/procesos de TI, proyectos, decisiones, aplicaciones y plataformas. La empresa debe establecer prioridades en el tratamiento del riesgo individual en función de los objetivos del negocio de la empresa, el apetito al riesgo y el entorno regulatorio para la industria específica.
- **Documentación de la gestión de riesgos:** en cada etapa del proceso, se deben mantener registros adecuados que sean suficientes para obtener un resultado satisfactorio en una auditoría independiente.

El marco general para la gestión de riesgos establece los parámetros básicos dentro de los cuales se deben gestionar los riesgos, incluido los criterios para el riesgo aceptable y los objetivos de control. En consecuencia, también se establece el alcance para el resto del proceso de gestión de riesgos. Ello incluye la definición de las premisas básicas para el entorno tanto interno como externo de la empresa y los objetivos generales del proceso y de las actividades de gestión de riesgos. Aun cuando la definición del alcance y del marco general es fundamental para establecer la gestión de riesgos, es independiente de la estructura particular del proceso, los métodos y las herramientas de gestión que se utilizan para la implementación.

Para definir un marco efectivo es importante:
- Entender los antecedentes de la empresa y sus riesgos (por ejemplo, sus procesos principales, activos valiosos, áreas competitivas).
- Entender las amenazas a las que puede tener que enfrentarse la empresa (p. ej., motivaciones y capacidades de los actores de amenazas).
- Entender la eficacia de los controles que existen en la empresa (p. ej., si los controles reducen de verdad el riesgo residual a niveles aceptables).
- Evaluar las actividades de gestión de riesgos existentes y los criterios para los niveles de riesgo aceptables.
- Desarrollar una estructura y un proceso para el desarrollo de iniciativas de gestión de riesgos y controles suficientes para alcanzar niveles de riesgo aceptables (objetivos de control).

Este enfoque resulta de utilidad para:
- Aclarar y alcanzar un entendimiento común de los objetivos organizativos.
- Identificar el entorno en el que se establecen estos objetivos.
- Especificar el alcance y los objetivos principales para la gestión de riesgos, las restricciones aplicables o las condiciones específicas y los resultados que se requieren.
- Desarrollar un conjunto de criterios contra los cuales se medirá el riesgo.
- Definir un conjunto de elementos clave para estructurar el proceso de identificación y evaluación de los riesgos.

El programa de gestión de riesgos debe integrarse en el sistema de gestión general de la empresa y, cuando sea posible, debe adaptar diversos elementos, tales como políticas, procesos organizativos, responsabilidad, recursos y métodos de comunicación, a sus necesidades específicas.

Las prácticas y los procesos existentes de gestión de muchas empresas incluyen elementos de gestión de riesgo y muchas empresas ya han adoptado un proceso de gestión de riesgo formal para los tipos particulares de riesgo o circunstancias. Estos procesos deben revisarse y evaluarse críticamente para determinar si cumplen con los objetivos de control actuales y otros requerimientos (p. ej., eficiencia, aceptación de usuarios, compatibilidad cultural, requisitos regulatorios).

Definición del entorno externo

Definir el entorno externo incluye especificar el entorno en el que opera la empresa. El entorno externo suele incluir lo siguiente:
- El mercado internacional/local, el sector y los entornos competitivo, financiero y político.
- El entorno legal y normativo.
- Las condiciones sociales y culturales.
- Las partes interesadas externas.

Asimismo, es muy importante que tanto las percepciones como los valores de las diversas partes interesadas y cualquier amenaza u oportunidad generada desde el exterior se evalúen y consideren de forma apropiada.

Definición del entorno interno

Las áreas clave que deben evaluarse para brindar un panorama integral del entorno interno de la empresa incluyen, entre otras:
- Impulsores principales de negocio (p. ej., indicadores de mercado, avances competitivos o atractivo del producto).
- Fortalezas, debilidades, oportunidades y amenazas de la empresa.
- Partes interesadas internas.
- Estructura y cultura de la organización.
- Activos en términos de recursos (es decir, personas, sistemas, procesos, capital).

- Metas y objetivos, y las estrategias con las que ya se cuenta para alcanzarlos.
- Cantidad de pérdidas que una entidad está dispuesta a aceptar para cumplir con su estrategia organizativa.
- Los criterios de riesgo aceptable e inaceptable para programas/proyectos a niveles operativos y tácticos.

2.1.4 Amenazas emergentes

Las indicaciones de amenazas emergentes incluyen una actividad inusual en el sistema, alarmas repetitivas, rendimiento lento del sistema o la red, y una actividad nueva o excesiva en los registros. En muchos casos, las empresas afectadas tienen pruebas de amenazas emergentes en sus registros antes del compromiso real, pero estas pruebas no se observan ni se las aborda. La falta de monitoreo efectivo, cuando se combina con una amenaza, puede llevar a una violación.

La mayoría de las tecnologías se diseñan con énfasis en la función y el propósito sin la adecuada consideración de las implicaciones de seguridad. Por lo tanto, la nueva tecnología tiende a ser una fuente de nuevas vulnerabilidades y puede ser un agente de amenazas dentro de un sistema de información. El gestor de seguridad de la información debe estar alerta ante la aparición de nuevas tecnologías y prepararse para introducirlas en la empresa, particularmente si estas tecnologías prometen ahorros en costos o una ventaja competitiva.

Traiga su propio dispositivo (BYOD) es un ejemplo de revolución en cuanto a la manera en que las empresas ven los activos de tecnología. Es una oportunidad cuyo riesgo es evidente, sin embargo, BYOD tentó a varias empresas al prometer reducir considerablemente el costo de adquisición inicial de activos de TI y la tasa a la que deben actualizarse. Es poco probable que una estrategia de amenazas que hace énfasis en el rechazo de nueva tecnología esté vigente por mucho tiempo.

La TI en la sombra presenta una preocupación similar para las empresas. TI en la sombra es el uso de sistemas, servicios, hardware o software en una red de negocio o dentro de la infraestructura de una compañía que no cuenta con la debida verificación y aprobación del departamento de TI o ciberseguridad. Si una empresa no es consciente de que los empleados están utilizando una tecnología, no se puede proteger contra ningún riesgo o amenaza que la tecnología genere.

Los gerentes de seguridad de la información tienen que ser conscientes del panorama cambiante de amenazas y cómo afecta a su empresa. Conforme evolucionan las infraestructuras, surgen nuevas amenazas en las áreas menos ambiciosas.

La adopción de la computación en la nube en forma de modelos como servicio para plataforma (PaaS), infraestructura (IaaS) y software (SaaS) y la interconexión entre estos nuevos modelos y la tecnología heredada requieren que las empresas consideren cuidadosamente cambiar el perfil de riesgo. Es posible que se requieran nuevos conjuntos de procesos, personal y tecnologías de reducción de riesgos que no fueron considerados previamente para reducir el riesgo residual a niveles aceptables.

El crecimiento explosivo de varias tecnologías inteligentes, dispositivos habilitados para el internet de las cosas (IoT) y la informática más avanzada permiten un modelo en el que los dispositivos se ubican y la información se procesa en la periferia de la red, físicamente más cerca de las ubicaciones de los usuarios. Este modelo descentralizado difiere del paradigma del centro de datos tradicional. Los gestores de seguridad de la información tienen que tener en cuenta el riesgo asociado y considerar los controles requeridos para abordar y reducir los riesgos, garantizando que coinciden con el apetito y tolerancia al riesgo definido por la empresa.

Inteligencia artificial y seguridad de red

En los últimos años, la IA se ha convertido en una herramienta popular, tanto para empresas como para consumidores. Hay muchas aplicaciones de IA disponibles para ayudar a los profesionales de la seguridad a identificar problemas que necesitan más investigación. La IA puede ayudar a encontrar patrones y vulnerabilidades que, de otro modo, podrían no descubrirse antes de que ocurra un incidente de seguridad.

Algunos usos comunes de la IA en seguridad incluyen:

- **Análisis de registros:** se han utilizado herramientas de IA y ML para ayudar en la automatización del análisis de registros. Pueden capturar errores y emparejarlos con una entrada de la base de conocimientos o crear una nueva para ayudar a explicar la causa del error e indicar una posible solución.
- **Detección avanzada de malware de amenazas persistentes (APT):** los modelos de ML se pueden utilizar para aprender patrones maliciosos

de un cuerpo desarrollado. El modelo realiza una inferencia probabilística en comandos de PowerShell desconocidos, utilizando las combinaciones no lineales de ciertos patrones que se aprenden implícitamente. Esto aumenta el coste para que los adversarios puedan omitirlas,[30] lo que frustra o reduce los ataques.

- **IA conductual (Behavioral AI, BAI):** BAI se centra en patrones de comportamiento humano para detectar anomalías que pueden indicar una posible amenaza. Al aprovechar los modelos de IA y combinar procesos y tecnologías con puntos de datos de comportamiento del usuario final, las empresas pueden ser más eficientes y eficaces en el fortalecimiento de los controles internos en torno a la ciberseguridad. Las soluciones de BAI con ML pueden acelerar enormemente el proceso de identificación y análisis de tendencias importantes, brindando una mayor protección contra amenazas genuinas.

Aunque la IA y el ML presentan avances significativos, el uso de estas tecnologías emergentes conlleva riesgos. El riesgo puede surgir directamente del desarrollo de soluciones de IA, su aplicación incorrecta intencionada o involuntaria o el mal manejo de los datos que las impulsan. El riesgo de la IA puede asociarse a lo siguiente:

- **Pérdida de datos:** la IA consume grandes cantidades de datos y los utiliza para influir en las decisiones empresariales e individuales de empresas y personas. La información inexacta utilizada por la IA puede dar lugar a cuestiones como calumnia o difamación, litigios, pérdida de reputación y riesgo legal y de cumplimiento.
- **Preocupaciones sobre la propiedad intelectual (PI):** la IA consume grandes cantidades de información, a menudo información de propiedad exclusiva, lo que puede llevar a la fuga de PI de la empresa o al uso indebido por parte de empleados descontentos. Del mismo modo, la propiedad del contenido creado por IA es complicada, ya que puede no ser susceptible de derechos de autor o podría generar problemas legales adicionales.[31]
- **Utilización nefasta y armamentización:** actores malintencionados han empleado la IA para crear identidades fraudulentas y deepfakes con el objetivo de engañar deliberadamente a audiencias específicas. Herramientas como PentestGPT permiten a los atacantes pedir al algoritmo que encuentre formas innovadoras de atacar los controles de seguridad existentes. La creciente sofisticación de la IA y el ML también puede conducir a nuevos medios de phishing y ataques de ingeniería social.
- **Problemas éticos:** al igual que cualquier tecnología emergente, el uso de la IA y el ML puede introducir cuestiones éticas para las empresas y usuarios. Algunas consideraciones éticas relacionadas con la IA incluyen privacidad, empleo, imprevisibilidad, inteligencia y sesgo.
- **Reacción exagerada:** las empresas pueden confiar demasiado en la IA en sus procesos y depositar demasiada confianza en su producción, creando brechas de seguridad, empleados sobrecargados y contenido que no ha sido probado ni validado. Las empresas también pueden sobrestimar los problemas de seguridad causados por su uso de la IA, lo que resulta en una reacción excesiva que implementa cualquier control, en lugar de aquellos que complementan a los controles existentes. Esta reacción excesiva puede provocar vulnerabilidades imprevistas.[32]

2.1.5 Riesgo, posibilidad e impacto

La Organización Internacional para la Normalización (ISO) define el riesgo como "el efecto de la incertidumbre sobre los objetivos".[33] Esto significa que se pueden dar resultados negativos o positivos. En esta publicación, el riesgo se tiene en cuenta desde una perspectiva principalmente negativa, en la que el riesgo negativo se define como "la probabilidad de un evento (incertidumbre) y sus consecuencias (impacto en los objetivos)".

La probabilidad, o posibilidad, es una medida de la frecuencia en que puede ocurrir un evento. Cuando se identifica el riesgo, la probabilidad se utiliza para calcular el nivel del riesgo en base a la frecuencia de eventos combinada con el impacto que pudiera ocurrir en un determinado período de tiempo (p. ej., un año). La posibilidad o frecuencia combinada con la magnitud (del impacto) se utiliza para determinar la expectativa de pérdidas anuales (ALE). Cuanto mayor es la frecuencia, mayor posibilidad y, en consecuencia, mayor el riesgo. Para más información, consulte 2.3.8 Análisis de riesgos.

---

30 Fang, V.; "Malicious PowerShell Detection via Machine Learning," FireEye Threat Research, 10 de julio de 2018, *https://www.mandiant.com/resources/blog/malicious-powershell-detection-via-machine-learning*

31 ISACA, *The Promise and Peril of the AI Revolution: Managing Risk*, EE. UU., 2023

32 *Ibid.*

33 International Organization for Standardization (ISO), ISO Guide 31073:2022 "Risk Management – Vocabulary", febrero de 2022, *https://www.iso.org/standard/79637.html*

Cuando se habla sobre un riesgo, es importante reconocer la sutil diferencia entre posibilidad y probabilidad. La posibilidad es una frecuencia esperada de ocurrencia, es decir, cuántas veces puede ocurrir un evento durante un intervalo específico (semanas, meses, años). La probabilidad es descrita en un rango de 0 a 1, es decir, puede ocurrir o no un evento. Al identificar el riesgo, el nivel de riesgo se calcula en función de su posibilidad y probabilidad, en combinación con el impacto que puede ocurrir dentro de un período de tiempo determinado (por ejemplo, un año). Cuanto mayor sea la posibilidad (o frecuencia de ocurrencia) y el resultado resultante (o consecuencia/impacto), mayor será el riesgo.

Determinar la posibilidad exige la consideración de varios factores, incluido:

- **Volatilidad**: la probabilidad de un riesgo puede variar dependiendo de la volatilidad de la situación. Cuando las condiciones varían mucho, puede haber momentos en que el riesgo es mayor que en otros momentos, aumentando así la imprevisibilidad y requiriendo mayor estimación del riesgo.
- **Velocidad**: en este contexto, la velocidad es una consideración del alcance de la advertencia previa de un evento y la cantidad de tiempo entre que ocurre un evento y el impacto posterior.
- **Proximidad**: este es un término utilizado para indicar el tiempo entre un evento y el impacto (es decir, cuanto mayor la velocidad, más cerca la proximidad).
- **Interdependencia**: es importante no considerar el riesgo en aislamiento, sino en el contexto organizacional y en relación con otros activos y funciones. La materialización de varios tipos de riesgo podría afectar a la empresa de manera diferente, dependiendo en parte de si los eventos de riesgo ocurren de forma simultánea o secuencial.
- **Motivación**: el alcance de la motivación de un atacante afectará las posibilidades de éxito. La naturaleza de la motivación influye, en cierta medida, al tipo de activos en riesgo (es decir, generalmente, los estados-nación con motivaciones políticas, apuntarán a activos distintos que los delincuentes, que persiguen ganancia económica, afectando de este modo al riesgo de activos concretos).
- **Habilidades**: el nivel de habilidades de los posibles atacantes, suele determinar el tipo y el valor de los activos atacados (p. ej., los activos de gran valor tienen más posibilidades de atraer a atacantes con mayores habilidades).
- **Visibilidad**: los objetivos destacados son más propensos a ser atacados.

El gerente de seguridad de la información debe entender el perfil de riesgo del negocio (normalmente, en sentido negativo) de la empresa en términos de afectar adversamente a la capacidad de lograr sus objetivos.

Ningún modelo único brinda un panorama completo de todos los riesgos posibles; sin embargo, categorizar de manera lógica las áreas de riesgo de una empresa (tal como se ilustra en la **figura 2.4**) facilita centrar la atención en las decisiones y las estrategias clave para la gestión de riesgos. Asimismo, permite a la empresa desarrollar e implementar enfoques de tratamiento de riesgos que sean rentables y relevantes para el negocio.

Figura 2.4—Categorías de riesgos operacionales

Áreas de riesgo operativo	Descripción	Correlación de la información o IT
Instalaciones y operaciones de riesgos del entorno	Problemas con las instalaciones, los equipos o los servicios causaron pérdidas o daños a las capacidades operacionales	Gestión de continuidad del negocio para las estructuras de TI
Salud y riesgo de la seguridad	Amenazas a la salud del personal y seguridad del personal, clientes y miembros del público	Confidencialidad de direcciones de hogares, programas de viajes, etc.
Riesgo de la información	Revelación no autorizada o modificación a la información, pérdida de disponibilidad de la información o uso inadecuado de la información	Todos los aspectos de la información y seguridad de TI
Riesgo de infraestructuras de control	Diseño inadecuado o rendimiento de la infraestructura de gestión de riesgos existente	Análisis de procesos de negocios para identificar flujos de información crítica y puntos de control

Figura 2.4—Categorías de riesgos operacionales (cont.)

Áreas de riesgo operativo	Descripción	Correlación de la información o IT
Riesgos de cumplimiento con las leyes y regulaciones	El incumplimiento de las legislaciones de las jurisdicciones en las cuales se llevan a cabo las operaciones de negocios; el incumplimiento de cualquier normativa, informe o estándares fiscales; el incumplimiento de contratos o el incumplimiento de contratos para proteger los intereses del negocio	El cumplimiento de legislaciones aplicables de protección de datos, estándares de control de cifrado, etc., precisión, puntualidad y calidad de la información comunicada a los entes reguladores y de gestión de contenidos de toda la información que se envía a terceros
Riesgo de gobierno corporativo	Los directores no cumplen con sus obligaciones personales legales relacionadas con la gestión y el control de la empresa	Creación de políticas, medición del rendimiento y relaciones de subordinación de seguridad de la información
Riesgo de la reputación	Los efectos negativos de opinión pública, opinión del cliente y reputación en el mercado, así como el daño causado por la falta de gestión de las relaciones públicas	Control de la divulgación de información confidencial; presentación de una imagen pública de una empresa bien gestionada
Riesgo estratégico	El incumplimiento de los objetivos estratégicos a largo plazo del negocio, incluyendo la dependencia de cualquier resultado estimado o planificado que pueda estar en control de terceras partes	Gestión de la calidad y granularidad de la información en la cual se basan las decisiones estratégicas del negocio (por ejemplo, fusiones, adquisiciones, ventas)
Procesamiento y riesgo en el comportamiento	Problemas con los servicios o entrega de productos que ocasionan las fallas en los controles internos, sistemas de información, integridad del personal, errores o mediante la debilidad en los procedimientos de operación	Todos los aspectos de la seguridad de los sistemas de información y en el comportamiento relacionado con la seguridad del personal al realizar sus deberes
Riesgo de tecnología	Fallas en la planificación, gestión y monitoreo para la ejecución de proyectos relacionados con la tecnología, productos, servicios, procesos, personal y canales de envío	Falta de información y de sistemas de tecnología comunicacional y la necesidad para la gestión de la continuidad del negocio
Gestión de riesgos del proyecto	La falta de planificación y gestión de los recursos necesarios para el logro de los objetivos tácticos del proyecto, lo que genera gastos excesivos, demoras o ambos o que conducen a la no realización del proyecto, la falla técnica de un proyecto o la imposibilidad de gestionar los aspectos de integración con las partes existentes del negocio y el impacto que los cambios puedan tener en las operaciones del negocio	Gestión de todos los proyectos relacionados con la seguridad de la información
Riesgo de actos criminales e ilícitos	Pérdidas o daños causados por fraude, robo, negligencia intencional, negligencia grave, vandalismo, sabotaje, extorsión, etc.	Prestación de servicios y mecanismos de seguridad para evitar todos los tipos de delitos informáticos
Riesgo de recursos humanos	Falta de reclutamiento, desarrollo o retención de personal con las capacidades y conocimientos adecuados o de gestión en las relaciones con el personal	Necesidad de políticas de protección a empleados contra el acoso sexual, abuso racial, etc. mediante sistemas de correo electrónico corporativos, etc.

Figura 2.4—Categorías de riesgos operacionales (cont.)

Áreas de riesgo operativo	Descripción	Correlación de la información o IT
Riesgos con los proveedores	Falta de una evaluación adecuada de las capacidades de los proveedores que realizan interrupciones en el proceso de suministro o la entrega deficiente de bienes y servicios suministrados; falta de comprensión y gestión en los problemas de la cadena de suministro	La prestación de servicios externalizados de TI u otras actividades que procesan información del negocio
Riesgo para la información de gestión	Suministro de información inadecuada, inexacta, incompleta o inoportuna para apoyar el proceso de la toma de decisiones de la gerencia	Gestión de la exactitud, integridad, actualidad, puntualidad y calidad de información utilizada para el apoyo de la decisión de la gerencia
Riesgo para la ética	Daño causado por prácticas de negocios no éticas, incluyendo aquellas realizadas por los socios de negocios asociados. Los temas incluyen discriminación racial y religiosa, explotación laboral de niños, contaminación, temas ambientales, comportamiento negativo hacia grupos desfavorecidos, etc.	Recolección, almacenamiento y uso ético de la información, gestión del contenido de la información de sitios web, intranets y en correos electrónicos corporativos, así como sistemas de mensajería instantánea
Riesgos geopolíticos	Pérdidas o daños en algunos países causados por la inestabilidad política, calidad deficiente de la infraestructura en las regiones en desarrollo o diferencias culturales y malentendidos	Gestionar todos los aspectos de seguridad de la información y seguridad de los sistemas de TI en regiones donde la empresa tiene operaciones de negocios, pero donde existe un riesgo geopolítico especial
Riesgos culturales	Incapacidad para manejar temas culturales que afectan al personal, clientes y otras partes interesadas. Entre ellos se incluyen el idioma, la religión, la moral, los códigos de vestimenta y otras costumbres y prácticas comunitarias.	Gestión del contenido de la información de sitios web, intranets y en correos electrónicos corporativos, así como sistemas de mensajería instantánea
Riesgos climáticos y meteorológicos	Pérdidas y daños causados por condiciones climáticas poco comunes, incluyendo sequías, calor, inundaciones, frío, tormentas, vientos, etc.	Gestión de continuidad del negocio para las estructuras de TI

Fuente: Copyright SABSA Institute, *www.sabsa.org*. Reproducido con autorización.

Una categorización de alto nivel del riesgo es parte inherente del negocio, dado que resulta poco práctico y costoso eliminar todo el riesgo (el riesgo no se puede eliminar), cada empresa posee un nivel de riesgo que aceptará (apetito de riesgo). El nivel de riesgo aceptable es una decisión que debe ser tomada por la alta gerencia, a pesar de que el gerente de seguridad de la información puede necesitar ayudar a la gerencia a desarrollar un conjunto concreto de criterios. Los enfoques para ayudar a determinar el nivel de riesgo aceptable son tratados en detalle en 2.4.1 Determinación de la Capacidad de Riesgo y el Riesgo Aceptable (Apetito de Riesgo).

El concepto esencial es que el coste de protección debería ser proporcional al valor de los activos y no debe exceder el valor de los activos que se protegen. Con la mayoría de las actividades correctivas, hay un punto de disminución de retornos en que los costos de controles adicionales aumentan más rápido que los beneficios derivados.

Muchos factores influirán en lo que la empresa considera aceptable, en última instancia, según consideraciones como la cultura, la capacidad de la empresa de absorber pérdidas (a veces se hace referencia a esto como apetito de riesgo), los efectos y los costes de la mitigación, el alcance y el tipo de los posibles impactos, y posiblemente los requerimientos legales y/o contractuales. En términos de cultura, la empresa, generalmente, puede ser reacia al riesgo y optar por una seguridad más estricta y costes de control más altos, o puede ser agresiva al riesgo y elegir tener más posibilidades.

Para la mayoría de las empresas, la falta de una adecuada identificación, análisis, evaluación y respuesta al riesgo ocasiona una asignación inapropiada de los esfuerzos de gestión del riesgo y deriva en situaciones con mayor probabilidad de compromiso y mayor impacto.

Los primeros esfuerzos de gestión del riesgo generalmente se centran en el control de acceso no autorizado, el cual, en promedio, representa una proporción relativamente pequeña de pérdidas. La mayoría de las pérdidas de las demás causas identificadas, tales como servicios externalizados, copias de respaldo electrónico, registros en papel y portátiles perdidos o robados, reciben en general menos atención.

Para las fuentes predominantes de compromiso, el gerente de seguridad de la información debe considerar cómo asignar los recursos de protección para conseguir el mayor beneficio. Debido a que muchas de las amenazas más significativas pueden tratarse directamente (por ej. empleados y antiguos empleados, proveedores de servicios, consultores, proveedores), es prudente considerar los controles específicos al tratar el riesgo. Fuertes controles de acceso, limitar el acceso a "la necesidad de conocer", la segmentación de redes, los procedimientos de terminación efectivos y el buen monitoreo contribuirán a la reducción del riesgo en una empresa. Es importante reconocer que los mayores riesgos para las empresas no provienen de la tecnología y no pueden ser siempre resueltos por la tecnología. El mayor riesgo, en gran medida, es un problema de personal y de gestión.

2.1.6 Registro de riesgos

Durante el proceso de identificación del riesgo y sus componentes, se debe establecer un registro de los riesgos. El registro debe servir como un repositorio central para todos los riesgos de seguridad de la información, entre los que se incluyen amenazas específicas, vulnerabilidades, exposiciones y activos afectados. Debe incluir el propietario del activo, el propietario del riesgo y otras partes interesadas. Puesto que el registro de riesgos es un repositorio vivo, el contenido del registro de riesgos debe completarse a medida que avance el proceso de evaluación. Una vez que se hayan completado los esfuerzos de identificación, análisis, evaluación y respuesta al riesgo, y se haya registrado otro tipo de información pertinente en el registro, éste servirá como punto de referencia principal para todas las actividades relacionadas con la gestión de riesgos.

Los registros de riesgos mejoran la rendición de cuentas al asignar el riesgo a los propietarios del riesgo y proporcionan un mecanismo de seguimiento para garantizar que el riesgo se haya mitigado de acuerdo con los planes de acción acordados y dentro de los plazos acordados. Sin un registro de riesgos, no hay rendición de cuentas. El registro de riesgos proporciona la narrativa del perfil de riesgo de la empresa. Un perfil de riesgo es un elemento esencial para la efectiva gestión de riesgos de la información. Servirá para proporcionar una descripción general del riesgo global (conocido) al que está expuesto la empresa, junto con otra información pertinente. Existen una variedad de enfoques para cumplir con este requisito, incluidos los procesos detallados y efectivos de COBIT (**figura 2.5**).

Figura 2.5—Perfil de riesgo de TI

Tipo de contenido	Especificación
Descripción	Visión completa del riesgo de TI (Tecnología e Información)
Criterios de calidad y metas	• La información de origen es exacta (confirmada mediante auditoría) y se ha agregado a la aplicación de gestión de riesgos de acuerdo con reglas fijas. • La información se basa en hechos y fundamentaciones verificables, utilizando la visión de riesgo común establecida en toda la empresa. • El perfil de riesgo se estructura según lo definido, y el destinatario confirma la relevancia de la información proporcionada. • El perfil de riesgo cubre el alcance completo de la empresa y el registro de riesgo completo. Sin embargo, es posible que parte de la información no esté disponible y es necesario hacer suposiciones y corroborarlas. • El volumen de información es adecuado a las necesidades del destinatario y se define durante el diseño. • Para que las partes interesadas tomen decisiones informadas, todas las partes interesadas relevantes deben comprender el perfil de riesgo. • El acceso al perfil de riesgo lo determina la función de riesgos y está restringido de la siguiente manera: ▪ Acceso de escritura: función de riesgo (basada en la entrada de los contribuyentes). ▪ Acceso de lectura: todas las demás partes interesadas.

Figura 2.5—Perfil de riesgo de TI (cont.)

Tipo de contenido	Especificación
Estructura/ Contenido de alto nivel	Un perfil de riesgo es una descripción del riesgo general (identificado) de TI al que la empresa está expuesta. Un perfil de riesgo de TI consiste en: **A. El registro de riesgos** Un registro de riesgos proporciona información detallada sobre: • Cada riesgo identificado, como el propietario de riesgo, detalles del escenario y suposiciones. Un escenario de riesgo es una descripción de un evento relacionado con TI que puede derivar en un impacto en el negocio cuando ocurre. Incluye elementos como: ▪ Agente/comunidad de la amenaza ▪ Intención/motivación ▪ Evento de amenaza ▪ Activos/recurso ▪ Efecto ▪ Cronograma ▪ Partes interesadas afectadas ▪ Causas/indicadores ▪ Información sobre la puntuación detallada (calificación de riesgo) en el análisis de los riesgos. ▪ Información detallada sobre respuesta al riesgo (p. ej., propietario de la acción) y estado de la respuesta al riesgo (p. ej., el marco temporal para la acción). ▪ Proyectos relacionados ▪ Nivel de tolerancia al riesgo Consulte la **figura 2.6** para ver un ejemplo de plantilla de registro de riesgos. **B. Plan de acción de riesgos** El plan de acción de riesgos proporciona un marco que documenta el orden de prioridades en el cual las acciones de riesgos individuales deben implementarse y cómo. Un plan de acción debe discutirse con las partes interesadas apropiadas y documentar claramente: • Los escenarios de riesgo que serán mitigados por las acciones identificadas. • Causa raíz del escenario (análisis de causa raíz [RCA]). • Las razones para la selección de opciones de acción basadas en los criterios de evaluación del control. • Los responsables de la aprobación del plan y los responsables de la implementación del plan. • Acciones sugeridas. • Requisitos de recursos, incluidas contingencias. • Medidas de rendimiento y limitaciones. • Coste vs. beneficio de reducción del riesgo. • Requisitos de informes y monitorización. • Cronograma y plazos. **C. Eventos de pérdidas (históricos y actuales)** Un evento de pérdida es un evento de riesgo que da lugar a una pérdida. Por ejemplo, un error en el procesamiento/tiempo de las transacciones de los sistemas puede resultar en una pérdida o una posición negativa. Debe incluir información sobre la causa raíz y el coste real del evento, idealmente subdividido por los formularios estándar de pérdida de la empresa. **D. Factores de riesgo** Un factor de riesgo es una condición que puede influir en la frecuencia y/o magnitud y, en última instancia, en el impacto sobre el negocio que tienen los eventos/escenarios relacionados con la TI. Los factores de riesgo también se pueden interpretar como factores causales del escenario que se está materializando, debido a las vulnerabilidades o debilidades. Estos factores incluyen: • Contexto externo • Contexto interno

Figura 2.5—Perfil de riesgo de TI (cont.)

Tipo de contenido	Especificación
	• Capacidades de gestión de riesgos • Capacidades relacionadas con la TI **E. Hallazgos de valoraciones independientes** Es un informe de auditoría que contiene los resultados de las evaluaciones que deben tenerse en cuenta durante las actividades de identificación y análisis de riesgos.

Fuente: ISACA, *COBIT Focus Area: Information & Technology Risk*, EE. UU., 2021

La **figura 2.6** contiene una plantilla de muestra para una entrada de registro de riesgos, que forma parte del perfil de riesgo.

Figura 2.6—Ejemplo de una plantilla de registro de riesgos

Parte I: Datos de resumen				
Descripción del riesgo				
Propietario del riesgo				
Fecha de la última evaluación de riesgo				
Fecha de vencimiento para actualizar la evaluación de riesgo				
Categoría de riesgo	Estratégico	Programa	Proyecto	Operativo
Clasificación del riesgo (copiado de los resultados de análisis de riesgos)	▢ BAJO	▢ MEDIO	▢ ALTO	▢ MUY ALTO
Respuesta al riesgo	▢ ACEPTAR	▢ TRANSFERIR	▢ MITIGAR	▢ EVITAR
Parte II: Descripción del riesgo				
Título				

Figura 2.6—Ejemplo de una plantilla de registro de riesgos (cont.)

Escenario de alto nivel (desde la lista de muestra de escenarios de alto nivel)						
Descripción detallada de escenario: Componentes del escenario	**Agente**					
	Tipo de amenaza					
	Evento					
	Activo/recurso					
	Probabilidad					
	Consecuencias					
Otra información del escenario						
Parte III: Resultados del análisis de riesgo						
Frecuencia del escenario (número de veces por año)	0	1	2	3	4	5
	N ≤ 0,01 ▢	0,01 < N ≤ 0,1 ▢	0,1 < N ≤ 1 ▢	1 < N ≤ 10 ▢	10 < N ≤ 100 ▢	100 < N ▢
Comentarios sobre la frecuencia						
Impacto del escenario en el negocio	0	1	2	3	4	5
1. Productividad	**Pérdida de ganancias a lo largo de un año**					
Calificación del impacto	I ≤ 0,1 % ▢	0,1 % < I ≤ 1 % ▢	1 % < I ≤ 3 % ▢	3 % < I ≤ 5 % ▢	5 % < I ≤ 10 % ▢	10 % < I ▢
Descripción detallada del impacto						
2. Coste de respuesta	**Gastos asociados con la gestión del evento de pérdida**					
Calificación del impacto	I ≤ 10k$ ▢	10K$ < I ≤ 100K$ ▢	100K$ < I ≤ 1M$ ▢	1M$ % < I ≤ 10M$ ▢	10M$ < I ≤ 100M$ ▢	100M$ < I ▢
Descripción detallada del impacto						
3. Ventaja competitiva	**Calificaciones de satisfacción de clientes ocasionales**					
Calificación del impacto	I ≤ 0,5 ▢	0,5 < I ≤ 1 ▢	1 < I ≤ 1,5 ▢	1,5 < I ≤ 2 ▢	2 < I ≤2,5 ▢	2,5 < I ▢
Descripción detallada del impacto						

Figura 2.6—Ejemplo de una plantilla de registro de riesgos (cont.)

4. Área jurídica	**Cumplimiento normativo: multas**					
Calificación del impacto	Ninguno ▢	< 1M$ ▢	< 10M$ ▢	< 100M$ ▢	< 1000M$ ▢	> 1000M$ ▢
Descripción detallada del impacto						

Calificación general del impacto (promedio de cuatro calificaciones de impactos)				
Calificación general del riesgo (se obtiene al combinar calificaciones de impacto y frecuencia en el mapa de riesgo)	▢ BAJO	▢ MEDIO	▢ ALTO	▢ MUY ALTO
Parte IV: Respuesta al riesgo				
Respuesta a riesgos para este riesgo	▢ ACEPTAR	▢ TRANSFERIR	▢ MITIGAR	▢ EVITAR
Justificación				
Descripción detallada de respuesta (NO en caso de ACEPTAR)	**Acción de respuesta**		**Completado**	**Plan de acción**
	1.		▢	▢
	2.		▢	▢
	3.		▢	▢
	4.		▢	▢
	5.		▢	▢
	6.		▢	▢
Estado general del plan de acción para el riesgo				
Problemas importantes con el plan de acción para el riesgo				
Estado general de respuestas finalizadas				
Problemas importantes con respuestas finalizadas				
Parte V: Indicadores de riesgo				
Indicadores clave de riesgo para este riesgo	1. 2. 3. 4.			

Fuente: ISACA, *Manual de Preparación para el Examen CRISC, 7a edición*, EE. UU., 2021

2.2 Análisis de vulnerabilidades y deficiencias de controles

El término vulnerabilidad, al que muchas veces se hace referencia como "debilidad", se utiliza, generalmente, como si fuera una condición binaria. Algo es vulnerable o no.

En la mayoría de los casos, los activos son vulnerables en distintos grados (es decir, una condición de control particular puede representar un alto grado de vulnerabilidad, mientras que otra condición de control representa un grado de vulnerabilidad menor). El grado de exposición también debe considerarse ya que afecta la probabilidad de que una vulnerabilidad sea comprometida.

Estas distinciones se vuelven importantes en el proceso de establecer las prioridades de los esfuerzos de gestión de riesgo, al determinar el nivel de riesgo dentro de un escenario y también al explicar las conclusiones y recomendaciones para la gerencia.

Publicación especial 800-30 Revisión 1 del NIST: Guide to Conducting Risk Assessments proporciona una lista de vulnerabilidades a considerar junto con las "condiciones de predisposición" que pueden llevar al surgimiento rápido o impredecible de nuevas vulnerabilidades.

Muchas vulnerabilidades son condiciones que existen en los sistemas y que deben identificarse antes de poder abordarlas. El propósito de la identificación de vulnerabilidades es encontrar los problemas antes de que los encuentre y explote un adversario. Éste es el motivo por el cual una empresa debería realizar pruebas de penetración y evaluaciones periódicas de las vulnerabilidades para identificar, validar y clasificar las vulnerabilidades.

Una evaluación de vulnerabilidades debe considerar las debilidades del proceso y procedimiento así como las debilidades lógicas. Si existen vulnerabilidades, existe la posibilidad de riesgo.

Nota

Otras fuentes de vulnerabilidades incluyen:

- Base de datos nacional de vulnerabilidades, en *nvd.nist.gov*
- Lista de debilidades comunes, en *nvd.nist.gov/cwe.cfm*
- Vulnerabilidades y exposiciones comunes en *cve.mitre.org*
- La base de datos de vulnerabilidades causadas por la comunidad, en *vulndb.org*
- Catálogo de base de datos de vulnerabilidades en *www.first.org/global/sigs/vrdx/vdb-catalog*
- Packet Storm Security en *packetstormsecurity.com*
- Base de datos de exploits y vulnerabilidades de Rapid7 en *rapid7.com/db*
- Base de datos gratuita de vulnerabilidades de CXSecurity en *cxsecurity.com/exploit/*
- Vulnerability Lab en *vulnerability-lab.com*
- Open Web Application Security Project (OWASP) en *www.owasp.org*

La estimación del grado de vulnerabilidad se puede lograr a través de varias formas de prueba o a través de las estimaciones de los expertos en la materia. Al igual que otras evaluaciones, las estimaciones pueden ser cuantitativas o cualitativas. Cualquiera sea el enfoque, es importante comunicar la naturaleza de estos cálculos para que la gerencia no se confunda. Los enfoques efectivos que reflejan incertidumbre en los valores incluyen el uso de rangos o distribuciones para indicar los valores máximos poco probables y los valores que son más probables.

Para la determinación de la relevancia final de un control débil también se requiere del conocimiento de otros controles en juego que pueden reducir el riesgo total. Sería impreciso y un perjuicio describir un control como un problema grave cuando, de hecho, la combinación de controles es relativamente sólida.

Muchas debilidades de los sistemas de TI se identifican a través de equipos de diagnóstico automáticos, y éstos pueden servir como indicadores líderes de posible compromiso. Las vulnerabilidades de proceso y rendimiento son más difíciles para constatar y pueden requerir de revisión y análisis minucioso para determinarlas. Para que sea efectiva, la evaluación debe considerar las vulnerabilidades físicas, de procesos y de procedimientos, además de las debilidades de la tecnología.

Considere la empresa que no tiene un programa formal de la seguridad de la información y un programa de concientización. Una serie de vulnerabilidades en este caso se origina por la falta de concientización del usuario acerca de las políticas de seguridad, estándares y lineamientos. Sin la capacitación de concienciación, es mucho más probable que una empresa sufra el compromiso de ataques de ingeniería como phishing. Las vulnerabilidades pueden ocurrir por varias causas, que van desde una gran variedad de problemas técnicos, como la falta de procesos para el control de configuración, hasta innumerables factores humanos, como poca conciencia moral de los empleados.

Puede resultar útil considerar las vulnerabilidades en las siguientes categorías porque el enfoque variará para las diferentes áreas, que incluyen:

- Vulnerabilidades de la red
- Acceso físico
- Aplicaciones y servicios de acceso público
- Servicios públicos
- Cadena de suministro
- Procesos
- Equipamiento
- Computación en la nube (cloud computing)
- IoT
- BYOD
- IA

Las auditorías, las revisiones de seguridad, las exploraciones para detectar vulnerabilidades y las pruebas de penetración están entre los enfoques que comúnmente resultan útiles para identificar vulnerabilidades. Algunos ejemplos típicos de vulnerabilidades incluyen:

- Software defectuoso
- Hardware/software configurado incorrectamente
- Obligaciones de cumplimiento inadecuadas o incoherentes
- Diseño deficiente de redes (p. ej., redes planas)
- Procesos defectuosos, no monitorizados o incontrolados
- Gestión o gobierno inadecuado
- Personal insuficiente
- Falta de conocimiento para respaldar a los usuarios o las operaciones
- Falta de funcionalidad de la seguridad
- Falta de higiene y mantenimiento apropiados
- Elección deficiente de contraseñas
- Transmisión de comunicaciones no protegidas
- Falta de redundancia
- Comunicaciones gerenciales deficientes

2.2.1 Niveles mínimos de control de seguridad

Los controles se diseñan como parte del marco de gestión de riesgos de seguridad de la información, que incorpora políticas, estándares, procedimientos, prácticas y estructuras organizacionales. Está diseñado para brindar una seguridad razonable de que se logran los objetivos del negocio, y el potencial impacto de los eventos no deseados será abordado de manera suficiente. Asimismo, el marco debe considerar lo relativo a personas, procesos y tecnología, e incluye los aspectos físicos, técnicos, contractuales y de procedimientos de la empresa. Para que sea eficaz, debe considerar los componentes estratégicos, programáticos, operacionales y tácticos de la empresa.

Las salvaguardas incluyen cualquier práctica, procedimiento, proceso u otra instrumentación que sirva para reducir el riesgo mediante la aplicación de una medida cautelar para proteger un activo empresarial. Las salvaguardas se consideran controles proactivos, ya que se aplican y utilizan en un intento de evitar que ocurra un evento. Algunos ejemplos de controles proactivos o salvaguardas incluyen las verificaciones de antecedentes de los empleados, los sistemas de prevención de intrusiones (IPS) y las puertas giratorias (torniquetes).

Las contramedidas incluyen prácticas, procedimientos, procesos u otros instrumentos utilizados para responder a un evento que ha ocurrido. Las contramedidas suelen responder a una amenaza o vulnerabilidad una vez que ha sido identificada. La implementación e integración de contramedidas puede tomar formas variadas y puede ir desde la modificación de la arquitectura o reingeniería de procesos hasta la reducción o eliminación de amenazas internas y vulnerabilidades técnicas pasando por la creación de un programa de sensibilización para promover la ingeniería social, promover el reconocimiento precoz e informar de los incidentes de seguridad.

Existe mucha información proveniente de NIST, COBIT, ISO y proveedores de seguridad en relación a los estándares para los controles de seguridad de la información. Sin embargo, el gerente de seguridad de la información debe tener en cuenta que todas las empresas tienen sus propias necesidades y prioridades. Aunque NIST, ISO, COBIT y los proveedores pueden servir de punto de partida como apoyo para desarrollar controles, siempre se deben realizar análisis específicos.

Se deben desarrollar controles adecuados a la empresa basándose en una variedad de factores, tales como cultura, ética, estructura organizativa, personal, habilidades y la infraestructura de apoyo disponible, en el contexto del apetito y tolerancia al riesgo definido por la empresa. Al definir el programa de análisis de riesgo, es importante tener en cuenta a las personas y los procesos además de la tecnología. El gerente de seguridad de la información debe desarrollar niveles mínimos de seguridad física y de procedimientos. Esto a menudo representa un reto debido a que algunas áreas suelen estar fuera del control del departamento de seguridad de la información. Los estándares apropiados aprobados por el comité directivo, tal y como se describe en el Capítulo 1 Gobernanza de seguridad de la información, pueden ser el enfoque más efectivo para abordar este problema. Una auditoría interna y las revisiones regulares de la seguridad pueden ayudar a ofrecer la garantía de cumplimiento requerida por la autoridad gubernamental.

La aplicación de referencias para los procesos de seguridad establece los requisitos de seguridad mínimos en toda la empresa para que sean coherentes con los niveles de riesgo aceptables. Se deben establecer diferentes referencias para diferentes clasificaciones de seguridad, con controles de seguridad más estrictos requeridos para los niveles de clasificación más altos de los activos más críticos o sensibles. Si la empresa no ha implementado un esquema de clasificación, será difícil para el gerente de seguridad de la información desarrollar bases racionales para establecer las referencias sin el riesgo de proteger demasiado algunos recursos y proteger de manera insuficiente a otros.

Con el fin de formular una referencia de controles de seguridad, algunas mediciones de la efectividad y eficiencia de los controles son necesarias. En general, una línea base no se basa en una sola prueba de controles, sino en la capacidad general de los controles para mitigar colectivamente el riesgo a niveles aceptables.

Para establecer las líneas base de control, los gerentes de seguridad pueden consultar muchos de los estándares publicados que podrían implementarse dentro de la empresa. Basándose en estos estándares, se realiza una prueba del control varias veces para establecer una evaluación de la eficacia y eficiencia del control requerido por la norma.

El establecimiento de líneas base de seguridad para la empresa tiene numerosos beneficios. Estandariza la cantidad mínima de medidas de seguridad que se deben emplear en toda la empresa; esto no solo genera beneficios positivos para la gestión de riesgos, sino que también permite una gestión operativa de acuerdo con el nivel de clasificación en lugar de en base al sistema o al activo. Provee un punto de referencia conveniente para medir los cambios a la seguridad e identificar los efectos correspondientes sobre el riesgo.

Al trabajar en conjunto con el grupo de arquitectura empresarial de la empresa, se puede desarrollar un nivel mínimo (línea de base) de controles de tecnología de seguridad de la información que sea apropiado para el entorno operativo de la empresa.

Existe consenso entre muchos proveedores, organizaciones de seguridad, profesionales de seguridad de la información y auditores de sistemas acerca de las especificaciones de configuración de la seguridad que representan un nivel prudente de debido cuidado. Estos esfuerzos de cooperación continúan definiendo configuraciones de seguridad basadas en el consenso y en la buena práctica para varios sistemas y plataformas. El gerente de seguridad de la información debería examinar estas especificaciones y, de ser apropiado, éstas deberían estar diseñadas para adaptarse y ser incorporadas a las líneas base de seguridad de la organización.

Aunque es importante que los gerentes de seguridad de la información sean conscientes de las líneas base estándar de la industria, deben evaluar el nivel de seguridad que debería utilizarse en diferentes áreas de la empresa. La combinación de diferentes tecnologías, datos y usuarios a menudo puede introducir un nuevo riesgo y cambiar un sistema o plataforma seguro en uno que presenta nuevas vulnerabilidades. Una evaluación de riesgo diseñada a medida que reconoce estas interacciones y dependencias permitirá al gerente de seguridad de la información determinar si los procesos o procedimientos de seguridad por encima de los niveles mínimos aceptados son necesarios para ofrecer la seguridad adecuada en proporción a los niveles de riesgo aceptables definidos por la empresa. Algunas empresas e industrias, como los sectores con mucha normativa, pueden requerir líneas base más exigentes. Este también puede ser el caso de empresas que gestionan información clasificada como muy crítica o sensible. En ambos casos, la empresa debe tener mecanismos de control que proporcionan un alto nivel de seguridad acorde con estos requisitos.

Las normas deben desarrollarse o modificarse para establecer los límites apropiados de protección de cada dominio de seguridad. Los estándares proporcionan la base para la medición y los métodos de análisis con el fin de evaluar si los controles existentes cumplen con las referencias de seguridad. El objetivo es que el riesgo residual en el dominio de seguridad esté a un nivel consistente aceptable. Esto se debe validar mediante evaluaciones periódicas de riesgos que aborden la naturaleza cambiante de las amenazas, vulnerabilidades y tecnologías.

La selección de métricas relevantes entre las numerosas opciones disponibles se puede lograr utilizando una serie de criterios. Las métricas eficaces para la gestión de riesgos, incluso para la evaluación de controles, se pueden seleccionar según la mejor calificación de las siguientes características:

- **Específica**: se basa en una meta bien entendida; clara y concisa.
- **Medible**: capaz de medirse; cuantificable (objetiva), no subjetiva
- **Alcanzable**: realista; según los valores y las metas importantes
- **Relevante**: directamente relacionada con una meta o actividad específica
- **Oportuna:** basada en un marco de tiempo específico
- **Significativa**: comprensible por los destinatarios
- **Precisa**: razonablemente exacta.
- **Rentable**: no muy costosa de adquirir o mantener
- **Repetible:** se puede adquirir de manera fiable a lo largo del tiempo
- **Predecible**: indicativa de resultados
- **Accionable**: queda claro al destinatario la acción que debe tomar.

Ejemplo: Con el fin de establecer un nivel mínimo para los procesos antivirus, el gerente de seguridad tendrá que presentar informes periódicos regulares (semanales o mensuales) de sistemas infectados, las alertas de virus, los incidentes de virus notificados al centro de asistencia, las actualizaciones de archivos de definición y otros tipos de información pertinente. Según esta información, es posible evaluar la efectividad del control, y según información adicional, como las horas de personal requeridas, los costes de software, los gastos de reparación/respuesta y el riesgo residual, es posible evaluar la eficiencia del proceso antivirus como un proceso de TI. Esto demuestra cómo se pueden utilizar las métricas para supervisar la eficacia de los niveles mínimos establecidos y brindar la base para ajustarlos, ya que son necesarias para gestionar el riesgo.

2.2.2 Eventos que afectan a las referencias de seguridad

Varios factores pueden cambiar la ecuación de impacto, probabilidad o riesgo, lo cual requiere que se cambien las líneas base. La línea base de seguridad viene determinada por la capacidad colectiva de los controles de proteger los activos de información de la empresa. Los niveles mínimos de seguridad se controlan, fundamentalmente, por el aspecto menos restrictivo de normas colectivas, y es el nivel mínimo de seguridad en toda la empresa. Los niveles mínimos de seguridad deben verse reflejados en los objetivos de control.

Cualquier incidente puede atribuirse a una falla del control o la falta de un control. Cualquier incidente significativo requerirá de una nueva evaluación del riesgo y análisis de la causa raíz del fallo, que puede a su vez requerir el aumento o la modificación de la línea base de seguridad cambiando las políticas, los procesos, los procedimientos, los estándares o los controles relevantes.

Los gerentes de seguridad de la información deben monitorear y evaluar los eventos que afectan las líneas base de la seguridad y que, por lo tanto, pudieran afectar a la postura de seguridad de la empresa. Basado en esta evaluación, el gerente de seguridad de la información tiene que determinar si los planes de seguridad y los planes de prueba de la empresa requieren alguna modificación para tratar el riesgo cambiante.

Los niveles mínimos de seguridad de la organización pueden modificarse por varias razones. Por ejemplo, que un proveedor identifique que un parámetro en el software o hardware tiene que cambiarse para obtener o mantener los niveles de protección deseados. Otra razón para la modificación podría ser un evento externo que requiera de un incremento en los niveles mínimos establecidos. Por ejemplo, si existiera una protesta o cualquier otro conflicto civil en los alrededores de las instalaciones de la empresa, se deben incrementar los niveles mínimos de seguridad física por un período de tiempo hasta que esta amenaza haya terminado. Otros impulsores, o motivos, podrían incluir leyes o regulaciones nuevas o cambiantes, la identificación de niveles de riesgo no aceptables como resultado de amenazas nuevas o cambiantes, la degradación de controles con el tiempo, y cambios en los sistemas que creen nuevas vulnerabilidades.

2.3 Análisis, evaluación y valoración de riesgos

La gestión de riesgos consiste en una serie de procesos que tienen en cuenta los requisitos completos para identificar, analizar, evaluar y mantener el riesgo en niveles aceptables. Estos procesos incluyen la ponderación de políticas alternativas, en consulta con las partes interesadas, considerando la evaluación del riesgo y otros factores, y eligiendo opciones apropiadas de control y prevención que tengan costos aceptables e impactos en la capacidad de la empresa de operar de manera eficiente.

La gestión de riesgos consiste por lo general en la realización de algunos de los siguientes procesos:

- **Establecer el alcance y los límites:** un proceso del establecimiento de los parámetros globales para el rendimiento de la gestión de riesgos dentro de una empresa. Se deben considerar los factores internos y externos para proporcionar el contexto.
- **Identificar y valorar los activos:** proceso de valoración e inventario de activos de información para determinar los activos en riesgo y los posibles impactos de los incidentes.
- **Realizar una evaluación de riesgos:** proceso que consiste en la identificación, el análisis y la evaluación del riesgo, que incluye:
  - La identificación de amenazas, vulnerabilidades y exposiciones viables.
  - El análisis del nivel de riesgo en el contexto de la probabilidad y los posibles resultados.
  - La evaluación de si el riesgo cumple con los criterios de aceptación.
- **Recomendar el tratamiento o la respuesta al riesgo:** un proceso de selección de estrategias para hacer frente a los riesgos identificados que excede los niveles aceptables. Las estrategias de tratamiento de riesgos son: evitar el riesgo mediante el cese de las actividades de riesgo, mitigar el riesgo mediante el desarrollo y la implementación de controles, transferir el riesgo a terceros, que puede ser tanto dentro como fuera de la empresa, y aceptar el riesgo. Se suele aceptar el riesgo si se encuentra por debajo de los criterios de apetito y tolerancia al riesgo definidos.
- **Aceptación del riesgo residual**: decisión y aprobación de la gerencia de aceptar el riesgo residual, una vez concluido el proceso de tratamiento (es decir, se puede aceptar el riesgo una vez que la evaluación muestre que está dentro de los límites aceptables o si no hay una opción de tratamiento efectivo disponible).
- **Comunicación al respecto y monitorización del riesgo:** proceso para intercambiar y compartir información relacionada con el riesgo, así como la revisión de la efectividad de todo el proceso de gestión de riesgos. La comunicación del riesgo se realiza, por lo general, entre las personas que toman las decisiones y otras partes interesadas dentro y fuera de la empresa. A través de la comunicación y el monitoreo, el alcance, los límites, el riesgo evaluado y los planes de acción se mantienen actualizados y pertinentes.

Desarrollar un proceso de gestión de riesgos que sea sistemático, analítico y continuo, como se muestra en la **figura 2.7**, es fundamental para el éxito de cualquier programa de seguridad y se debe implementar como un proceso formal. Determinar el nivel de seguridad correcto o adecuado depende del riesgo potencial al que se enfrenta la empresa, el impacto potencial y la capacidad de la empresa para aceptar o mitigar el riesgo. El riesgo es único para cada empresa.

Figura 2.7—Pasos en la gestión continua de los riesgos

El gerente de seguridad de la información debe establecer un proceso regular y formal, mediante el cual se lleven a cabo evaluaciones de riesgo a nivel organizacional, de sistemas y de aplicación, incluidos procesos de negocio, tanto lógicos como físicos. Garantizar que se cuente con mediciones (métricas) apropiadas para evaluar tanto el riesgo como la efectividad de las medidas de seguridad forma parte de las responsabilidades continuas del gerente de seguridad de la información. La eficacia de las medidas o controles de seguridad debe evaluarse respecto a los objetivos de control y los niveles mínimos de seguridad. Éste debe también explorar y recomendar a los dueños de los activos diversas técnicas continuas tanto manuales como técnicas automatizadas para monitorear el riesgo y hacer recomendaciones a los propietarios del riesgo y del control. El proceso de evaluación de riesgos es importante porque enfoca las actividades de seguridad que lleva a cabo la empresa en los problemas que tienen la mayor probabilidad, impacto e importancia.

Debe evitarse la sobregeneralización al aplicar los factores de riesgos en las industrias o regiones. Además, la efectividad de un programa de seguridad de la información se cuestiona frecuentemente por los cambios organizacionales, tecnológicos y comerciales/ operacionales. Estos cambios se pueden monitorear, en gran medida, a través de enlaces a todos los procesos de gestión de cambios en la empresa. La gestión de riesgos debe ser un proceso continuo y dinámico para garantizar que las cambiantes amenazas y vulnerabilidades se traten de forma oportuna.

Se deben desarrollar procesos para monitorear el estado de los controles de seguridad y las contramedidas para determinar su continua eficacia. Los controles suelen degradarse en el tiempo y están sujetos a fallas, lo que obliga a monitoreo y pruebas periódicas de control.

Existen tres fases distintas dentro de la evaluación de riesgo:

- Identificación de riesgos
- Análisis de riesgos
- Evaluación de riesgos

El resultado de estas tres fases es la evaluación general del riesgo, que luego se puede utilizar para informar el tratamiento del riesgo.

En la identificación de riesgos, se desarrolla un conjunto de escenarios de amenazas según una evaluación exhaustiva del escenario de amenazas. Combina el modelado de amenazas apropiado y las evaluaciones de vulnerabilidad de apoyo (tanto lógicas como físicas, incluida la consideración de exposiciones) para comprender y determinar amenazas creíbles para la empresa. Para más información, consulte 2.1 Riesgo emergente y escenario de amenazas.

Existe una variedad de metodologías para evaluar el riesgo, y algunas son más complejas que otras. Cualquiera sea el enfoque que se utilice, el resultado debería ser similar. La elección de metodologías, a menos que lo disponga la gerencia u organismos reguladores, debería basarse en la que mejor se ajuste a la empresa.

Utilizando el enfoque de COBIT para la evaluación de riesgos, que está alineado con ISO/IEC 27005:2022, la evaluación incluye la identificación, el análisis y la valuación (**figura 2.8**).

Figura 2.8—Proceso de gestión de riesgos de la seguridad de la información

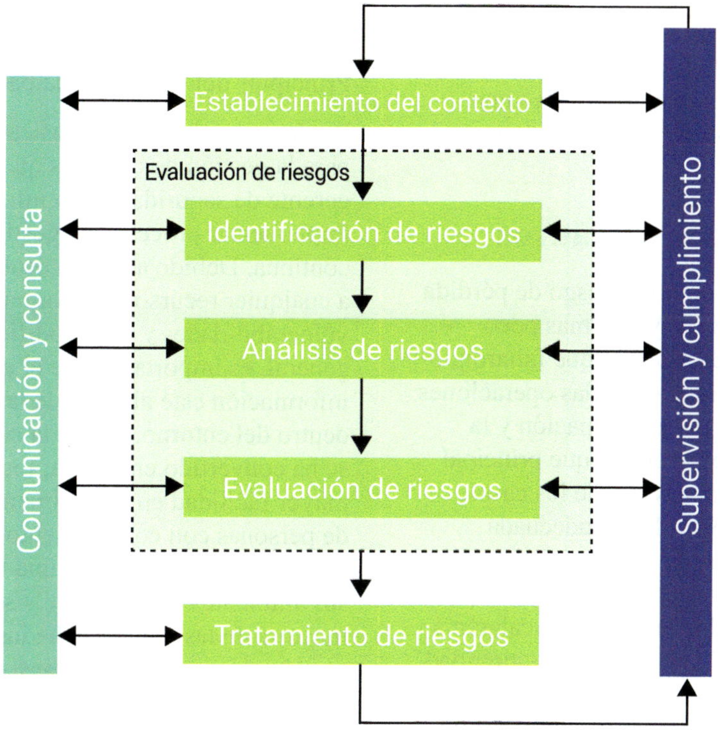

Fuente: ISACA, *Manual de Preparación para el Examen CRISC, 7a edición*, EE. UU., 2021

No existe una única y mejor manera de evaluar el riesgo. La empresa debería definir un enfoque que se alinee mejor con sus metas y objetivos para determinar el riesgo relativo clasificando los activos y procesos críticos para el negocio. Es esencial identificar el máximo riesgo significativo como sea posible. Un enfoque para lograr esto es desarrollar escenarios de riesgos.

2.3.1 Determinación del contexto de la gestión de riesgos

En términos comerciales, el proceso de gestión de riesgos debe proporcionar un equilibrio entre costes y beneficios. El contexto es el alcance de las actividades de la gestión de riesgos y el entorno en el cual opera la gestión de riesgos, incluyendo la estructura organizacional, la cultura, la gente, las habilidades y la infraestructura.

Determinar el contexto de la gestión de riesgos implica definir:

- El alcance de la empresa y los procesos o actividades que se van a evaluar
- El alcance completo de las actividades de gestión de riesgos
- Los roles y las responsabilidades, no solo relacionados con las diversas partes de la empresa que participan en el proceso de gestión de riesgos, sino también con respecto a la propiedad de los riesgos y los controles
- La cultura de la organización en términos de agresividad o rechazo de los riesgos

Los criterios para evaluar el riesgo deben ser determinados y acordados. Las decisiones sobre el trato del riesgo suelen basarse en criterios operativos, técnicos, financieros, normativos, legales, sociales o ambientales; o bien, en una combinación de los mismos. Los criterios deben ser coherentes con el alcance y el análisis de las políticas y los procedimientos internos de la empresa y deben apoyar tanto sus metas como sus objetivos.

Entre los criterios importantes que se deben tener en consideración se encuentran los siguientes:

- **Impacto**: los tipos de consecuencias que se deben considerar.
- **Posibilidad**: la probabilidad de que ocurra un evento con un impacto negativo.
- **Análisis de coste-beneficio:** para determinar el mejor enfoque de la mitigación vs. la transferencia de impacto de un evento de riesgo.

- **Apetito y tolerancia al riesgo:** las reglas que determinarán si el nivel de riesgo es tal que se requieran actividades de tratamiento adicionales.

Estos criterios pueden necesitar un cambio durante las fases posteriores al proceso de gestión de riesgos como resultado del cambio de circunstancias o como una consecuencia de la evaluación del riesgo y del proceso de estimación en sí mismo.

2.3.2 Gestión de riesgos operativos

El riesgo operativo se define como el riesgo de pérdida que resulta de procesos, personas y sistemas poco eficaces, poco efectivos, inadecuados o que fallaron, o de eventos externos. La interrupción de las operaciones de negocio es un motivo de gran preocupación y la prevención de la misma debe ser el enfoque principal de la gestión de riesgos. En la mayoría de los casos, la gestión de incidentes de seguridad es adecuada para gestionar el riesgo materializado y minimizar la interrupción significativa de las operaciones y los posibles impactos. En algunos casos, los incidentes escalarán a desastres y estarán dentro del ámbito de la continuidad del negocio y la recuperación ante desastres. En cualquier caso, la barrera para limitar el riesgo y garantizar que se gestione es la comprensión y la capacidad de abordar estos problemas lo suficiente como para garantizar la supervivencia de la empresa. La siguiente sección abarca los elementos principales que debe aborda el gerente de seguridad de la información y otras unidades organizacionales para gestionar el riesgo de manera efectiva en circunstancias más previsibles.

2.3.3 Integración de la gestión de riesgos con los procesos de gestión del ciclo de vida de TI

Asegurar que las actividades de identificación, análisis, evaluación y valoración de riesgos y de respuesta se integren a los procesos de ciclo de vida es una tarea importante de la gerencia de seguridad de la información.

La necesidad de minimizar un impacto negativo en una empresa y de establecer una base sólida en la toma de decisiones son las razones fundamentales por las cuales las empresas implementan un proceso de gestión de riesgos para sus sistemas de TI. Una gestión de riesgos efectiva debe estar integrada completamente al ciclo de vida de desarrollo del sistema (SDLC). El SDLC de un sistema de TI tiene cinco fases: iniciación, desarrollo o adquisición, implementación, operación o mantenimiento y eliminación. En algunos casos, un sistema de TI puede ocupar varias de estas fases al mismo tiempo. Sin embargo, la metodología de gestión de riesgos es la misma, independientemente de la fase del SDLC para la cual se realiza la valoración. La gestión de riesgos es un proceso iterativo que se puede realizar durante cada fase principal del SDLC. Para más información, consulte 3.6.3 Principios del ciclo de vida para apoyar al plan de acción.

Por lo general las empresas cuentan con procedimientos para la gestión de cambios que pueden ofrecer al gerente de seguridad de la información un enfoque para implementar procesos de gestión de riesgos de forma continua. Debido a que es probable que los cambios a cualquier recurso de información introduzcan nuevas vulnerabilidades y que modifiquen la ecuación del riesgo general, es importante que el gerente de seguridad de la información esté al tanto de las modificaciones propuestas dentro del entorno. Como la computarización distribuida se ha convertido en norma, los cambios se hacen con mayor facilidad en un ambiente disperso por parte de personas con conocimiento limitado. Las empresas empiezan a experimentar una falta de estandarización en sus ambientes de hardware y software. La gerencia de la mayoría de las empresas ha instituido procedimientos de gestión de cambios más consistentes y, en consecuencia, ha comenzado a contar con un mejor control sobre los recursos de información de la empresa. Éste es un objetivo en movimiento y las empresas que cuentan con operaciones remotas en ocasiones aún encuentran que una gestión de cambios efectiva es una meta difícil de alcanzar.

Es posible que los procesos de gestión de cambios para otras áreas y actividades de negocio ya estén establecidos. El beneficio de esto es que muchas empresas ahora cuentan con procedimientos de gestión de cambios que abarcan toda la empresa. El gerente de seguridad de la información debe estar al tanto de estas actividades de gestión de cambios y garantizar que la seguridad esté apropiadamente integrada con las operaciones del negocio, de manera que no se realicen cambios sin tener en cuenta las implicaciones para la seguridad global de los activos de información de la empresa. Una forma de ayudar a garantizar esto es que la gerencia de seguridad de la información participe como miembro del comité de gestión de cambios y se asegure de que todos los cambios propuestos estén sujetos a revisión y aprobación por parte del área de seguridad y cumplan con los requerimientos de la política y los estándares. Cualquier desvío propuesto debe identificarse y documentarse para ser analizado posteriormente.

Aunque el proceso de gestión de cambios se centra en los cambios en el software y hardware (pruebas, aprobaciones, etc.) y el impacto en la seguridad, dicho proceso debería extenderse más allá de los dueños del sistema y la población de TI. El proceso de gestión de cambios debe incluir la gestión de las instalaciones con respecto a la infraestructura del centro de datos y cualquier otra área que pueda tener impacto en la seguridad general de la información (por ejemplo, control de acceso físico a áreas sensibles o críticas).

El impacto de la gestión de cambios debe incluir los tiempos de mantenimiento de sistemas e instalaciones con personal de instalaciones (a menudo personal externo) y la gerencia de continuidad del negocio. A menudo, los cambios no se documentan de manera oportuna dentro de estas áreas. Es posible que las instalaciones no tengan planos unilaterales o cianotipos actualizados. De igual forma, la gestión de infraestructura / configuración de computadoras puede no tener documentados o actualizados los cambios de manera apropiada y oportuna. La continuidad del negocio puede ralentizarse cuando las actualizaciones relevantes ocurren en ciclos. La respuesta ante emergencias y la continuidad del negocio pueden presentar fallas en las comunicaciones cuando los procesos actuales y cambiantes no se revisan dentro de las áreas de infraestructura de las instalaciones.

El personal de instalaciones a menudo tiene acceso a los sistemas de monitoreo y control ambientales (sistema de gestión del edificio [BMS] o sistemas de adquisición de datos y control de supervisión [SCADA]) para calefacción, ventilación y aire acondicionado (HVAC), agua y electricidad, o incluso sistemas de control de acceso físico (PACS). Con frecuencia están programados para acceso informático remoto, un área que por lo general escapa a la vigilancia de la seguridad de la información. Los sistemas de control y seguridad física se han diseñado en el contexto de su implementación dentro de un ambiente cerrado/controlado.

Los sistemas de cámara de circuito cerrado, una vez que se configuran para transmitir datos a lo largo de la red central, frecuentemente se integran a la infraestructura de TI, lo cual expone estos sistemas a amenazas provenientes de los equipos de TI y la red.

Los sistemas de TI también se pueden ver comprometidos debido a vulnerabilidades en el sistema de seguridad físico. Los sistemas de control y de seguridad física, debido a su importancia en la protección de las instalaciones y las personas, pueden ser parte de la infraestructura crítica de la empresa. Los medios de protección de estos sistemas, sus códigos de sistema y sus datos tienen que ser integrados en los esquemas de clasificación de seguridad de la empresa. Los contratos de servicio de la instalación en respaldo a sistemas físicos y de control a menudo incluyen cláusulas de respuesta a emergencias. Sin embargo, es necesario revisar estos contratos, porque pudieran carecer de un nivel de servicio adecuado o no ofrecer suficientes detalles y responsabilidad para una respuesta adecuada a emergencias. Una aplicación de alta disponibilidad pudiera sufrir impactos de negocio imprevistos como resultado de fallas de las instalaciones.

Desde la perspectiva de gestión de riesgos, a veces no se tienen en cuenta las personas internas o externas que gestionan las instalaciones, aun cuando los seres humanos representan la mayor amenaza para la seguridad de la información. Los seres humanos pueden ser negligentes en el cumplimiento de los procesos establecidos, ignorar las amenazas conocidas, dispuestos a participar en colusión o sujetos a comportamientos emocionales. Es importante incluir el factor humano en la evaluación del riesgo asociado con activos de información críticos. Partes internas cuyos roles les garantizan acceso físico directo a los sistemas e instalaciones. Las partes externas como agentes de servicio (p. ej., personal de limpieza o mantenimiento). Algunos controles posibles son análisis de antecedentes, condiciones del contrato de trabajo, confirmación anual (a través de la firma) de cumplimiento de código de conducta o términos contractuales en el caso de las partes externas.

No es raro que las empresas aprovechen o confíen en servicios de terceros en varias áreas diferentes, no solo en servicios de TI. La gestión de las instalaciones puede externalizarse a terceros, al igual que ciertas actividades y procesos de negocio. La empresa debe asegurarse de que los niveles de aceptación y tolerancia de riesgo no son excesivos en las áreas confiadas a terceros. La gestión de riesgos debe integrarse en todas las fases de la gestión de terceros, incluida la identificación de requisitos, la evaluación y selección de proveedores, la contratación y la revisión periódica, además de la incorporación y la salida.

Al integrar las actividades de identificación, análisis y evaluación de riesgos en la gestión de cambio (procesos de ciclo de vida), el gerente de seguridad de la información puede asegurar que los recursos de información críticos se protejan de forma adecuada. Se trata de un enfoque proactivo, permitiendo al gerente de seguridad de la información planificar e implementar mejor políticas y procedimientos de seguridad en alineación con las metas y los objetivos de negocio de la empresa. Permite que los controles de la seguridad de la información se agreguen en una actividad que tiene mayor potencial para degradar los controles existentes.

Debido a que la gestión de riesgos es un proceso continuo, el gerente de seguridad de la información debería considerar que la misma gestión de riesgos tiene un ciclo de vida continuo. Este ciclo de vida incluye las fases de evaluación, tratamiento y seguimiento, como se ilustra en la **figura 2.9**.

La aplicación de un enfoque de gestión de riesgos basado en el ciclo de vida y su integración con la gestión de cambios mejora los costos en cuanto a que no necesariamente debe realizarse una evaluación de riesgo completa en forma periódica. Por el contrario, se pueden hacer actualizaciones a la evaluación de riesgos y a los procesos de gestión de riesgos de forma incremental.

Figura 2.9—Ciclo de vida de la gestión de riesgos de TI

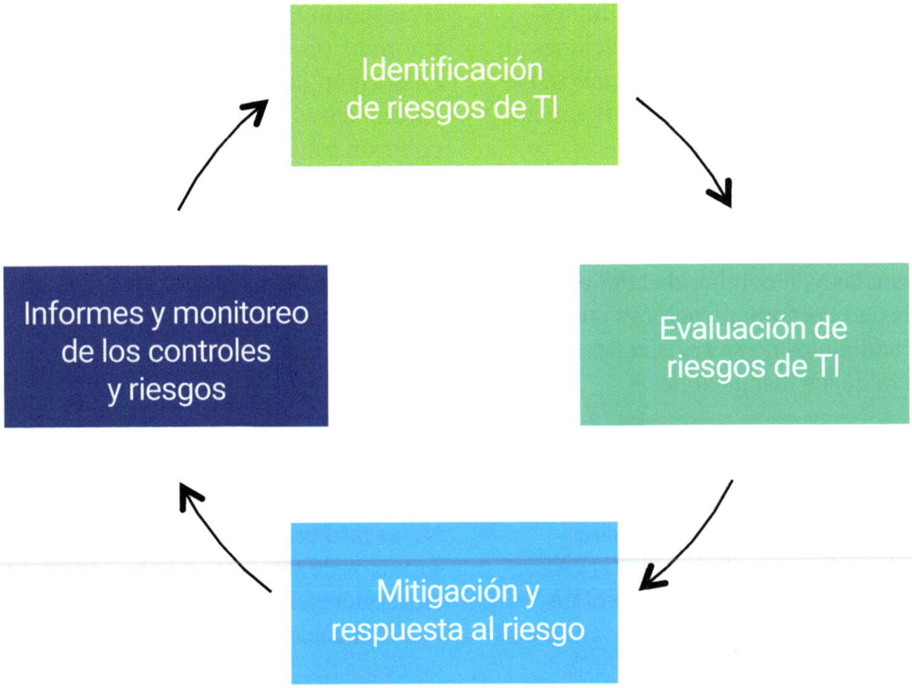

Fuente: ISACA, *Manual de Preparación para el Examen CRISC, 7a edición*, EE. UU., 2021

2.3.4 Escenarios de riesgo

El análisis de riesgos consiste en el análisis exhaustivo de escenarios de riesgo plausibles utilizando varias técnicas (es decir, metodologías FAIR™ o HARM™) para descomponer los elementos respectivos del escenario y comprender sus relaciones. La determinación de la frecuencia potencial y el resultado de un evento de riesgo específico se determina durante esta fase.

Las principales áreas en las que debe enfocarse para desarrollar escenarios de riesgo se muestran en la **figura 2.10**.

Figura 2.10—Principales problemas/áreas de atención de la técnica de escenarios de riesgo

Problema/área de atención	Guía de resumen
Mantener actualizados los escenarios de riesgo y los factores de riesgo.	Los factores de riesgo y la empresa cambian con el tiempo; por lo tanto, los escenarios cambiarán con el tiempo, en el transcurso de un proyecto o con la evolución de la tecnología. Por ejemplo, es fundamental que la función de riesgo desarrolle un calendario de revisiones, y que el Director de informática (CIO) trabaje con las líneas de negocio para revisar y actualizar la relevancia e importancia de los escenarios. La frecuencia de este ejercicio depende del perfil general de riesgos de la empresa, y se debería realizar por lo menos una vez al año o cuando se producen cambios importantes.
Utilice escenarios de riesgo genéricos como punto de partida y desarrolle más detalles dónde y cuándo sea necesario.	Una técnica para que la cantidad de escenarios sea manejable es propagar un conjunto estándar de escenarios de riesgo genéricos a través de la empresa, y desarrollar escenarios más detallados y relevantes solo para los niveles más bajos (de la entidad) cuando sea necesario y esté justificado por el perfil del riesgo. Todos deberían entender de forma adecuada suposiciones hechas al hacer agrupaciones o generalizaciones y documentarse correctamente sobre ellas, ya que podrían ocultar ciertos escenarios o ser confusas cuando se busca una respuesta al riesgo. Por ejemplo, si el término "amenaza interna" no está bien definido dentro de un escenario, es posible que no sea claro si esta amenaza incluye miembros privilegiados y no privilegiados. Las diferencias entre varios aspectos de un escenario pueden ser críticas para tratar de entender la frecuencia y el impacto de los eventos, e identificar las posibilidades de mitigación.
Garantice que la cantidad de escenarios es representativa, y refleje la realidad y complejidad del negocio.	
Utilice una estructura de escenario de riesgo genérico para simplificar los informes de riesgo.	Con el fin de informar sobre los riesgos, las entidades no deberían informar sobre todos los escenarios específicos y detallados, sino que pueden hacerlo usando la estructura del escenario de riesgo genérico. Por ejemplo, una entidad podría haber adoptado el escenario de riesgo genérico (calidad del proyecto), traducirlo a cinco escenarios para sus proyectos principales, y posteriormente, realizar un análisis de riesgos para cada uno de los escenarios, para luego agregar o resumir los resultados e informarlos utilizando el encabezado del escenario de riesgo genérico "calidad del proyecto".

Figura 2.10—Principales problemas/áreas de atención de la técnica de escenarios de riesgo (cont.)

Problema/área de atención	Guía de resumen
Garantice los requerimientos de personas y habilidades adecuados para desarrollar escenarios de riesgo relevantes.	El desarrollo de un conjunto manejable y relevante de escenarios de riesgo requiere: • Destreza y experiencia para evitar pasar por alto los escenarios relevantes y verse atraído por escenarios muy poco realistas o irrelevantes. Si bien es importante evitar escenarios irrealistas o irrelevantes para utilizar adecuadamente los recursos limitados, se debería prestar atención a las situaciones que son infrecuentes e impredecibles, pero que podrían tener un impacto catastrófico en la empresa. • Un entendimiento completo del entorno. Esto incluye el entorno de TI (p. ej., la infraestructura, las aplicaciones, las dependencias entre aplicaciones, los componentes de la infraestructura), el entorno de negocio en general, y la comprensión de cómo y qué entornos de TI respaldan el entorno de negocio para entender el impacto en el negocio. • La intervención y los puntos de vista comunes de todas las partes involucradas: la alta gerencia, que tiene el poder de decisión; la dirección del negocio, que cuenta con la mejor visión sobre el impacto en el negocio; el área de TI, que sabe lo que puede ir mal con la TI; y la dirección de riesgos, que puede moderar y estructurar el debate entre las demás partes. Normalmente el proceso de desarrollo de escenarios mejora con un planteamiento de lluvia de ideas/talleres, lo que suele requerir la realización de una evaluación de alto nivel para reducir la cantidad de escenarios a un número manejable, pero relevante y representativo.
Use el proceso de desarrollo de escenarios de riesgo para obtener la participación de otras partes interesadas.	El análisis de escenarios no es tan solo un ejercicio analítico que involucra a los analistas de riesgos. Un importante beneficio adicional del análisis de escenarios es lograr la aceptación de las entidades de la empresa y las líneas de negocio, la gestión de riesgos, la TI, las finanzas, el cumplimiento y otras partes. La obtención de esta aceptación es la razón por la cual el análisis de escenarios debería ser un proceso facilitado cuidadosamente.
Involucre a la primera línea de defensa en el proceso de desarrollo de escenarios.	La creación de escenarios debe coordinarse con la gestión y los miembros seleccionados del personal que estén familiarizados con las operaciones detalladas, cuando se considere apropiado. El personal cuyo trabajo diario es en las operaciones detalladas suele estar más familiarizado con las vulnerabilidades en la tecnología y los procesos que pueden ser explotadas.
No se centre solo en escenarios poco comunes y extremos.	El desarrollo de escenarios no debería centrarse solo en los peores casos de eventos, ya que rara vez se materializan; otros incidentes menos graves ocurren más a menudo.
Deduzca escenarios complejos de escenarios simples al mostrar el impacto y las dependencias.	Los escenarios simples, una vez desarrollados, deberían perfeccionarse hacia escenarios más complejos, que muestren impactos en cascada y/o coincidentes, y reflejen las dependencias. Por ejemplo: • Un escenario con un fallo importante de hardware se puede combinar con el escenario de un plan de recuperación de desastres fallido. • Un escenario de un fallo importante del software puede conducir a la corrupción de la base de datos y, en combinación con una gestión deficiente del respaldo de los datos, puede dar lugar a consecuencias graves, o al menos a consecuencias de una magnitud diferente a un fallo de software por sí solo. • Un escenario de un evento externo importante puede conducir a un escenario de apatía interna.

Figura 2.10—Principales problemas/áreas de atención de la técnica de escenarios de riesgo (cont.)

Problema/área de atención	Guía de resumen
Considere el riesgo sistémico y contagioso.	Se debería prestar atención a los escenarios de riesgo sistémicos y contagiosos: • **Sistémico:** sucede algo con un socio de negocio importante, que afecta a un gran grupo de empresas dentro de un área o de un sector de actividad económica. Un ejemplo sería un sistema nacional de control de tráfico aéreo que se cae durante un período de tiempo prolongado, como seis horas, lo que afecta al tráfico aéreo a gran escala. • **Contagioso:** eventos que ocurren en varios de los socios de negocio de la empresa en un intervalo temporal muy breve. Un ejemplo sería una cámara de compensación que puede estar completamente preparada para cualquier tipo de emergencia al tener medidas de recuperación de desastres muy sofisticadas, pero está temporalmente fuera de servicio cuando una catástrofe ocurre porque no hay transacciones enviadas por sus proveedores
Use el desarrollo de escenarios para aumentar la concienciación sobre la detección de riesgos.	El desarrollo de escenarios también ayuda a abordar la cuestión de la detectabilidad, alejándose de una situación en la que una empresa "desconoce lo que no conoce". El planteamiento colaborativo para el desarrollo de escenarios ayuda a identificar el riesgo que, hasta entonces, la empresa no había reconocido (y, por lo tanto, nunca habría abordado con contramedidas). Una vez que se identifica el conjunto completo de elementos de riesgo durante la generación de escenarios, el análisis de riesgos evalúa la frecuencia y el impacto de los escenarios.
	Las preguntas que se deben hacer incluyen: • ¿La empresa detectará alguna vez que el escenario de riesgo se ha materializado? • ¿La empresa notará que algo ha salido mal para poder reaccionar adecuadamente? Generar escenarios y pensar creativamente en lo que puede salir mal automáticamente aumentará y, con suerte, provocará una respuesta a la cuestión de la detectabilidad. La detectabilidad de escenarios incluye dos pasos: la visibilidad y el reconocimiento. La empresa debe encontrarse en una posición en la que observe cualquier cosa que vaya mal, y necesita la capacidad de reconocer un evento observado como algo incorrecto.

Fuente: ISACA, *Risk IT Practitioner's Guide, 2nd Edition*, EE. UU., 2020

Los métodos técnicos, incluyendo la utilización del software, pueden servir para identificar y realizar seguimiento del riesgo, así como para ofrecer herramientas de reporte para el registro del análisis del riesgo. En cualquier proceso, la mejor herramienta para usar es la que se ajuste mejor a las necesidades únicas de la empresa. En la aplicación de la identificación del riesgo y de los métodos de análisis, el gerente de seguridad de la información debe definir los requerimientos de recursos y establecer un presupuesto y tiempo para llevar a cabo estas tareas importantes.

Una vez que se completa el inventario de activos de información, se genera una lista completa de origen de amenazas, vulnerabilidades, exposiciones y riesgos, ya que es una lista de eventos que podrían tener un impacto en la capacidad que tiene la empresa de lograr sus objetivos, definidos mediante el alcance y el marco. Estas amenazas podrían evitar, disminuir, retrasar o mejorar el logro de los objetivos de la empresa.

En general, un riesgo está relacionado o caracterizado por:

- **Agente (origen):** los agentes de amenazas existen internamente (p. ej., empleados hostiles, empleados que no han sido capacitados adecuadamente) o externamente (p. ej., competidores, gobiernos, socios de negocio) y como fuerzas de la naturaleza.
- **Tipo de amenaza (impulso, intención y motivación):** el tipo de amenaza sufrida por una empresa, es decir, ¿fue malintencionada o fue por causa accidental? ¿Falló el hardware o fue el resultado de alguna fuerza de la naturaleza?
- **Evento resultante (razón específica por la cual sucedió):** error en el diseño del sistema, intervención humana, predecir o no predecir las actividades de la competencia.

- **Activo/recurso (lo que necesitamos proteger):** abarca tanto lo tangible como lo intangible; los activos y recursos son las cosas que la empresa ha determinado que son de valor y que merece la pena proteger. Los activos y recursos pueden ir desde los clásicos sistemas de confidencialidad, integridad y disponibilidad hasta la confianza pública, pasando por la habilidad de cumplir con las metas y objetivos estratégicos.
- **Consecuencias, resultados o impacto (qué pasa en caso de que suceda):** el rango de resultados si ocurre el evento. Los resultados pueden ser negativos o positivos. Algunos ejemplos son que los servicios no estén disponibles, la pérdida de participación en el mercado o de beneficios, un aumento de las regulaciones, un aumento o disminución de la competitividad, multas y penalizaciones y ganancias de eficiencia de la empresa.
- **Frecuencia (qué probabilidad hay de que esto ocurra en los siguientes...):** pronosticar las probabilidades de que ocurra un evento. Al tener en cuenta los factores conocidos y los desconocidos, hacer una proyección estimada de cuándo ocurrirá el evento, dado un determinado período de tiempo. Por ejemplo: estimar la tasa de ocurrencia durante un año sobre una base semanal (52 veces), mensual (12 veces), semestral (seis veces), anual (una vez) o bienal (0,5 veces).

Asimismo, se deben considerar los siguientes elementos:

- **Mecanismos y controles de protección (eficacia estimada):** consiste en todos los controles aplicables, basados tanto en su eficacia como en su integración en el entorno; los ejemplos de controles van desde sistemas de control de acceso físico hasta sistemas de detección de intrusos en la red, políticas, integridad de dos personas, registro y monitorización, capacitación en seguridad, investigación de mercado y vigilancia del mercado.
- **Exposición (dónde):** definir en qué punto es más susceptible un activo o un recurso de que ocurra un evento adverso. ¿El activo está ubicado internamente dentro de la red empresarial detrás de múltiples firewalls y zonas de seguridad, o está disponible públicamente en Internet con controles mínimos implementados? ¿Cuál es el valor de negocio del recurso? ¿Están los controles aplicados en línea con este valor?

El desarrollo de los escenarios de riesgos se basa en describir un posible evento de riesgo y documentar los factores y las áreas que puedan verse afectados por el evento de riesgo. Los eventos de riesgo pueden incluir falla del sistema, pérdida de personal clave, robo, interrupciones de las redes, fallas de energía, desastres naturales u otras situaciones que pudieran afectar la misión y las operaciones del negocio.

Cada escenario de riesgo debe estar relacionado a un impacto u objetivo de negocio experimentado por la empresa. La clave para desarrollar escenarios efectivos es enfocarse en posibles eventos de riesgo relevantes y reales.

Algunos ejemplos son el desarrollo de un escenario de riesgo basándose en un cambio radical en el mercado para los productos de una empresa, un cambio en el gobierno o liderazgo, o una falla en la cadena de suministros. La **figura 2.11** muestra un ejemplo de las diferentes contribuciones que son necesarias para desarrollar escenarios del riesgo.

Figura 2.11—Componentes del escenario de riesgo

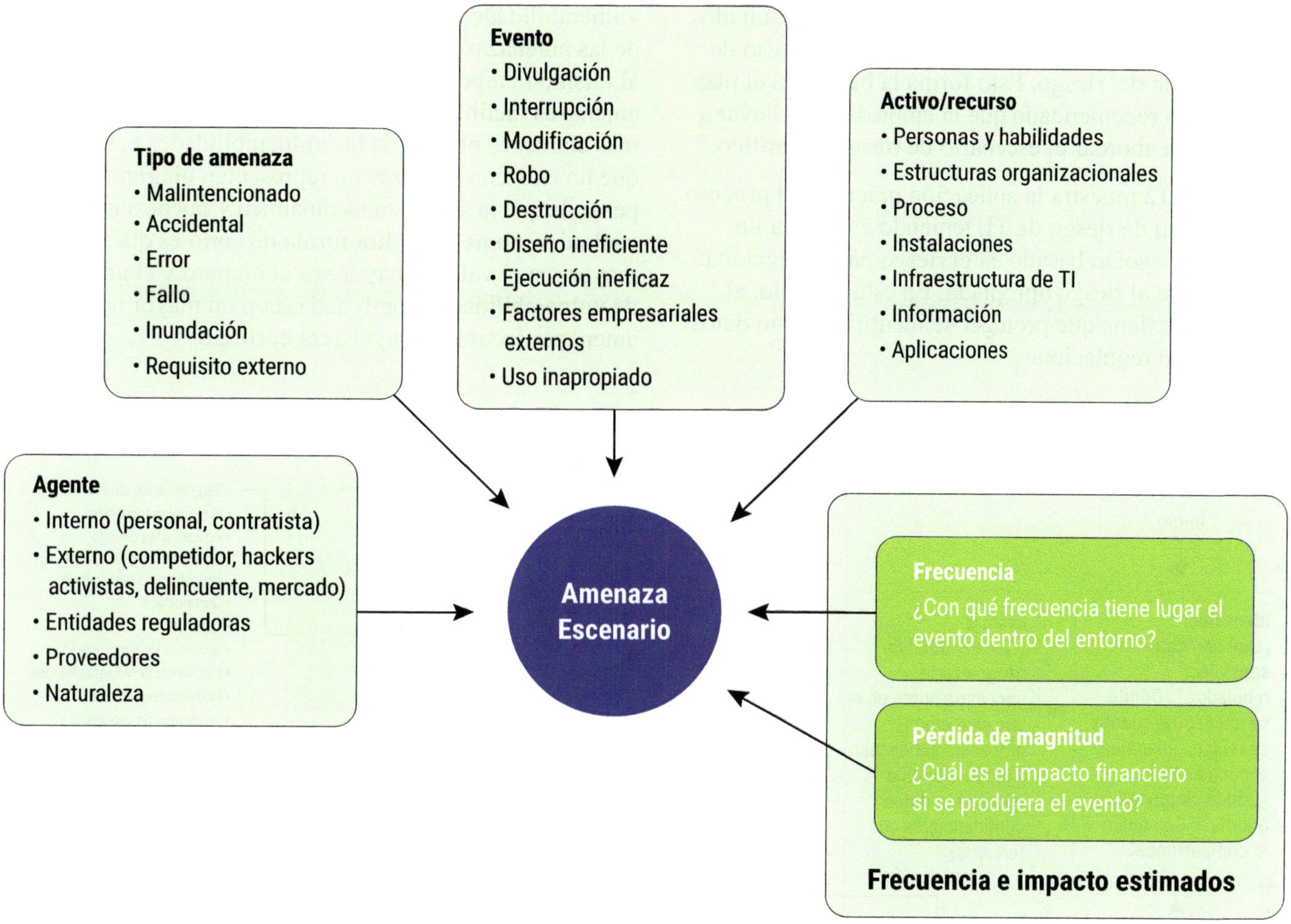

Fuente: ISACA, *Manual de preparación para el examen CRISC, 7ª edición*, EE. UU., 2021

2.3.5 Proceso de evaluación de riesgos

La evaluación de riesgos, juntamente con el análisis de impacto al negocio o el proceso de clasificación de los activos de la información para determinar la criticidad o la sensibilidad y el análisis posterior, se utiliza como base para identificar los controles adecuados y rentables o las contramedidas para reducir el riesgo identificado. La sensibilidad y/o criticidad se establece, a menudo, como un valor del negocio.

La mayoría de los enfoques de evaluación de riesgo tienen cuatro etapas. Estos incluyen:

- **La identificación del riesgo:** el proceso de determinar y documentar el riesgo al que se enfrenta una empresa.
- **El análisis del riesgo:** un proceso mediante el que se calcula la frecuencia y la magnitud de los escenarios de riesgo de TI. También incluye el análisis del valor de los activos de la empresa, identificación de las amenazas a esos activos y evaluación de la vulnerabilidad de cada activo a esas amenazas. La gestión del riesgo puede incluir la evaluación de la frecuencia probable de un acontecimiento en particular y el impacto probable de acontecimiento. El análisis puede incluir cálculos estadísticos para obtener un mayor conocimiento de la distribución de los riesgos (p. ej., el riesgo máximo y el riesgo probable y las posibles consecuencias [impacto]).
- **La evaluación del riesgo:** el proceso de comparar los resultados del análisis de riesgos en el contexto del apetito definido y la tolerancia al riesgo. Las decisiones sobre la respuesta adecuada al riesgo suelen basarse en criterios operativos, técnicos, financieros, normativos, legales, sociales o ambientales; o bien, en una combinación de criterios. Los criterios deben ser coherentes con el alcance y el análisis de las políticas

y los procedimientos internos de la empresa y deben apoyar tanto sus metas como sus objetivos.

- **La evaluación del riesgo:** el proceso de determinar el plan de acción recomendado basado en los resultados del análisis de riesgos en el contexto del proceso de evaluación del riesgo. Esto forma la base para el plan de acción recomendado que la empresa debe llevar a cabo para abordar el escenario de riesgo específico.

La **figura 2.12** muestra la aplicación práctica del proceso de evaluación de riesgo de TI, teniendo en cuenta un enfoque de negocio basado en el riesgo para seleccionar una respuesta al riesgo apropiada. En este ejemplo, el activo que se tiene que proteger se identifica como datos sensibles/con regulaciones.

Suponiendo que el activo tenga un valor significativo, el siguiente paso es determinar la existencia de vulnerabilidades a pérdida o daño. Si existen vulnerabilidades, se debe llevar a cabo una evaluación de las amenazas factibles. Si el activo tiene valor y al mismo tiempo vulnerabilidades susceptibles de ser amenazas factibles, entonces existe un riesgo. Para ser más claros, es obvio que las vulnerabilidades para las que no existen amenazas no representan ningún riesgo (a pesar de que la amenaza es dinámica y puede surgir en cualquier momento). Otra forma de verlo es que entre mayor sea el valor y mayor sea el número y el grado de vulnerabilidades combinadas con un mayor número de amenazas factibles, mayor será el riesgo.

Figura 2.12—Un enfoque basado en el riesgo

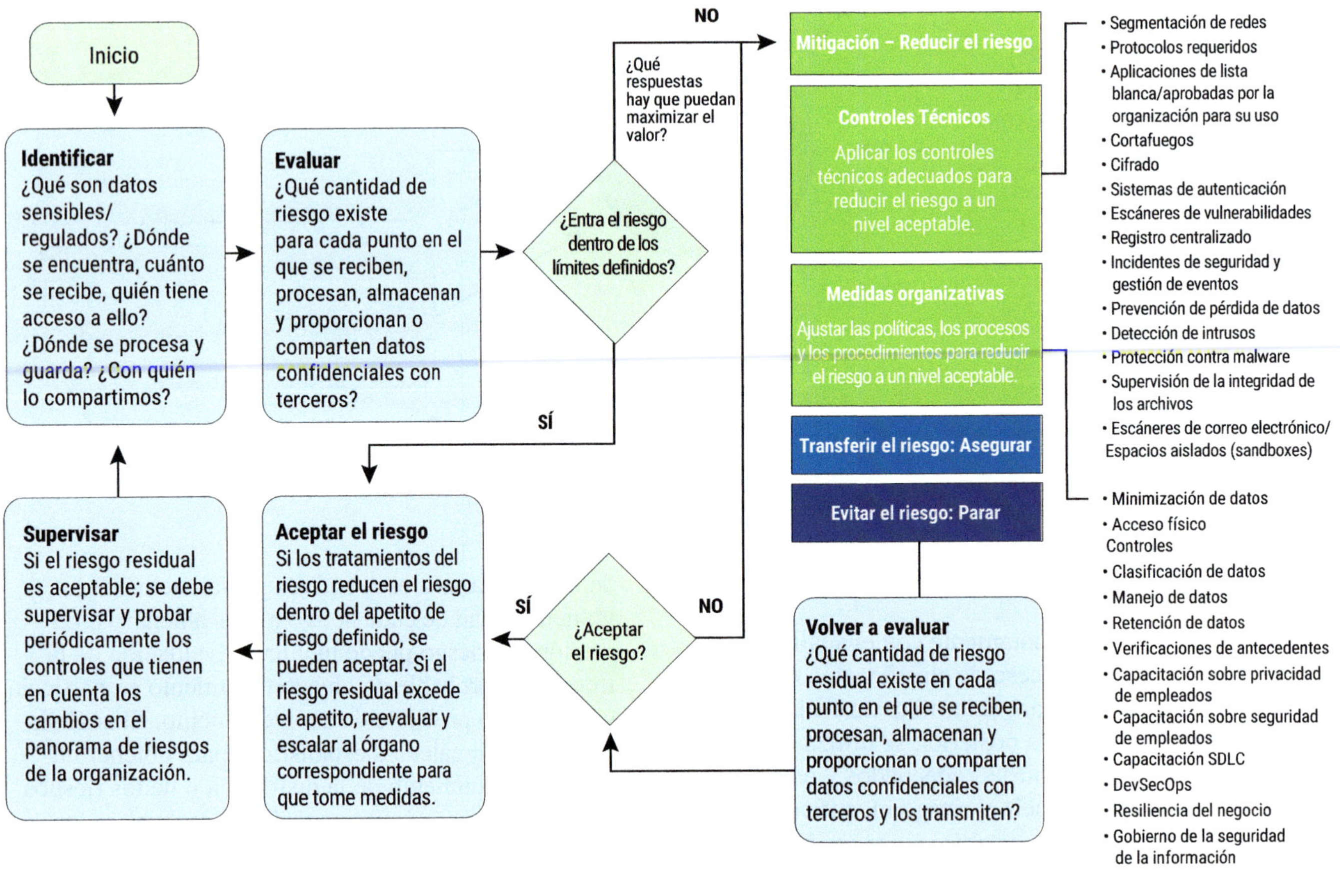

Fuente: ISACA, *Manual de preparación para el examen CRISC, 7ª edición*, EE. UU., 2021

2.3.6 Metodologías para la evaluación y el análisis de riesgos

Existen numerosos modelos de gestión de riesgos y enfoques de evaluación que se encuentran a disposición del gerente de seguridad de la información. El enfoque seleccionado se debe determinar mediante la mejor forma, ajuste y función. Los enfoques son COBIT, OCTAVE®, NIST SP 800-30, HB 158-2010, ISO 27005:2022, ISO/IEC 31000, ITIL® y CRAMM. Otros enfoques, tales como el Factor Analysis of Information Risk (FAIR), Holistic Approach to Risk Management (HARM), y el análisis de factor de riesgo y valor del riesgo (VAR), pueden ser más adecuados, dependiendo de la empresa y de los requisitos específicos.

En el enfoque de COBIT, los escenarios de riesgo implican el proceso para identificar el riesgo seguido por el análisis. La valoración del riesgo es el próximo paso para determinar si el riesgo excede los niveles aceptables. Estos tres pasos permiten que la evaluación de riesgos genere una recomendación de la respuesta de riesgo adecuada o el tratamiento del riesgo. Las prioridades de la respuesta (tratamiento) se basan en un análisis de nivel del riesgo y costo-beneficio asignando la más alta prioridad a la alta posibilidad/alto impacto.

Nota

El gerente de seguridad de la información debe tener un amplio conocimiento de las diversas metodologías que existen para determinar cuál es el enfoque o combinación de enfoques más conveniente para su empresa. Los enfoques específicos no formarán parte del examen CISM.

Metodología de valoración de riesgos NIST

La metodología de evaluación de riesgos NIST incluye nueve pasos primordiales:

- **Paso 1**: Caracterización del sistema (o dominio general)
- **Paso 2**: Identificación de la amenaza
- **Paso 3**: Identificación de la vulnerabilidad
- **Paso 4**: Análisis de control
- **Paso 5**: Determinación de la posibilidad
- **Paso 6**: Análisis de impacto
- **Paso 7**: Determinación de riesgos
- **Paso 8**: Recomendaciones de control
- **Paso 9**: Documentación de resultados

Los pasos 2, 3, 4, y 6 se pueden realizar en paralelo después de completar el paso 1.

La **figura 2.13** describe estos pasos y los aportes y resultados de cada paso.

Figura 2.13—Metodología de valoración de riesgos NIST

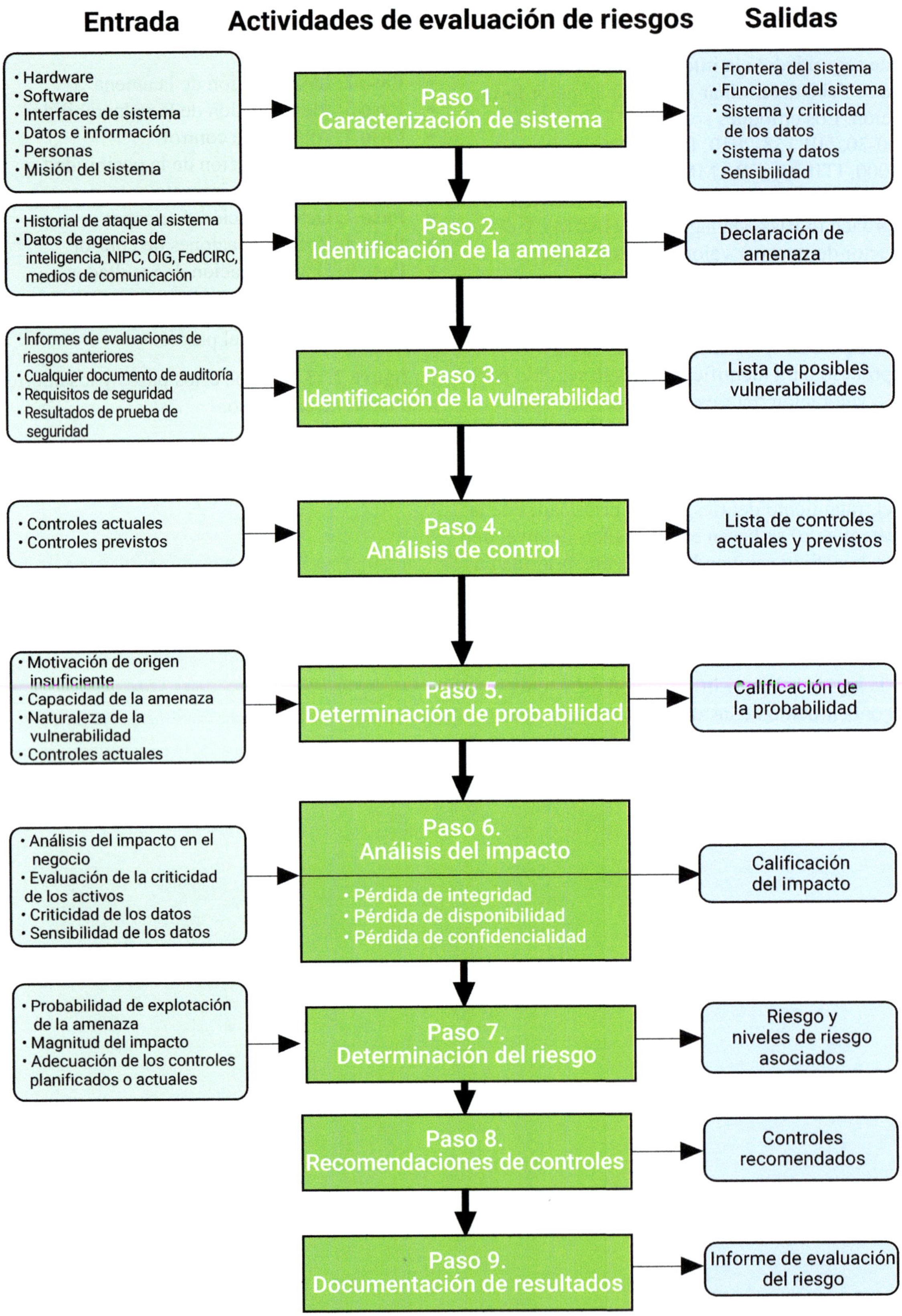

Fuente: National Institute of Standards and Technology, *Special Publication 800-30, Revisión 1: Guide for Conducting Risk Assessments*, EE. UU., 2012. Cortesía reimpresa del NIST, Departamento de Comercio de los EE. UU. No sujeto a registro de autor en los Estados Unidos de América.

Pasos del proceso de ISO/IEC

La **figura 2.14** muestra los pasos del proceso de ISO/IEC 27005 para la evaluación de riesgos y su relación con COBIT.

Figura 2.14—Pasos del proceso de ISO/IEC 27005 cubierto por COBIT 5 para riesgos

Paso del proceso de ISO/IEC 27005	Conceptos importantes del componente	*COBIT 5 para cobertura de riesgos*
Establecimiento del contexto	Este paso del proceso incluye: • Establecer los criterios básicos necesarios para la gestión de riesgos de seguridad de la información (ISRM) • Definir el alcance y los límites • Establecer una organización adecuada que se encargue de la ISRM	Este paso del proceso está incluido en la meta de dimensión del habilitador. De forma más específica, calidad contextual: hasta qué punto los resultados del habilitador son adecuados para el propósito dado el contexto en que se opera.
Evaluación de riesgos	La Evaluación de riesgos determina el valor de los activos de información, identifica las amenazas y vulnerabilidades correspondientes que existen (o podrían existir), identifica los controles existentes y su efecto en el riesgo identificado, determina las posibles consecuencias, prioriza el riesgo determinado y lo clasifica conforme a los criterios de evaluación de riesgos definidos al establecer el contexto. Este paso del proceso incluye las siguientes actividades: identificación del riesgo, análisis de riesgos y evaluación de riesgos.	El apéndice B.3 describe las evaluaciones de riesgo como un elemento del habilitador de información.
Identificación de riesgos	La identificación de riesgos incluye la identificación de: • Activos • Amenazas • Controles existentes • Vulnerabilidades • Consecuencias El resultado de este proceso es una lista de escenarios de riesgo con sus consecuencias para los activos y procesos de negocio.	La secuencia utilizada en ISO/IEC 27005 para identificar el riesgo coincide en parte con el enfoque de *COBIT 5 para riesgos*. La identificación del riesgo incluye los siguientes elementos en *COBIT 5 para riesgos*: • Control • Valor • Una condición de amenaza que supone un nivel notable de riesgo de TI. *COBIT 5 para riesgos* utiliza un desarrollo de escenario para identificar el riesgo. Un repositorio almacena los atributos clave de los eventos de riesgo posibles y conocidos. Entre los atributos podría figurar nombre, descripción, propietario, frecuencia esperada/real, magnitud potencial/real, impacto en el negocio potencial/real, disposición, etc.
Análisis de riesgos	Estos pasos del proceso de estimación del riesgo incluyen los siguientes conceptos importantes: • Evaluación de las consecuencias • Evaluación de la posibilidad de ocurrencia • Determinación del nivel de riesgo	El análisis de riesgos es un proceso por el cual se calculan la frecuencia y el impacto de los escenarios de riesgos de TI.

Figura 2.14—Pasos del proceso de ISO/IEC 27005 cubierto por COBIT 5 para riesgos (cont.)

Paso del proceso de ISO/IEC 27005	Conceptos importantes del componente	*COBIT 5 para cobertura de riesgos*
Evaluación de riesgos	En este paso, los niveles de riesgo se comparan con el criterio de evaluación de riesgos y el criterio de aceptación de riesgos. El resultado es una lista ordenada de los elementos de riesgo y los escenarios de incidentes que conducen a los elementos de riesgo identificados.	• Aborda este paso del proceso de manera intrínseca como parte de la "agregación de riesgos". Evalúa el riesgo según la "tolerancia al riesgo de la gerencia respecto al apetito de riesgo de la administración". • Utiliza un mapa de riesgo para clasificar y representar gráficamente el riesgo por rangos definidos de frecuencia e impacto.
Tratamiento de riesgos	Las opciones de tratamiento de riesgos incluyen: • Modificación del riesgo • Retención del riesgo • Evasión del riesgo • Intercambio del riesgo	Los tratamientos del riesgo identificado se describen en el Capítulo 2 Gestión de riesgos de la seguridad de la información. Estos son los siguientes: • Evasión del riesgo • Mitigación/reducción del riesgo • Intercambio/transferencia del riesgo • Aceptación del riesgo
Aceptación del riesgo de seguridad de la información	El punto de partida es un plan de tratamiento de riesgos y la evaluación de riesgo residual respecto a los criterios de aceptación de riesgos. Este paso comprende la aceptación por parte de la dirección y registro formal de los planes de tratamiento de riesgos y la evaluación de riesgo residual propuestos, justificando aquellos que no cumplan con los criterios de la empresa.	Cubre el paso del proceso de aceptación del riesgo en Parte B: Respuesta al riesgo de la información, subsección 5.2 Respuesta al riesgo. Si una empresa adopta una postura de aceptación de riesgo, debería considerarse cuidadosamente quién puede aceptar el riesgo, aún más con el riesgo de TI. El riesgo de TI debe ser aceptado solo por la gerencia del negocio (y los propietarios del proceso de negocio), en colaboración con y respaldado por TI, y la aceptación debería ser comunicada a la alta gerencia y al consejo.
Comunicación y consulta de riesgos de seguridad de la información	Se trata de un proceso transversal en el que se intercambia la información sobre riesgos con el responsable de la toma de decisiones y otras partes interesadas, a lo largo de todos los pasos del proceso de gestión de riesgos.	• Principio 1: Satisfacer las necesidades de las partes interesadas. • El habilitador de información incluye información específica que debe ser comunicada entre las partes interesadas.
Revisión y monitorización del riesgo de seguridad de la información	Debe hacerse seguimiento y revisión del riesgo y sus factores influyentes para identificar en fase temprana los cambios en el contexto de la organización y mantener una visión completa del panorama de riesgos.	Incluye metas y mediciones que se pueden usar para medir el modelo de rendimiento y madurez para establecer un plan de acción a fin de mejorar los procesos de gestión de riesgos.

Fuente: ISACA, *COBIT 5 for Risk,* EE. UU., 2013

Riesgo en cascada

Los riesgos en cascada pueden manifestar impactos inaceptables como resultado de un fallo que conduce a una reacción en cadena de fallos. Un ejemplo de esto ocurrió en la costa este de los Estados Unidos cuando una falla en una planta de energía pequeña en la región centro-occidental del país ocasionó una cascada de fallas en toda la red de energía y, en última instancia, abarcó la mayor parte de la zona noreste de los Estados Unidos. De forma similar, en la medida en que partes de la TI y otras operaciones de la empresa tengan dependencias acopladas estrechamente, el gerente de seguridad de la información debe considerar cómo cualquier falla particular o combinaciones de fallas afectarán los sistemas dependientes.

Esto suele darse cuando se combinan y encadenan numerosas vulnerabilidades menores que individualmente son aceptables y que por sí solas pueden no dar lugar a un evento, lo que tiene como resultado un impacto significativo para la empresa.

Pueden existir vulnerabilidades fuera del ámbito técnico y, a menudo, se encadenarán para permitir que los agentes de amenazas alcancen sus objetivos. Por ejemplo, se descubrió una vulnerabilidad en el proceso de cuentas por pagar de una gran distribuidora. El proceso permitía pagar una factura presentada por un determinado monto en dólares 1) sin que se le asignara una orden de compra correspondiente y 2) sin conciliar con el departamento al que se le cobraba. Si bien se implementaron correctamente los controles técnicos, solo se señalaron las facturas por un importe específico en dólares. Esto permitió a la empresa recibir, procesar y pagar un número de facturas fraudulentas (por más de 250 000 USD). Ninguna de las transacciones había sido cuestionada, detectada o señalada para recibir alertas por parte de los controles técnicos o el equipo de cuentas por pagar. Los procesos asociados individuales definidos y los controles técnicos de apoyo funcionaron según lo diseñado pero, cuando se encadenaron juntos, se abusó con éxito.

2.3.7 Otros enfoques de la valoración de riesgos

Los avances ocurridos durante las décadas anteriores han generado notables mejoras para la definición de los límites de riesgo probable. Sin embargo, solo unos pocos tratan los riesgos de la información de manera efectiva. Algunos de estos desarrollos se adoptan en el campo de seguridad de la información y es probable que, en los próximos años, se sigan desarrollando técnicas y métodos más sofisticados. Algunos de estos métodos se describen en las próximas secciones.

Análisis de factores de riesgo de la información (FAIR)

FAIR es un enfoque reconocido para la descomposición del riesgo y la comprensión de sus componentes. El enfoque ofrece un proceso de análisis razonado y detallado que está diseñado principalmente como un complemento para otros enfoques de evaluación con el objetivo de incrementar la precisión (**figura 2.15**).

FAIR ofrece un marco de trabajo razonado y lógico para lo siguiente:

- Una taxonomía de los factores que conforman el riesgo de la información. Esta taxonomía ofrece una comprensión de los fundamentos de riesgo de información, sin la cual uno no podría realizar el proceso de manera razonable. También ofrece un conjunto de definiciones estándar para los términos necesarios.
- Un método de medición de los factores que impulsan el riesgo de la información, incluyendo la frecuencia del evento de amenaza, vulnerabilidad y pérdida.
- Un motor computacional que deriva el riesgo al simular de forma matemática las relaciones entre los factores medidos.
- Un modelo de simulación que permite aplicar la taxonomía, el método de medición y el motor computacional para desarrollar y analizar los escenarios de riesgo de cualquier tamaño o complejidad.

Los cuatro componentes primarios de la taxonomía de riesgo que identifican las características del agente de amenaza afectan:

- La frecuencia con la que los agentes de amenaza establecen contacto con una empresa o activos.
- La probabilidad de que los agentes actúen en contra de una empresa o activos.
- La probabilidad de que las acciones de los agentes de amenaza sean exitosas al solucionar los controles de protección.
- La naturaleza probable de impacto (tipo y severidad) en los activos.

Figura 2.15—Metodología FAIR

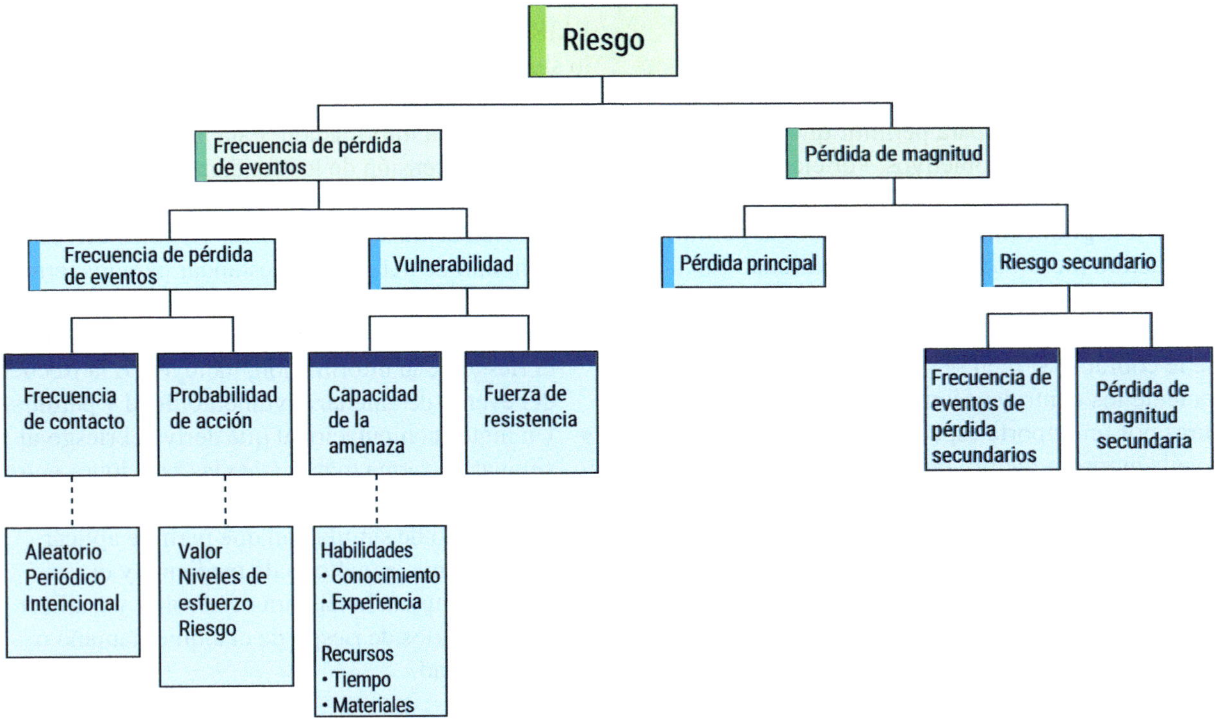

Fuente: The FAIR Institute, *https://www.fairinstitute.org/*

Enfoque holístico de la gestión de riesgos (HARM)

Holistic Approach to Risk Management (HARM) es una metodología diseñada y desarrollada para contribuir y normalizar el enfoque de una empresa relativo a la realización de análisis de riesgos (**figura 2.16**). El objetivo de HARM es:

1. Refinar el proceso de estimación
2. Retirar la subjetividad del análisis
3. Proporcionar un nivel apropiado de aseguramiento
4. Definir un método repetible para garantizar resultados coherentes
5. Proporcionar un método justificable para los esfuerzos de análisis de riesgos

Los beneficios de utilizar la metodología HARM incluyen:

- Consistencia en los resultados mediante el uso de procesos repetibles y bien definidos.
- Estimaciones seguras.
- Capacidad de demostrar el debido cuidado.
- Aseguramiento razonable.
- Capacidad de tomar decisiones con más información.
- Mayor seguridad en los resultados.
- Resultados defendibles.

HARM no debe remplazar a FAIR, más bien proporciona al gestor de seguridad de la información la capacidad de madurar los esfuerzos de análisis de riesgos, lo que contribuye a la seguridad en los resultados de análisis además de otorgar la capacidad de proporcionar el nivel adecuado de aseguramiento deseado por muchas empresas.

Figura 2.16—Procesos principales de HARM

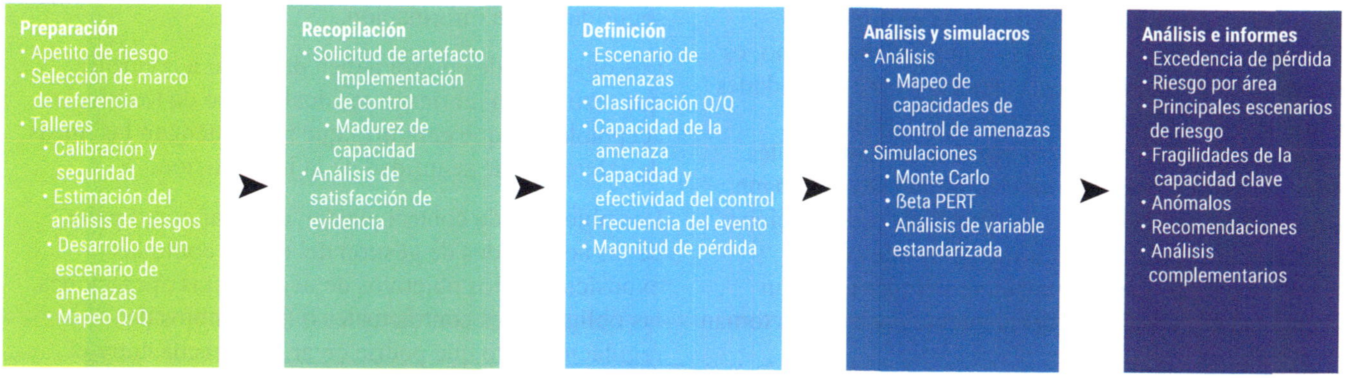

Evaluación probabilística de riesgo

La evaluación probabilística de riesgo (PRA) ha surgido como una herramienta de análisis cada vez más popular, especialmente durante la última década. La Evaluación probabilística de riesgo (PRA) es una metodología sistemática y exhaustiva que evalúa los riesgos asociados con cada aspecto del ciclo de vida de una entidad tecnológica compleja de diseños superiores, desde la definición del concepto, pasando por el diseño, la construcción y la operación, hasta la remoción del servicio. Desarrollado por la Administración Nacional Aeronáutica y Espacial (NASA) de los EE. UU. y la industria de energía nuclear, el enfoque es complejo y lleva tiempo, pero puede considerarse su creciente aplicación en casos donde se requiere una alta seguridad de las redes.

Este enfoque busca responder a tres preguntas:

- ¿Qué puede salir mal?
- ¿Qué tan posible es?
- ¿Cuáles son las consecuencias?

Las respuestas se basan en una deconstrucción exhaustiva de todos los elementos en riesgo en un conjunto de circunstancias en particular al identificar, exponer y cuantificar de manera sistemática los escenarios que pueden conducir a consecuencias adversas según la probabilidad y la teoría estadística, la ingeniería de confiabilidad, la teoría de la decisión y otro tipo de información. Los elementos que se incluyen en la evaluación de una posible cadena de eventos incluyen la falla del hardware y software, acciones humanas, fallas de control y otras posibles interacciones que pueden conducir a graves consecuencias.

2.3.8 Análisis de riesgos

El análisis de riesgos es la fase en la que se calculan y determinan las potenciales probabilidades y los resultados. Esta fase también incluye la determinación de las capacidades y motivaciones del agente de la amenaza, la efectividad de los controles existentes y el grado de influencia en un riesgo particular identificado.

El análisis de riesgos implica:

- Análisis riguroso de las fuentes de riesgo (amenazas y vulnerabilidades) determinadas en la fase de identificación de riesgos
- El grado hasta el cual los activos de información tienen exposición a posibles amenazas y el efecto en la posibilidad
- Las posibles consecuencias negativas (impacto) si los activos sufren un ataque exitoso
- La posibilidad de que dichas consecuencias ocurran y los factores que influyen en ellas
- La inclusión de controles o proceso existentes aplicables que tienda a minimizar el riesgo negativo o a mejorar los resultados positivos (estos controles podrían derivar de un conjunto más amplio de normas, controles o buenas prácticas seleccionados de acuerdo con una declaración de aplicabilidad [es decir, la aplicación de controles identificados en el registro de riesgos] y podrían derivar también de actividades previas de tratamiento del riesgo).

El nivel de riesgo puede determinarse de varias maneras, como por ejemplo mediante el uso de análisis estadísticos y cálculos que combinen el impacto y la posibilidad. El impacto puede no ser claro a menos que se hayan realizado evaluaciones BIA para proporcionar una comprensión del costo para la empresa como resultado de la pérdida de un activo o función en particular.

Cualquier fórmula o método para combinar el impacto y la posibilidad tiene que ser congruente con los criterios definidos cuando se establece el contexto de gestión de riesgos, ya que un evento puede tener múltiples resultados y afectar a diferentes objetivos. Asimismo, es necesario combinar las consecuencias y las posibilidades para calcular el nivel de riesgo. En caso de que no se cuente con datos históricos estadísticamente fiables (por ejemplo, datos de los incidentes que se mantengan para una base de datos de incidentes), otras estimaciones basadas en factores como los impactos que afectan a otras empresas podrían realizarse siempre que sean comunicadas y aprobadas debidamente por quienes toman las decisiones.

La información utilizada para calcular el impacto y la posibilidad suele provenir de:

- Experiencia o datos y registros (p. ej., reporte de incidentes).
- Prácticas fiables, normas o pautas internacionales.
- Investigación y análisis de mercado sobre otras empresas.
- Experimentos y prototipos.
- Modelos económicos, de ingeniería o de otro tipo.
- Asesoría de especialistas y expertos.

Las técnicas de análisis de riesgos son diversas y pueden incluir:

- Entrevistas con expertos en el área de interés y cuestionarios.
- Uso de modelos existentes y simulaciones.
- Análisis estadístico y otros análisis.

El análisis de riesgos puede variar en detalle dependiendo del riesgo, el propósito del análisis y el nivel de protección que requieran la información, los datos y los recursos correspondientes. El análisis puede ser cualitativo, semi-cuantitativo (híbrido) o cuantitativo. En cualquier caso, el tipo de análisis que se lleve a cabo debe ser congruente con los criterios desarrollados como parte de la definición del contexto de la gestión de riesgos y el consenso obtenido en el enfoque utilizado.

Análisis de brechas

El análisis de brechas en el contexto de la gestión del riesgo se refiere a la determinación de la brecha entre los controles existentes y los objetivos de control. Los objetivos de control basados en un riesgo aceptable deben haberse definido como resultado de desarrollar la estrategia y el gobierno de seguridad de la información, tal como se explica en el Capítulo 1 Gobernanza de seguridad de la información.

Los objetivos de control deben dar lugar a controles que resulten en un riesgo residual dentro de los niveles aceptables, lo que garantiza que se mantengan las líneas de referencia de seguridad de la información.

Los objetivos de control pueden cambiar como parte de las actividades de gestión del riesgo como las exposiciones, los objetivos de negocio, las operaciones, las obligaciones contractuales o los cambios de regulaciones, lo que podría crear una brecha entre el control existente y sus objetivos revisados. El análisis periódico de la brecha entre los controles y sus objetivos debe ser una práctica común. Esto se realiza normalmente como parte del proceso de prueba de eficacia de los controles. En la medida en que la eficacia de los controles no pueda cumplir con el objetivo de control y alcanzar el riesgo aceptable, los controles se pueden tener que modificar y rediseñar, o complementarse con actividades adicionales de control. Para obtener más información sobre la relación entre los controles y los objetivos de control, consulte el Capítulo 3 Desarrollo y gestión del programa de seguridad de la información.

Análisis cualitativo

En el análisis cualitativo, tanto la magnitud como la probabilidad de las posibles consecuencias se presentan y describen de forma detallada. Las escalas que se utilizan pueden formarse o ajustarse para adaptarse a las circunstancias, y se pueden utilizar distintas descripciones para los diferentes riesgos. El análisis cualitativo puede utilizarse:

- Como una evaluación inicial para identificar el riesgo que se someterá a un análisis adicional detallado.
- Si se van a considerar los aspectos intangibles del riesgo (p. ej., reputación, cultura, imagen).
- Si no se cuenta con información adecuada, datos numéricos o recursos que se requieren para un enfoque cuantitativo aceptable en términos estadísticos.

Se puede lograr un enfoque común para el análisis cualitativo utilizando un mapa de riesgos, como se muestra en la **figura 2.17**.

Figura 2.17—Mapa de riesgos que muestra las bandas de apetito de riesgo

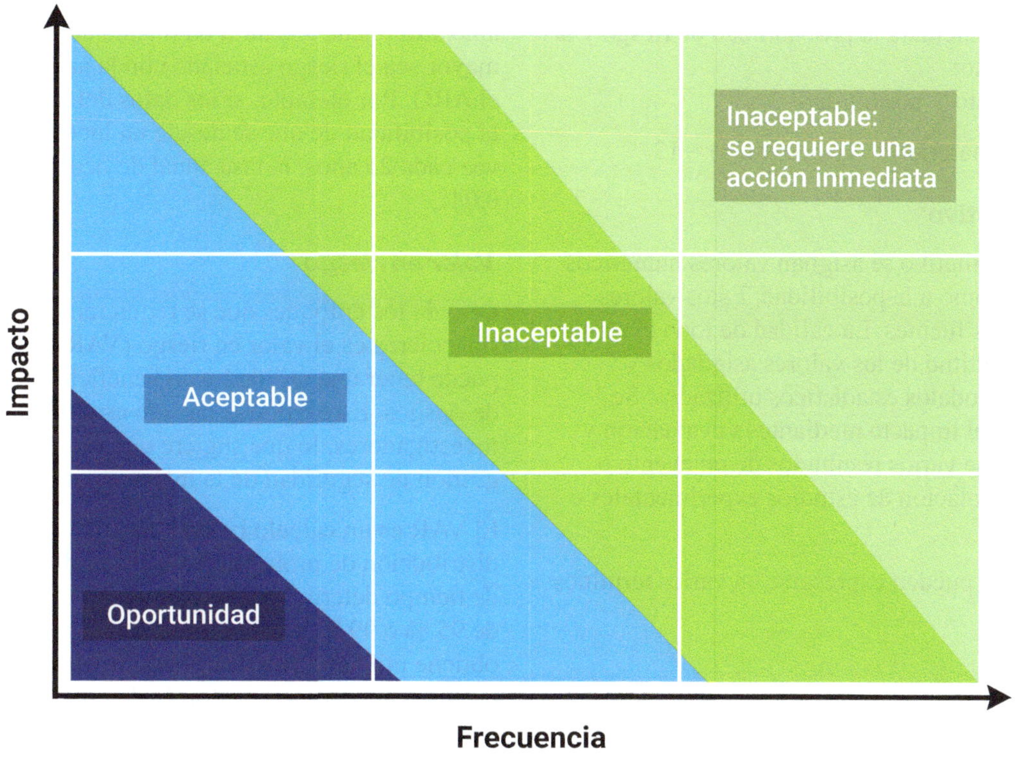

Fuente: ISACA, *Risk IT Practitioner Guide, 2nd Edition*, EE. UU., 2020

Análisis semi-cuantitativo (híbrido)

En el análisis semi-cuantitativo, el objetivo es definir un conjunto de valores de rango acordados que sean lo suficientemente amplios para permitir que el riesgo se estime de manera consistente. El objetivo es proporcionar suficiente precisión para permitir la comprensión, comparación y priorización del riesgo. Los términos cualitativos suelen ser subjetivos; la capacidad de definirlos y asignarlos a valores cuantitativos normaliza las definiciones básicas utilizadas para pronosticar resultados potenciales.

Para que este enfoque sea útil, los valores elegidos deben ser generalmente indicativos y suficientes para el establecimiento de prioridades de un riesgo por encima de otro. Para que cualquier proceso opere de manera exitosa, debería existir una comprensión común de los valores y de los términos empleados. Las definiciones que ya están en uso dentro de la empresa pueden sustituirse por las siguientes. Puede ser posible utilizar un subconjunto del marco de ERM, si existe.

Los valores de ejemplo para el impacto son:

- Insignificante (valor = 1): Impacto no significativo o de consecuencia limitada.
- Menor (valor = 2): Impacto en una pequeña parte de la empresa solamente, o impacto de menos de 1 millón de dólares estadounidenses.
- Importante (valor = 3): Impacto a la marca de la empresa o de más de $1 millón de dólares estadounidenses.
- Material (valor = 4): Impacto mayor a 200 millones de dólares estadounidenses y requiere de reporte externo.
- Catastrófico (valor = 5): Falla o reducción empresarial significativa de la empresa.

Los valores típicos de posibilidad son:

- Poco común (valor = 1)
- Improbable (valor = 2): No se ha observado en los últimos cinco años
- Moderado (valor = 3): Se ha observado en los últimos cinco años pero no en el último año
- Posible (valor = 4): Se ha observado en el último año
- Frecuente (valor = 5): Ocurre regularmente.

Estos valores deben ser suficientes para permitir el establecimiento de prioridades de riesgos según el enfoque semi-cuantitativo.

Generalmente, se calculará la probabilidad de riesgo y las consecuencias como:

- Riesgo = impacto × posibilidad

P. ej., riesgo = 4 (material) × 3 (moderado) = 12.

Análisis cuantitativo

En el análisis cuantitativo se asignan valores numéricos tanto al impacto como a la posibilidad. Estos valores derivan de diversas fuentes. La calidad de todo el análisis depende de la exactitud de los valores asignados y la validez de los modelos estadísticos utilizados. Se puede determinar el impacto mediante la evaluación y el procesamiento de varios resultados de un evento o mediante la extrapolación de estudios experimentales o datos pasados.

Las consecuencias pueden expresarse en varios términos:

- Monetarios
- Técnico
- Operativo
- Criterios de impacto humano

La especificación del nivel de riesgo no es exclusiva. Tanto el impacto como la posibilidad se pueden expresar o combinar de un modo diferente, de acuerdo con el tipo de riesgo, y el alcance y objetivo del proceso de gestión de riesgos.

Predicción de pérdidas anuales

Las evaluaciones de riesgo cuantitativo intentan obtener un valor numérico, normalmente expresado en términos financieros. La forma más común es, o bien las expectativas de pérdidas únicas (SLE) o las expectativas de pérdidas anuales (ALE). SLE es el producto del valor del activo (AV) multiplicado por el factor de exposición (EF): SLE = AV × EF.

EF representa el porcentaje de pérdida que puede generar una amenaza conocida en un activo específico cuando la amenaza específica coincide con una vulnerabilidad específica. En otras palabras, EF es la proporción del valor de un activo que tiene posibilidad de ser destruido por un riesgo particular, expresada como porcentaje.

ALE es la pérdida financiera anual que se espera que una amenaza específica cause a un activo. ALE agrega la tasa anualizada de ocurrencia (ARO) a la ecuación, lo que causa que varias ocurrencias produzcan mayores pérdidas. ALE se expresa normalmente como: ALE = SLE × ARO. El resultado es que, cuanto mayor sea el valor del activo, combinado con una probabilidad y magnitud de impacto mayores, mayor será el riesgo de pérdida potencial.

ARO es el número de veces que se estima que una amenaza pueda afectar a un mismo activo. Mientras mayor sea el riesgo asociado con la amenaza, mayor es el ARO. Por ejemplo, si los datos del seguro sugieren que la posibilidad de que se desate un incendio grave es una vez cada 25 años, la tasa anual de ocurrencia es de 1/25 = 0,04.

Valor en riesgo

Otro de los enfoques que se requieren en ciertos sectores financieros es el valor en riesgo (VAR), que también puede tener una utilidad y un beneficio general de gestión de riesgos. Este enfoque ha sido estudiado por varios investigadores, lo que sugiere que es adecuado para la gestión de seguridad de la información.

El VAR es un cálculo basado en datos históricos de distribución de probabilidades de pérdidas en un período de tiempo determinado, con un factor de certeza típico de 95 % o 99 %. La distribución de probabilidad se obtiene utilizando simulaciones de Monte Carlo que se ejecutan normalmente a través de miles de iteraciones con variables aleatorias que se basan en información histórica.

Otros métodos de análisis de riesgos

Existe una serie de opciones de análisis que pueden resultar útiles, aunque son normalmente más sofisticadas que las que emplean la mayoría de las empresas. Algunos de los enfoques más comunes incluyen:

- **Análisis bayesiano:** un análisis bayesiano es un método de inferencia estadística que utiliza la distribución de datos previa para determinar la probabilidad de un resultado. La efectividad y la precisión de esta técnica se basan en la precisión de los datos de distribución anteriores.
- **Análisis de pajarita:** un análisis de pajarita proporciona un diagrama que comunica los resultados de la evaluación de riesgos al mostrar los vínculos entre posibles causas, los controles y las consecuencias. La causa del evento se describe en el medio del diagrama (el "nudo" de la pajarita). Los desencadenantes, los controles, las estrategias de mitigación y las consecuencias parten del nudo.
- **Método Delphi:** el método Delphi utiliza la opinión de expertos, que a menudo se recibe mediante dos o más rondas de cuestionarios. Después de cada ronda de preguntas, se resumen los resultados y se comunican a los expertos por un facilitador. Esta técnica cooperativa se utiliza, generalmente, para generar un consenso entre los expertos.

- **Análisis de árbol de eventos:** un análisis de árbol de eventos es un modelo predictivo y de abajo hacia arriba que utiliza el razonamiento inductivo para evaluar la probabilidad de que diferentes eventos concluyan en posibles resultados.
- **Análisis de árbol de errores:** un análisis de árbol de errores comienza con un evento, utiliza un razonamiento deductivo y analiza los posibles medios para que el evento ocurra (descendente) y muestra estos resultados en un diagrama de árbol lógico. Este diagrama puede utilizarse para generar maneras de reducir o eliminar las posibles causas del evento.
- **Análisis de Markov:** un análisis de Markov se utiliza para analizar los sistemas que pueden existir en varios estados. El modelo de Markov supone que los eventos futuros son independientes de los eventos pasados.
- **Análisis de Monte-Carlo**: de acuerdo con IEC 31010:2019:[34]

> *La simulación de Monte Carlo se utiliza para determinar la variación agregada en un sistema que surge de las variaciones en el mismo, para una cantidad de entradas, donde cada entrada tiene una distribución definida y las entradas están relacionadas con el resultado mediante relaciones definidas. El análisis puede utilizarse para un modelo específico donde las interacciones de las diferentes entradas pueden definirse matemáticamente. Las entradas se pueden basar en una variedad de tipos de distribución según la naturaleza de la incertidumbre que intentan representar. Para la evaluación de riesgos, se utilizan normalmente las distribuciones triangulares o las distribuciones beta.*

2.3.9 Evaluación de riesgos

Durante la fase de evaluación de riesgos, se deben tomar decisiones con respecto a cómo la empresa responde y prioriza los riesgos, basándose en el análisis correspondiente, con tolerancias para el posible margen de error, que puede ser considerable si no hay datos fiables disponibles. Esto se hace en el contexto del apetito de riesgo, los criterios de tolerancia y la capacidad definidos por la empresa, estableciendo un método para recomendar una respuesta al riesgo apropiada y razonable.

Si el riesgo cumple con los criterios de riesgos aceptables, es probable que la opción de tratamiento sea la aceptación. Si el riesgo excede el nivel aceptable y no está dentro de la variación de tolerancia, es más probable que el tratamiento consista en alguna forma de mitigación. Las opciones de mitigación incluyen la modificación o adición de controles, o la reingeniería de procesos de negocio que ofrecerían un proceso menos riesgoso. El rediseño de un sistema puede servir para reducir el riesgo técnico (por ej., eliminar un único punto de falla del sistema), o la transferencia del riesgo (o uso compartido) podría ser la opción más rentable. Si no hay opciones rentables para mitigar el riesgo excesivo, la gerencia puede decidir que no vale la pena asumir el riesgo por la actividad o bien aceptar el riesgo si los beneficios son lo suficientemente altos.

Por lo general, la transferencia del riesgo se selecciona para el riesgo que tiene baja posibilidad y alto impacto. Si el riesgo se mitiga a través del uso de controles, también se debe considerar el riesgo de control (es decir, el riesgo de control es la probabilidad de que el control falle o sea inadecuado).

La evaluación del riesgo puede conducir a tomar la decisión de llevar a cabo un análisis más profundo si los resultados son ambiguos o se consideran incorrectos o engañosos.

Los criterios aplicados por el equipo de gestión de riesgos tienen que considerar también los objetivos organizativos, los puntos de vistas de las partes interesadas y, por supuesto, el alcance y el objetivo del proceso mismo de gestión de riesgos. Las decisiones tomadas suelen basarse en el nivel de riesgo; sin embargo, pueden estar relacionadas con umbrales específicos en términos de:

- Consecuencias (p. ej., impactos)
- La posibilidad de los eventos
- El impacto acumulativo (agregado) de una serie de eventos que pudiera ocurrir al mismo tiempo
- El efecto del riesgo en cascada (efecto dominó) en sistemas acoplados estrechamente
- El coste del tratamiento
- La capacidad de la empresa de absorber las pérdidas

2.3.10 Clasificación de riesgos

El profesional de riesgos usa los resultados de la valoración de riesgos para ordenar el riesgo de forma que pueda usarse para ayudar al propietario de riesgo a dirigir el esfuerzo de respuesta al riesgo. La clasificación de riesgos deriva de una combinación de todos los componentes de riesgo, incluido el reconocimiento de las amenazas y las características y capacidades de una

---

[34] ISO, International Electrotechnical Commission, IEC 31010:2019 "Risk Management—Risk Assessment Techniques," 2019, *www.iso.org/standard/72140.html*

fuente de amenazas, la gravedad de una vulnerabilidad, la posibilidad de ocurrencia teniendo en cuenta la efectividad de los controles, el riesgo de control y el impacto en la empresa en caso de que el riesgo se cumpla. En su conjunto, pueden indicar el nivel de riesgo asociado con una amenaza.

Parte B: Respuesta al riesgo de la información

Una vez que se ha identificado, analizado y evaluado el riesgo, y la evaluación del riesgo ha finalizado, se puede hacer una recomendación razonable sobre cómo responder de forma apropiada a un riesgo específico.

La **figura 2.18** muestra un ejemplo de un flujo de trabajo de respuesta a riesgos.

Figura 2.18—Ejemplo de flujo de trabajo de respuesta a riesgos

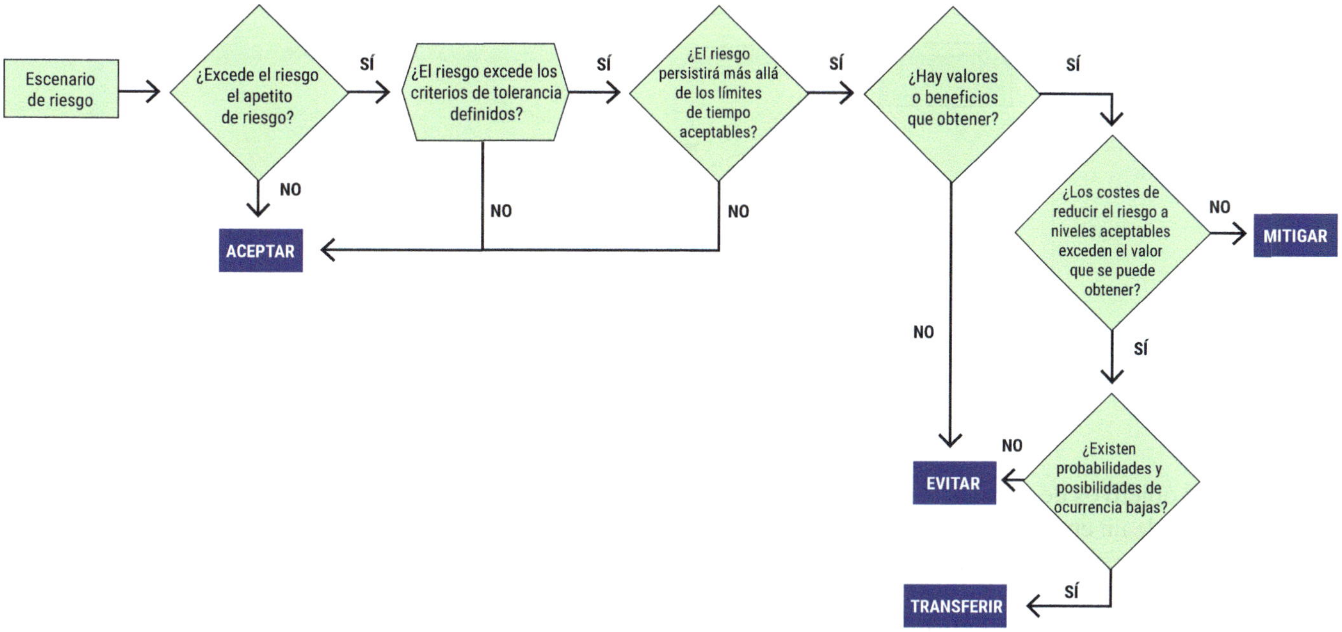

Una clave para entender la respuesta adecuada al riesgo es comprender el estado de seguridad deseado por parte de la empresa, tal y como se explica en el Capítulo 1 Gobernanza de seguridad de la información. Uno de los principales aportes para definir el estado deseado de la empresa son los criterios de tolerancia y la capacidad, es decir, lo que la gerencia considera riesgo aceptable, las desviaciones tolerables de los niveles del riesgo aceptable y la cantidad total de riesgo que no pone en peligro la viabilidad de la empresa para operar. Éste es otro paso crítico, ya que un riesgo aceptable definido se traduce en los objetivos de control u otras medidas de mitigación del riesgo utilizadas, así como los criterios por los que el riesgo pueda ser evaluado para su aceptabilidad. La definición de los objetivos de control es decisiva para determinar el tipo, la naturaleza y el alcance de los controles y contramedidas que utilizará la empresa para administrar el riesgo. La **figura 2.19** muestra la relación que existe entre el riesgo, las medidas de control y el costo de los controles.

Si no se tiene una definición razonablemente clara del riesgo aceptable, resulta difícil establecer si la seguridad de la información está alcanzando sus objetivos y si se han aplicado los recursos apropiados.

La definición del riesgo se puede cuantificar (y en última instancia lo que la empresa define como aceptable) utilizando el enfoque de continuidad del negocio de desarrollar objetivos de tiempo de recuperación (RTO). Utilizar un enfoque resumido para determinar RTO puede proporcionar información adecuada para el desarrollo de estrategias. Esto puede ser una determinación informal por parte de los dueños del proceso de negocio sobre la cantidad de tiempo que los sistemas críticos pueden permanecer inoperantes sin que esto tenga consecuencias graves para el negocio. Esto sentará la base para aproximar los costos de lograr la recuperación. Si el costo se considera muy alto, la iteración del proceso llegará a un momento de recuperación aceptable a un costo aceptable. Esto se puede considerar como el riesgo aceptable.

El riesgo aceptable también se puede aproximar al examinar la cantidad de seguros contra la interrupción de negocios que conlleva la empresa, la cantidad de deducibles y su costo (es decir, primas anuales). Por ejemplo, si la empresa tiene un seguro de 1 millón de USD con un deducible de 10 000 USD a un coste anual de 50 000 USD, el argumento podría ser que es razonable gastar hasta 50 000 USD en actividades de control para reducir un riesgo de 1 millón de USD a un nivel de riesgo aceptable de 10 000 USD (es decir, el riesgo residual).

Figura 2.19—Relación entre el coste y el nivel de control

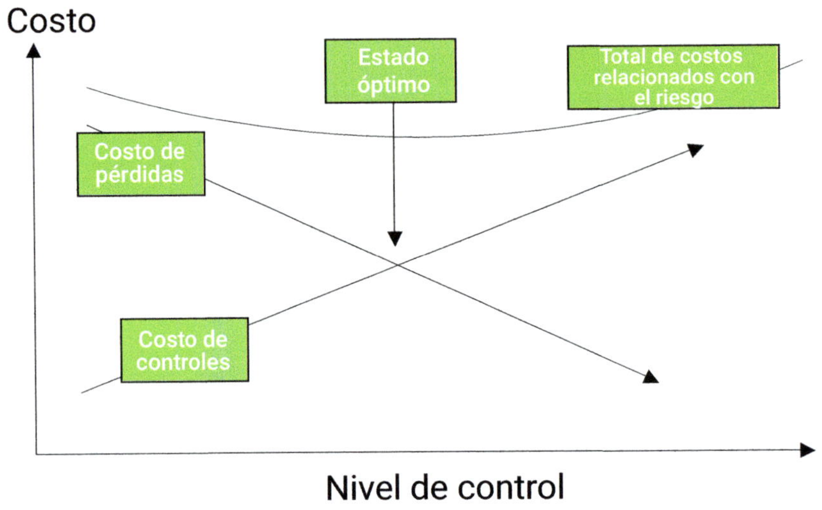

Desarrollar los objetivos de estrategia apropiados por lo general requiere de un enfoque iterativo basado en un análisis de costos para alcanzar el estado deseado y los niveles de riesgo aceptables. Es probable que reducir el nivel de riesgo aceptable sea más costoso. No obstante, el enfoque para alcanzar el estado deseado afectará también los costos de manera significativa.

Por ejemplo, el riesgo puede existir a causa de determinadas prácticas que no son necesarias o útiles para la empresa, o que son, de hecho, perjudiciales para su operación. Esto puede incluir prácticas que podrían considerarse discriminatorias o contrarias a la ley, presentando el riesgo de una demanda. Cuando se examinan estas prácticas, pueden haberse derivado de actitudes o métodos obsoletos que pueden cambiarse de un modo eficiente a un coste más bajo, lo cual resultará en la eliminación o mitigación del riesgo. En otros casos, tal vez se pueda volver a crear algunos procesos o proporcionar mejores arquitecturas para reducir el riesgo inherente. En otras palabras, el enfoque para tratar el riesgo específico tiene un impacto significativo en los costos.

Es preciso que el gerente de seguridad de la información sepa que los controles técnicos (por ejemplo, cortafuegos [firewalls], sistemas de detección de intrusos [IDS]) son tan solo una dimensión que debe considerarse. Los controles físicos, de procesos y procedimientos pueden ser más efectivos y menos costosos. En la mayoría de las empresas, el riesgo de proceso representan el peligro más grande y los controles técnicos puede que no compensen de forma adecuada la gestión deficiente o los procesos defectuosos.

Una vez que se hayan definido claramente los objetivos, se tendrán varias maneras de desarrollar soluciones que variarán mucho en costo y complejidad. Independientemente del proceso que se utilice, el objetivo es definir, en términos significativos y concretos, el estado de seguridad general esperado en el futuro.

2.4 Opciones de tratamiento del riesgo/respuesta al riesgo

Se debe seleccionar la respuesta adecuada en el contexto del apetito de riesgo definido y los criterios de tolerancia. Luego, el riesgo puede categorizarse y priorizarse rápidamente.

Existen múltiples apetitos de riesgo dentro de una empresa. El apetito al riesgo es la cantidad total de riesgo que una empresa está dispuesta a asumir, que debe incluir el apetito al riesgo de las unidades de negocio subordinadas. La **figura 2.20** presenta un ejemplo para ilustrarlo.

Figura 2.20—Apetitos de riesgo dentro de una organización

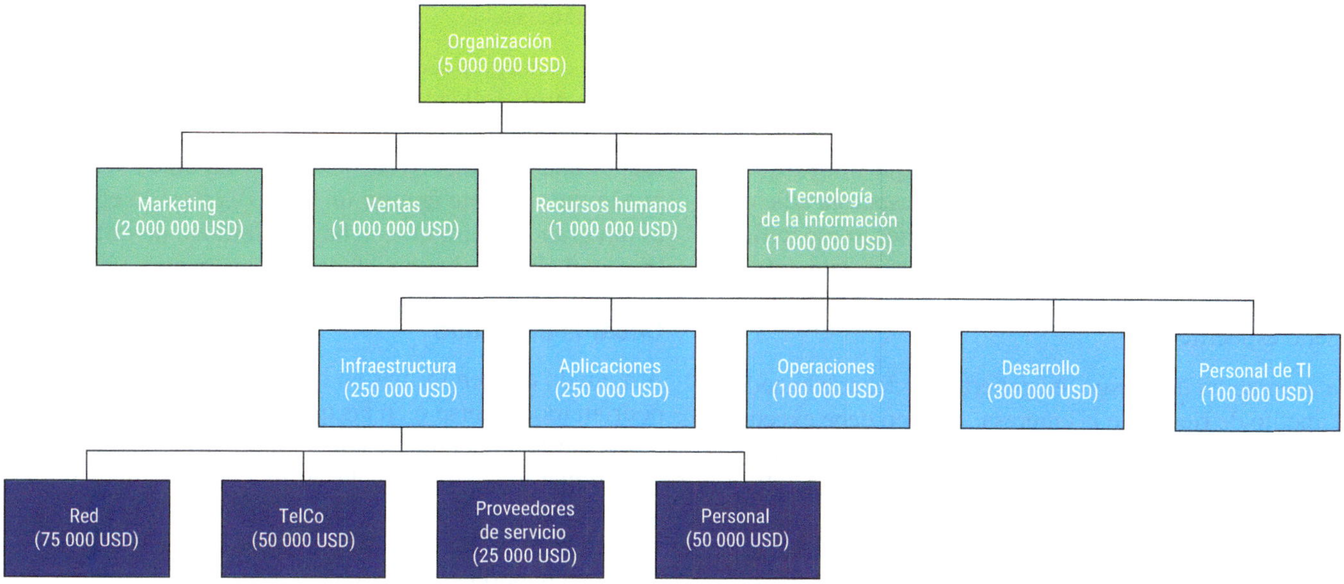

Tal y como se muestra, el apetito de riesgo de la empresa es de 5 000 000 USD. Esto se desembolsa a través de las unidades de negocio, teniendo TI un apetito de riesgo de 1 000 000 USD, que se distribuye entre las diversas áreas funcionales dentro de ese departamento. En este ejemplo, para un administrador del grupo de la red, se podría aceptar un riesgo inferior a 75 000 USD; sin embargo, se requerirá la aprobación de una autoridad en la unidad de infraestructura para la aceptación de cualquier riesgo que exceda ese monto.

Independientemente de la acción tomada sobre el riesgo, debe documentarse en el registro de riesgos, y la empresa debe continuar monitoreándolo para detectar cualquier cambio en el entorno que pueda hacer que el riesgo se vuelva inaceptable. El riesgo aceptado es otra forma de deuda que la empresa tiene y de la que es responsable, una deuda que puede ser exigida para su pago en cualquier momento.

Al seleccionar una respuesta al riesgo, el gestor de seguridad de la información podría recomendar una respuesta adecuada al riesgo, actuando en el papel de asesor o consultor interno. En última instancia, el propietario del riesgo es responsable del riesgo y tomará la decisión final sobre la acción deseada.

Al concluir la evaluación de riesgos y hacer recomendaciones sobre la respuesta adecuada al riesgo, el gerente de seguridad de la información debe comunicar claramente al propietario del riesgo cómo y por qué se proporcionó la opción de respuesta, con detalles suficientes para permitir que se tome una decisión informada.

2.4.1 Determinación de la Capacidad de Riesgo y el Riesgo Aceptable (Apetito de Riesgo)

Cada empresa tiene una capacidad de riesgo particular, definida como la cantidad objetiva de pérdidas que puede tolerar una empresa sin que se vea amenazada su continuidad. Sujetos al máximo absoluto impuesto por esta capacidad de riesgo, los propietarios o consejo de dirección de una empresa establecen el apetito de riesgo para la empresa. El apetito de riesgo se define como la cantidad de riesgo, en una amplia base, que una entidad desea aceptar para llevar a cabo su misión. En algunos casos, el consejo de administración puede delegar el establecimiento del apetito de riesgo al equipo directivo como parte de la planificación estratégica.

La determinación del riesgo aceptable o el apetito de riesgo y los criterios por los que puede ser evaluado son esenciales para casi todos los aspectos de la seguridad de la información y para la mayoría de otros aspectos de las actividades de la organización. El apetito de riesgo determinará muchos aspectos de la estrategia, que incluyen objetivos de control, implementación de controles, niveles básicos de seguridad, cálculos de costo-beneficio, opciones de gestión de riesgos, determinaciones de criterios de severidad, capacidades requeridas de respuesta a incidentes, requisitos de seguros y evaluaciones de viabilidad, entre otros.

El apetito de riesgo se traduce en una cantidad de estándares y políticas que incluye el nivel de riesgo dentro de los límites establecidos por el apetito de riesgo, que necesita ajustarse o confirmarse de forma periódica. Dentro de estos límites, se puede aceptar el riesgo, a través de un proceso formal y explícito que afirme que el riesgo no requiere ni justifica ninguna respuesta adicional por parte de la empresa siempre que el riesgo específico y el ambiente de riesgo permanezcan sustancialmente iguales y la responsabilidad del riesgo se asigne a un dueño específico.

La aceptación del riesgo, en general, no debería exceder el apetito de riesgo de la empresa, pero no debe exceder la capacidad de riesgo (que amenazaría la existencia continua de la empresa). Los niveles de tolerancia al riesgo son desviaciones del apetito de riesgo, que no son deseables pero se sabe que están lo suficientemente por debajo de la capacidad de riesgo que la aceptación de riesgo todavía es posible cuando existe una necesidad convincente del negocio y otras opciones son demasiado costosas.

La tolerancia al riesgo se puede definir utilizando las métricas de procesos TI o la adherencia a procedimientos y políticas definidos para TI, que son una traducción de las metas de TI que deben alcanzarse. Al igual que el apetito por el riesgo, la tolerancia al riesgo se define a nivel empresarial y se refleja en las políticas creadas por la alta gerencia. Las excepciones se pueden tolerar en niveles inferiores de la empresa siempre que no excedan el apetito de riesgo a nivel empresarial.

2.4.2 Opciones para la respuesta al riesgo

Al enfrentarse con el riesgo, los gestores de seguridad de la información pueden aconsejar a las empresas cuatro opciones estratégicas:

- Evitar el riesgo finalizando la actividad que le dio origen al mismo.
- Transferir el riesgo a otra parte (tenga en cuenta que la transferencia del riesgo por lo general resulta de una transferencia de impacto).
- Mitigar el riesgo con medidas y mecanismos de control apropiados.
- Aceptar el riesgo.

Una cosa a tener en cuenta es que, si bien el gerente de seguridad de la información está obligado a recomendar una de las cuatro respuestas de riesgo enumeradas antes, la empresa puede optar por ignorar el riesgo, lo que puede ser peligroso. La distinción entre ignorar y aceptar el riesgo es que la aceptación significa comprender la posibilidad, probabilidad y consecuencias y tomar una decisión informada para aceptar el riesgo bajo las circunstancias.

Ignorar el riesgo puede llevar a graves subestimaciones sobre la probabilidad y la posible magnitud del impacto, con consecuencias graves o desastrosas. En consecuencia, ésta es una medida no recomendable. La única vez que puede ser prudente ignorar un riesgo es cuando el impacto es tan grande y raro que no hay posibilidad de tratarlo (p. ej., el choque de un meteorito o una guerra nuclear).

Cesar la actividad

A menudo existen formas en las cuales las actividades podrían modificarse o en las que se podría hacer reingeniería a los procesos que pueden servir para mitigar o gestionar el riesgo a niveles aceptables. Un análisis de la actividad podría llevar a la conclusión de que el riesgo no vale la pena. En esta circunstancia, se debe señalar que aun cuando la empresa haya determinado cesar la continuidad del producto o servicio, la responsabilidad continúa mientras que el producto o servicio esté siendo utilizado.

Transferir el riesgo

Un ejemplo de transferencia de riesgo es la compra de un seguro para abordar las áreas de riesgo. Cuando una empresa compra un seguro, parte del riesgo se transfiere a la compañía aseguradora a cambio del pago de una prima que refleja la evaluación realizada por la aseguradora del grado de riesgo que está asumiendo. Sin embargo, el riesgo en realidad no se transfiere, más bien, el impacto a la empresa se reduce en la medida en que el seguro cubra algunos o todos los costos asociados a un ataque.

Los riesgos pueden transferirse mediante la externalización de las funciones de TI, siempre y cuando existan cláusulas de indemnización en los contratos. Sin embargo, al transferir el riesgo operativo, los acuerdos y contratos con terceros deben prever específicamente las responsabilidades de ambas partes en las cláusulas de indemnización específicas.

Los acuerdos de indemnización que pueden formar parte de un acuerdo de servicio con proveedores externos brindan cierta protección contra incidentes perjudiciales. Si bien se pueden transferir algunos de los posibles impactos financieros relacionados con el riesgo, en general no se puede transferir la responsabilidad legal por las consecuencias de alguna inestabilidad.

Es común que se transfiera el riesgo a las compañías de seguros cuando la probabilidad de que ocurra un incidente es baja pero el impacto es alto.

Un ejemplo sería un seguro contra terremoto o inundación. Para el gerente de seguridad de la información, esto significa que un programa de riesgo bien administrado debe trabajar en conjunto con otros proveedores de aseguramiento organizacionales, tales como el departamento de seguros, para establecer qué riesgo está cubierto y en qué medida. Si algún riesgo identificado está administrado adecuadamente por otras entidades, en general no se garantiza la duplicación de esfuerzos.

Mitigar el riesgo

El riesgo se puede mitigar de diversas formas, por ejemplo, mediante la implementación o el mejoramiento de los controles de seguridad o a través de la implementación de contramedidas, o mediante la modificación o eliminación de procesos riesgosos. Estos controles pueden abordar directamente el riesgo o puede ser posible reducir la exposición reduciendo el riesgo. En algunos casos, el riesgo se puede reducir mediante contramedidas apropiadas reduciendo o eliminando la probabilidad de una amenaza.

El impacto potencial puede reducirse a través de controles de compensación o correctivos, incluso a través de procesos técnicos, contractuales o de procedimientos. Para más información, consulte 3.8.2 Controles y contramedidas.

Aceptar el riesgo

Existe una variedad de circunstancias en las que se puede aceptar un riesgo definido. Si un riesgo se considera inferior a los niveles de aceptación de riesgo definidos (tanto el apetito de riesgo como los criterios de tolerancia al riesgo definidos), el riesgo debe aceptarse y ser monitorizado en el futuro.

Existen unos pocos casos limitados en los que podría no ser factible mitigar de forma efectiva el riesgo para el cual existe una baja probabilidad de que se produzca o un bajo impacto potencial. Esta eficacia resulta en un aumento del nivel de aceptación de riesgo para un riesgo específico durante un período determinado o por una cantidad económica definida. Sin embargo, no pretende ser y no debería tratarse como la aceptación permanente de dicho riesgo.

También es necesario considerar elementos como la confianza del cliente, la responsabilidad legal o el incumplimiento de requerimientos regulatorios. En cualquier caso, el procedimiento de la gestión de riesgos de la información debe facilitar la documentación precisa y adecuada del riesgo, para que el gerente de negocio pueda decidir si acepta el riesgo basándose en un nivel suficiente de conocimiento y comprensión.

La aceptación del riesgo debe revisarse con regularidad para verificar que la razón para haber aceptado el riesgo inicialmente sigue siendo válida dentro del contexto actual del negocio.

2.4.3 Marco general de aceptación del riesgo

Un marco de aceptación del riesgo puede ser una herramienta útil para establecer los criterios para la aceptación del riesgo y el nivel en el cual se ejecuta la aceptación de la gestión.

En la **figura 2.21** se muestra un ejemplo de un marco de aceptación de riesgo.

Figura 2.21—Ejemplo de marco de aceptación del riesgo

Nivel de riesgo	Nivel requerido para aceptación
Bajo	Posible aceptación del riesgo por la unidad de negocio (p. ej., gerente)
Medio	Posible aceptación de riesgo a nivel de división (p. ej., director)
Alto	Posible aceptación de riesgo a nivel de departamento (p. ej., CFO, COO, CIO)
Grave	Aceptación del riesgo solo en el nivel de organismo de consejo/gobierno. La reducción de riesgos es obligatoria mediante controles rigurosos y monitoreo. Se requiere el proceso de notificación de la gerencia

2.4.4 Riesgo inherente y residual

El nivel de riesgo o exposición sin tener en cuenta las medidas que la gerencia ha tomado o puede tomar (p. ej., la implementación de controles) se conoce como riesgo inherente. Los riesgos que permanecen después de que se hayan implementado controles se denominan riesgos residuales. El riesgo nunca puede eliminarse, ya que siempre queda cierto nivel de riesgo residual, incluso con la aplicación de controles apropiados. Debe señalarse que reducir un riesgo inevitablemente introduce otro riesgo, con suerte, de una naturaleza más leve. Por ejemplo, requerir un control dual para acceder a información sensible introduce el riesgo de que dos personas conspiren para proporcionar un acceso no autorizado.

El objetivo es garantizar que el riesgo residual sea equivalente a los criterios de la empresa para el riesgo aceptable o que cumpla con la tolerancia de riesgo. La tolerancia de riesgo se define como la desviación permitida del riesgo aceptable y, por lo general, se describe como un porcentaje (p. ej., más o menos del 10 %) o rango (p. ej., un proyecto que excede en cuatro semanas la duración prevista). El riesgo residual aceptable también debe ser el resultado de cumplir con los objetivos de control definidos y ser equivalente a los niveles mínimos de seguridad definidos para la empresa.

La gerencia puede utilizar el riesgo residual que haya sido informado mediante una evaluación de riesgo posterior para identificar áreas en las cuales se requiera un mayor control para mitigar aun más el riesgo. Los niveles aceptables de riesgo se establecen como parte de una estrategia de seguridad de la información, como se describió en el Capítulo 1 Gobernanza de seguridad de la información. Si no se desarrolla una estrategia, la gerencia debe determinar los niveles de riesgo aceptables, por lo general, en términos de posibles impactos permitidos. El riesgo residual que exceda el nivel aceptable se debe tratar además con la opción de mitigación adicional mediante la implementación de controles más estrictos. El riesgo por debajo del nivel aceptable deberá evaluarse para determinar si se siguen aplicando controles y si es posible ahorrar en los costes mediante su eliminación o modificación. Para la aceptación definitiva del riesgo residual, debe tenerse en cuenta lo siguiente:

- El coste y la efectividad de la implementación de los controles
- Niveles aceptables de los posibles impactos
- Cultura organizativa y madurez relacionadas con el riesgo
- Políticas y estándares organizativos
- Sensibilidad y criticidad de los activos relevantes
- La incertidumbre inherente al enfoque de evaluación del riesgo
- Cumplimiento regulatorio

Al juzgar la conveniencia de los controles, se debe tener en cuenta el ciclo de vida completo, que incluye el costo total de propiedad relacionado con la implementación, operar y mantener medidas y mecanismos usados para equilibrar el riesgo y los impactos potenciales que se están abordando.

2.4.5 Impacto

En definitiva, todas las actividades de gestión de riesgos están diseñadas para reducir los impactos a niveles aceptables con el fin de crear o preservar el valor para la empresa. El impacto resulta cuando una vulnerabilidad se ve explotada por una amenaza y causa una pérdida. Las amenazas y las vulnerabilidades que no causan un impacto son, normalmente, irrelevantes y, en general, no se consideran un riesgo.

En empresas comerciales, el impacto por lo general se cuantifica como la pérdida económica directa a corto plazo, o como pérdida económica final (indirecta) a largo plazo. Ejemplos de dichas pérdidas pueden incluir:

- Pérdida directa de dinero (efectivo o crédito)
- Responsabilidad penal o civil
- Pérdida de reputación/buen nombre/imagen
- Disminución en el valor de las acciones
- Conflicto de intereses para el personal, clientes o accionistas
- Violaciones a la confidencialidad/privacidad
- Pérdida de oportunidades de negocio/competencia
- Pérdida de participación en el mercado
- Reducción en la eficiencia operativa/desempeño
- Interrupción de la actividad de negocio.
- El incumplimiento de leyes y regulaciones que tengan como resultado la imposición de sanciones

Al igual que con los cálculos de riesgos, los cálculos de impactos se pueden realizar cualitativa o cuantitativamente. Algunos impactos se prestan para representaciones cuantitativas, como el rango de posibles impactos financieros. Otros, como la pérdida de reputación o de participación en el mercado, pueden ser más difíciles de cuantificar y se pueden presentar adecuadamente a través de declaraciones cualitativas si han sido bien definidos y comunicados antes de estar en uso.

Los impactos podrían determinarse mediante la realización de actividades como BIA o los consiguientes análisis (como análisis de impacto en la privacidad o análisis de impacto en la seguridad). Estas actividades, por lo general, podrían incluir la recopilación de estadísticas del sector o información de eventos e incidentes anteriores que haya sufrido la empresa.

Los resultados de estos tipos de análisis deberían determinar tanto la criticidad como la sensibilidad de los activos de información. Entonces pueden sentar las bases, no solo para establecer los requisitos del plan de continuidad del negocio, como RTO, RPO, interrupciones máximas tolerables (MTO), objetivos de prestación de servicio (SDO) y ventana de interrupción aceptable

(AIW), sino también para establecer los requisitos para protecciones y contramedidas mínimas, que vayan desde el control de acceso hasta los requisitos de notificación.

Estas actividades de análisis a menudo sirven de método para priorizar la gestión de riesgos. Junto con la valoración de los activos, proporcionan las bases para los niveles y tipos de protección que se requieren, así como una base para el desarrollo de un caso de negocio para los controles. Consulte el Capítulo 4 Gestión de incidentes para obtener más información.

2.4.6 Controles

Un control es cualquier tipo de tecnología, proceso, práctica, política, norma o procedimiento que sirve para regular una actividad que mitigue o reduzca riesgos. Pueden ser de naturaleza administrativa, técnica, legal o de gestión. Los controles son tratados en detalle en el Capítulo 3 Desarrollo y gestión del programa de seguridad de la información.

Debido a que es normal encontrar varios controles diferentes en distintas partes de un proceso típico, es importante comprender el proceso de mitigación de riesgos en su totalidad. Mientras que la estratificación de controles es un enfoque prudente, utilizar un número excesivo de controles que traten el mismo riesgo es un despilfarro y, por lo general, reduce la productividad. Es importante asegurar que los distintos controles no estén sujetos al mismo riesgo, lo cual perjudica el propósito de estratificarlos. Para que las evaluaciones de riesgos sean efectivas y razonablemente precisas, es necesario asegurarse de realizarlas desde el principio de un proceso hasta el final. Este enfoque facilitará el conocimiento si los controles primarios minimizan o eliminan algunos riesgos que puedan evitar la necesidad de controles posteriores. Esto también ayudará a determinar si existe redundancia o duplicación de controles innecesarios.

2.4.7 Requisitos legales y regulatorios

Los requerimientos legales y regulatorios deben considerarse en términos de riesgo e impacto. Esto es necesario para que la alta gerencia determine el nivel adecuado de cumplimiento y prioridad. Las regulaciones deben evaluarse en primer lugar por parte de un consejo legal/general a fin de determinar la exposición a la que está sometida la empresa por dichas regulaciones y el nivel actual al que la empresa puede demostrar su cumplimiento. Si se comprueba que la empresa no cumple, entonces se deben evaluar las regulaciones para determinar el nivel de riesgo que suponen para la empresa. La empresa debe tener en consideración el nivel de imposición de su cumplimiento y su posición relativa en relación con sus homólogos porque, en general, las acciones de imposición se inician contra aquellos que cumplen menos. El impacto potencial de un cumplimiento pleno, de un cumplimiento parcial y de un incumplimiento, tanto en términos financieros directos como de reputación, también se deben evaluar. Estas evaluaciones sirven de base para que la alta gerencia determine la naturaleza y el alcance de las actividades de cumplimiento adecuado para la empresa. El gerente de seguridad de la información debe estar consciente de que la alta gerencia puede decidir que correr el riesgo de sanciones es menos costoso que el logro del cumplimiento, o que debido a que la imposición de su cumplimiento es limitada, o incluso inexistente, el cumplimiento no se garantiza. Ésta es una decisión de la gerencia que debe estar basada en el riesgo y el impacto.

2.4.8 Costos y beneficios

Cuando se planean los controles, una empresa debe considerar los costes y los beneficios. Si los costes de los controles específicos (gastos indirectos por controles) exceden los beneficios de mitigación de un riesgo dado, la empresa puede elegir aceptar el riesgo en lugar de incurrir en el coste de mitigación.

Un análisis de rentabilidad ayuda a proporcionar una visión del impacto económico de riesgos y ayuda a determinar el coste de proteger lo que es importante. Sin embargo, un análisis de rentabilidad también está relacionado con elegir opciones inteligentes basadas en los costes de mitigación de riesgos potenciales frente a las posibles pérdidas. Ambos conceptos replantean las buenas prácticas de gobierno.

Lamentablemente, la mayoría de las métricas de delitos de seguridad y de pérdidas de información no se han considerado como robos tradicionales ni estadísticas de robo. Por ejemplo, el informe anual Verizon Data Breach Investigations Report (DBIR) ha sido fuente de pérdidas en el ámbito de la seguridad de la información. Un número de profesionales sugiere que las cifras de pérdidas de Verizon están subestimadas, ya que solo reflejan a los clientes directamente implicados en la compañía.

En lugar de debatir sobre la validez de las mediciones comunicadas, es más útil centrarse en algunas que la mayoría de las organizaciones puedan cuantificar con cierta precisión. Tres de las mediciones comunes de pérdidas potenciales son los impactos en la productividad de los empleados, las pérdidas de ganancias y los eventos de pérdidas directas de costos. Los incidentes de virus y gusanos son los que se citan con más frecuencia al discutir el impacto en la productividad. También está el resultado de poner en riesgo información personal identificable.

Las pérdidas de ganancias también se pueden determinar de manera similar. Si un negocio tiene un sitio web de comercio electrónico que produce ganancias diarias de 1 000 000 USD, un ataque de negación del servicio (DoS) que dure medio día crea una pérdida de 500 000 USD. Cabría preguntarse si este tipo de ataque simplemente obliga a los clientes a posponer sus compras o si simplemente los impulsaría a irse a la competencia. Sin embargo, cualquier percepción pública de que una empresa ha sido víctima de un ataque de intrusos (hacking), independientemente de que haya comprometido información sensible, suele causar la pérdida de confianza de los clientes.

Si bien los costos de productividad, respuesta y organización se consideran pérdidas directas, las pérdidas indirectas incluyen ventajas competitivas, gastos legales (multas y penalizaciones), reputación dañada y deterioro del crecimiento como resultado del incidente.

Debe tenerse en cuenta el costo total de propiedad (TCO) para todo el ciclo de vida del control o de la contramedida que pueda ser implementada. Esto puede incluir elementos como:

- Coste de adquisición
- Costes de despliegue, implementación e integración
- Costes de mantenimiento recurrentes
- Costes de prueba y evaluación
- Supervisión e imposición del cumplimiento
- Inconvenientes para los usuarios
- Rendimiento reducido de los procesos controlados
- Formación sobre nuevos procedimientos o tecnologías que sean aplicables
- Desactivación del servicio por fin de la vida útil

2.5 Propiedad del riesgo y del control

¿Quién es el dueño del riesgo? Esta es una pregunta frecuente y la respuesta es, depende. Desde un punto de vista estratégico, todo el riesgo, en última instancia, es propiedad de la alta gerencia. Por cuestiones prácticas y desde el punto de vista operativo, la propiedad se delega a las personas que tienen la autoridad y la responsabilidad de administrar el riesgo de acuerdo con los criterios establecidos por el órgano de gobierno dentro de sus respectivas áreas de negocio, impulsando la propiedad tanto del riesgo como de los controles al propietario del proceso empresarial relevante (es decir, el negocio).

2.5.1 Propiedad del riesgo y responsabilidad

El riesgo requiere propiedad y responsabilidad. Una vez que se haya identificado, analizado y evaluado un riesgo, se debe identificar a un gerente o a una alta autoridad de la empresa como su propietario. El propietario de un riesgo es responsable de aceptar el riesgo basado en el apetito de riesgo organizativo y la tolerancia al mismo, y debe ser alguien que cuente con la capacidad (p. ej., presupuesto, autoridad, recursos) para seleccionar la respuesta a riesgos apropiada según los análisis y la orientación proporcionados por el gerente de seguridad de la información. Esta responsabilidad se extiende a la aprobación de controles cuando la mitigación es la respuesta a riesgos elegida. Los tipos de control se examinan con más detalle en el Capítulo 3 Desarrollo y gestión del programa de seguridad de la información. Sin embargo, la idea es crear un enlace directo de manera que todos los riesgos se aborden mediante los controles apropiados y todos los controles se justifiquen por el riesgo que exige su existencia. La **figura 2.22** ilustra la relación entre riesgo y control.

El propietario de un riesgo también posee los controles asociados con ese riesgo y es responsable de garantizar el monitoreo de la efectividad, debido a la relación compartida entre riesgo y controles. En algunas áreas donde hay regulaciones o leyes que se aplican al riesgo, es posible que los propietarios del riesgo tengan que preparar informes estándares sobre el estado del riesgo, los incidentes que pueden haber ocurrido, el nivel de riesgo que actualmente enfrenta la empresa y la efectividad comprobada de los controles.

Figura 2.22—Relación entre el riesgo y el control

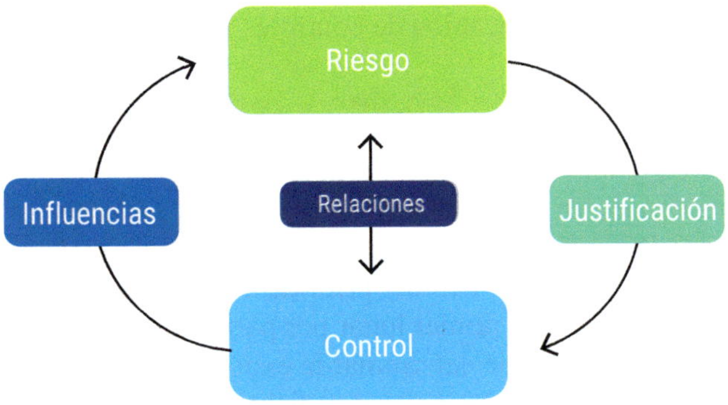

2.5.2 Propietario del riesgo

El término propietario de riesgo se puede definir como la persona a la que la empresa ha dado de autoridad, y es responsable en última instancia, para adoptar las decisiones basadas en el riesgo, y que es propietaria de las pérdidas asociadas con la materialización de un escenario de riesgo. Desde un punto de vista estratégico, la alta gerencia (es decir, el CEO, presidente, fundador) es el propietario del riesgo responsable en última instancia de la respuesta al riesgo para toda la empresa. Desde el punto de vista operativo y de gestión, los directores, vicepresidentes, gerentes, etc., son los individuos que tienen la autoridad y la responsabilidad y que deberán hacerse responsables de la toma de decisiones relativa al riesgo como parte de sus operaciones rutinarias.

La confusión surge respecto al riesgo asociado con la tecnología de la información, puesto que es común dentro de las empresas que se intente situar la rendición de cuentas y la responsabilidad relativa a ese riesgo en el departamento de TI. Si bien el personal de TI sirve como custodio/administrador de los sistemas para apoyar las operaciones comerciales, la propiedad del riesgo recae en el individuo dentro del negocio que requiere y consume esos servicios para llevar a cabo sus funciones comerciales.

2.5.3 Propietario del control

El propietario del control, como su equivalente, el propietario del riesgo, es un término que suele generar confusión. El propietario del control es un individuo al que la empresa ha otorgado la autoridad, y es responsable en última instancia, para tomar decisiones relativas al control. El propietario del control y el propietario del riesgo suelen ser la misma persona, ya que cualquier modificación o retirada de control tiene un impacto en el riesgo que se está tratando, potencialmente propiciando que el riesgo exceda el apetito de riesgo definido.

Al igual que con la propiedad del riesgo, la propiedad del control recae en personas dentro de la empresa que tienen la autoridad para tomar decisiones relacionadas con los controles y que serán responsables de cómo se gestiona el riesgo. El personal de TI puede servir como custodio/administrador de controles; sin embargo, en última instancia, es la unidad de negocio la que tiene la responsabilidad de si un control resulta ineficaz en el tratamiento adecuado del riesgo.

Existen ejemplos en los que la unidad de negocio no será la propietaria del control. Controles de tecnología, incluidos los sistemas de detección/prevención de intrusiones, los filtros de correo electrónico, las plataformas de prevención de pérdidas y la detección de extremos suelen ser controles que abarcan toda la empresa configurados y gestionados por el personal operativo de seguridad de la empresa.

2.6 Supervisión y presentación de informes de riesgos

Implementar un programa efectivo de gestión de riesgos requiere de monitoreo periódico y una comunicación efectiva. Monitorear la eficacia de los controles es una actividad continua que se requiere para gestionar el riesgo. Es preciso establecer canales de comunicación tanto para reportar como para difundir información relevante para gestionar el riesgo, así como para proporcionar información sobre actividades relacionadas con el riesgo en toda la empresa al gerente de seguridad de la información, que incluya el reporte de cambios significativos en el riesgo y la capacitación en la concienciación.

2.6.1 Supervisión de riesgos

Un componente importante del ciclo de vida de la gestión de riesgos es el monitoreo continuo, la valoración, la evaluación y el informe de riesgos. Tanto los resultados como el estado de este análisis continuo necesitan documentarse e informarse a la alta gerencia con cierta regularidad. Para facilitar dicho informe, se pueden utilizar ayudas visuales como gráficos, cuadros y visiones generales resumidas. La **figura 2.23** muestra el formato de un informe de riesgo de COBIT que puede servir como un enfoque estándar para comunicar el estado del riesgo.

Figura 2.23—Informe de riesgos

Un informe de riesgos incluye información sobre las capacidades de gestión de riesgos actuales y el estado y las tendencias actuales en materia de riesgos. Este informe se basa en el perfil de riesgo y se adaptará a los requisitos de los destinatarios.

	Etapa del ciclo de vida	Parte interesada interna	Parte interesada externa	Descripción/Parte interesada
Ciclo de vida y partes interesadas	Planificación de la información	Función de riesgo		Las capacidades de gestión de riesgos, el estado y las tendencias actuales se comunican de manera oportuna y precisa a las personas adecuadas, en función de sus necesidades y requisitos.
	Diseño de la información	Función de riesgo		Las capacidades de gestión de riesgos, el estado y las tendencias actuales se comunican de manera oportuna y precisa a las personas adecuadas, en función de sus necesidades y requisitos.
	Construcción/adquisición de la información	Función del riesgo, dueños del proceso de negocio/CIO		Garantiza que el informe de riesgo incluya la última información sobre las capacidades de gestión de riesgos, el estado y las tendencias más recientes en materia de riesgo de toda la organización.
	Operación y uso de la información: almacenar, compartir, usar	Directorio, gerencia ejecutiva, CIO, función de riesgo, dueños del proceso de negocio/CIO, cumplimiento, auditoría interna	Auditoría externa, regulador	La utilización efectiva y la disponibilidad del elemento de información de todas los partes interesadas involucradas.
	Monitoreo de información	Directorio, comité de riesgo, comité de auditoría, función de riesgo, dueños del proceso de negocio/CIO	Auditoría externa	Verifica que la información sigue siendo real y alerta sobre los cambios.
	Disposición de información	Función de riesgo		Garantiza que se disponga de la información de manera oportuna, segura y apropiada.

Figura 2.23—Informe de riesgos

	Sub-dimensión de calidad y objetivos		Descripción—El grado hasta el cual la información es ...	Relevancia	Objetivo—El informe de riesgos...
Metas	Intrínseco	Precisión	correcta y confiable	Alto	debe definir con precisión las capacidades de gestión de riesgos y el estado y las tendencias actuales en materia de riesgo, de tal manera que no despierte confusión
		Objetividad	no sesgada, sin prejuicios e imparcial	Alto	incluye información que se basa en la cultura de riesgos de la empresa y se confirma por las observaciones.
		Credibilidad	considerada verdadera y creíble	Medio	debe ser realista y precisa
		Reputación	considerada como proveniente de una fuente verdadera y creíble	Alto	incluye información que es recogida de fuentes reconocidas y competentes.
		Relevancia	aplicable y útil para la tarea en cuestión.	Alto	adecuado según los requisitos de la audiencia objetivo.
		Integridad	no está incompleta y es de la amplitud y la profundidad suficiente para la tarea en cuestión.	Alto	suele cubrir la estructura de extremo a extremo de la empresa y a partes interesadas externas.
		Vigencia	está suficientemente actualizada para la tarea en cuestión.	Alto	no suele tener más de un año, debe mantenerse actualizado.
		Cantidad de información	apropiado para la tarea en cuestión.	Alto	debe contener una cantidad apropiada de información, basándose en los requisitos de los destinatarios.
		Representación concisa	presentada de forma compacta.	Medio	depende del público objetivo.
		Representación coherente	se presenta en el mismo formato.	Alto	debe presentarse siempre de acuerdo con los formatos/plantillas predefinidos.
		Interpretabilidad	está en idiomas, símbolos y unidades apropiados, con definiciones claras.	Alto	debe ser comprensible para el público objetivo.

Figura 2.23—Informe de riesgos (cont.)

Metas (cont.)	Intrínseco (cont.)	Comprensibilidad	fácil de comprender	Alto	debe ser comprensible para el público objetivo.
		Manipulación	fácil de adaptar y aplicar a diferentes tareas.	Medio	la información puede adaptarse para presentarse en diferentes tipos de informes de riesgos.
	Seguridad	Disponibilidad	está disponible cuando se lo requiere o es fácil y rápidamente recuperable.	Alto	debe estar disponible con la frecuencia requerida por las partes interesadas.
		Acceso restringido	restringido de forma apropiada para las partes autorizadas.	Alto	el acceso lo determina la función de riesgos y está restringido de la siguiente manera: • Acceso de escritura: Función de riesgo • Acceso de lectura: Todas las demás partes interesadas
Buenas prácticas	Atributo		Descripción	Valor	
	Físico		Portador/medio de la información	El portador de información para el informe de riesgos puede ser un documento electrónico y/o impreso.	
	Empírico		Canal de acceso a la información	El informe de riesgo está accesible mediante el portal ERM y/o impreso en una ubicación específica.	
	Sintáctico		Código/idioma	El informe de riesgo contiene los siguientes subapartados: • Estado de los elementos de riesgo • Elementos de acción (respuesta al riesgo) • Capacidades del riesgo	
	Semántica		Tipo de información	Informes (de riesgo) de información	
			Actualidad de la información	La información debe estar actualizada para su uso organizativo.	
			Nivel de la información	Depende del público objetivo; para el nivel de función de la junta y el comité de riesgos, un estado del riesgo y una presentación de la capacidad de riesgo. Para los propietarios de procesos, un informe de análisis de riesgos detallado.	
	Pragmático		Período de retención	Según la política de retención de datos (y teniendo en cuenta los requisitos de retención legales que se aplican).	
			Estado de la información	La información producida será actual. Una vez remplazada, pasa a formar parte del historial.	
			Novedad	Es actual, ya que el estado de riesgo se actualiza a tiempo.	
			Contingencia	El portal de riesgo empresarial debe funcionar cuando sea necesario.	
	Social		Contexto	Este elemento de información debe usarse en el contexto del plan de comunicación de riesgo de TI.	

Fuente: ISACA, *COBIT® 5 para riesgos*, EE. UU., 2013, figura 64, página 155

La alta gerencia típicamente tendrá poco interés en los detalles técnicos y es probable que desee una visión general del estado, así como los indicadores actuales de cualquier amenaza inmediata o inminente que requiera atención.

Los tableros/cuadros de seguridad, gráficos de calor o gráficos de semáforos se utilizan a menudo para mostrar una evaluación general de la postura de seguridad. Dependiendo de los destinatarios, otras representaciones del estado de la seguridad, como por ejemplo gráficas de barras o de araña, podrían ser más eficaces para comunicar las tendencias. Independientemente del formato del informe, el gerente de seguridad de la información es responsable de gestionar este proceso de informes para asegurar que éste se realice y que los resultados se analicen adecuadamente y se actúe en este sentido de manera apropiada y oportuna. Esta responsabilidad incluye la identificación de los tipos de eventos que generarán el reporte requerido por las agencias de regulación y/o autoridades legales y asesorar a la dirección de los estos requerimientos.

2.6.2 Indicadores clave de riesgo

Un enfoque para observar el uso creciente es informar y monitorear el riesgo mediante el uso de indicadores de riesgos claves (KRIs). Los KRI pueden definirse como mediciones que indican cuándo una empresa está sujeta a riesgos que exceden un nivel de riesgo definido. Típicamente, estos indicadores surgen de las tendencias en factores que se sabe que aumentan el riesgo y, generalmente, se desarrollan sobre la base de la experiencia. Pueden ser tan diversos como el incremento del ausentismo o el movimiento en empleados claves a niveles crecientes de eventos o incidentes de seguridad.

Los KRI pueden proporcionar alarmas anticipadas en posibles temas o áreas que presentan un riesgo particular.

Una variedad de indicadores de riesgos se puede desarrollar para varias partes de una empresa como un medio de monitoreo continuo. Además de la experiencia, la selección de KRI puede basarse en fuentes tales como puntos de referencia de la industria, servicios que informan sobre las amenazas externas o cualquier otro factor que pueda monitorearse, lo cual indica cambios en los riesgos para la empresa.

Los KRI son específicos para cada empresa y su selección depende de ciertos parámetros en los entornos interno y externo, tales como el tamaño y la complejidad de la empresa, si opera en un mercado muy regulado y su estrategia comercial. La identificación de indicadores de riesgo útiles implica las siguientes consideraciones:

- La inclusión de todas las partes interesadas en la empresa. Los indicadores de riesgo no deben centrarse solamente en el aspecto operativo o estratégico del riesgo. Más bien deben identificarse para todas las partes interesadas. La implicación de las partes interesadas apropiadas en la selección de los indicadores de riesgo asegurará una mayor aceptación y propiedad.
- Equilibrar la selección de indicadores de riesgo para obtener información. El equilibrio debe mantenerse entre los indicadores de rendimiento que indican el riesgo tras un evento (indicadores con retraso), indicadores avanzados que muestran qué capacidades se han puesto en marcha para evitar que se dé el evento, las tendencias basadas en los indicadores de análisis en el tiempo y otros indicadores correlacionados.
- Asegurarse de que los indicadores seleccionados penetrarán en la causa de fondo de los eventos en lugar de enfocarse meramente en los síntomas.

Es importarse determinar las medidas que pueden ser útiles como KRI efectivos. Se diferencian por ser altamente relevantes y por poseer una alta probabilidad de predicción o indicación de un cambio significativo en el riesgo. El criterio para la selección de KRI efectivos incluye:

- **Impacto:** los indicadores para el riesgo con alto potencial de impacto son los que tienen más posibilidades de ser KRI.
- **Esfuerzo para implementar, medir e informar:** para distintos indicadores de sensibilidad equivalente al riesgo cambiante, se prefieren los que son más fáciles de medir.
- **Fiabilidad:** el indicador debe poseer una alta correlación con el riesgo y ser un buen predictor o medida de resultados.
- **Sensibilidad:** el indicador debe poder representar el riesgo y ser capaz de indicar con precisión las variaciones del nivel de riesgo.

Dado que los entornos internos y externos de la empresa sufren cambios constantes, el entorno del riesgo es también muy dinámico y es muy probable que el conjunto de los KRI vaya cambiando con el tiempo. Cada KRI está relacionado con el apetito y la tolerancia al riesgo, por lo que pueden definirse los niveles de desencadenamiento que permitirán que las partes interesadas tomen a tiempo la acción apropiada.

2.6.3 Informar de cambios en el riesgo

A medida que ocurren los cambios en una empresa, la evaluación del riesgo debe actualizarse para asegurar su precisión continuada. Informar de estos cambios a los niveles adecuados de la gerencia (p. ej., propietarios del riesgo/del control) en el momento adecuado es una responsabilidad primaria del gerente de seguridad de la información.

El gerente de seguridad de la información debe tener reuniones periódicas con las partes interesadas relevantes y apropiadas para presentar un estado del riesgo y con la alta gerencia sobre el perfil de riesgo general de la empresa, incluyendo los cambios en el nivel de riesgo, así como el estado de cualquier riesgo abierto (sin tratar).

Además, el programa de seguridad debe incluir un proceso mediante el cual una violación significativa a la seguridad o un evento importante en la seguridad generen un informe a la alta gerencia y la reevaluación del riesgo y los controles aplicables, porque todos los incidentes o eventos de seguridad son el resultado de la falla o la falta de controles. El gerente de seguridad de la información debe contar con procesos definidos para evaluar eventos relacionados con la seguridad según el impacto que tendrían en la empresa.

Dicha evaluación podría garantizar que se emita un informe especial a la alta gerencia para informarle del evento, el impacto y las acciones tomadas para mitigar el riesgo. Para más información sobre cómo establecer y gestionar un programa de respuesta a incidentes, consulte el Capítulo 4 Gestión de incidentes.

En la **figura 2.24** se muestra un ejemplo de panel de indicadores de riesgo de TI.

Figura 2.24—Ejemplo de cuadro de mando de indicadores de riesgo de TI

Métrica del indicador	Valor	Tendencia
Indicadores de impacto en el negocio		
Valor económico de las pérdidas debido al riesgo de TI (año hasta la fecha)	30 000 USD	→
N.º de clientes afectados por los incidentes de riesgo de TI (año hasta la fecha)	20 000 USD	↗
N.º de notificaciones del regulador (año hasta la fecha) (figura D.2)	3	→
Indicadores de riesgo		
N.º de incidentes de no cumplimiento (año hasta la fecha) (figura D.3)	10	→
% de disponibilidad del sistema crítico (mes actual)	95 %	↘
N.º de incidentes de riesgo de TI significativos (año hasta la fecha)	50	↗
Indicadores de control		
% de eficacia del entorno de control (mes actual) (figura D.4)	80 %	↗
N.º de problemas de control (año hasta la fecha) (figura D.5)	50	↗
N.º de acciones de gestión vencidas (mes actual)	3	↘
N.º de revisiones de política (año hasta la fecha)	10	→
% de personal formado (año hasta la fecha)	75 %	↗

Fuente: ISACA, *COBIT Focus Area: Information and Technology Risk*, EE. UU., 2021

2.6.4 Comunicación de riesgos, concientización y consultoría

Para que la gestión de riesgos forme parte de la cultura de una empresa, es necesario comunicar y crear conciencia acerca de los problemas en la empresa en cada etapa del proceso de gestión de riesgos.

La comunicación de riesgos debe involucrar la consulta con todas las partes interesadas relevantes y centrarse en el desarrollo de un entendimiento común de los objetivos y requisitos del programa de gestión de riesgos. Este enfoque permitirá identificar variaciones en las necesidades y las percepciones y tratarlas de una manera más efectiva.

En la **figura 2.25** se muestra una plantilla para la comunicación de riesgos.

Figura 2.25—Plan de comunicación de riesgos

Tipo de contenido	Especificación
Descripción	Un plan de comunicación de riesgos define la frecuencia, los tipos de información sobre riesgos de TI y los destinatarios de dicha información. El propósito principal del plan es reducir la sobrecarga de información irrelevante (evitando la probabilidad del ruido del riesgo).
Criterios de calidad y metas	El plan de comunicación de riesgos: • Deberá definir de forma precisa el tipo, la frecuencia y los receptores de la comunicación. • Garantiza que la información se basa en la cultura de riesgo de la empresa. • Debe basarse en las aportaciones de los propietarios de función del riesgo y de proceso de negocio, haciendo que el plan de comunicación de riesgos diseñado sea apropiado. • Debe estar en línea con las necesidades de todos los destinatarios. • Debe cubrir tanto la estructura de la empresa de extremo a extremo como a las partes interesadas externas. • No debe tener más de un año de antigüedad. • Debe contener la frecuencia, el tipo y los destinatarios de la comunicación. • Debe garantizar que la información siempre se presenta de acuerdo con las plantillas/formatos predefinidos. • Debe ser comprensible para el público objetivo. • Debe estar disponible a la frecuencia requerida para las partes interesadas clave; debe estar disponible para la función de riesgo 24 h al día, siete días a la semana. • Debe indicar que el acceso a este elemento de información está determinado por la función de riesgo y está restringido tal y como se indica a continuación: ▪ Acceso de escritura: función de riesgo. ▪ Acceso de lectura: todas las demás partes interesadas.
Estructura/ Contenido de alto nivel	El plan de comunicación de riesgos contiene los siguientes subapartados: • Frecuencia/cronología de la comunicación • Tipo de comunicación • Audiencia objetivo y divulgación

Fuente: ISACA, *COBIT Focus Area: Information & Technology Risk*, EE. UU., 2021

Concienciación sobre riesgos

La concienciación es una herramienta poderosa para crear la cultura, dar forma a la ética e influir en el comportamiento de los miembros de una empresa. El programa de concienciación sobre la seguridad y los riesgos debería incluir comunicación del riesgo e información de seguridad, pruebas periódicas como una métrica de concienciación, y un canal para que el personal informe problemas de riesgos y seguridad. Muchas veces el personal y los equipos de operaciones de una empresa son los primeros en tener conocimiento de problemas o actividades anómalas. A través de programas de concienciación, es posible desarrollar un enfoque de equipo para la gestión de riesgos que permita que cada miembro de la empresa identifique e informe sobre el riesgo y trabaje para defender los sistemas y las redes de ataques. Cada miembro del equipo puede ayudar a identificar vulnerabilidades, actividades sospechosas y posibles ataques. Esto puede permitir una respuesta más rápida y una mejor contención del riesgo cuando ocurra un ataque. La concienciación sobre riesgos reconoce que el riesgo es una parte integral del negocio. Puesto que no se pueden evitar ni eliminar todos los riesgos, trata de garantizar que:

- El riesgo se conoce y comprende bien.
- El riesgo de información es identificable.
- Los empleados reconocen que el riesgo organizacional puede afectarlos personalmente.
- La empresa reconoce y usa los medios disponibles para gestionar el riesgo.

Un programa de concienciación sobre riesgos crea una comprensión del riesgo general, los factores de riesgo y los distintos tipos de riesgo a los que se enfrenta una empresa. Un programa de concienciación debe adaptarse a las necesidades de los grupos individuales dentro de una empresa y brindar contenido adecuado para cada grupo. El programa no debe revelar vulnerabilidades o investigaciones en curso a menos que se haya abordado el problema. El uso de ejemplos y descripciones de los tipos de ataques y compromisos que experimentaron otras empresas puede reforzar la necesidad de diligencia y precaución al abordar el riesgo.

La concienciación, formación y capacitación pueden mitigar algunas de las debilidades más significativas que contribuyen al riesgo organizativo y lograr la mejora más rentable en términos de seguridad y gestión de riesgos. Puede lograrse una concienciación educando al personal de la empresa en los procedimientos necesarios y en el cumplimiento de la política, y asegurando que el personal pueda identificar y comprender el riesgo que amenaza a la empresa. La capacitación debe comunicar de manera efectiva el riesgo y su posible impacto a fin de que el personal pueda entender el porqué de los controles de seguridad necesarios y la mitigación de riesgos que parecen ser pasos adicionales e inconvenientes.

El desarrollo de programas de concienciación y formación que sean efectivos en el entorno depende de la capacidad del gerente de seguridad de la información de comprender la estructura de la empresa, su cultura y los tipos de comunicación más efectivos. El cambio periódico de los mensajes de concienciación del riesgo y los medios utilizados para difundirlos ayudará a mantener un nivel alto de concienciación del riesgo. Los controles técnicos y de procedimiento pueden resultar complejos y la capacitación es esencial cuando se requiera a fin de que el personal comprenda los procedimientos y pueda realizar correctamente los pasos requeridos.

La concienciación sobre arquitectura de la seguridad de la información, políticas, normativas y procedimientos de todos los empleados es fundamental para lograr una gestión del riesgo eficaz. No puede esperarse que los empleados cumplan con políticas o estándares de los que no tienen conocimiento o sigan procedimientos que no entienden. El gerente de seguridad de la información debería utilizar un enfoque estandarizado, tal como pruebas cortas en computadora o impresas para medir los niveles de concienciación. El empleo periódico de un enfoque estandarizado de pruebas proporciona los criterios que miden las tendencias en cuanto al conocimiento y la eficacia de la capacitación. Las nuevas necesidades de capacitación pueden determinarse mediante la valoración de las habilidades o mediante pruebas. Los indicadores para los requerimientos adicionales de formación pueden provenir de diversas fuentes, tales como el seguimiento de la actividad del servicio de atención, errores operativos, eventos de seguridad y auditorías.

Un programa de concienciación para la dirección debería resaltar la necesidad de que los directivos desempeñan un rol de supervisión a la hora de proteger sistemas y aplicaciones de los ataques. Los gerentes tienen la responsabilidad de supervisar las acciones del personal y dirigir el cumplimiento con las políticas, los procedimientos y las prácticas de la empresa.

La concienciación de la alta gerencia debería resaltar la responsabilidad, la necesidad de cumplimiento, el debido cuidado y la debida diligencia, y la necesidad de reflejar el tono y la cultura de la empresa a través de la política y la buena práctica. Es posible que necesiten recordatorios para los altos directivos de que son los únicos que poseen el riesgo y la responsabilidad de determinar los niveles de aceptación del mismo.

2.6.5 Documentación

Para gestionar el riesgo de forma efectiva, se requiere de la documentación adecuada y disponible en relación con las políticas de gestión de riesgos, estándares, servicios, infraestructuras y aplicaciones, además de otros asuntos relevantes relacionados con el riesgo. Las decisiones relativas a la naturaleza y al grado de documentación implican costos y beneficios relacionados. La política y el programa para la gestión de riesgos definen la documentación que es necesaria. En específico, en cada etapa del proceso de gestión de riesgo, la documentación debe incluir:

- Objetivos
- Público
- Recursos de información
- Supuestos
- Criterios de decisión

Una política de gestión de riesgos y la documentación de procesos incluye información como:

- Objetivos de la política y razón para la gestión de riesgos.
- Ámbito de aplicación y estatutos de la gestión de riesgos de la información.
- Relaciones entre la política para la gestión de riesgos y los planes de negocio tanto estratégico como corporativo de la empresa.
- Ámbito de aplicación y variedad de temas a los que se aplica la política.

- Guía para considerar qué son niveles de riesgo aceptables.
- Criterios para desviaciones de niveles de riesgo aceptables.
- Responsabilidades de la gestión de riesgos.
- Conocimientos profesionales de apoyo disponibles para ayudar a los encargados de gestionar el riesgo.
- Nivel de documentación requerido para varias actividades relacionadas con la gestión de riesgos (p. ej., cambio de gestión).
- Plan para revisar la conformidad y el cumplimiento de la política de gestión de riesgos.
- Niveles de severidad de incidentes y eventos.
- Procedimientos de comunicación y escalamiento de riesgos, formato y frecuencia. En algunas circunstancias, se puede requerir una declaración de cumplimiento y debida diligencia para que los gerentes reconozcan formalmente su responsabilidad de cumplir con las políticas y los procedimientos de gestión de riesgos.

La documentación típica para la gestión de riesgos debe incluir:

- Un registro de riesgos (consulte 2.1.6 Registro de riesgos) para cada riesgo identificado, que registre:
  - **La fuente del riesgo**: ¿Dónde se origina el riesgo (p. ej., el agente/comunidad de la amenaza?
  - **Naturaleza del riesgo**: ¿Qué ocurre si el riesgo se produce (acceso no autorizado, interrupción, robo)?
  - **Propietario del riesgo**: ¿Quién es el responsable y tiene la autoridad para tomar decisiones sobre el riesgo identificado?
  - **Clasificación de riesgos según la gravedad**: ¿Cómo se verá afectada la empresa (nivel alto/medio/bajo, inmaterial/moderado/significativo/material/catastrófico)?
  - **Opción de tratamiento seleccionada**: ¿Aceptamos, evitamos, mitigamos o transferimos el riesgo?
  - **Controles existentes**: ¿Qué controles tenemos ya, cómo se están implementando y cómo se integran en la actualidad los controles existentes en el negocio?
  - **Controles recomendados no implementados y razones por las cuales se deberían implementar**: ¿Qué controles administrativos, físicos o lógicos reducirían el riesgo residual hasta un nivel aceptable?
- Consecuencias y posibilidad del ataque, incluyendo:
  - **Organizativo**: nuevos procesos de negocio, personal o tecnologías necesarias para abordar de forma satisfactoria el riesgo, o pérdidas que requieren inversiones de capital no previstas (p. ej., sustitución de activos) o gastos operativos (p. ej., recurrir a un tercero para una auditoría o una evaluación).
  - **Productividad**: Incapacidad de lograr los objetivos clave, pérdida de productividad del personal, pérdida resultante de una incapacidad operativa de alcanzar los objetivos definidos.
  - **Costes de respuesta**: costes directamente asociados con la respuesta a un evento de riesgo que haya ocurrido (p. ej., contratistas, consultoría, hardware/software, empresa de relaciones públicas, consejero legal externo).
  - **Riesgo legal**: costes resultantes de litigios (p. ej., multas, penalizaciones, juicios sumarios) necesarios como resultado de la ocurrencia de un evento de riesgo.
  - **Ventaja competitiva**: pérdidas resultantes en la obtención de ventajas por parte de la competencia debido a la pérdida de confianza en la empresa, pérdida de propiedad intelectual o de personal clave.
  - **Reducción del crecimiento**: pérdidas resultantes en retrasos en nuevas líneas de negocio, nuevas ofertas, nuevos proyectos o nuevas iniciativas estratégicas.
  - **Reputación dañada**: publicidad negativa obtenida debido a la ocurrencia de un evento, que conduce a la desaprobación/censura regulatoria, mayor escrutinio/supervisión por parte de un organismo regulador o litigio geográfico y pérdidas resultantes de la perspectiva de las partes interesadas externas de que el valor de la empresa ha disminuido o de que su responsabilidad ha aumentado.
- Vulnerabilidad ante factores externos/internos
- Un inventario de los activos de información, incluyendo TI y activos de telecomunicación, que menciona:
  - Descripción del activo
  - Especificaciones técnicas
  - Número/cantidad
  - Ubicación
  - Requisitos de licencias especiales, si los hubiera
  - Propietario del sistema (de negocio)
  - Administrador/custodio del sistema (técnico)
- Un plan de acción y mitigación de riesgos, que especifique:
  - Quién es el responsable de la reducción del riesgo residual
  - Quién tiene la responsabilidad de implementar el plan
  - Los recursos que se van a utilizar (p. ej., personal, tecnología, terceros)
  - La asignación del presupuesto

    - El calendario para la implementación
    - Detalles de los mecanismos/medidas de control
    - Requerimientos del cumplimiento de la política
- Documentos de auditoría y monitoreo, que incluyan:
    - Resultados de auditorías/revisiones y otros procedimientos de monitoreo
    - Seguimiento de las recomendaciones de la revisión y el estado de su implementación.

Finalmente, es esencial que toda la documentación esté supeditada a un proceso de control de versiones eficaz, así como a un enfoque normalizado para su etiquetado y manejo. La documentación debe etiquetarse con niveles de clasificación, fecha y número de revisión, fechas de efectividad y propietario del documento. La política de gestión de riesgo debe ser aprobada por el consejo de directores para darle una base sólida a fin de obtener apoyo de todas las partes interesadas en la empresa.

Estudio de casos

Un importante minorista se vio comprometido, lo cual resultó en la pérdida de aproximadamente 45 millones de registros de tarjetas de crédito y débito. Los cálculos de los costos totales para el minorista eran de hasta 18 000 millones de USD, incluidos los costos incurridos por los bancos que tuvieron que remplazar las tarjetas y cubrir los cargos fraudulentos resultantes. El total incluía los posibles costos de demandas, sanciones gubernamentales y multas impuestas por la principal organización de tarjetas de crédito por no cumplir con PCI. El minorista sufrió una disminución del 46 % en las ventas de vacaciones cuando se hizo pública la violación.

Tras el análisis del incidente, se descubrió que la violación se facilitó inicialmente por un correo de phishing a uno de los proveedores de servicios del minorista, una empresa de calefacción, ventilación y aire acondicionado. El minorista contaba con un proveedor de servicios y un portal de ventas para facilitar las adquisiciones y la facturación. Una vez que los atacantes (hackers) obtuvieron acceso a la empresa de servicios, utilizaron el portal del minorista para obtener acceso a su red. Aunque el portal se encontraba en una porción segmentada del negocio, los intrusos lograron puentear el segmento y obtuvieron acceso a la red interna. Desde ahí, accedieron al sistema de punto de venta (POS). Lograron instalar un software malintencionado (malware) en los terminales POS, que capturaron transacciones con tarjetas de crédito y débito, ya que el tráfico del POS estaba en texto claro/plano para evitar la sobrecarga del sistema asociada con el cifrado.

La información del cliente no encriptada interceptada se almacenó en el servidor del minorista comprometido y, posteriormente, se retiró a una serie de proveedores de servicios de Internet antes de enviarla finalmente al exterior en un intento por ocultar la pista. Para ocultar el retiro, los datos se enviaron solamente durante el horario de oficina normal. El análisis detectó que el retiro no comenzó hasta varias semanas después de que se instaló el malware.

El minorista había contratado previamente a FireEye para monitorear los sistemas y verificar si había intrusos o software malintencionado (malware). Casi de inmediato, FireEye envió varias alertas al departamento de seguridad del minorista que indicaban cuáles de los servidores se veían comprometidos según el acuerdo con el minorista. El grupo de seguridad no realizó ninguna acción inmediata. No se tomó ninguna medida hasta varias semanas después, cuando el minorista recibió la notificación de una agencia gubernamental que había sido atacada.

1. Desde el punto de vista de gestión de riesgos, ¿quién de la empresa debería tener la responsabilidad principal por este evento?

   A. Consejo de Dirección
   B. CEO
   C. El gerente de seguridad de la información
   D. Gerente de TI

2. ¿Qué podría haberse hecho para garantizar que se tome la medida más eficaz cuando el departamento de seguridad de la empresa recibió la notificación por parte de FireEye de que los servidores habían sido atacados?

   A. Investigar y analizar el posible impacto de los servidores comprometidos.
   B. Aislar los dispositivos POS.
   C. Iniciar un plan para el manejo de incidentes debidamente probado.
   D. Localizar y eliminar el software malintencionado (malware) de los dispositivos POS.

3. ¿Qué podría sugerir el gerente de seguridad de la información desde el punto de vista de gestión de riesgos para evitar que ocurra un incidente similar en el futuro?

Respuestas en la página 152

Capítulo 2 Clave de respuestas

Estudio de casos

1. **A. Es responsabilidad del consejo de dirección garantizar que la dirección ejecutiva aborde de manera adecuada los riesgos significativos para la empresa. Estas y otras fallas sistémicas en varios departamentos fueron el resultado de faltas de supervisión, recursos, autoridad o competencia, o quizás de la integración o comunicación inadecuadas. Cualquiera que sea el caso o la combinación de causas, este evento catastrófico responde sin duda a una falla del gobierno, y la responsabilidad de la cadena de fallas que lo produjo recae en el consejo de dirección.**
   B. El CEO sería responsable de los aspectos del programa de seguridad de la información y de las circunstancias que conducen al evento; sin embargo, este incidente fue causado principalmente por fallas en el gobierno.
   C. El gerente de seguridad de la información sería responsable de los aspectos del programa de seguridad de la información y de las circunstancias que conducen al evento; sin embargo, este incidente fue causado principalmente por fallas en el gobierno.
   D. El gerente de TI es responsable de ciertos aspectos del programa de TI del minorista; sin embargo, este incidente fue causado principalmente por fallas en el gobierno.

2. A. Aislar los servidores afectados e implementar el cifrado habría evitado las transacciones de POS, lo que dio como resultado la pérdida de ganancias significativas, a menos que los servidores de respaldo en una instalación de recuperación hayan podido estar conectados en línea para manejar el tráfico.
   B. Una vez que los dispositivos POS se vieron comprometidos, quedaban muy pocas opciones buenas disponibles. Desconectarlos habría tenido un impacto masivo en los ingresos. Debido a que la información de crédito y débito fue almacenada durante varias semanas antes de retirarse, al aislar esos servidores y, a la vez, investigarlos y analizarlos se hubiera frustrado el impacto del ataque.
   C. Si hubiera existido un plan para el manejo de incidentes debidamente probado, es probable que el escenario de riesgos e impactos se hubiese considerado y probado; se puede suponer que se habría iniciado un determinado nivel de acción preventiva.
   D. Hubiese sido factible localizar el malware en los dispositivos POS; sin embargo, eliminarlo de cientos de miles de dispositivos habría podido representar un problema importante a menos que se haya podido automatizar.

3. Una capacitación y formación más robusta con respecto al posible riesgo de seguridad de la información para informar a todas las partes, desde proveedores hasta la alta gerencia, posicionarían mejor a la empresa para que reconozca y responda a posibles eventos de riesgo. La capacitación sobre concienciación tiene un impacto positivo en la gestión de riesgos.

   También es posible que el gerente de seguridad de la información sugiera una mejor gestión de terceros, y que garantice que los contratistas de servicios externos se sometan por contrato a las políticas de seguridad de la información de la empresa y que las terceras partes cuenten con el nivel de acceso apropiado a los sistemas.

   El cumplimiento con PCI DSS sería otra sugerencia importante para ayudar a evitar nuevos incidentes, ya que establecería requerimientos de seguridad con los que debería cumplir la empresa.

Capítulo 3

Desarrollo y gestión del programa de seguridad de la información

Visión General

Parte A: Desarrollo de un programa de seguridad de la información

Parte B: Gestión del programa de seguridad de la información

Visión General

El presente capítulo examina los diversos ámbitos de conocimiento que son necesarios para desarrollar y gestionar un programa sobre seguridad de la información.

Esta área representa el 33 % del examen CISM (aproximadamente 50 preguntas).

Área 3 Descripción del contenido del examen

A. Desarrollo de un programa de seguridad de la información

1. Recursos del programa de seguridad de la información
2. Identificación y clasificación de los activos de información
3. Estándares y marcos de la industria para la seguridad de la información
4. Políticas, procedimientos y directrices de seguridad de la información
5. Métricas del programa de seguridad de la información

B. Gestión del programa de seguridad de la información

1. Diseño y selección de controles de seguridad de la información
2. Implementación e integración de controles de seguridad de la información
3. Pruebas y evaluación de los controles de seguridad de la información
4. Concienciación y capacitación de la seguridad de la información
5. Gestión de servicios externos
6. Comunicación y entrega de informes para el programa de seguridad de la información

Objetivos de aprendizaje/ Enunciados de tareas

Tras finalizar este capítulo, el gerente de seguridad de la información deberá ser capaz de:

- Identificar las influencias internas y externas para la organización que tienen un impacto con la estrategia de seguridad de la información.
- Integrar el gobierno de la seguridad de la información dentro del gobierno corporativo.
- Establecer y mantener políticas de seguridad de la información para orientar el desarrollo de normas, procedimientos y pautas.
- Definir, comunicar y monitorear las responsabilidades de seguridad de la información en toda la organización y las líneas de autoridad.
- Compilar y presentar informes a las partes interesadas clave sobre las actividades, las tendencias y la efectividad general del programa de seguridad de la información.
- Evaluar y presentar informes sobre las métricas de seguridad de la información a las partes interesadas clave.
- Establecer y/o mantener el programa de seguridad de la información alineado con la estrategia de seguridad de la información.
- Alinear el programa de seguridad de la información con los objetivos operativos de otras funciones del negocio.
- Establecer y mantener procesos de seguridad de la información y recursos para ejecutar el programa de seguridad de la información.
- Establecer, comunicar y mantener a nivel organizativo políticas de seguridad de la información, estándares, guías, procedimientos y otra documentación.
- Establecer, promover y mantener un programa de concienciación y formación sobre seguridad de la información.
- Integrar los requisitos de seguridad de la información en los procesos organizacionales para mantener la estrategia de seguridad de la organización.
- Integrar los requisitos de seguridad de la información en contratos y actividades de partes externas.
- Supervisar el cumplimiento de las partes externas de los requisitos de seguridad establecidos.
- Definir y supervisar las métricas de gestión y operativas para el programa de seguridad de la información.
- Identificar los requisitos legales, regulatorios, organizativos y otros requisitos de cumplimiento aplicables.
- Determinar si los controles de seguridad de la información son adecuados y gestionan el riesgo de manera efectiva hasta un nivel aceptable.
- Facilitar la integración de la gestión de riesgos de la información entre el negocio y los procesos de TI.
- Supervisar factores internos y externos que pueden requerir la reevaluación del riesgo.
- Reportar sobre el riesgo de seguridad de la información, incluyendo el incumplimiento legal y los cambios en los riesgos de la información, a las partes interesadas clave para facilitar el proceso de toma de decisiones en la gestión de riesgos.

- Establecer y mantener el plan de respuesta a incidentes, en línea con el plan de continuidad del negocio y el plan de recuperación ante desastres.
- Establecer y mantener los planes y procesos de comunicación para entidades internas y externas.

Recursos sugeridos para lectura adicional

Brotby, W.; G. Hinson; *PRAGMATIC Security Metrics: Applying Metametrics to Information Security,* Auerbach Publications, EE. UU., 2013

Cloud Security Alliance (CSA), *www.cloudsecurityalliance.org*

Cloud Security Alliance (CSA), ISACA; *Certificate of Cloud Auditing Knowledge Study Guide,* EE. UU., 2021

ISACA, *CMMI Performance Solutions, https://cmmiinstitute.com/*

ISACA, *COBIT, www.isaca.org/cobit*

ISACA, *Implementing the NIST Cybersecurity Framework Using COBIT 2019,* EE. UU., 2019

ISACA, *IT Risk, www.isaca.org/resources/it-risk*

ISACA, *The Business Model for Information Security,* EE. UU., 2010

ISACA, *IT Audit Framework 4ta edición,* EE. UU., 2020

National Association of Corporate Directors, *NACD Director's Handbook on Cyber-Risk Oversight*, EE. UU., 2020

National Initiative for Cybersecurity Education (NICE), *NICE Workforce Framework, www.nist.gov/nice*

National Institute of Standards and Technology (NIST), *Computer Security Resource Center, http://csrc.nist.gov/publications*

NIST, *Framework for Improving Critical Infrastructure Cybersecurity*, EE. UU., 2014, *www.nist.gov/cyberframework*

NIST, *NIST Risk Management Framework, https://csrc.nist.gov/Projects/risk-management/about-rmf*

Otero, A.; *Information Technology Control and Audit, 5ª edición,* CRC Press, EE. UU., 2018

SANS Institute, *www.sans.org*

Wysocki, R.; *Effective Project Management: Traditional, Agile, Extreme, 8ª edición,* Wiley Publishing Inc., EE. UU., 2019

Preguntas de autoevaluación

Las preguntas que se incluyen en el examen de certificación CISM están desarrolladas con el propósito de medir y probar el conocimiento práctico sobre la gestión de la seguridad de la información. Todas las preguntas son de opción múltiple y están diseñadas para que se obtenga una mejor respuesta. Todas las preguntas del examen CISM tienen el formato de planteamiento de un problema (pregunta) y cuatro opciones (opciones de respuesta). Se pide al candidato que elija la respuesta correcta o la mejor respuesta entre las opciones. El enunciado se puede formular como una pregunta o como un enunciado incompleto. Muchas veces una pregunta del examen de certificación CISM requerirá que el candidato elija la respuesta más probable o la mejor.

En cada caso, el candidato debe leer la pregunta cuidadosamente, eliminar las respuestas que sean claramente incorrectas y luego hacer la mejor elección posible. Conocer el formato en que se presentan las preguntas y cómo estudiar para obtener el conocimiento de lo que se va a probar será de gran ayuda para responder las preguntas correctamente.

1. Al implementar un sistema de detección de intrusos (IDS), el gerente de seguridad de la información debe recomendar que se coloque:

   A. Fuera del firewall.
   B. En el servidor del firewall.
   C. En una subred con filtro.
   D. En el enrutador (router) externo.

2. ¿Cuál de las siguientes es la **MEJOR** métrica para evaluar la efectividad de la capacitación en la concienciación de la seguridad? El número de:

   A. Restablecimientos de contraseña
   B. Incidentes notificados
   C. Incidentes resueltos
   D. Violaciones a las reglas de acceso

3. Los mecanismos de monitoreo de seguridad deben **PRINCIPALMENTE**:

   A. Centrarse en la información crítica del negocio.
   B. Ayudar a los propietarios en la gestión y el control de riesgos.
   C. Centrarse en la detección de intrusos en la red.
   D. Registrar todas las violaciones a la seguridad.

4. Cuando se acuerda con un contratista la provisión de la administración de seguridad, el elemento contractual **MÁS** importante es:

   A. La cláusula de derecho de rescisión.
   B. Limitaciones de la responsabilidad.
   C. Acuerdo de nivel de servicio.
   D. La cláusula de penalidades financieras.

5. ¿Cuál de los siguientes es **MÁS** efectivo para prevenir debilidades de seguridad en los sistemas operativos?

   A. Gestión de parches
   B. Gestión de cambios
   C. Líneas base de seguridad
   D. Gestión de la configuración

6. ¿Cuál de las siguientes es la solución **MÁS** efectiva para impedir que los usuarios internos modifiquen información sensible y clasificada?

   A. Normas de seguridad básicas
   B. Registros de violación de acceso al sistema
   C. Control de acceso basado en roles
   D. Investigaciones de antecedentes

7. ¿Cuál de las siguientes consideraciones es la **MÁS** importante cuando se implementa un sistema de detección de intrusos?

   A. Configuración
   B. Parche
   C. Cifrado
   D. Filtrado de paquetes

8. ¿Cuál de las siguientes prácticas es la **MEJOR** utilizada para eliminar el acceso al sistema para contratistas y otros usuarios temporarios cuando ya no es requerido?

   A. Registrar todo el uso de cuentas y enviar informes periódicos a los gerentes.
   B. Establecer las fechas de vencimiento automáticas predeterminadas.
   C. Solicitar a los gerentes que envíen un correo electrónico al departamento de seguridad cuando el usuario se desconecta.
   D. Asegurarse de que cada individuo haya firmado un reconocimiento de seguridad.

9. ¿Cuál de lo siguiente es **MÁS** importante para un programa exitoso de seguridad de la información?

   A. Capacitación adecuada sobre tecnologías de seguridad emergentes
   B. Comunicación abierta con dueños clave del proceso
   C. Políticas, normas y procedimientos adecuados
   D. Compromiso de la gerencia ejecutiva

10. Una empresa está implementando un programa de seguridad de la información. ¿Durante qué etapa debe establecerse la métrica para evaluar la efectividad del programa con el tiempo?

   A. Pruebas
   B. Inicio
   C. Diseño
   D. Desarrollo

Respuestas en la página 158

Esta página se ha dejado en blanco deliberadamente

Capítulo 3 Clave de respuestas

Preguntas de autoevaluación

1. A. En general, no se aconseja ubicar un sistema de detección de intrusos (IDS) en el segmento hacia Internet del cortafuegos (excepto para evaluar el tráfico que afecta al cortafuegos) debido a que el sistema generará alertas acerca de todo el tráfico malicioso, aunque la mayoría lo detendrá el cortafuegos sin llegar nunca a la red interna.
   B. Debido a que los cortafuegos deben instalarse en servidores asegurados con servicios habilitados mínimos, sería inadecuado instalar un IDS sobre el mismo dispositivo físico.
   C. Un IDS debe colocarse sobre una subred con filtro, que es una zona desmilitarizada.
   D. Si fuera posible ubicarlo en el segmento hacia Internet del cortafuegos (excepto para evaluar el tráfico que afecta al cortafuegos), no se aconsejaría debido a que el sistema generará alertas acerca de todo el tráfico malicioso, aunque la mayoría lo detendría el cortafuegos sin llegar nunca a la red interna.

2. A. El restablecimiento de contraseñas puede o no tener que ver con los niveles de concienciación.
   B. Los incidentes notificados proporcionarán un indicador del nivel de concienciación del personal. Un incremento en incidentes notificados podría indicar que el personal está prestando más atención a la seguridad.
   C. El número de incidentes resueltos puede no tener correlación con la concienciación del personal.
   D. Las violaciones de las reglas de acceso pueden o no tener relación con los niveles de concienciación.

3. **A. La supervisión de la seguridad debe centrarse en la información crítica para el negocio para seguir siendo útil y creíble para los usuarios del negocio.**
   B. El control de riesgos es la posibilidad de que los controles no detecten un incidente o condición de error y, por lo tanto, no es una respuesta correcta, porque la supervisión no ayudaría directamente en la gestión de este riesgo.
   C. Los intrusos en la red no son el único foco de los mecanismos de supervisión.
   D. Si bien, idealmente, deben registrarse todas las violaciones a la seguridad, este no es el único objetivo del monitoreo de seguridad.

4. A. El derecho a rescindir el contrato es, en general, parte del acuerdo de nivel de servicio (SLA) que puede invocarse por el incumplimiento del contratista con los términos del SLA.
   B. El elemento de las limitaciones de responsabilidad también se suele cubrir como parte del SLA.
   C. Los SLA proporcionan métricas por las cuales los contratistas pueden tener responsabilidad y, normalmente, cubrirán también las otras opciones. Ésta es la respuesta más completa.
   D. Las penalidades financieras están cubiertas por el SLA en caso de fallo de rendimiento, según se especifica en el SLA.

5. **A. La gestión de parches es un control preventivo en el sentido que corrige deficiencias descubiertas aplicando un parche al código original del programa que elimina la explotación de la prevención de debilidades.**
   B. La gestión de cambios controla el proceso de introducir cambios a los sistemas que pueden introducir nuevas vulnerabilidades.
   C. Las líneas base de seguridad proporcionan las configuraciones mínimas recomendadas para brindar un nivel mínimo coherente de seguridad en toda la empresa.
   D. La gestión de la configuración garantiza que la configuración incorrecta no ocasione un mayor riesgo y controla las actualizaciones al entorno de producción.

6. A. Las normas de seguridad básicas pueden exigir controles de acceso, pero solas no evitan el acceso no autorizado.
   B. Los registros de violación son de detección y no impiden el acceso no autorizado.
   C. El control de acceso basado en roles ayuda a asegurar que los usuarios solo tengan acceso a los archivos y sistemas apropiados para sus roles de trabajo y es un control preventivo.
   D. Las verificaciones de antecedentes no son un control preventivo aunque pueden ser predictivas, basado en eventos pasados.

7. **A. Si un sistema de detección de intrusos (IDS) no está debidamente configurado, generará un número inaceptable de falsos positivos o dejará de sonar una alarma cuando se esté perpetrando un ataque real.**

B. Los parches están más relacionados con el fortalecimiento del sistema y, por lo general, son una parte de las actividades de mantenimiento.
C. El cifrado no es una consideración significativa cuando se implementa un IDS.
D. El filtrado de paquetes no se utiliza en un IDS.

8. A. El registro del uso de cuentas no hace nada para eliminar el acceso para empleados temporales.
B. Las fechas de vencimiento predeterminadas que automáticamente eliminen el acceso es el medio más efectivo de eliminar el acceso a los sistemas para usuarios temporales.
C. No se puede contar siempre con el hecho de que los directores envíen avisos de finalización, y por sí mismos no garantizan la finalización del acceso.
D. Requerir que cada individuo firme un reconocimiento de seguridad tendría poco efecto en este caso.

9. A. La capacitación adecuada en tecnologías nuevas es uno de los muchos requisitos para un programa de seguridad efectivo, pero no es tan crucial como el apoyo de la gerencia.
B. La comunicación abierta con los propietarios de los procesos es un elemento importante, pero por sí solo no es suficiente para garantizar un programa exitoso.
C. Las políticas, las normas y los procedimientos adecuados son esenciales, pero no serán efectivos sin el respaldo de la dirección para los recursos y ejecución adecuados.
D. Disponer de suficiente apoyo de la gerencia ejecutiva es el factor más importante para el éxito de un programa de seguridad de la información.

10. A. Es demasiado tarde para la etapa de pruebas, ya que el sistema ya se ha desarrollado y se encuentra en pruebas de producción.
B. En la etapa de inicio, se reconoce el objetivo básico de seguridad del proyecto, pero es prematuro para considerar dónde deben colocarse los puntos de verificación de seguridad y el desarrollo de un plan de pruebas.
C. En la etapa de diseño se definen los puntos de verificación de seguridad y se desarrolla un plan de pruebas.
D. El desarrollo se lleva a cabo en la etapa de codificación y aquí es demasiado tarde para considerar los puntos de prueba de seguridad y los planes de pruebas.

Esta página se ha dejado en blanco deliberadamente

Parte A: Desarrollo de un programa de seguridad de la información

Un programa de seguridad de la información engloba todas las actividades y los recursos que proporcionan colectivamente servicios de seguridad de la información a una empresa. El programa es el plan de proyecto para implementar y establecer la gestión en curso de la estrategia de seguridad de la información, tal y como se explica en el Capítulo 1 Gobernanza de seguridad de la información.

Las actividades primarias de los programas incluyen el diseño, el desarrollo y la integración de los controles en toda la empresa relacionados con la seguridad de la información, así como la administración en curso y la gestión de estos controles. Los controles pueden variar desde simples políticas y procesos hasta soluciones tecnológicas de alta complejidad. Dependiendo del tamaño y la naturaleza de la empresa, estas actividades pueden ser ejecutadas por una sola persona o por un director de seguridad de la información (CISO) que gestione un equipo grande con diversas habilidades.

Mientras que el desarrollo del programa de seguridad de la información tiene metas claras y proporciona un plan de acción para grandes empresas, no es tan fácil y fluido para las pequeñas y medianas empresas (PYMES) porque lo que el negocio necesita varía a corto y medio plazo. Por lo tanto, el programa de seguridad requiere más flexibilidad respecto a las necesidades de negocio de las PYMES.

En algunos casos, puede solicitársele al gerente de seguridad de la información iniciar un programa de seguridad de la información desde sus inicios o que reinicie un programa tras una fusión corporativa u otros cambios significativos. Con frecuencia, el gerente de seguridad de la información modifica y mejora un programa existente. En cualquiera de los casos, es importante que el gerente de seguridad de la información comprenda perfectamente los diversos aspectos y requerimientos del diseño, implementación y gestión efectivos del programa.

3.1 Resumen del programa de seguridad de la información

Una gestión del programa de seguridad exitosa no es muy diferente de la gestión de cualquier actividad organizacional. La principal diferencia es que, a pesar de la gran visibilidad, la seguridad de la información sigue siendo una disciplina un tanto mal definida y frecuentemente mal entendida.

A menudo, los gerentes de seguridad de la información cuentan con una formación técnica. Muchos no cursaron una carrera en gestión; más bien eran tecnólogos que, con mayor frecuencia, se encontraban desempeñando funciones y responsabilidades gerenciales. En muchos casos, el paso de la seguridad de la información hacia un papel más amplio de gestión ha sido impulsado por un mayor deseo de la empresa de entender por qué se requieren controles específicos de seguridad y cómo se beneficiará la empresa específicamente de ellos. En resumen, la alta gerencia quiere entender el riesgo específico que enfrenta el programa de seguridad de la información, y por qué los controles exigidos son una buena inversión y, de hecho, benefician a la empresa. Como resultado, varios profesionales de seguridad de la información tuvieron que expandir su visión más allá de la tecnología y desarrollar una mayor comprensión sobre las actividades empresariales que intentan proteger.

Estas tendencias duales de aumento de los organismos de seguridad y una mayor presión de la empresa para asegurar que está alineada con el programa de seguridad y los objetivos de negocio se combinaron para ampliar el conjunto de conocimientos que el cuerpo de directores de seguridad debe dominar. Se debe sumar ahora un amplio rango de conocimientos y comprensión empresarial a la base del conocimiento de seguridad de la información que todos los profesionales de seguridad deben poseer.

Esto presenta una oportunidad para el gerente de seguridad de la información de establecer un puente efectivo entre las necesidades de negocio organizativas y las necesidades de la tecnología de la información y los equipos de seguridad. Implementar y ejecutar un programa que gestiona el riesgo de la información de forma rentable (a la vez que se permiten iniciativas de negocio mientras se protegen los intereses organizativos) contribuye a la concienciación y la mejora de la empresa.

3.1.1 Tendencias de la gestión de seguridad de la información

En un número creciente de empresas, el gerente de seguridad de la información es un miembro de nivel ejecutivo, que desempeña cargos como vicepresidente de seguridad, director de seguridad de la información (CISO) o director de seguridad (CSO), como se detalla en 1.4.1 Roles y responsabilidades. Además, varias áreas de seguridad podrían tener una línea de reporte a una organización de seguridad de nivel corporativo independiente. Estas funciones incluyen la seguridad física y la seguridad de la información, la seguridad de TI, el cumplimiento, la privacidad, los planes de continuidad del negocio/recuperación ante desastres y la arquitectura de seguridad.

En algunas empresas multinacionales grandes, muchas de esas áreas, o incluso todas ellas, se encuentran incluidas actualmente dentro de la función de un gerente o director de riesgo corporativo (CRO). Independientemente de la estructura de presentación de informes del CISO o del gerente de seguridad de la información, el requisito crítico es garantizar que el consejo de directores o el consejo de toma de decisiones de la empresa obtenga actualizaciones periódicas de la organización de seguridad. Sin dichas actualizaciones, los líderes de negocio de la empresa no tienen suficiente visibilidad de la postura de seguridad de la información.

Son claros los beneficios de esta tendencia. Todas estas áreas cubren la necesidad básica de garantizar la seguridad y la conservación de la empresa, y son interdependientes. Es probable que juntar dichas actividades de aseguramiento dentro de una sola área corporativa gane aceptación a medida que sea cada vez más evidente que un enfoque desintegrado y aislado con respecto a la seguridad que es ineficiente, costosa e ineficaz.

Asimismo, muchas empresas han reconocido el valor de incluir el riesgo de TI junto con otros riesgos empresariales que deben ser evaluados, tratados y monitorizados. A medida que se integran varios resultados de la respuesta al riesgo de toda la empresa y se combinan con los resultados de otras categorías de gestión del riesgo, los altos líderes pueden obtener una conciencia integral del riesgo.

Sin embargo, en otras compañías, la seguridad de la información sigue siendo una iniciativa de TI fragmentada de bajo nivel. En muchos sectores, tales como el sector de fabricación, la industria alimenticia y la minorista, la seguridad de la información se ve principalmente como una actividad técnica que, en gran parte, aborda problemas de cumplimiento en comparación con una actividad de negocio fundamental y estratégica.

Independientemente de las tendencias y las consideraciones óptimas para la seguridad, la realidad que prevalece en la mayoría de las empresas es algo menos que óptimo; sin embargo, la seguridad debe seguir gestionándose de manera constante.

Las funciones de TI, incluidos los elementos de seguridad, son realizadas cada vez con más frecuencia por socios o proveedores externos. Cuando las funciones críticas como el desarrollo de software, las operaciones de TI y la monitorización de la seguridad son proporcionadas por terceros, el gerente de seguridad de la información también debe considerar el riesgo adicional de la cadena de suministro inherente a esas circunstancias.

Además de los conceptos básicos de la seguridad y las tecnologías, los gerentes de seguridad de la información tendrán cada vez más la necesidad de adquirir experiencia en el ámbito de las funciones de gestión, tales como elaboración de presupuestos, planificación, desarrollo de casos de negocio, reclutamiento y otras funciones relacionadas con el personal.

3.1.2 Elementos esenciales de un programa de seguridad de la información

Tres elementos son esenciales para asegurar el éxito del diseño, la implementación y la gestión continua del programa de seguridad:

1. El programa debe demostrar la ejecución de una estrategia de seguridad de la información bien desarrollada, que esté estrechamente alineada y apoye a los objetivos organizativos.
2. El programa debe ser bien diseñado con la cooperación y el respaldo de la gerencia y de las partes interesadas.
3. Se deben desarrollar métricas eficaces para las fases de implementación y diseño del programa, así como para las fases subsiguientes continuas de la gestión del programa de seguridad; esto apunta a proporcionar la retroalimentación necesaria para guiar la ejecución del programa hacia el logro de resultados definidos.

Muchos marcos recomiendan una evaluación de riesgos como el punto de partida para desarrollar una estrategia de seguridad de la información. Aun cuando esto puede resultar adecuado en algunos casos, no es óptimo ya que no considera el equilibrio de los resultados importantes para la seguridad de la información que incluyen, entre otros, la alineación estratégica, la gestión de recursos, la entrega de valor, la integración del proceso de aseguramiento y la medición del desempeño. Consulte los capítulos 1 y 2 para más información.

Un enfoque integral para el desarrollo de la estrategia de seguridad, como se presenta en el Capítulo 1 Gobernanza de seguridad de la información, va más allá de simplemente abordar el riesgo, sino definir los objetivos globales para la seguridad de la información. Estos objetivos deben estar explícitamente vinculados con los objetivos de la organización. Dicho enfoque también describe metodologías para definir el estado deseado de la seguridad y establece la base para desarrollar una estrategia integral y efectiva para alcanzar tales objetivos. Más allá de centrarse únicamente en gestionar los riesgos, este enfoque considera cómo la seguridad de la información debe estar vinculada a los objetivos estratégicos de la empresa y apoyarlos de forma activa, garantizando su preservación y optimizando tanto los recursos como las actividades de la seguridad.

Muchas empresas aún no están listas para hacer frente a los costos y los esfuerzos que se requieren para implementar el gobierno de seguridad de la información. En estos casos, el gerente de seguridad de la información podría necesitar adaptar el desarrollo objetivo. El uso de un marco integrado (como COBIT o ISO/IEC 27001:2022) en conjunto con la integración del modelo de madurez de capacidad (CMMI®) o un modelo de evaluación de procesos (PAM), permitirá que el gerente de seguridad de la información evalúe el estado actual del programa de seguridad de la información, defina objetivos específicos y determine una estrategia para alcanzarlos.

El gerente de seguridad de la información debe definir objetivos definidos para el programa de seguridad de la información, contribuyendo al consenso de la gerencia y las partes interesadas. Sin objetivos definidos para la seguridad de la información, será imposible elaborar métricas efectivas para la gestión de seguridad de la información, debido a que no estarán alineados. Sin un vínculo con los objetivos de las partes interesadas, se vuelve difícil demostrar el progreso hacia las metas de la organización, lo que obstaculiza el progreso y da como resultado resultados ad hoc y aleatorios.

Independientemente de la manera en que se tracen los objetivos y la estrategia de seguridad de la información, las metas de un programa de seguridad de la información son implementar la estrategia y alcanzar los objetivos definidos. Una vez desarrollado, el programa sobre seguridad de la información debería representar claramente los elementos de la estrategia.

El desarrollo del programa de seguridad de la información hace necesario la ejecución de varias actividades, proyectos e iniciativas que involucren personas, procesos y tecnologías en un largo período de tiempo. El gerente de seguridad de la información debe recordar que los objetivos y los beneficios esperados del programa de seguridad de la información son los más útiles si se definen en términos de negocios con el fin de ayudar a las partes interesadas no técnicas a comprender y a apoyar las metas del programa. Es muy probable que esto promueva la retroalimentación, y participación de los propietarios del negocio hará más probable la alineación del programa de seguridad con los objetivos globales de la organización. El gerente de seguridad de la información también debería considerar que los programas e iniciativas que no tienen beneficios específicos identificables organizacionales o de negocios deben ser minuciosamente examinados para determinar si están justificados o si los recursos pueden producir mayores beneficios en otra parte.

3.1.3 Importancia del programa de seguridad de la información

La gestión del programa de seguridad de la información es un requerimiento continuo y constante que sirve para proteger los activos de información, cumplir con las obligaciones regulatorias, llevar a cabo respuestas apropiadas a los incidentes y minimizar posibles exposiciones legales y de responsabilidad civil.

Lograr los niveles aceptables de seguridad de la información a un costo razonable requiere una buena planificación, una estrategia efectiva y una administración capaz. Si se diseña, implementa y gestiona adecuadamente, el programa de seguridad de la información proporciona un soporte crucial a muchas áreas de negocio que simplemente no serían factibles si no se cuenta con dicha gestión.

Para ser de alguna utilidad, una estrategia debe implementarse y ponerse en funcionamiento mediante procesos que alcancen los objetivos estratégicos. El programa de seguridad es el proceso mediante el cual se diseñan, ingenian, construyen, utilizan, modifican, gestionan, mantienen y monitorizan los sistemas de seguridad de la empresa hasta que se retiran de servicio. Este aspecto crítico de las responsabilidades del gerente de seguridad de la información abarca un área extensa y requiere una gran experiencia tanto de habilidades técnicas como de gestión.

Un programa de seguridad bien ejecutado es aquel que está diseñado, implementado, gestionado y monitorizado de forma efectiva, transformando la estrategia en realidad. Mientras se proporcionan las capacidades para cumplir con los objetivos de seguridad, el programa también se adapta a los cambios inevitables en los requisitos de seguridad y el panorama de riesgos. El programa aprovecha la especialización, las herramientas y las técnicas de seguridad disponibles en la infraestructura y obtiene colaboraciones (como proveedores externos y proveedores de servicio) para contribuir a los requisitos actuales. El programa de seguridad bien diseñado aumenta la posibilidad de integrar adecuadamente los esfuerzos, lo que disminuye el coste de mantenimiento y administración al tiempo que proporciona un nivel de seguridad uniforme en toda la empresa.

Debe quedar claro que un programa de seguridad efectivo requiere una gran cantidad de planificación junto con experiencia y recursos. Una planificación eficaz puede beneficiarse en gran medida de la aplicación de una arquitectura de seguridad empresarial en los niveles conceptual, lógico, funcional y físico. Existen modelos y marcos bien definidos que pueden contribuir a este proceso, tal como se detalla en 3.6 Definición de un plan de acción para el programa de seguridad de la información.

3.1.4 Aplicación del caso de negocio del programa de seguridad

El desarrollo de las principales iniciativas y proyectos de programas de seguridad de la información se basan en el caso de negocio descrito en el Capítulo 1 Gobernanza de seguridad de la información. El caso de negocio debe proporcionar una declaración clara de la propuesta de valor (o costo-beneficio) basada en las necesidades identificadas de la empresa.

La necesidad desde una perspectiva de seguridad de la información es identificar el riesgo que se debe abordar y considerar tanto los posibles impactos potenciales si no se lleva a cabo el proyecto como la reducción del riesgo y los impactos resultantes si el proyecto se lleva a cabo. Para que sea efectivo, el caso de negocio debe hacer evidente que existe un potencial retorno significativo sobre la inversión propuesta, que el proyecto es factible y práctico, y que el impacto sobre la productividad es aceptable.

Como se muestra en el Capítulo 1 Gobernanza de seguridad de la información, la elaboración del presupuesto es una parte esencial de la gestión del programa de seguridad de la información y puede tener un impacto significativo en el éxito del programa. La efectiva preparación y defensa de un presupuesto pueden marcar la diferencia entre tener o no tener suficiente personal y otros recursos para llevar a cabo los objetivos del programa de seguridad de la información.

Al igual que ocurre en otras actividades comerciales, la propia formación y la preparación anticipada son factores clave para navegar con éxito por este proceso que tantos retos presenta. Mucho antes de empezar el ciclo del presupuesto, el gerente de seguridad de la información debe familiarizarse con los procesos presupuestarios y con los métodos utilizados en la empresa, incluida la cronología de las diferentes fases del ciclo de presupuesto de la empresa.

La estrategia de seguridad de la información es otra consideración clave antes de comenzar el proceso del presupuesto. Todos los gastos del presupuesto para la seguridad de la información deben proceder y estar respaldados por la estrategia de seguridad de la información. Idealmente, los elementos detallados de la estrategia de seguridad se ponen en un plan de acción de la seguridad, como se describe anteriormente en esta sección. La estrategia y el plan de acción de seguridad se comunican mediante una evaluación de la postura del riesgo de la empresa en el contexto de los objetivos de negocio. La cuantificación del riesgo contribuye al equilibrio efectivo entre los beneficios de la TI, la optimización de recursos y la gestión del riesgo.

Obtener el consenso sobre los objetivos de la estrategia y que la estrategia sea comunicada y aprobada antes de ingresar en el proceso de los presupuestos es clave para la creación de una propuesta de presupuesto exitosa.

Muchos de los costos relacionados con un programa de seguridad de la información son directos. Los gastos tales como los del personal (salarios, formación, etc.), hardware y software básicos y los servicios de suscripción pertenecen a esta categoría. Además de los costos típicos de puesta en funcionamiento del programa y los costos operativos anuales, los proyectos a corto y largo plazo representan varios objetivos en la hoja de ruta de seguridad. Estos proyectos consumen recursos a medida que transcurren los meses (o años) y deben tenerse en cuenta de la forma más precisa posible durante la elaboración del presupuesto. El gerente de seguridad de la información debe colaborar con la oficina de gestión de proyectos de la empresa (PMO) y los expertos en la materia aplicables para ayudar a estimar los costos de los proyectos que deban comenzarse dentro del año fiscal. Los elementos de cada proyecto que deben considerarse incluyen:

- Tiempo de los empleados
- Tarifas del contratista y del consultor
- Costes del equipamiento (hardware, software)
- Requerimientos de espacio (espacio para el bastidor del centro de datos, etc.)
- Recursos para pruebas (personal, tiempo del sistema, etc.)
- Costes de formación (personal, usuarios, etc.)
- Viaje
- Elaboración de la documentación de soporte
- Mantenimiento en curso
- Contingencias por costes inesperados
- Coste de licencia/suscripción

- Ciberseguro

Aunque sea imposible ser completamente preciso, incluir a los SME apropiados y gerentes de proyectos expertos puede ser invaluable para conseguir una estimación bastante precisa.

Algunos aspectos del programa de seguridad de la información no son totalmente predecibles y pueden implicar costos imprevistos, especialmente en el ámbito de respuesta a incidentes. Estos costos se deben frecuentemente a la necesidad de recursos externos necesarios en un evento de seguridad que excede los conocimiento o capacidad del personal de la empresa. Una forma de enfocar el presupuesto para estas situaciones es empleando datos históricos sobre incidentes y costes de reparación de eventos de seguridad anteriores que requirieron recursos externos que no estaban presupuestados.

Aunque la organización haya comenzado recientemente su programa de seguridad, los eventos anteriores pueden haber necesitado recursos externos. Si el programa planeado no anticipa la posesión de estas técnicas o de personal experimentado, es muy probable que vuelvan a necesitarse recursos externos en el futuro. Por ejemplo, si durante los últimos tres años la empresa ha solicitado los servicios de consultores forenses externos para eventos de seguridad porque su propia plantilla carecía de los conocimientos necesarios, el gerente de seguridad deberá considerar agregar una partida presupuestaria para dar cuenta de esta situación. Inicialmente, los costos pueden estimarse según la media de los costos de los años anteriores. Si esta información no está disponible, las estadísticas de la industria de empresas similares pueden servir de ayuda como indicador del riesgo y de los costos correctivos.

3.1.5 Resultados de la gestión del programa de seguridad de la información

Una gestión eficaz del programa de seguridad de la información debe alcanzar los objetivos que se hayan definido en la estrategia de seguridad, como se planteó en el capítulo 1 Gobernanza de seguridad de la información. Tal como sucede con otras actividades de gestión, las metas deben definirse en términos específicos, objetivos y cuantificables. Así, se deben establecer métricas apropiadas para determinar si las metas se han alcanzado y, en caso contrario, cuánto faltó para alcanzarlas y cómo se podría mejorar el desempeño.

Tanto si se ha implementado o no el gobierno formal de la seguridad de la información, los objetivos de un programa de seguridad de la información eficaz deben basarse en el logro aceptable de los siguientes seis resultados:

- Alineación estratégica
- Gestión de riesgos
- Entrega de valor
- Gestión de recursos
- Medición del rendimiento
- Integración del proceso de aseguramiento

El desarrollo de una estrategia y la definición del programa de seguridad de la información son ante todo ejercicios conceptuales y lógicos. Para desarrollar el programa de seguridad es necesario transformar los conceptos y las relaciones lógicas en tecnologías y procesos. Desde el punto de vista de la arquitectura, esa transformación requerirá desarrollar los componentes físicos, funcionales y operativos que sean necesarios para alcanzar los objetivos que se hayan definido.

Para grandes iniciativas se debe desarrollar toda una arquitectura de seguridad completa para garantizar el logro de las metas y los resultados deseados. Si la arquitectura empresarial ya existe, entonces debe incorporarse una arquitectura de seguridad. Al igual que con cualquier estructura compleja con numerosas piezas móviles, la arquitectura podría servir para definir las relaciones lógicas, físicas y operativas entre componentes y procesos. También podría aclarar algunos aspectos y dar seguimiento desde el concepto, pasando por la implementación, hasta llegar al funcionamiento.

Alineación estratégica

Para que la seguridad de la información sea efectiva de manera continua con los objetivos de la misión o del negocio es preciso establecer una interacción frecuente con los dueños de negocio y entender sus planes y objetivos. Esta sinergia suele depender de las contribuciones de las principales unidades operativas dentro de la empresa y de la creación de consenso. En el campo del gerente de seguridad de la información, alcanzar este consenso requiere la comprensión de:

- Riesgos de información de la organización
- Selección de normas y objetivos de control apropiados
- Llegar a un acuerdo respecto al riesgo aceptable y la tolerancia al riesgo
- Definiciones de limitaciones financieras, operacionales y de otra índole

La alineación estratégica se puede lograr a través de un comité directivo de seguridad, si los dueños de negocio o sus delegados son miembros y participantes activos. El programa de seguridad puede respaldar la alineación de los objetivos de negocio y la seguridad de la información mediante la implementación de procesos que garantizan que los objetivos de negocio definidos proporciones un aporte continuo para dirigir las actividades relacionadas con la seguridad.

Tanto los problemas nuevos como antiguos que requieren de atención deben monitorearse y comunicarse de forma periódica. Los puntos de acción relacionados con investigaciones de algún problema, la resolución y la disposición deben monitorearse e informarse como métricas del desempeño de la seguridad organizacional. Se deberá presentar un informe periódico sobre la estrategia de seguridad de la información a la dirección ejecutiva a fin de proporcionar una visión de los éxitos y obstáculos alrededor de la alineación estratégica. La información puede abarcar desde el avance en los proyectos de interés hasta nuevos riesgos o capacidades que pudieran afectar a una línea de negocio en particular.

Las interacciones operativas cotidianas ofrecen potentes oportunidades de crear una buena cooperación en toda la empresa y de aclarar las líneas de responsabilidad. Además de facilitar la aplicación de acciones oportunas a los problemas con la seguridad de la información, las relaciones activas promovidas por el gerente de seguridad de la información también aumentan la conciencia y un sentido de responsabilidad en torno a la seguridad de la información.

Si la empresa tiene una unidad de planificación estratégica de negocio, la participación activa en estas actividades también puede ayudar a comprender las direcciones futuras del negocio y garantizar que se incluyan cuestiones de seguridad en el proceso de planificación. Ello puede brindar oportunidades para orientar las actividades de la seguridad para que respalden los objetivos de negocio e identifiquen posibles riesgos.

Los esfuerzos para adecuar la seguridad de la información a los objetivos del negocio deben incluir la consideración de las soluciones de seguridad que se ajustan a las iniciativas actuales y planificadas del negocio. En ese ajuste también deben considerarse los procesos de la empresa, así como los costos, la cultura, el gobierno, las tecnologías existentes y la estructura de la empresa.

Gestión de riesgos

La gestión de riesgos en los activos de información es una responsabilidad primaria del gerente de seguridad de la información y proporciona las bases y la razón para casi todas las actividades relacionadas con la seguridad de la información. El análisis de riesgo debe basarse en los requerimientos del negocio y en la comprensión de los procesos, la cultura y la tecnología de la empresa. Una gestión efectiva del riesgo supone una comprensión total por parte del gerente de seguridad de la información de las amenazas que enfrenta la empresa, sus vulnerabilidades, su perfil de riesgos y el nivel de riesgo que la gerencia determina que es aceptable. El impacto potencial de las amenazas que se pueden materializar debe evaluarse y utilizarse para establecer prioridades sobre el tratamiento. Los riesgos deben gestionarse para llevarlos a un nivel que se considere aceptable para la empresa. Sin embargo, el panorama de riesgo siempre está cambiando e inevitablemente surgirán otros nuevos durante el desarrollo y la administración del programa. Es importante que se mantenga un proceso continuo de gestión de riesgos durante el desarrollo, la implementación y la evolución del programa.

Consulte el Capítulo 2 Gestión de riesgos de la seguridad de la información para obtener más información.

Entrega de valor

La entrega de valor como objetivo requiere que la seguridad de la información entregue el nivel requerido de seguridad de manera eficaz y coherente. La ejecución del programa de seguridad puede influir de manera considerable en el logro de esta meta. Será necesario contar con una buena planificación y habilidades de gestión de proyectos para implementar la estrategia con eficacia.

Las inversiones que se hagan en materia de seguridad se deben gestionar para optimizar el apoyo a los objetivos de negocio y entregar un valor claro a la empresa. El gerente de seguridad de la información debe concentrar sus esfuerzos en lograr la creación de un conjunto estándar de prácticas de seguridad y el establecimiento de límites mínimos de seguridad proporcionales con el riesgo. Se deben priorizar los esfuerzos de protección para asignar los recursos limitados a las áreas de mayor necesidad y beneficio.

Una entrega continua de valor requiere que se institucionalicen las soluciones de seguridad como prácticas normales y esperadas basadas en estándares. Las soluciones deben tratar los temas lógicos, técnicos, operativos y físicos de forma exhaustiva según un entendimiento de los procesos operativos integrales de la empresa. La gerencia de la seguridad no puede permanecer estática; debe encarnar una cultura de mejoras continuas.

Gestión de recursos

Para el desarrollo y la gestión de un programa de seguridad se requieren personas, tecnología y procesos. El gerente de seguridad de la información debe esforzarse por aplicar los recursos humanos, financieros, técnicos y de conocimiento con eficacia y efectividad. Un aspecto importante de la gestión de recursos es garantizar que se capte el conocimiento y se tenga disponible para aquellos que lo necesiten.

Los procesos y prácticas de seguridad deben estar documentados y ser congruentes con los estándares y las políticas. La planificación de proyectos, la selección de la tecnología y la adquisición o desarrollo de habilidades inciden significativamente en la efectividad de la gestión de recursos. Estas consideraciones incluyen la adquisición y el mantenimiento de recursos externos. Se deben desarrollar arquitecturas de seguridad para definir y utilizar las infraestructuras que permitan alcanzar los objetivos de seguridad de manera eficiente. Tales iniciativas ayudan a promover el reconocimiento de las necesidades de recursos y las deficiencias y sientan las bases para una adecuada gestión de los recursos.

Medición del rendimiento

Si se ha desarrollado una estrategia de seguridad de la información, ésta debería identificar un conjunto de requerimientos importantes de monitoreo y métricas. Es probable que durante la evolución y la gestión de un programa de seguridad se vuelvan evidentes oportunidades adicionales para desarrollar métricas o puntos de monitoreo útil. Podría haber oportunidades de que aparezcan grupos de métricas que ofrezcan un panorama más integral para aplicar la gestión de la seguridad. Este tema se trata más detalladamente en 3.7 Métricas del programa de seguridad de la información.

El desarrollo e implementación del programa de seguridad requerirá, por si mismo, de medios para medir el progreso y monitorear las actividades. Un programa eficaz de seguridad de la información resulta en procesos diseñados para alcanzar los objetivos de gobierno y proporcionar elementos mensurables que demuestran si los objetivos han sido cumplidos. Los procesos de seguridad deberían ser diseñados con puntos de control medibles que permitan a los auditores independientes certificar que el programa está en marcha y es eficazmente gestionado.

El gerente de seguridad de la información debe desarrollar métodos de monitoreo y métricas asociadas para presentar la información de manera continua sobre la eficacia de los procesos y controles de la seguridad de la información. Un buen diseño y una implementación de métricas requieren una comprensión de la información necesaria para varias comunidades de usuarios a fin de llevar a cabo una gestión efectiva. Las métricas se deben desarrollar a múltiples niveles, incluyendo el nivel estratégico, táctico y operativo. Las métricas utilizadas deben estar definidas, ser acordadas por la gerencia y estar alineadas con los objetivos estratégicos. Se debe garantizar que las métricas proporcionen información útil que sea relevante para gestionar las actividades de seguridad a fin de alcanzar los objetivos definidos. Estos procesos de medición ayudarán a identificar deficiencias o fallos en las actividades de seguridad y proporcionarán retroalimentación sobre los avances realizados para resolver los problemas.

Integración del proceso de aseguramiento

Es importante que el gerente de seguridad de la información sea consciente y entienda todas las funciones de aseguramiento organizacionales porque invariablemente son importantes para la seguridad de la información. El gerente de seguridad de la información debe establecer relaciones formales con otros proveedores de aseguramiento y esforzarse por integrar actividades relevantes en las actividades de seguridad de la información. En una organización habitual, estos proveedores pueden ser de seguridad física, gestión de riesgos, oficina para asuntos de privacidad, aseguramiento de la calidad, auditoría, gestión de cambios, seguros, recursos humanos (RR. HH.), continuidad del negocio y recuperación ante desastres. Otros grupos también pueden desempeñar un rol.

Tal como dictan los objetivos de gobierno que se trataron en el Capítulo 1 Gobernanza de seguridad de la información, el gerente de seguridad de la información debe buscar incrementar la seguridad de la información y la previsibilidad de las operaciones de negocio mediante medidas de mitigación que reduzcan el riesgo relacionado con la información a niveles aceptables definidos y acordados. El gerente de seguridad de la información puede usar los resultados de las evaluaciones del impacto en el negocio y la privacidad para identificar los activos de la empresa más críticos para los objetivos estratégicos y proporcionar indicadores de rendimiento clave (KPI) que demuestren una protección adecuada y eficaz.

En otros casos, se podría determinar el riesgo aceptable en términos de confiabilidad, integridad, niveles de desempeño, confidencialidad, tiempos de inactividad aceptables e impactos financieros.

3.2 Recursos del programa de seguridad de la información

Para contribuir a una alineación continua y una gestión coherente del programa de seguridad de la información, el gerente de seguridad de la información suele tener acceso a determinados recursos de la organización. La aplicación de estos recursos contribuye a los principios del marco de referencia de gobierno (como los que se describen en COBIT), ayudando a garantizar que el programa:

- Se base en un modelo conceptual con componentes y relaciones clave identificados.
- Aplique un enfoque abierto y flexible que pueda ajustarse según las prioridades y los ajustes de las partes interesadas clave a la vez que conserve su integridad y su coherencia.
- Apoye una armonización continua con las normas, los marcos de referencia y las regulaciones relevantes.

Utilizar recursos del programa también ayuda a la alineación con los elementos de arquitectura descritos previamente, contribuyendo a un enfoque organizativo y de comunicación coherente para gestionar y presentar informes sobre el riesgo de TI.

3.2.1 Objetivos del programa de seguridad de la información

El objetivo del programa de seguridad de la información es implementar la estrategia de la manera más rentable posible, maximizando al mismo tiempo el apoyo de las funciones de negocio y minimizando las interrupciones operativas. Los Capítulos 1 y 2 explican cómo se define e incorpora a una estrategia global de seguridad los objetivos de gestión de riesgos y de gobierno de un programa de seguridad. El éxito de estos pasos iniciales determinará el grado de claridad en la comprensión de los objetivos para el desarrollo del programa sobre seguridad de la información.

Para una estrategia de seguridad bien desarrollada, la tarea primordial será convertir una estrategia de alto nivel en una realidad lógica y física a través de una serie de proyectos e iniciativas. Incluso con una estrategia de seguridad bien desarrollada, los elementos deberán modificarse o reconsiderarse durante el diseño, el desarrollo y la administración continua del programa. Los ajustes pueden ser necesarios por una variedad de razones, tales como los cambios en los requerimientos del negocio, la infraestructura subyacente, la topología, las tecnologías o el nivel de riesgo. Otra posibilidad es que mejores soluciones aparezcan durante la evolución del programa o posteriormente. La resistencia no prevista de aquellos afectados por el programa de seguridad nuevo o modificado puede ocasionar cambios significativos en el diseño, la implementación o la operación.

Ya sea que la estrategia se haya desarrollado con mucho detalle o solo al nivel conceptual, se requiere una buena planificación y diseño para lograr cumplir los planes de trabajo del proyecto. Es probable que los enfoques de ciclo de vida de desarrollo de sistemas (SDLC) estándar sean de utilidad, incluyendo las fases de diseño, factibilidad y requerimientos. La colaboración durante el desarrollo de planes es importante para ganar el consenso y la colaboración de varias partes interesadas y para minimizar la implementación posterior y los problemas operativos.

Definición de objetivos

Un gerente de seguridad de la información rara vez se enfrenta a una situación en la cual no exista actividad alguna de seguridad de la información en una empresa. Por lo tanto, solo raras veces deberá crearse el programa de seguridad de la información desde el inicio.

Más a menudo, el desarrollo del programa de seguridad de la información será un proceso de comparación del programa existente con lo que se requiere para alcanzar el estado deseado de seguridad de la información de la empresa. Esto se logra realizando un análisis de deficiencias o brechas. Como se señaló en el Capítulo 1 Gobernanza de seguridad de la información, la organización de TI debería haber identificado esto en un alto nivel, pero puede ser necesario definir mejor estos objetivos a un nivel más concreto y práctico. Para ello podría requerirse un esfuerzo significativo; sin embargo, se trata de un componente crítico para desarrollar el programa de seguridad.

Es esencial determinar las fuerzas que impulsan a la necesidad del negocio para el programa de seguridad de la información. Las fuerzas principales que impulsan a un programa de seguridad de la información incluyen:

- Los crecientes requerimientos de cumplimiento con la normativa
- Incidentes de seguridad con mayor frecuencia y relacionados con los costos
- Preocupaciones respecto de daños a la reputación
- La adopción de las buenas prácticas y normas del sector
- Procesos u objetivos de negocio que pueden aumentar el riesgo organizacional

La determinación de dichas fuerzas ayudará a clarificar los objetivos del programa y proporcionarán la base para el desarrollo de las métricas relevantes.

Una vez que se han definido con claridad los objetivos del programa, el propósito de las actividades del programa de seguridad es desarrollar los procesos y proyectos que elimina las deficiencias entre el estado actual y el estado deseado. Por lo general, mucho del trabajo esencial consistirá en identificar los controles necesarios, implementarlos, desarrollar métricas acordes para después monitorear los puntos de control en apoyo a los objetivos de control.

Un ejemplo de implementación de este proceso viene dado en el marco de referencia del Instituto Nacional de Normas y Tecnología (NIST) para mejorar la ciberseguridad crítica de las infraestructuras, comúnmente conocido como marco de referencia de ciberseguridad NIST. Este programa, desarrollado mediante una serie de talleres de comunidad colaborativos, contribuye a una comparación del estado actual del programa con un objetivo definido (o deseado) que alcance niveles aceptables de riesgo. Comparar estos dos resultados del estado en una evaluación de deficiencias que pueda informar sobre los objetivos del programa de seguridad. Los usuarios pueden recibir mayor asistencia mediante la orientación de implementación de ISACA, que combina la aplicación del marco de referencia de ciberseguridad NIST con los objetivos de gobierno y gestión de COBIT.

Ya sea que se cuente con un programa de seguridad de la información o no, existen algunos componentes básicos que es necesario colocar para soportar la actividad de control y garantizar que es eficaz. El primer paso siempre es determinar los objetivos de gestión de la seguridad de la información, desarrollar los Indicadores clave de metas (KGI) que reflejen tales objetivos y después desarrollar formas para medir si el programa está en la dirección correcta para alcanzar los objetivos.

3.2.2 Conceptos del programa de seguridad de la información

A medida que se crea un programa de seguridad de la información, los desarrolladores deben tener en mente el propósito fundamental de dicho programa, (es decir, implementar la estrategia de seguridad y alcanzar los resultados definidos, tal como se detalla en el Capítulo 1 Gobernanza de seguridad de la información).

En caso que no se haya implementado el gobierno de seguridad y/o no se haya desarrollado una estrategia, aún será necesario definir los objetivos generales de las actividades de seguridad. Entre los objetivos ya elaborados y establecidos se encuentran el cumplimiento de un conjunto particular de estándares o alcanzar un nivel de madurez definido según el modelo CMMI.

Un esfuerzo de implementación de un programa de seguridad también incluirá varios objetivos de control específicos, tal como se encuentran definidos en la familia de estándares COBIT o ISO 27000. Es probable que cualquier programa consista en diseñar, desarrollar e implementar controles, ya sean técnicos, de procedimientos o físicos. A la par que se desarrollan estos controles, se deben considerar también el monitoreo y las métricas. Los procesos para medir la eficacia del control y determinar la falla de control serán esenciales. En 3.7 Métricas del programa de seguridad de la información se describen en detalle algunos enfoques de desarrollo de métricas.

La implementación suele constar de una serie de proyectos e iniciativas. Por lo general implicará también habilidades de administración de proyectos, entre otras, la utilización de recursos, elaboración de presupuesto, programación y habilidades de gestión (p. ej., líneas del tiempo de las reuniones e hitos), garantía de seguridad y pruebas de aceptación de usuarios (UAT).

Muchos proyectos involucran elementos técnicos inusuales o complejos, además podrían requerir de esfuerzos relacionados con especificaciones detalladas, diseño e ingeniería. Puesto que con frecuencia se requieren habilidades ajenas a las capacidades de los gerentes de seguridad de la información, resulta prudente considerar los servicios de consultores o contratistas con experiencia en la materia.

Conceptos del proceso y de la gestión

Para implementar y gestionar un programa de seguridad, es necesario que el gerente de seguridad de la información entienda y tenga un conocimiento práctico de varios conceptos de administración y procesos, entre los que se encuentran los siguientes:

- Arquitecturas
- Presupuestos, costos y asuntos financieros
- Desarrollo de caso de negocio
- Reingeniería de procesos de negocio
- Comunicaciones
- Supervisión e imposición del cumplimiento
- Planificación de contingencia
- Diseño y desarrollo de controles
- Implementación y prueba de controles
- Monitoreo y métricas de controles
- Objetivos de control
- Pensamiento crítico
- Estrategias de utilización e integración
- Documentación
- Asuntos de personal
- Solución de problemas

- Gestión de proyectos
- Aseguramiento de la calidad
- Desarrollo de los requisitos
- Gestión de riesgos
- Ciclos de vida del desarrollo de software
- Elaboración de especificaciones
- Gestión de la cadena de suministro
- Información de la amenaza
- Evaluaciones y enfoques de las necesidades de capacitación
- Solución de diferencias e incumplimientos

Recursos tecnológicos

Un programa de seguridad de la información incorpora diversas tecnologías además de procesos, políticas y personas. El gerente de seguridad de la información debe estar calificado para tomar decisiones con respecto a la tecnología, incluyendo la viabilidad y la aplicabilidad de las soluciones que se encuentran disponibles en términos de las metas y los objetivos del programa. Es fundamental que el gerente de seguridad de la información sepa cuando una determinada tecnología se adapta al marco básico de prevención, detección, contención, reacción y recuperación, y cómo ayudará a implementar los elementos estratégicos.

Algunas de las tecnologías directamente relacionadas con la seguridad de la información con las que el gerente de seguridad de la información debe estar familiarizado incluyen:

- Sistemas de antivirus/antimalware
- Metodologías de seguridad de aplicaciones (como desarrollo de software seguro y pruebas de aplicación)
- Mecanismos de autenticación y autorización (contraseñas de un solo uso [OTP], desafío-respuesta, certificados de infraestructura de clave pública [PKI], autenticación multifactor, biometría)
- Métodos de respaldo y archivado tales como los arreglos redundantes de discos de bajo costo (RAID)
- Aprovisionamiento de recursos basados en la nube y técnicas de gestión
- Técnicas criptográficas (por ejemplo, PKI, Estándar de Encriptación de Datos [AES]), seguridad de la capa de transporte/capa de conectores segura [TLS/SSL])
- Metodologías y técnicas de intercambio de información sobre ciberamenazas
- Controles de integridad de datos (por ejemplo, copias de seguridad, instantáneas de datos, replicación de datos, RAID, replicación en tiempo real de red de área de almacenamiento [SAN])
- Metodologías de prevención de fuga de datos (p. ej., seguridad de los medios extraíbles, filtrado de contenidos, etc.) y tecnologías asociadas
- Firmas digitales
- Sistemas de gestión de identidad y acceso
- Cortafuegos (firewall)
- Detección y monitorización de intrusiones, incluidos sistemas de detección de intrusos (IDS) y sistemas de prevención de intrusos (IPS) basados en alojamiento y en red
- Herramientas de recolección, análisis y correlación de registros (logs) (es decir, gestión de seguridad de la información y eventos [SIEM])
- Operaciones, seguridad y gestión de dispositivos móviles
- Metodologías de acceso remoto (red privada virtual [VPN], etc.)
- Técnicas de acceso seguro a la nube (perímetro de servicio de acceso seguro [SASE], agente de seguridad de acceso a la nube [CASB])
- Atribuciones de seguridad inherentes en los dispositivos de conexión a redes (p. ej., enrutadores)
- Escaneo (scanning) de vulnerabilidades y herramientas para pruebas de penetración
- Técnicas de seguridad en Web
- Metodologías de seguridad inalámbrica

Aun cuando muchas de estas tecnologías están relacionadas específicamente con la seguridad y la mayoría funcionan como controles, el gerente de seguridad de la información debe reconocer que casi todas las tecnologías que se utilicen tendrán implicaciones de seguridad.

Además de las tecnologías que están relacionadas con la seguridad, el gerente de seguridad de la información debe estar familiarizado con los aspectos más generales de la TI incluyendo, pero sin limitarse a:

- Servidor de aplicaciones
- Traiga su propio dispositivo (BYOD)
- Computación en la nube (cloud computing)
- Contenedorización
- Criptomoneda
- Sistemas ciberfísicos
- Bases de datos
- DevOps/DevSecOps
- Arquitecturas empresariales (servidores de clientes de dos y tres capas, mensajería, etc.)
- Protocolos de Internet y de red (p. ej., TCP/IP, BGP)
- Internet de las cosas (IoT)
- Redes de área local (LAN)
- Aprendizaje automático
- Middleware
- Conceptos y protocolos de redes y de enrutamiento
- Sistemas operativos
- Equipo rojo/equipo azul

- Servidores
- Redes de área de almacenamiento (SAN)
- Virtualización (de sistemas y redes)
- Tecnologías y arquitecturas relacionadas con la web
- Redes de área amplia (WAN)

Nota

Estas listas no son exhaustivas, en cambio, representan las áreas y tipos de tecnologías con las que el gerente de seguridad de la información debe estar familiarizado para administrar con éxito un programa de seguridad de la información. Cualquier candidato a CISM que no esté familiarizado con los términos que se enumeran debería revisar el glosario que se encuentra al final de este manual. Los candidatos al CISM también pueden remitirse a la sección de Recursos del sitio web de ISACA para obtener información adicional sobre las tendencias y temas de seguridad de la información.

3.2.3 Alcance y estatutos del gobierno de la seguridad de la información

Ya sea que forme un nuevo programa de seguridad o que llegue a uno existente, el gerente de seguridad de la información deberá determinar el alcance, las responsabilidades y los estatutos del programa. Estos elementos suelen estar menos definidos que los elementos técnicos (p. ej., firewalls, IDS y detección de virus). El alcance del programa de seguridad de la información depende principalmente de cómo se diseñan los roles de responsabilidad. A menudo, los procesos de activos tienen como propietario un departamento, mientras que son gestionados u operados por otro. Por eso, es útil desarrollar una matriz RACI (responsabilidad, rendición de cuentas, consultado, informado) bien alineada antes de la preparación del programa de seguridad de la información. Sin responsabilidades definidas claras, el gestor de seguridad encontrará difícil determinar qué gestionar o hasta qué punto la función de seguridad otorgada está cumpliendo sus objetivos.

Los gerentes de seguridad de la información que se ven en situaciones nuevas deben tomarse el tiempo de entender las responsabilidades relevantes, el alcance, la autoridad, los presupuestos, los requisitos de entrega de informe, etc. de aquellos a los que les entregará dichos informes. Será de gran utilidad documentar de forma específica dichos elementos y obtener el acuerdo de la gerencia. En términos de la línea de mando, es fundamental conocer dónde encaja la función de seguridad de la información en la estructura organizacional general. En muchas situaciones, el gerente debe ser consciente de que habrá conflictos estructurales inherentes y deberá considerar cuidadosamente. También resulta prudente discutir cualquier posible conflicto de intereses con la dirección y entender cómo se gestionará.

El departamento de seguridad de la información realiza, en gran medida, una función de regulación interna, y su capacidad para operar con eficacia imposibilita la presentación de información a aquellos a los que se supone que debe regular. Aun cuando podría haber excepciones, los gerentes de seguridad de la información quienes reportan a un área tecnológica o a otros gerentes operativos tienden a estar muy limitados en su capacidad para proporcionar una seguridad eficaz de la información en toda la empresa. Si se establece el programa y funciona adecuadamente, probablemente se acepte la práctica de varias de sus funciones de seguridad. Sin embargo, será de utilidad verificar si las responsabilidades están claramente definidas y bien documentadas. En muchos casos, un gerente anterior habrá asumido varias funciones y responsabilidades que no fueron definidas o documentadas formalmente. Dichos gerentes podrían haber sido eficaces al ser persuasivos e influyentes y no mediante la adopción de procesos y estructuras definidos y documentados. Si el gerente anterior se encuentra disponible para brindar orientación, sería recomendable utilizar el tiempo que se tenga disponible para tener una perspectiva de la situación actual. En caso de que el gerente anterior no esté disponible, podría ser necesario investigar a fin de determinar cuáles eran sus responsabilidades y cómo llevaba a cabo sus tareas.

La capacidad para ser eficaces en una determinada empresa se verá influenciada en gran medida por la cultura y el entendimiento que el gerente de seguridad de la información tenga de ella. La seguridad suele tener una carga política, y el éxito podría depender más de desarrollar las relaciones correctas que de contar con conocimientos especializados. Hasta cierto punto, las empresas no operan como se define en las gráficas organizacionales sino por relaciones no documentadas e influencia. Así como los motores de búsqueda determinan la importancia relativa por el número de enlaces a un sitio en particular, la influencia de ciertas personas se ve afectada por las relaciones con otras personas de la empresa.

También es fundamental adquirir un entendimiento pleno del estado actual de las funciones de seguridad en la empresa. Esto puede incluir elementos de evaluación tales como evaluación de riesgos y análisis de impacto al negocio (BIA). Será necesario determinar el estado de gobierno y la estrategia, al igual que el estado de las políticas y los estándares, el cumplimiento, etc. De igual forma, serán de utilidad las revisiones de auditorías recientes, incidentes y otros informes pertinentes. Una vez que se han realizado las evaluaciones y revisiones, se puede considerar el equilibrio de los elementos que se identificaron en el Capítulo 1 Gobernanza de seguridad de la información, y el gerente de seguridad de la información tendrá una base para avanzar con la implementación del marco de gestión de seguridad de la información.

La **figura 3.1** muestra un resumen de los pasos para desarrollar un programa de seguridad de la información. Si bien muchas de estas tareas serán responsabilidad del gerente de seguridad de la información, algunas pueden estar en manos de otros departamentos.

Figura 3.1—Pasos para el desarrollo de un programa de seguridad de la información

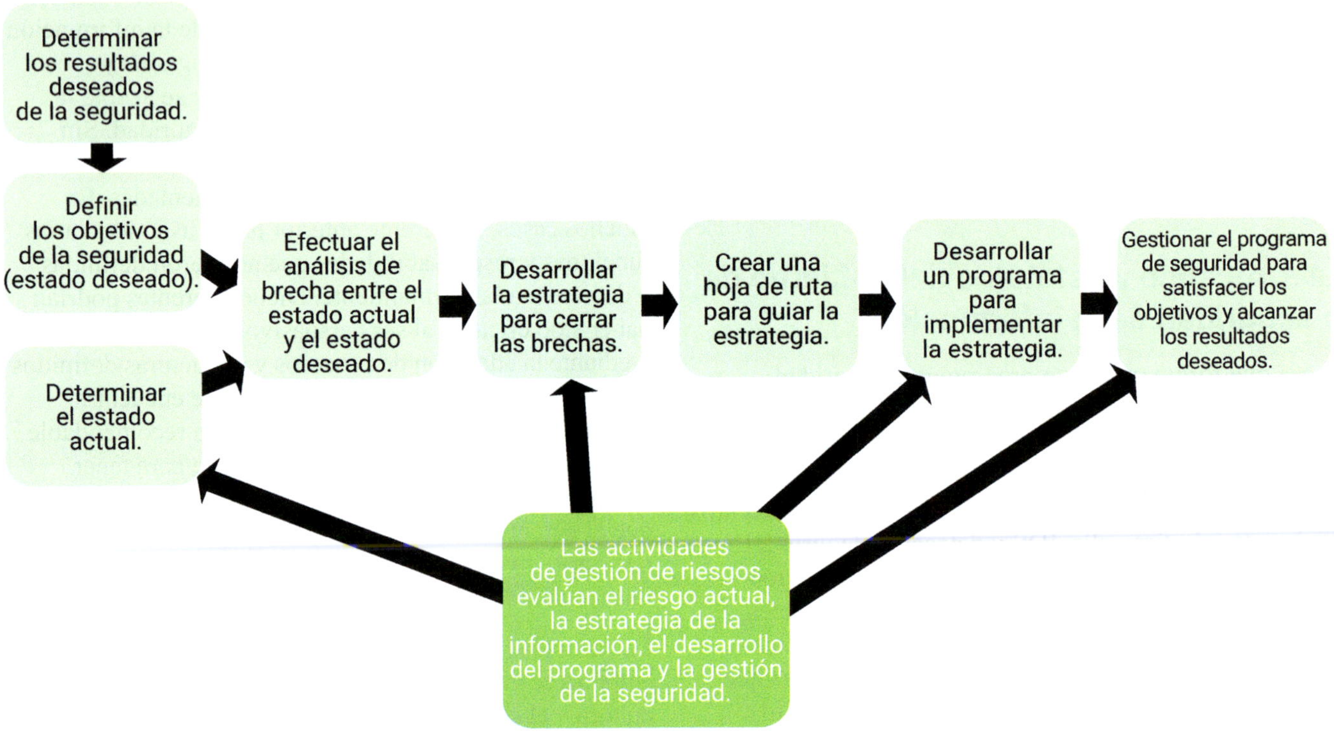

El alcance de un programa de seguridad de la información se establece según el desarrollo de una estrategia, como se indica en el Capítulo 1 Gobernanza de seguridad de la información, junto con las responsabilidades de la gestión de riesgos que se tratan en el Capítulo 2 Gestión de riesgos de la seguridad de la información. La medida en que gerencia respalda la implementación de la estrategia y las actividades de gestión de riesgos determina los estatutos. La implementación de un programa de seguridad impacta en la forma establecida de hacer las cosas dentro de una empresa. Dentro de una estructura existente de personas, procesos y tecnología, el gerente de seguridad de la información deberá esforzarse por integrar los cambios en los procesos y las políticas establecidos. Inevitablemente, esto dará como resultado un cierto grado de resistencia al cambio, que el gerente de seguridad de la información deberá planificar para abordar.

A falta de una estrategia adoptada de seguridad de la información y cuando no se haya documentado formalmente los estatutos, el gerente de seguridad de la información podría recurrir a los estándares de la industria, tales como una versión adaptada de la descripción provista por ISACA de un programa establecido sobre seguridad de la información que pudiera decir lo siguiente:

> *La seguridad de la información es responsabilidad conjunta de la empresa, la gerencia correspondiente y la gerencia de TI, y está integrada en los objetivos de la empresa. Los requerimientos de seguridad de la información están claramente definidos, optimizados e incluidos en un plan de seguridad verificado. Las funciones de*

seguridad están integradas con aplicaciones en la etapa del diseño, y los usuarios finales son cada vez más responsables de la gestión de seguridad. El reporte de seguridad de la información proporciona un aviso temprano de los riesgos cambiantes y emergentes, utilizando enfoques de monitoreo activo automatizado para los sistemas críticos. Los incidentes son tratados rápidamente con procedimientos formalizados de respuesta a incidentes respaldados por herramientas automatizadas. Valoraciones periódicas de seguridad evalúan la eficacia de la implementación del plan de seguridad. Sistemáticamente, se recolecta y analiza la información sobre las nuevas amenazas y vulnerabilidades y se comunican e implementan rápidamente controles para mitigarlas. Las pruebas de detección de intrusos, análisis de la causa raíz de los incidentes de seguridad y la identificación proactiva de los riesgos constituyen la base de las continuas mejoras. Los procesos y las tecnologías de seguridad están integrados en toda la empresa.

Este enfoque, junto con las descripciones de requisitos de COBIT o ISO/IEC 27001, puede servir como base para una estrategia y ayudar a definir el alcance y los estatutos del programa de seguridad de la información.

3.2.4 Retos comunes del programa de seguridad de la información

Dar inicio, refinar o ampliar un programa de seguridad a menudo tiene como resultado una sorprendente diversidad de impedimentos inesperados para el gerente de seguridad de la información. Estos incluyen:

- Resistencia organizacional debido a los cambios en las áreas de responsabilidad introducidos por el programa.
- Una percepción de que un aumento en la seguridad reducirá el acceso que se requiere para llevar a cabo las funciones de trabajo.
- Dependencia excesiva en métricas subjetivas.
- Fallo de estrategia.
- Supuestos de cumplimiento procedimental sin supervisión de confirmación.
- Una gestión de proyectos deficiente que retrasa las iniciativas de seguridad.
- Software de seguridad que no se haya detectado previamente, comprometido o con errores.
- Gestión o monitorización pobres de las actividades de seguridad de proveedores o terceros.
- Falta de alineación entre el programa y las metas y objetivos de negocio.

Siempre existen retos culturales y organizacionales en la función de cualquier trabajo y el simple hecho de contar con el apoyo de la alta gerencia no simplifica el camino que debe seguir el gerente de seguridad de la información. Para implementar un programa verdaderamente exitoso, también es importante la cooperación de muchos otros dentro de la empresa.

La **figura 3.2** identifica algunas de las limitaciones inherentes en el desarrollo del plan de acción de tres organizaciones diferentes. Un gerente de seguridad de la información debe estar consciente del tipo de limitaciones inherentes en la organización al momento de diseñar actividades de control y debe esforzarse para minimizar el impacto de dichas limitaciones en los objetivos del programa de seguridad de la información. Nótese que la información de la tabla se proporciona solo con fines ilustrativos, ya que no existen dos empresas iguales.

Figura 3.2—Limitaciones en el desarrollo de un plan de acción en seguridad de la información

	Organización 1	Organización 2	Organización 3
Requerimientos legales y regulatorios	Su cumplimiento exige cambios significativos en el flujo de datos de la aplicación.	Las frecuentes verificaciones interrumpen el progreso en los proyectos a largo plazo.	Existen restricciones en el intercambio de datos con los proveedores de servicio.
Factores físicos y ambientales.	La sala de computadoras está ubicada en un piso de fácil acceso y expuesta a inundaciones.	La operación del centro de datos es externa.	El centro de datos en el cuarto piso constituye un control de ambiente apropiado.

Figura 3.2—Limitaciones en el desarrollo de un plan de acción en seguridad de la información (cont.)

	Organización 1	Organización 2	Organización 3
Ética	La actitud es "si lo veo en mi pantalla, es mío".	La actitud es "si lo puedo utilizar para obtener dinero, debería ser mío".	La actitud es "si lo necesito, deberían aprobar mi solicitud".
Diferencias culturales/ regionales	La cultura promueve el libre intercambio de información.	Las luchas de poder impiden que se aprueben las políticas.	La actitud de la alta gerencia favorece el cumplimiento de las metas relacionadas con la seguridad de la información.
Costes	La compañía está en bancarrota y no puede gastar dinero en TI.	Todos los proyectos sobre seguridad de la información deben justificar su costo.	El presupuesto para la seguridad de la información se aprobó y es adecuado.
Personal	Los departamentos que buscan información competitiva contrataron a ex intrusos (hackers).	Se verifican esporádicamente los antecedentes partiendo de las evaluaciones de riesgos de los recursos humanos.	Se implementan en forma uniforme los procesos de investigación de los antecedentes del personal.
Logística	El gerente de seguridad de la información se encuentra en una sucursal con acceso de red limitado.	El gerente de seguridad de la información se encuentra en las oficinas centrales y no tiene acceso al centro de datos.	El gerente de seguridad de la información se encuentra perfectamente ubicado entre la oficina central y el centro de datos.
Recursos	No existe personal o equipo destinado a la seguridad.	El personal del gerente de seguridad de la información no tiene habilidades técnicas.	El personal del gerente de seguridad de la información tiene experiencia en TI y tiene acceso diariamente a la tecnología.
Capacidades	Solo documentación	Coordinación del proceso	Implementación de controles

La última línea de la **figura 3.2** muestra las capacidades del programa de seguridad de la información que resultan del conjunto de limitaciones que están relacionadas con la organización correspondiente. La organización 1 tiene los recursos más limitados con respecto a la implementación de un programa exitoso de seguridad de la información. Por el contrario, la organización 3 tiene abundantes recursos y sólido respaldo técnico y de la gerencia, los cuales conducen a desarrollar un programa efectivo. Estos ejemplos se contrastan para demostrar que la capacidad de un gerente de seguridad de la información para elaborar programas de seguridad de la información efectivos depende en casi su totalidad del ambiente en el cual opere.

Históricamente, algunos líderes empresariales no han logrado reconocer el riesgo de seguridad de la información como algo que requiere el mismo nivel de gobierno y vigilancia que otros riesgos críticos, y en lugar de eso han visto el riesgo de TI como un centro de costos de bajo nivel basado en la tecnología. Si bien se reconoce universalmente como necesaria, la seguridad de la información se considera un impedimento para realizar el trabajo. En el pasado, este punto de vista estaba acentuado por el personal de seguridad de la información, que no lograba conseguir un equilibrio entre el tratamiento del riesgo y las operaciones eficientes. Afortunadamente, esta tendencia está disminuyendo, aunque en muchas empresas este malentendido del pasado puede haber producido un ambiente exigente para un gerente de seguridad de la información. Unas cuantas manifestaciones comunes de dicho ambiente podrían incluir una falta de apoyo de la gerencia, niveles deficientes de recursos para la seguridad de la información, un enfoque limitado con respecto a las estrategias y poca cooperación por parte de otras unidades de negocio. Por lo general, el gerente de seguridad de la información que se encuentre en esta situación tendrá una línea de dependencia a los niveles jerárquicos más bajos y tendrá la titánica labor de intentar elevar la seguridad a lo largo de la estructura organizacional.

La situación está cambiando gradualmente para bien por varias razones, entre otras los mandatos legales y regulatorios que requieren que se cuente con una mejor seguridad como tema de seguridad nacional y por necesidad comercial. Las expectativas de los clientes y de los socios de negocios son una consideración importante que ha dado un impulso positivo hacia una seguridad mejorada. Otra son los rigurosos requerimientos de seguridad de la industria de tarjetas de crédito que ha impuesto el consejo DSS de la PCI a las empresas que procesan información de tarjetas de crédito. Puesto que estos requisitos afectan a un gran número de empresas, es probable que mejoren significativamente muchos aspectos globales de la seguridad de la información. Mantener el ritmo de adopción y la seguridad mejorada al mismo paso que el de elementos criminales cada vez más sofisticados y provechosos sigue siendo un reto.

Los factores determinantes futuros incluyen la probabilidad de un aumento de los litigios que den como resultado indemnizaciones sustanciales por daños, algo que ya ocurrió tras la adopción del Reglamento General de Protección de Datos (RGPD) de la Unión Europea. Asimismo, el surgimiento de la necesidad de contar con un seguro que cubra aspectos cibernéticos, junto con el requerimiento relacionado de los aseguradores de que exista una gestión de riesgos adecuada, será un impulsor para una mejor y más eficaz seguridad. Es probable que esto se haga gradualmente, tal y como los seguros mejoraron gradualmente los automóviles, los productos y la seguridad contra incendios.

Aun cuando la situación general en términos de seguridad está mejorando, el gerente de seguridad de la información debe resolver la situación a medida que se presenta. Independientemente de las circunstancias de la organización, un gerente de seguridad de la información que sea persuasivo y tenga una visión clara de la función de la seguridad de la información en la empresa puede a menudo mejorar la postura general de la seguridad con una campaña continua para brindar formación a las partes interesadas sobre la función y la relevancia de la seguridad de la información. Esto incluye definir los objetivos de control y buscar el acuerdo sobre ellos, definir el apetito de riesgo de la empresa e identificar aquellos activos de información que sean críticos para la misión.

Es beneficioso para las actividades de seguridad de la información alinearse y apoyar los objetivos de negocios definidos. Ello es más eficaz si se trata de una iniciativa continua que se comunica de forma apropiada a las partes interesadas. Desarrollar KPI y métricas que sean significativos también ayuda a apoyar los objetivos de la seguridad de la información. Todo gerente de seguridad de la información debe determinar la amplitud y la profundidad de las métricas que sean apropiadas para su empresa a fin de brindar la información necesaria para la gestión. Los gerentes de seguridad de la información también deben implementar alguna forma de notificación consistente que promueva la concientización sobre la importancia que tiene la gerencia de seguridad de la información para el logro de los objetivos de la organización.

Otras cuestiones de las que el gerente de seguridad de la información podría tener que encargarse suceden cuando el rol de seguridad de la información se eleva en la empresa. Incluso para programas maduros de seguridad de la información, los requerimientos y las exigencias cambian rápidamente, motivados por presiones técnicas y regulatorias. Los retos que se describen en las secciones siguientes no representan una lista exhaustiva; sin embargo, ilustran los métodos para evaluar y tratar muchas de las inquietudes más comunes. El gerente de seguridad de la información debe estar consciente de los retos comunes para una gestión eficaz de la seguridad de la información, las razones que hay detrás de esos retos y las estrategias para enfrentarlos.

Apoyo de la gerencia

La falta de respaldo por parte de la gerencia es más común en organizaciones más pequeñas y en aquellas de cualquier tamaño que no pertenecen a industrias muy involucradas con la seguridad. Con frecuencia, dichas empresas no tienen el requerimiento obligatorio de tratar la seguridad de la información y, por ende, suelen verla como un tema de poca importancia que añade un costo con un valor mínimo. Estos puntos de vista suelen reflejar un mal entendimiento de la dependencia de la empresa en los sistemas de información, el ambiente de amenaza y riesgo, o el impacto al que la organización podría enfrentarse o estar experimentando sin saberlo.

En tales circunstancias, el gerente de seguridad de la información tiene que utilizar recursos como las estadísticas de la industria, los análisis de dependencia e impacto organizacional y las revisiones de amenazas comunes a los sistemas específicos de procesamiento de información de la empresa. Además, la gerencia puede solicitar orientación con respecto a las acciones que se esperan de ella y la información sobre enfoques que están adoptando los colegas en la industria para tratar la seguridad de la información. Incluso si una formación inicial no trae como resultado un fortalecimiento inmediato del apoyo, se debe seguir impartiendo una formación continua para crear conciencia sobre las necesidades en términos de seguridad.

Es importante que la estrategia del programa de seguridad de la información incluya disposiciones para gestionar cambios y actualizaciones. La asistencia de la gerencia requiere un diálogo constante con revisiones periódicas de los objetivos y la estrategia. Sin actualizaciones periódicas, los cambios en las prioridades del negocio podrían reducir la armonización real o percibida de las prioridades de seguridad con las necesidades y objetivos del negocio.

Financiación

Un financiamiento inadecuado de las iniciativas de seguridad de la información es uno de los temas más frustrantes y desafiantes que debe resolver un gerente de seguridad de la información. Si bien este tema podría ser un síntoma de una falta subyacente de apoyo por parte de la gerencia, suelen existir otros factores en los que sí puede influir el gerente de seguridad de la información. Algunos de los temas relacionados con el financiamiento que pudiera ser necesario que trate el gerente de seguridad de la información son los siguientes:

- La gerencia no reconoce el valor de las inversiones en seguridad.
- La seguridad se percibe como un centro de costos de poco valor.
- La gerencia no tiene una comprensión conceptual del destino del dinero con el que se cuenta.
- No se comprende la necesidad organizacional de invertir en seguridad.
- La necesidad de tener un mayor conocimiento de las tendencias de la industria en inversiones en seguridad.

Si no se cuenta con financiamiento para salvar las brechas financieras, el gerente de seguridad de la información tiene que aplicar estrategias que minimicen el impacto de las deficiencias financieras en la postura de la empresa ante los riesgos de la información. Algunas de las estrategias comunes que pueden aplicarse son las siguientes:

- Hacer uso de los presupuestos de otras unidades organizacionales (por ejemplo, desarrollo de productos, auditoría interna, sistemas de información) para implementar los componentes del programa de seguridad que se necesitan.
- Mejorar la eficiencia de los componentes existentes del programa de seguridad de la información.
- Trabajar con el comité directivo de seguridad de la información para volver a priorizar la asignación de recursos de seguridad y proporcionar a la alta gerencia un análisis de que componentes de seguridad se convertirán en implicaciones del riesgo con recursos insuficientes y asociados.

El gerente de seguridad de la información debe prestar mucha atención a los problemas de financiamiento y trabajar en ellos de manera continua. Una vez que comienza el proceso real de elaboración del presupuesto, suele ser demasiado tarde para analizar las necesidades e impartir cursos de formación a la gerencia, retrasando con ello las inversiones necesarias durante meses o años.

También es importante que el gerente de seguridad de la información entienda que financiar un programa de seguridad de la información es, a menudo, difícil. Si el programa está funcionando satisfactoriamente, la gerencia puede no ver dónde va el dinero y puede preguntarse porqué se está gastando tanto. Si el programa no es exitoso, la gerencia puede no entender la necesidad de presupuestar cantidades significativas de dinero para sistemas que todavía están siendo atacados. Es esencial que el gerente de seguridad de la información encuentre maneras de mostrar que la seguridad es importante, funcional y que está relacionada con el negocio.

Equipo de trabajo

La causa raíz de los problemas de financiación es a menudo un personal incapaz de lograr los requisitos del programa de seguridad. Los obstáculos para alcanzar niveles de personal adecuados podrían incluir los siguientes:

- Un entendimiento deficiente de las actividades que llevarán a cabo los nuevos recursos.
- Cuestionar la necesidad o el beneficio de las actividades que realizarán los nuevos recursos.
- La falta de conocimiento sobre los niveles de aprovechamiento o las actividades del personal.
- La creencia de que el personal existente no está bien aprovechado.
- El deseo de evaluar la opción de contratar servicios externos.

Cuando se le presentan estos problemas, el gerente de seguridad de la información debe hacer uso de procedimientos de gestión de cargas de trabajo para generar análisis de cargas de trabajo del personal, reportes de aprovechamiento y otras métricas que demuestren el nivel de esfuerzo que se esté aplicando en ese momento. Además, resultan de utilidad las gráficas que relacionan roles o equipos específicos de seguridad de la información con la protección que brindan a los sistemas de información de la empresa. Los niveles altos o crecientes de productividad también ayudan a demostrar que el programa de seguridad de la información está utilizando los recursos de manera eficaz y eficiente.

Si la organización no puede asignar al programa RR. HH. adicionales, el gerente de seguridad de la información podría considerar implementar las siguientes estrategias a fin de minimizar el impacto que tiene contar con un número insuficiente de personal en la eficacia del programa de seguridad de la información:

- Colaborar con otras unidades de negocio para determinar si pueden asumir más responsabilidades relacionadas con la seguridad de la información; delegar tareas apropiadas con supervisión.
- Analizar las posibilidades de subcontratar servicios externos, en particular cuando se trate de actividades con un alto volumen operativo; estar preparado para demostrar cómo se podrían utilizar de inmediato los recursos liberados para realizar actividades de mayor valor.
- Trabajar de manera conjunta con el comité directivo de seguridad de la información para volver a priorizar las asignaciones de personal de seguridad; proporcionar a la alta gerencia un análisis de las actividades de seguridad que no se atenderán con el personal actual y comunicar las implicaciones del riesgo.

3.2.5 Limitaciones comunes de los programas de seguridad de la información

Además de los retos mencionados, hay numerosas limitaciones generales que deben tenerse en cuenta al desarrollar un programa de seguridad de la información. Estas establecerán las barreras de las opciones disponibles y deberían entenderse por completo antes de iniciar el desarrollo del programa.

Físico

Existe una variedad de factores físicos y ambientales que podría influir o limitar un programa de seguridad de la información. Entre los factores obvios se encuentran la capacidad, el espacio, los peligros ambientales y la disponibilidad de la infraestructura. La estrategia de seguridad y el programa deben asegurarse de que se prevean tanto la atención a los peligros ambientales como una capacidad de infraestructura adecuada. Las consideraciones deben incluir los requisitos físicos para la recuperación en caso de desastre.

La estrategia debe incluir la consideración de la seguridad del personal y los recursos.

Ética

La percepción que tienen los clientes de una empresa y el público en general del comportamiento ético de la empresa puede tener un impacto significativo en la empresa y afectar a su valor. Estas percepciones a menudo se ven influidas por la ubicación y la cultura, por lo que un programa efectivo debe considerar los aspectos éticos en las áreas en las que opera.

Cultura

La cultura interna de la empresa debe tenerse en cuenta cuando se desarrolla un programa de seguridad. También se debe considerar la cultura en la cual funciona la empresa. Un programa que no sigue las normas culturales puede encontrar resistencia y ser difícil de implementar adecuadamente.

Estructura de la organización

La estructura de la organización tendrá un impacto significativo en cómo una estrategia de gobierno puede concebirse y aplicarse, implementarse y traducirse en un programa de seguridad de la información. A menudo, existen diversas funciones de aseguramiento en silos que tienen diferentes estructuras jerárquicas y facultades. La cooperación entre dichas funciones es importante y suele requerir de la participación e interacción de la alta gerencia.

Costes

El desarrollo y la implementación de una estrategia consumirán recursos, incluso tiempo y dinero. La forma más rentable de implementar un programa es algo que hay que tener muy en cuenta.

Las empresas a menudo justifican el gasto según el valor del proyecto. No obstante, cuando se trata de proyectos de seguridad, el control de un riesgo específico o el cumplimiento con las regulaciones son, normalmente, los principales impulsores.

En términos generales, desde una perspectiva de negocios, un análisis de costo-beneficio u otro análisis financiero es el enfoque de mayor aceptación para justificar gastos y debe tenerse en cuenta cuando se desarrolle un programa.

Un enfoque tradicional, pero especulativo es considerar el valor de evitar un riesgo específico calculando las pérdidas potenciales en las que se puede incurrir mediante un incidente específico, y multiplicándolas por la probabilidad de que ocurra en un año determinado. Esto resulta en una expectativa de pérdidas anuales (ALE). Así, el costo de los controles requeridos para excluir tal evento puede compararse con ALE para determinar el retorno de la inversión (ROI).

La exposición al riesgo puede incluir pérdidas difíciles de calcular, con lo que puede ser difícil calcular el ROI. Por ejemplo, calcular el beneficio de los controles para contribuir al cumplimiento con provisiones regulatorias podría incluir consecuencias intangibles, como sentencias de prisión y cuantiosas multas para los altos ejecutivos. El ROI en los programas para evitar dichas sanciones puede ser difícil de cuantificar a pesar de que se debería poder conseguir un valor subjetivo por parte de los ejecutivos afectados.

Los avances en las tecnologías, como inicio de sesión único y los procedimientos de conexión única y otorgamiento de acceso a usuarios, han resultado en ahorros de tiempo y costos sobre las técnicas tradicionales de administración manual, lo cual puede proporcionar una base razonable para los cálculos del ROI. Existen varios ejemplos que comparan los costos de los procesos tradicionales con los procedimientos más recientes, y éstos se pueden utilizar para desarrollar un caso de negocio.

Personal

Una estrategia de seguridad tiene que considerar la resistencia que podría encontrar durante la implementación. Por lo general, se debe esperar que haya resistencia a los cambios significativos y posibles resentimientos contra nuevas limitaciones que podrían percibirse en que la realización de las tareas sea más difícil o consuma más tiempo.

Recursos

Una estrategia efectiva debe considerar los presupuestos disponibles, el costo total de la propiedad (TCO-total cost of ownership) de tecnologías nuevas o adicionales y los requerimientos de personal de diseño, aplicación, operación, mantenimiento y cierre eventual. Típicamente, el TCO debe desarrollarse para el ciclo de vida completo de tecnología, procesos y personal.

Capacidades

Los recursos con los que se cuenta para implementar una estrategia deben incluir las capacidades conocidas de la empresa, entre otras, conocimientos especializados y habilidades. Por supuesto que una estrategia que se basa en capacidades demostradas tiene más probabilidades de tener éxito que una que no tiene esa base.

Tiempo

El tiempo es una limitación significativa en el desarrollo de una estrategia. Podría haber fechas límite de cumplimiento que deben acatarse o soporte que deba asignarse a ciertas operaciones estratégicas, tales como una fusión. Podría haber periodos de oportunidad para actividades de negocio específicas que exigen ciertos plazos para la implementación de determinadas estrategias.

Tecnología

Las complejidades tecnológicas pueden limitar la implementación de una estrategia de seguridad en toda la empresa. Es posible que existan sistemas heredados y no compatibles que no sean adecuados para la implementación del control de seguridad hasta que se desmantelen. Podrían desarrollarse procesos de excepción para considerar y gestionar el riesgo que surge de dichas limitaciones.

3.3 Identificación y clasificación de los activos de información

Puesto que el objetivo clave del programa de seguridad de la información es garantizar una protección rentable de los recursos valiosos, dentro de las expectativas de las partes interesadas, es importante que el programa de seguridad de la información proporcione una identificación y clasificación adecuadas y coherentes de los activos que se han de proteger. En particular, los activos incluyen un amplio rango de datos, personal, dispositivos, sistemas, infraestructuras y otros recursos que permitan a la empresa alcanzar los objetivos de negocio. La identificación y clasificación de actividades debería incluir una determinación de la importancia relativa de los activos con respecto a los objetivos organizacionales y la estrategia de riesgo de la empresa.

3.3.1 Identificación y evaluación de activos de información

Un importante paso del programa de seguridad de la información consiste en identificar y registrar en un inventario los activos de información, determinando su valor empresarial relativo o aproximativo (p. ej., criticidad o confidencialidad). Esto es necesario debido a que el valor de negocio es parte de la determinación del riesgo (es decir, el riesgo existe solamente si existe la posibilidad de impacto y consecuencias [riesgo = posibilidad × consecuencias]). Además, no es posible determinar la vulnerabilidad y el alcance de la exposición de los activos no identificados. También se necesitará el valor de negocio para realizar la clasificación y brindar la justificación del nivel de protección requerido.

El proceso de valoración, que consiste en relacionar todos los valores de una forma financiera común, es sencillo para algunos activos. El hardware se puede valorar fácilmente según los costos de reemplazo. En algunos casos, el valor de la información será el costo de recrearla o restablecerla, o puede basarse en la contribución para generar ganancias. En otros casos, el valor está relacionado con los costos resultantes y las posibles sanciones derivadas de la exposición de información privada o de la pérdida de secretos comerciales.

El impacto o las consecuencias de una violación de información personal identificable (PII) puede acarrear sanciones regulatorias. Pueden surgir otros impactos potenciales si las personas que sufren pérdidas por robo de identidad presentan demandas por daños o si los abogados presentan demandas colectivas en nombre de miles de víctimas. Otra consecuencia es el posible daño a la reputación que a menudo resulta en la pérdida del valor de las acciones. En este caso, la valoración no puede basarse en el valor intrínseco de la información, que puede ser bajo o igual a cero. Es decir, la valoración debe basarse en el rango total de pérdidas potenciales y otros impactos.

El material de mercadotecnia es otro tipo de información que no tiene un valor intrínseco pero que puede generar responsabilidades no intencionales y, por lo tanto, un riesgo que se debe considerar. Declaraciones imprecisas de productos o servicios, o bien, información que conduzca a una toma de decisiones errónea por parte de inversionistas, puede tener como resultado pérdidas significativas como consecuencia de varias demandas legales. Es por ello que una empresa sensata debe asegurarse de que se apliquen revisiones sistemáticas y controles de información para gestionar el riesgo de que se genere una posible responsabilidad por información dada a conocer al público.

Las categorías de los activos de información típicos que deben protegerse y a las que se les debe asignar un valor incluyen, entre otras:

- Información y procesos propios de todos los tipos, incluida información que puede dañar a la empresa
- Registros financieros actuales y futuras proyecciones
- Planes de fusiones o adquisiciones
- Planes estratégicos de marketing
- Secretos comerciales
- Información relacionada con las patentes
- Información relacionada con la privacidad, incluida PII e información médica protegida (PHI)
- Datos de clientes, como información de la tarjeta de crédito

3.3.2 Estrategias de valoración de activos de la información

Algunas empresas podrían evitar la valoración de activos debido a la complejidad de ponerse de acuerdo sobre las prioridades relativas y la importancia de la misión. Muchas empresas no tienen una lista precisa de activos de información y el esfuerzo de inventariar y categorizar sus activos puede parecer una tarea abrumadora. Otra razón es que incluso cuando se conocen los activos, a menudo es difícil poner un valor exacto a activos menos tangibles como PII o secretos comerciales. Sin embargo, no se requiere un alto grado de precisión.

En la mayoría de los casos, la valuación efectiva de los recursos se basa mejor en los escenarios de pérdidas. La información se puede clasificar y colocar en una matriz con cada escenario de pérdida para hacer que un problema complejo sea más manejable y comprensible. Las consideraciones de escenario de pérdidas deben incluir una evaluación del impacto potencial de una pérdida de confidencialidad, integridad o disponibilidad, tal y como se describe en el Capítulo 2 Gestión de riesgos de la seguridad de la información. Consulte la **figura 3.3**.

La precisión de la valoración no es tan crítica como el tener un método para priorizar de forma coherente los esfuerzos. Los valores dentro del mismo orden de magnitud que la pérdida real (en caso de ocurrir) son suficientes para fines de planificación. Los informes de los medios contienen varios escenarios y montos de pérdidas bien documentados en los cuales se puede basar una valuación.

Las metodologías de valoración de activos de información utilizan varias variables diferentes, que incluye el nivel de complejidad técnica y el posible nivel de pérdida financiera directa y consecuencial. Por lo general, las valoraciones cuantitativas son las más precisas, pero aún pueden resultar bastante complejas cuando se han analizado los efectos reales y aguas abajo.

Figura 3.3—Matriz de escenarios de pérdida

Escenario	Tipo de datos	Volumen de pérdidas	Pérdida de reputación	Pérdida de demandas	Pérdidas de multas/ registros	Pérdidas de mercado	Previsión de pérdidas anuales	Notas
Los intrusos roban información y públicamen te chantajean a las empresas.	Los datos del cliente	1000 registros 10 000 registros	US $1M US $10M	US $1M US $10M	US $1 US $35M	US $1M US $5M	US $10M	Pérdida normativa de la capacidad para realizar adquisicion es durante un año
Empleados que roban información , la venden a los competidor es.	Plan estratégico	Plan a 3 años	Mínimo	Mínimo	Mínimo	US $20M	US $2M	Los competidor es duplican los nuevos productos, llegan al mercado más rápido.
Los contratistas roban información , la venden a los piratas informático s.	Datos de empleados	10 000 registros	US $5M	US $10M	Mínimo	Mínimo	US $200 000	
Las cintas y datos de las copias de seguridad que se han encontrado entre la basura son portada.	Los datos del cliente	10M registros	US $20M	US $20M	US $10M	US $5M	US $200 000	

Otra de las formas de valoración es cualitativa por naturaleza, en la que se toma una decisión independiente según el conocimiento del negocio, las directivas de la dirección ejecutiva, las perspectivas históricas, las metas del negocio y los factores ambientales. Hay situaciones en las cuales los datos cuantitativos no están disponibles y conviene utilizar este método alternativo. Muchos gerentes de sistemas de información utilizan una combinación de técnicas. En algunos casos, la simple asignación de valor basada en una escala subjetiva de valores como bajo, medio y alto puede ser satisfactoria.

El método más sencillo es el valor monetario del precio de compra, el costo de reposición o el valor en libros, si éste representa la importancia de los activos para la organización. Si no es así, deberán considerarse otros métodos. Si se trata de un activo que genera ingresos directa o indirectamente, un valor calculado como valor presente neto (NPV) podría ser un enfoque razonable.

Otro enfoque es considerar la apreciación u otros valores intangibles. Por ejemplo, una aplicación y un servidor de comercio electrónico pueden tener un costo de hardware y software de solo 50 000 USD, pero constituyen un componente esencial para generar millones de ganancias cada mes. En esta situación, el valor puede calcularse en términos de generación de ganancias o del impacto financiero causado por un período no anticipado de inactividad.

Los activos intangibles comprenden usualmente la propiedad intelectual, como los secretos comerciales, las patentes y los derechos de autor, la base del conocimiento, la reputación de la marca, la cultura corporativa, la lealtad de los clientes y la innovación. Los activos intangibles que podrían ser difíciles de cuantificar son la reputación y la confianza ante los consumidores de la empresa. Aunque un incidente de hacking por sí mismo podría no crear pérdidas directas, los clientes podrían marcharse por falta de confianza en la empresa, en especial si existe una competencia fuerte. Los auditores pueden representar activos intangibles bajo el título de "buena voluntad".

Por ejemplo, cuando se han robado los datos de crédito personal de los clientes, la empresa podría incurrir en costes por la notificación del incidente a un amplio número de personas. Además, este tipo de incidentes podría causar posibles costos de defensa legal; por ejemplo, los afectados pueden presentar una demanda. En caso de que las tarjetas de crédito se vean comprometidas, los bancos afectados normalmente insisten en recuperar los costes de volver a emitir las nuevas tarjetas además de cualquier coste de fraude que tuvieran que cubrir. Esto normalmente se encuentra en el rango de $10 dólares estadounidenses o más por cada tarjeta.

En una compañía que se cotice en el mercado de valores, los activos intangibles representan la diferencia entre los activos tangibles tal como los registran los indicadores financieros y el valor de capitalización de la compañía en el mercado. Por ejemplo, una compañía con una capitalización de $5 mil millones de dólares estadounidenses tiene mil millones de dólares en activos tangibles y $4 mil millones de dólares en activos intangibles. Es decir que el 80 por ciento del valor de la compañía (4 mil millones de dólares estadounidenses) está constituido por activos intangibles. Con la finalidad de proteger y preservar su valor, la mayoría de estos activos intangibles se encuentran bajo el ámbito de la seguridad de la información.

El gerente de seguridad de la información tiene que estar al tanto de los cambios que se están llevando a cabo en la empresa y debería alterar el uso de las metodologías de valoración para satisfacer mejor las necesidades como resultado de esos cambios. Si los datos cuantitativos están desactualizados y no se pueden actualizar en un período de tiempo razonable, podría ser conveniente utilizar datos cualitativos en lugar de cuantitativos o utilizarlos para aumentar los datos cuantitativos.

Si bien una discusión detallada sobre los métodos para establecer el valor de los activos intangibles supera el alcance de este manual, es importante que el gerente de seguridad de la información comprenda los métodos de valoración y la necesidad de realizar esta actividad.

3.3.3 Clasificación de los activos de información

Se requiere la clasificación de activos de información para determinar la relativa sensibilidad y criticidad de los activos de información, que a veces se conoce conjuntamente como el valor del negocio. La criticidad se determina por el impacto en la empresa como resultado de la pérdida de un activo (es decir, la importancia del activo para el negocio). La sensibilidad se basa en el daño potencial para la empresa como resultado de una divulgación no autorizada. Esto proporciona la base para los esfuerzos de protección, la planificación de la continuidad del negocio y el control de acceso del usuario. En el caso de las grandes organizaciones, ésta puede ser una tarea de enormes proporciones, ya que es probable que existan grandes cantidades de datos electrónicos, almacenes de documentos y miles de personas y dispositivos. Sin embargo, si no se determina el valor del negocio, la sensibilidad y la criticidad de los recursos de información (y cada vez más, los requisitos legales y regulatorios) no será imposible desarrollar un programa efectivo de gestión de riesgos que brinde una protección apropiada que sea proporcional al valor o sensibilidad del negocio y criticidad.

En aquellos casos en los que no es posible llevar a cabo la clasificación exhaustiva debido a limitaciones de recursos u otros motivos, una opción menos efectiva sería una evaluación de la dependencia del negocio. Se puede usar para asignar actividades de protección proporcionales en función de los recursos de información que utilizan las funciones comerciales críticas.

El primer paso en el proceso de clasificación es garantizar que el inventario de activos de información esté completo, con la identificación de la ubicación y la finalidad de cada activo. Debido a que éste también es un paso necesario en la fase de identificación de riesgos de una evaluación de riesgos, es una actividad esencial. En muchas empresas, esta actividad puede ser difícil, ya que, en general, no se cuenta con un inventario detallado de los activos relacionados con la información. Esto se aplica en particular a las grandes empresas que tienen múltiples unidades de negocio independientes pero que no cuentan con un área de seguridad sólida centralizada. El proceso de identificación debe determinar la ubicación de los datos, así como de los propietarios, usuarios y custodios de los datos. El gerente de seguridad también debe determinar qué datos almacenan los proveedores de servicios externos, como ambientes alojados en la nube y aplicaciones de software como servicio, como servicios de nómina o la administración de seguros de salud. Estos proveedores de servicios pueden incluir también empresas de custodia remota de medios y archivo, procesadores de listas de correo, empresas que procesan correos que contienen información de la compañía, empresas que funcionan como mensajeros o transportistas de información, así como proveedores de servicios externos.

La coordinación con los gerentes de las unidades de negocios debe incluir la determinación de la clasificación adecuada de la información según el valor comercial o los niveles de sensibilidad y criticidad de los activos de información. Debe garantizar que todas las partes interesadas del negocio y de TI tengan la oportunidad de revisar y aprobar las pautas establecidas para los niveles de control de acceso. El número de niveles debe mantenerse al mínimo y las clasificaciones deben ser simples, por ejemplo, designaciones por diferentes grados de sensibilidad y criticidad. Los gerentes de usuarios finales, junto con el administrador de seguridad, pueden entonces utilizar estas clasificaciones en su proceso de evaluación de riesgos e impacto para determinar los niveles de acceso de los usuarios. El gerente de seguridad de la información también debe ser consciente de que en una empresa con baja tolerancia al riesgo o en una con una cultura de culpa, habrá un incentivo para sobreclasificar, y será necesario considerar los controles para limitar esta tendencia.

Uno de los principales beneficios de la clasificación de los activos de información es la reducción en el riesgo de una protección insuficiente y el costo de sobreproteger los activos de información al vincular la seguridad con los objetivos de negocio. Los beneficios a largo plazo para la empresa son sustanciales; la alternativa es brindar todos los activos de información con el mismo nivel de protección, que es poco probable que sea rentable. Si la empresa tiene poca tolerancia al riesgo y requiere de un nivel alto de seguridad, brindar el mismo nivel alto de protección a todos los activos puede ser muy costoso.

Existen varias preguntas que deben formularse en cualquier modelo de clasificación de los activos de información, entre las que se incluyen:

- ¿Cuántos niveles de clasificación son convenientes para la empresa?
- ¿Cómo se localizará la información?
- ¿Qué proceso se utiliza para determinar la clasificación?
- ¿Cómo se identificará la información clasificada?
- ¿Cómo se etiquetará?
- ¿Cómo se manejará?
- ¿Cómo se transportará?
- ¿Cómo se almacenará y archivará la información confidencial?
- ¿Cuál es el ciclo de vida de la información (crear, actualizar, recuperar, archivar y eliminar)?
- ¿Cuáles son los procesos relacionados con las diversas etapas del ciclo de vida de los activos de información?
- ¿Cómo se mantendrá de acuerdo con las políticas o las leyes?
- ¿Cómo se destruirá en condiciones seguras al final del periodo de retención?
- ¿Quién tiene la propiedad de la información?
- ¿Quién tiene derechos de acceso?
- ¿Quién tiene autoridad para determinar el acceso a los datos?
- ¿Qué aprobaciones se necesitan para tener acceso?

La clasificación de la información requiere más que aplicar una etiqueta de clasificación a cada porción de información. Una parte importante del proceso es identificar las medidas de seguridad que puedan aplicarse de manera consistente a cada nivel sustancialmente diferente. A medida que se incrementa el nivel de sensibilidad o criticidad, deberá aumentar el rigor de las medidas de seguridad de tal forma que, al nivel más alto, los mecanismos de seguridad sean los más restrictivos o requerirán del mayor nivel de protección. La sensibilidad y la criticidad requieren de distintos mecanismos y procesos de seguridad. Para cualquier información, el respectivo dueño tendrá que tomar decisiones respecto de la sensibilidad y la criticidad.

La **figura 3.4** proporciona un ejemplo de clasificación de la información.

Figura 3.4—Clasificación de la información CIA

Clasificación y categorización		Perspectiva		
		Confidencialidad	**Integridad**	**Disponibilidad**
Etiqueta	Secreto	4	4	4
	Confidencial	3	3	3
	Interna	2	2	2
	Externa	1	1	1

Fuente: Utilizado con permiso de Henrik Parkkinen.

3.3.4 Métodos para determinar la criticidad de los activos y el impacto de los eventos adversos

Existen varios métodos para determinar la sensibilidad y criticidad de los recursos de información y el impacto que tienen los eventos adversos. El análisis BIA es el proceso habitual para identificar el impacto que tienen dichos eventos. Los métodos descritos en COBIT, NIST y otros marcos son ejemplos de los recursos que el gerente de seguridad de la información puede utilizar.

Es una práctica generalmente aceptada enfocarse en el impacto que una pérdida de activos de información tiene en la empresa más que en un evento adverso específico. Dado que podrían ocurrir numerosos incidentes adversos, no resulta práctico ni rentable enumerarlos. Sin embargo, es importante garantizar que las consideraciones incluyen tanto el impacto directo (como interrupción del servicio o divulgación de información) como consecuencias posteriores (como sanciones regulatorias o la pérdida de confianza del cliente).

El primer paso para determinar la importancia de los activos de información es dividir la estructura corporativa u organizacional en unidades de negocios o departamentos (**figura 3.5**). Dentro de la estructura organizacional corporativa o de más alto nivel, cada una de las unidades de la estructura debe ser clasificada según su importancia o valor para el negocio.

En la **figura 3.5**, la Unidad de Negocio B se le asigna el número uno de calificación porque es la más importante. La importancia generalmente es igual a los ingresos, pero el valor puede ser igual a las tareas críticas que se realicen y la sensibilidad de la información que está siendo almacenada/gestionada/procesada. Puede haber tantas unidades o departamentos como existen en la organización, pero puede ser más manejable mantenerse en un nivel superior.

La clasificación la debe realizar el equipo de alta gerencia, basándose en su comprensión de la empresa. La clasificación es la base para establecer la estructura de gestión de riesgos. El valor o la importancia relativa de las unidades de negocios o departamentos darán como resultado la manera en que se distribuyen las funciones, los activos y los recursos críticos.

El siguiente paso es identificar las funciones organizacionales críticas. El objetivo para cada unidad de negocios o departamento es definir qué tareas son importantes para que la unidad alcance sus metas. Puede haber una estructura de dos niveles dentro de la capa de funciones críticas que represente las operaciones complejas. Las funciones críticas de negocios también se clasifican numéricamente para ayudar a priorizar los esfuerzos subsiguientes para eliminar los riesgos.

Figura 3.5—Capa superior de la estructura de riesgo del negocio

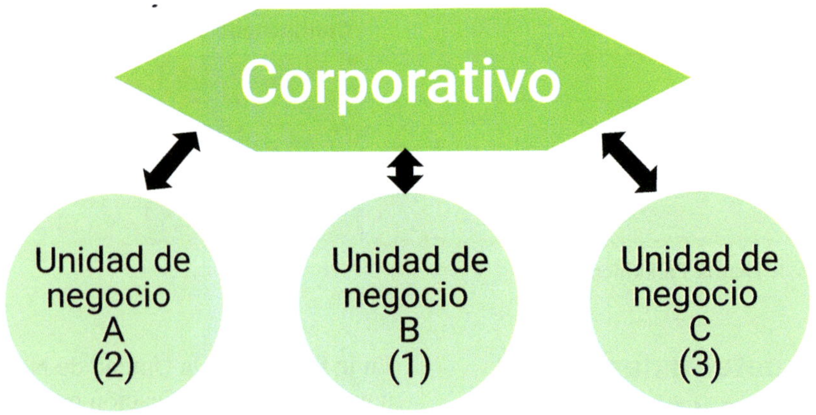

Fuente: Cortesía de Kenneth D. Biery

Una vez que se han identificado las funciones críticas, como se muestra en la **figura 3.6**, se mapea la estructura básica de la empresa. Es importante reconocer que esta estructura se ha limitado únicamente a los elementos operativos, sin considerar tecnologías, aplicaciones o datos. Esta estructura progresiva y detallista, que es parecida al BIA, que se ejecuta al hacer un plan de continuidad del negocio, proporcionará una visión a nivel de la gestión del riesgo y de dónde reside en la empresa.

Figura 3.6—Capa de función crítica de la estructura de riesgo del negocio

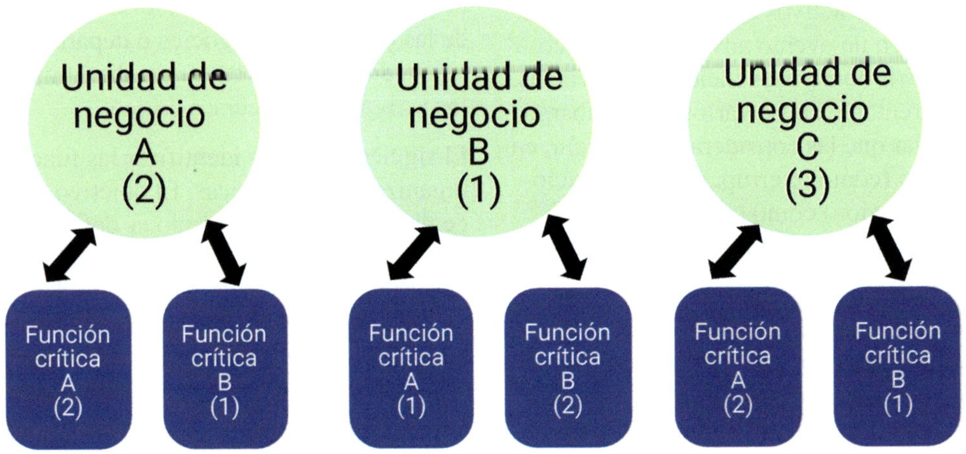

Fuente: Cortesía de Kenneth D. Biery

En la estructura que se muestra en la **figura 3.7**, los activos y los recursos son los contenedores del riesgo. Debido a que existen vulnerabilidades identificadas con los activos que pueden ser utilizadas por las amenazas, existe riesgo. Los activos, al igual que las unidades de negocio y las funciones críticas, se califican numéricamente. Puesto que los activos se asocian con las funciones críticas de negocio que ellos soportan, se clasificarán según su importancia desde el más importante al menos importante del grupo.

Figura 3.7—Alineación de activos con la capa de función crítica

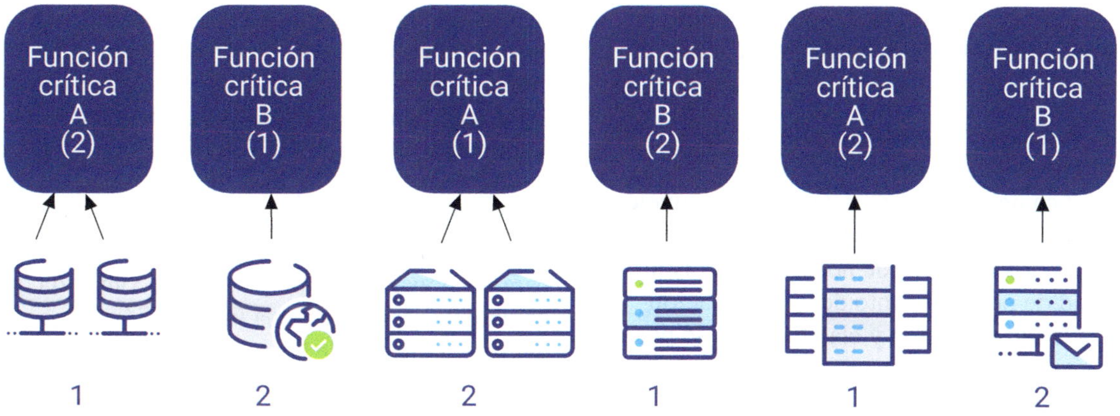

Fuente: Cortesía de Kenneth D. Biery

El riesgo representado en la **figura 3.8** es la combinación de vulnerabilidades que una amenaza puede explotar para causar un impacto negativo en un activo. Con el enfoque representado en las figuras anteriores, una empresa puede ver dónde se originan los riesgos y cómo pueden afectar las operaciones del negocio.

Figura 3.8—Vulnerabilidades del activo

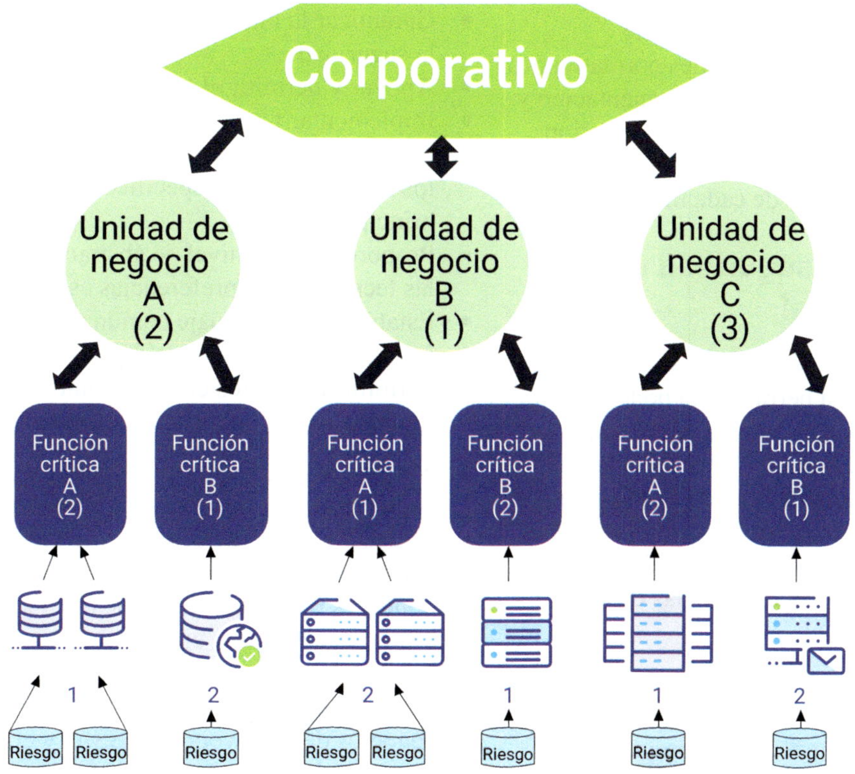

Fuente: Cortesía de Kenneth D. Biery

La naturaleza práctica y detallada de este enfoque resulta útil para la gerencia a través de toda la empresa. Por ejemplo, podría ser conveniente para los dueños del negocio ver el nivel de riesgo de sus funciones críticas para poder establecer un cronograma para corregir vulnerabilidades o priorizar los esfuerzos de protección.

La clasificación de activos de información no es una actividad que se realice una sola vez. Debe repetirse periódicamente para garantizar que los niveles de clasificación y los niveles de protección son apropiados según los objetivos de negocio. Asimismo, dada la cantidad de procesamiento de la información requerido para la identificación y clasificación, se pueden usar herramientas y la automatización para evitar la subjetividad humana en el proceso.

3.4 Estándares y marcos de la industria para la seguridad de la información

Algunos estándares y marcos de referencia reconocidos internacionalmente proporcionan una referencia común y una guía para gestionar un programa de gestión de la seguridad de la información. Debido a este reconocimiento, proporcionan orientaciones normativas (o informativas) útiles para contribuir a la implementación y la gestión del programa de seguridad de la información. Además de los marcos de referencia generales, existen numerosos estándares específicos de cada industria.

3.4.1 Arquitecturas de seguridad de la información empresarial

Una arquitectura de seguridad de la información en la empresa (EISA) puede ser una herramienta poderosa de desarrollo, implementación e integración de una estrategia. La efectividad de una EISA depende de que sea una parte integral de la arquitectura de la empresa (EA). Contribuye a garantizar que se implementen controles adecuados y se integren a través de la infraestructura, los procesos y las tecnologías de la empresa.

El hecho de que las empresas no adopten un concepto de arquitectura de seguridad parece tener varias causas identificables. Una de ellas es que dichos proyectos son costosos y de ejecución lenta, y se tiene un escaso o nulo entendimiento o apreciación en casi todos los niveles de la organización de la necesidad o los posibles beneficios.

Puede ser también que existan pocos arquitectos competentes con experiencia suficientemente vasta para tratar la amplia gama de aspectos que son necesarios para garantizar que se obtendrá un grado razonable de éxito. Esta falta de arquitectura con el paso del tiempo ha resultado en una integración de seguridad menos funcional y una mayor vulnerabilidad en la empresa, aunque la seguridad técnica haya mejorado significativamente. Esta falta de integración contribuye a aumentar la dificultad de gestionar los esfuerzos de seguridad de la empresa de modo efectivo. Dada la complejidad de implementar una arquitectura de la seguridad de la información como marco de referencia para gestionar la complejidad, se recomienda que el gerente de seguridad de la información obtenga asistencia de los arquitectos de la empresa. La orientación de aquellos con experiencia y comprensión del desarrollo de la arquitectura ayudará a garantizar que la integración compleja con la información y la tecnología siga siendo relevante y pragmática a medida que evolucionen las condiciones.

Los objetivos de los enfoques de la arquitectura de la información incluyen:

- Proporcionar cohesión, coherencia y estructura global.
- Servir como plan de acción para el desarrollo del programa.
- Garantizar la alineación estratégica entre el negocio y la seguridad.
- Apoyar y permitir el logro de la estrategia del negocio.
- Implementar las políticas de seguridad y la estrategia.
- Asegurar el seguimiento de la estrategia del negocio, los requerimientos específicos del negocio y los principios clave.
- Proporcionar un nivel de abstracción independiente de las tecnologías y preferencias específicas.
- Establecer un lenguaje común para la seguridad de la información dentro de la empresa.
- Permitir que varios contribuyentes individuales trabajen juntos para lograr objetivos.

Se han desarrollado varios enfoques arquitectónicos para la empresa; todos ellos incluyen aspectos esenciales de seguridad y algunos se centran solo en la seguridad. Aunque en este manual no se analiza cada uno de los enfoques, es preciso resaltar que éstos se dividen en tres categorías básicas: enfoques de procesos, marcos y modelos de referencia. Los marcos como COBIT, el marco de Zachman, la Arquitectura aplicada de seguridad de negocios de Sherwood (SABSA) y el Marco de arquitectura de Open Group (TOGAF) permiten una gran flexibilidad en la forma en que se desarrollan cada uno de los elementos de la arquitectura. La función de los marcos es describir los elementos de la arquitectura y cómo deben relacionarse entre sí. En el caso de los modelos de procesos, los procesos utilizados para varios elementos son más directivos. Los modelos de referencia son una representación a menor escala de la implementación real. Aunque los objetivos de todos los modelos en esencia son los mismos, sus enfoques varían mucho.

Sin embargo, algunos de estos enfoques son similares y han evolucionado a partir del desarrollo de la arquitectura empresarial. Por ejemplo, el enfoque del marco Zachman de desarrollar una matriz de quién, qué, por qué, dónde, cuándo y cómo también es utilizado por SABSA y E2AF. Consulte la **figura 3.9**.

Figura 3.9—Matriz SABSA de arquitectura de seguridad

	Activos (Qué)	Motivación (Por qué)	Proceso (Cómo)	Gente (Quién)	Ubicación (Dónde)	Tiempo (Cuándo)
Contextual	El negocio	Modelo de riesgo de negocio	Modelo del proceso de negocio	Organización y relaciones de negocio	Geografía de negocio	Dependencias del tiempo de negocio
Conceptual	Perfil de atributos de negocio	Objetivos de los controles	Estrategias de seguridad y estratificación de la arquitectura	Modelo de la entidad de seguridad y marco de confianza	Modelo del dominio de seguridad	Duraciones y fechas límite relacionadas con la seguridad
Lógico	Modelo de información de negocio	Políticas de seguridad	Servicios de seguridad	Esquema de la entidad y perfiles de privilegios	Definiciones y asociaciones del dominio de seguridad	Ciclo de procesamiento de la seguridad
Físico	Modelo de datos de negocio	Reglas, prácticas y procedimientos de seguridad	Mecanismos de seguridad	Usuarios, aplicaciones y la interfaz del usuario	Infraestructura de redes y plataforma	Ejecución de la estructura de control
Componente	Estructuras de datos detallados	Normas de seguridad	Productos y herramientas de seguridad	Identidades, funciones, acciones y ACL	Procesos, nodos, direcciones y protocolos	Sincronización y secuencia de pasos de seguridad
Operativo	Aseguramiento de la continuidad operativa	Gestión de riesgos operativos	Gerencia y soporte del servicio de seguridad	Aplicación, y gerencia y soporte a usuarios	Seguridad de sitios, redes y plataformas	Calendario de las operaciones de seguridad

Fuente: Copyright SABSA Institute, *www.sabsa.org*. Reproducido con autorización.

El TOGAF aborda las siguientes cuatro áreas interrelacionadas de especialización llamadas:

- Arquitectura de negocio, que define la estrategia de negocio, el gobierno, la organización y los procesos de negocio clave de la empresa.
- Arquitectura de las aplicaciones, que proporciona un plan para que se implementen los sistemas individuales de aplicación, las interacciones entre los sistemas de aplicación y sus relaciones con los procesos de negocio fundamentales de la organización, con los marcos para que se expongan los servicios como funciones de negocio para la integración.
- Arquitectura de datos, que describe la estructura de los activos de datos físicos y lógicos de una empresa y los recursos de gestión de datos asociados.
- Arquitectura técnica o arquitectura de la tecnología, que describe el hardware, el software y la infraestructura de red necesaria para respaldar la implementación de las aplicaciones fundamentales y críticas para la misión.

Los objetivos de los diversos enfoques son esencialmente iguales. El marco detalla la organización, los roles, las entidades y las relaciones que existen o deberían existir para llevar a cabo un conjunto de procesos de negocio. El marco debe proveer una taxonomía rigurosa que identifique claramente los procesos que realiza un negocio e incluya información detallada sobre cómo se ejecutan y aseguran esos procesos. El producto final es un conjunto de elementos que describen, en diferentes grados de detalle, exactamente qué y cómo opera un negocio y cuáles controles de seguridad se requieren.

La elección de los enfoques puede ser limitada por un estándar organizacional existente, pero si no existe uno, la elección se debe hacer basándose en la forma, el ajuste y la función. En otras palabras, un enfoque particular puede ser más consistente con las prácticas organizacionales existentes o puede ser más adecuado para una situación en particular. Los diferentes enfoques también pueden implicar esfuerzos y recursos considerablemente mayores. Algunos están más orientados o limitados a arquitecturas técnicas y no serán adecuados para efectos de gobierno.

Aunque una arquitectura de seguridad específica pueda ofrecer ventajas considerables, es esencial que esté guiada y totalmente integrada con la arquitectura global de la empresa. El desarrollo de la arquitectura empresarial actual, como el caso de TOGAF (**figura 3.10**), tratará la seguridad como un componente esencial del diseño global y, en la mayoría de los casos, será el enfoque preferido para asegurar una integración eficaz.

Figura 3.10—La estructura del documento TOGAF

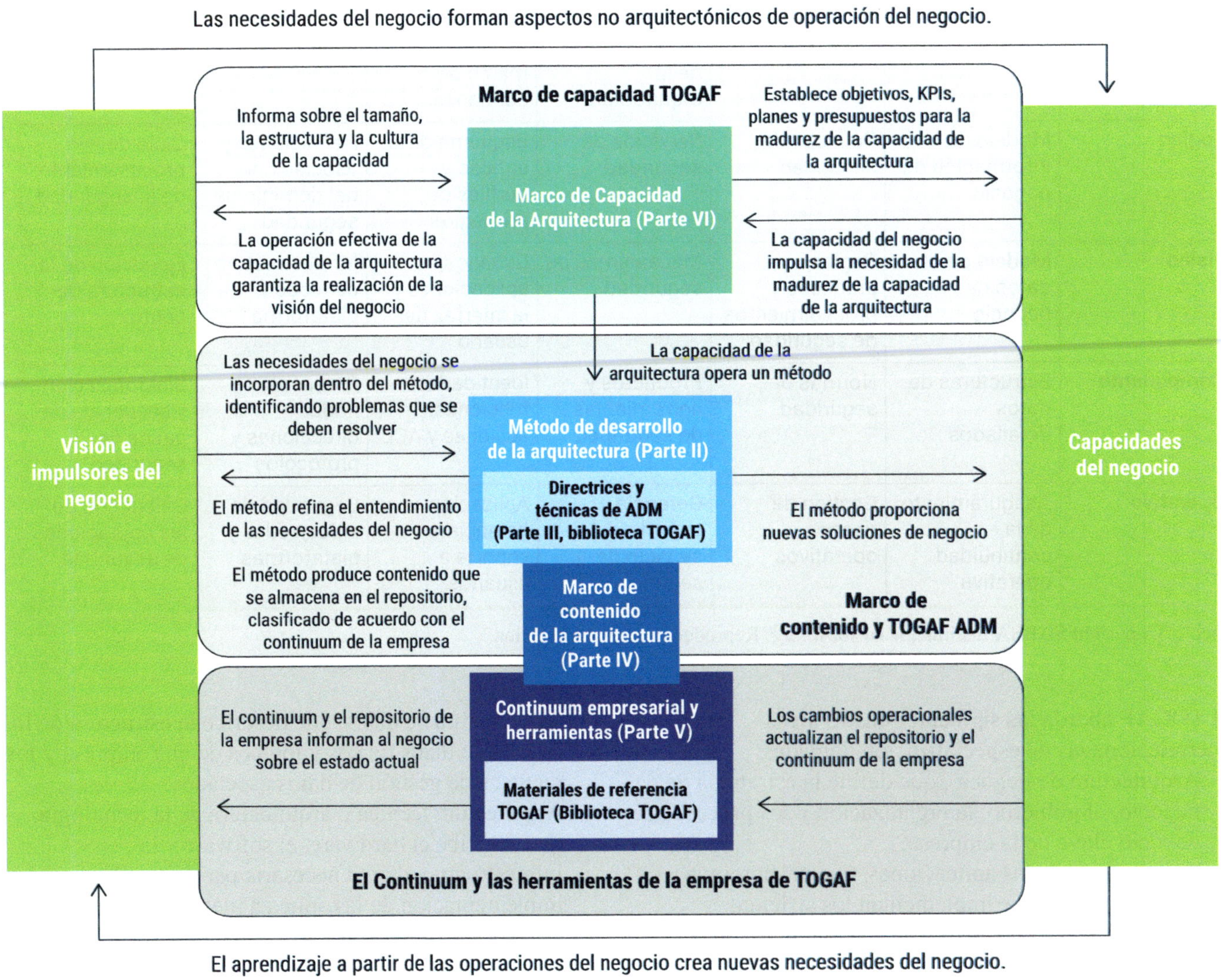

Fuente: The Open Group, *TOGAF® Standard v10*, Reino Unido, 2022

Las fases del Método de desarrollo de la arquitectura (ADM) TOGAF, como se muestra en la **figura 3.11**, incluyen:

- **Fase preliminar**: se encarga de la definición del marco de arquitectura, así como también de los principios de la arquitectura. Además, se identifican el alcance general, los límites, los objetivos y las presunciones.
- **Visión de la arquitectura**: se encarga de definir la visión y el alcance de la arquitectura y los segmentos específicos del trabajo que deben realizarse.
- **Arquitectura del negocio**: aborda la descripción del dominio de arquitectura de negocio como es el desarrollo de la arquitectura de negocio como será y el análisis de brechas entre ambos.
- **Arquitectura de los sistemas de información**: brinda la descripción de los datos como son y como serán, los dominios de las aplicaciones y la realización de los análisis de brechas.
- **Arquitectura de tecnología**: se encarga de la descripción de los dominios de tecnología como son y como serán, y la realización de un análisis de brechas.
- **Oportunidades y soluciones**: se encarga de la formulación de una estrategia de implementación y migración de alto nivel para transformar las arquitecturas como son en la arquitectura futura.
- **Planificación de migración**: se encarga de la formulación de un plan de acción de implementación y migración detallado, que incluye el análisis de costos, beneficios y riesgos.
- **Gobierno de implementación:** garantiza que los proyectos de implementación estén en conformidad con la arquitectura definida.
- **Gestión de cambios de la arquitectura**: se encarga de mantener la arquitectura actualizada y garantizar que la arquitectura responda a las necesidades de la empresa, a medida que surjan los cambios.
- **Gestión de los requerimientos:** garantiza que los proyectos de la arquitectura estén basados en los requerimientos del negocio y que los requerimientos del negocio sean validados con la arquitectura.

Figura 3.11—El método de desarrollo de la arquitectura del TOGAF

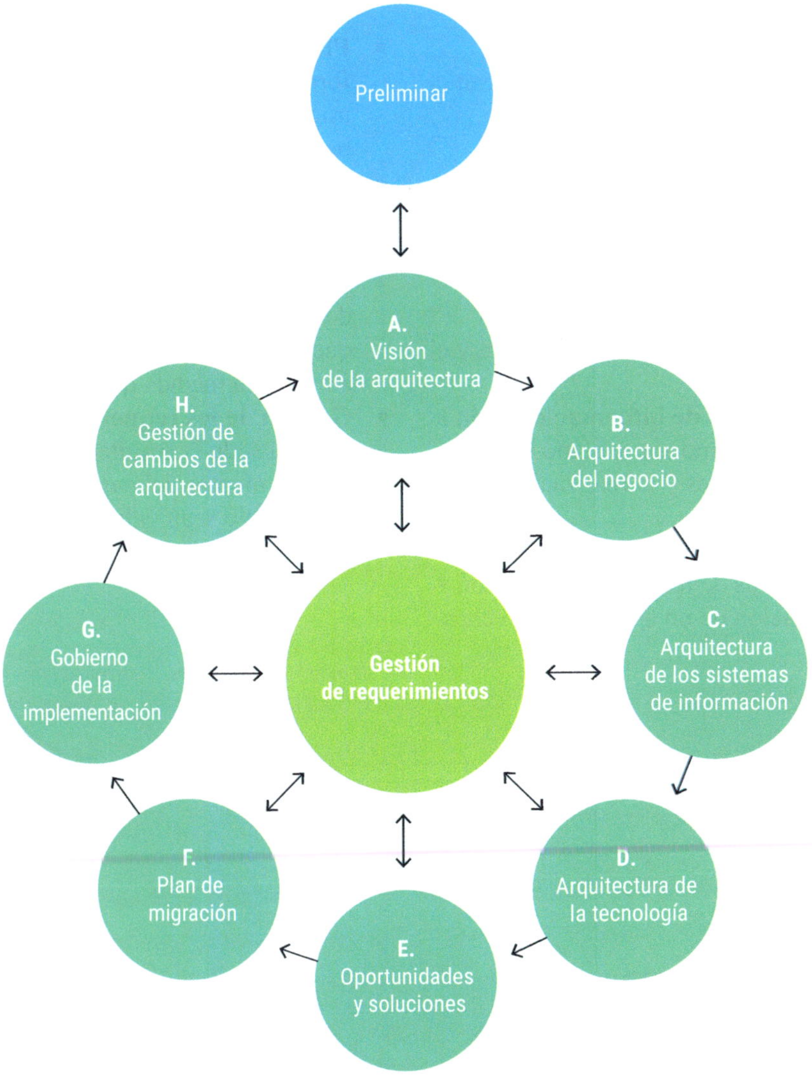

Fuente: The Open Group, *TOGAF® Standard v10*, Reino Unido, 2022

Marcos alternativos de arquitectura empresarial

La elección de un enfoque de arquitectura se debe basar en factores como la forma, el ajuste, la función y, en ciertas empresas, enfoques obligatorios. Además de los enfoques mencionados, otros enfoques relacionados con la arquitectura de seguridad y de empresa incluyen los siguientes:

- French Délégation Générale pour l'Armement Atelier de Gestion de l'ArchiTEcture des systèmes d'information et de communication (AGATE)
- Integrated Architecture Framework of Capgemini
- Prestación Interoperable (de servicios gubernamentales europeos al público) Administraciones, Empresas y Ciudadanos (IDABC)
- Método para un Ambiente de Conocimiento Integrado (MIKE2.0), que incluye un marco de arquitectura empresarial denominado Arquitectura Estratégica para la Empresa Federada (SAFE)
- Arquitectura Basada en Modelos (MDA) del Object Management Group
- Marco de Arquitectura Empresarial NIH
- Metodología y Marco de Negocios y TI OBASHI (OBASHI)
- Arquitectura de Seguridad Abierta
- Marco de Arquitectura Empresarial SAP, una extensión del TOGAF, para respaldar mejor los programas comerciales ya disponibles y la arquitectura orientada a servicios

- Marco de Modelado Orientado a Servicios (SOMF)
- Marco de Arquitectura del Ministerio de Defensa del Reino Unido (MODAF)
- Marco de Arquitectura del Departamento de Defensa de los Estados Unidos (DoDAF)
- Arquitectura Empresarial Federal de la Oficina de Gestión y Presupuesto de los Estados Unidos (FEA)

Dominios de la arquitectura de empresa

Existen cuatro subconjuntos comúnmente aceptables de una arquitectura general de la empresa:

- Una arquitectura de negocio (o proceso de negocio) define la estrategia de negocio, el gobierno, la organización y los procesos de negocio clave.
- Una arquitectura de datos describe la estructura de los activos de datos físicos y lógicos de una empresa, y los recursos de gestión de datos.
- Una arquitectura de aplicaciones proporciona un plan para que se implementen los sistemas individuales de aplicación, sus interacciones y sus relaciones con los procesos de negocio fundamentales de la empresa.
- Una arquitectura de tecnología describe los principios arquitectónicos, las relaciones de los componentes y la infraestructura de hardware y software que pretende respaldar la implementación de las aplicaciones fundamentales, críticas para la misión.

Cualquiera sea el enfoque arquitectónico que se elija, un enfoque efectivo debe comenzar con la arquitectura de negocio de la empresa. Los diseños posteriores, tales como arquitecturas de datos, seguridad y aplicaciones, funcionan como subconjuntos para garantizar la alineación y el apoyo de los objetivos y la estrategia del negocio.

La complejidad de desarrollar e implementar algunos enfoques ha demostrado que es un obstáculo adoptarlos. Por ejemplo, algunas nociones de los marcos de la arquitectura de seguridad de la información incluyen seis capas, de contextuales a físicas. Al igual que la arquitectura de edificios, el nivel contextual o el nivel más alto que se define en SABSA y en los marcos de Zachman es la capa de "negocio" o utilidad, es decir, para qué se va a utilizar la estructura. El diseño de un teatro es muy distinto al de un edificio para oficinas puesto que cada edificación se utiliza con propósitos diferentes. El diseño, o arquitectura, está alineado en forma muy estrecha al propósito (es decir, está ligado al objetivo del negocio). La arquitectura contextual sirve para definir las relaciones que existen entre diversos atributos requeridos del negocio. Éstos incluyen quién, qué, cuándo, dónde y cómo, que conduce a la siguiente capa, la capa conceptual, que integra los conceptos de diseño arquitectónico con los requerimientos del negocio.

La siguiente capa, la arquitectura lógica, describe los mismos elementos en términos de las relaciones que existen entre los elementos lógicos. Le sigue una capa física, que identifica las relaciones entre los diferentes mecanismos de seguridad que ejecutará las relaciones lógicas y la arquitectura de componentes que está integrada por los dispositivos reales y sus interconexiones. Por último, destaca la arquitectura operativa, que describe la manera como se organiza la entrega del servicio de seguridad.

Si bien podría decirse que son integrales, los marcos SABSA y Zachman suelen ser complejos y costosos de desarrollar. Muchas de las empresas que los han implementado los consideran difíciles de mantener, puesto que experimentan cambios rápidos y definen nuevos objetivos de negocio.

La consideración importante, independientemente del enfoque, es que cuando se desarrolla y se implementa un programa de seguridad de la información, se debería disponer de algún tipo de diseño o de arquitectura de alto nivel. Este es el caso particular de las implementaciones principales constituidas por muchas partes y proyectos que deben estar bien integradas para alcanzar los objetivos del programa. Si bien muchas empresas no cuentan con arquitecturas de la empresa o de seguridad, la adopción de una arquitectura de seguridad o de empresa apropiada podría ser fundamental para desarrollar e implementar un programa de seguridad de la información eficaz.

Objetivos de las arquitecturas de seguridad de la información

Una de las funciones clave de la arquitectura como herramienta consiste en brindar un marco dentro del cual la complejidad pueda acometerse con éxito. A medida que crece el tamaño y la complejidad de un proyecto, muchos diseñadores y sus propuestas de diseño deben trabajar como un equipo para crear algo que tenga la apariencia de haber sido creado por una sola autoridad del diseño.

A medida que aumenta la complejidad del ambiente de negocio, muchos procesos de negocio y funciones de soporte deben integrarse perfectamente para brindar servicios y gestión eficaces al negocio, sus clientes y sus socios. La arquitectura proporciona un medio para manejar dicha complejidad.

3.4.2 Marcos de la gestión de la seguridad de la información

El marco de la gestión de seguridad de la información es una representación conceptual de una estructura de gestión de la seguridad de la información. Debe definir los componentes técnicos, operativos, de gestión, administrativos y educativos del programa; las unidades y el liderazgo de la organización responsable de cada componente; el objetivo de control o de gestión con el que cada componente debe cumplir; las interfaces y el flujo de información entre los componentes; y las salidas o resultados tangibles de cada componente. Aun cuando varían los formatos y los niveles de detalle, el marco debe describir, en esencia y a grandes rasgos, los componentes que conforman la gestión de la seguridad de la información (por ejemplo, roles, políticas, procedimientos operativos estándar (SOP), procedimientos de gestión, arquitecturas de seguridad) y sus interacciones. Esto es, en esencia, una arquitectura de operación como se describe en 3.4.1 Arquitecturas de seguridad de la información empresarial.

Otros resultados de un marco eficaz de gestión de la seguridad se enfocan en necesidades a menor plazo. Por ejemplo, quienes toman las decisiones dentro de una organización requieren estar conscientes de los riesgos y las opciones que existen para su mitigación como una forma de apoyar las iniciativas corporativas, tales como el alojamiento externo de los sistemas de información. Los encargados de implementar soluciones suelen requerir de los servicios de expertos en seguridad técnica, lo cual deberá facilitar el gerente de seguridad de la información mediante el uso de recursos internos o externos. Garantizar que las iniciativas y las operaciones existentes se apeguen a las políticas y los estándares también es un área en la que se espera que tanto el gerente de seguridad de la información como el departamento de seguridad hagan aportes.

También se espera que el gerente de seguridad de la información genere opciones para la gestión de la seguridad de la información que aporten resultados que sean menos directos, pero no por ello menos importantes, para alcanzar las metas de seguridad. Entre estos objetivos se encuentra demostrar, tanto directa como indirectamente, que:

- El programa agrega valor táctico y estratégico a la empresa.
- El programa está siendo operado con eficiencia y dando atención eficaz a los temas de los costes.
- La gerencia tiene un claro entendimiento de los impulsores, las actividades, los beneficios y las necesidades de la seguridad de la información.
- El conocimiento y las capacidades de la seguridad de la información aumentan como resultado del programa.
- El programa impulsa la cooperación y las buenas relaciones entre las unidades organizacionales.
- Se facilita el entendimiento que las partes interesadas en la seguridad de la información tienen de sus roles, responsabilidades y expectativas.
- El programa incluye dotaciones para la continuidad del negocio de la empresa.

Estas metas no funcionales (soft goals) giran en torno a demostrar de manera directa e indirecta a los comités directivos de seguridad, la alta gerencia y los consejos de dirección que el programa de seguridad de la información está produciendo los resultados necesarios y que el gerente de seguridad de la información está gestionando el programa con eficacia.

Existen varios marcos diferentes que pueden ser utilizados por el gerente de seguridad de la información para el desarrollo del programa de seguridad de la información. Tras la comprensión de varios marcos de referencia para gestionar la seguridad de la información, es clave entender que no se puede adoptar ningún marco tal cual para ninguna empresa. Un enfoque de adopción creciente ayudará a la implementación de un programa personalizado para la empresa.

Nota

Existen muchos marcos de referencia disponibles para los gerentes de seguridad de la información. Las siguientes secciones no constituyen un listado exhaustivo de marcos de referencia, sino una visión general de algunos de los marcos de referencia más usados comúnmente. El examen CISM no evaluará ningún marco o estándar específicos, sino que los candidatos deben entender cómo aplicar un marco de referencia en sus empresas. Los gerentes de seguridad de la información deben ser conscientes de los marcos de referencia aplicables a sus industrias o a las empresas específicas.[35]

COBIT

El Capítulo 1 Gobernanza de seguridad de la información ilustra cómo COBIT proporciona un marco de referencia completo con un enfoque en asistir a las empresas a

[35] Uno de esos marcos es HITRUST. Para más información, consulte *https://hitrustalliance.net/*.

crear valor óptimo de TI manteniendo un equilibrio entre la obtención de beneficios y la optimización de los niveles de riesgo y el uso de recursos. COBIT permite que la TI y la información sea gobernada y gestionada de manera holística para la empresa, abordando las áreas de responsabilidad funcionales del negocio y TI, considerando los intereses relacionados con la información de las partes interesadas internas y externas.

COBIT se basa en dos conjuntos de principios: 1) principios que describen los requisitos centrales de un sistema de gobierno para la información y la tecnología de la empresa; y 2) principios para un marco de referencia que puede usarse para construir un sistema de gobierno para la empresa.

COBIT, incluyendo el área centrada en la seguridad de la información, proporciona herramientas que ayudan a comprender, utilizar, implementar y dirigir actividades claves relacionadas con la seguridad de la información y a tomar decisiones más informadas. Permite que los profesionales de seguridad de la información se comuniquen efectivamente con líderes de negocios y TI y gestionen el riesgo asociado con la información, incluido el riesgo relacionado con el cumplimiento, la continuidad, la seguridad y la privacidad.

COBIT incluye nuevas áreas prioritarias que describen un tema, dominio o asunto de gobierno determinado que puede abordarse como una serie de objetivos de gobierno y gestión y sus componentes. Algunos de los ejemplos de áreas prioritarias son: pequeñas y medianas empresas, seguridad de la información, riesgo, transformación digital, computación en la nube, privacidad y DevOps.

Los principales impulsores del área de seguridad de la información en COBIT incluyen:

- La necesidad de describir la seguridad de la información en un contexto empresarial, que incluye:
  - Las responsabilidades funcionales de TI y de negocios completas de la seguridad de la información.
  - Los aspectos clave que conducen a un gobierno y gestión de seguridad de la información efectivos, como estructuras, políticas y cultura organizacionales.
  - La relación y el alineamiento de la seguridad de la información con los objetivos de la empresa.
- Una necesidad cada vez mayor para la empresa de:
  - Lograr y mantener el riesgo de la información en un nivel aceptable; proteger la información contra divulgación no autorizada, modificaciones inadvertidas o no autorizadas, y posibles intrusiones; y proteger los activos tecnológicos del daño y la destrucción.
  - Garantizar que los servicios y sistemas estén continuamente disponibles para los recursos internos y externos para los que es importante tener acceso apropiado a fin de alcanzar la satisfacción de los usuarios con los servicios y compromisos de TI.
  - Garantizar la resiliencia frente al ciberdelito dentro de la empresa.
  - Cumplir con las regulaciones y leyes relevantes, así como también con los requerimientos contractuales y políticas internas sobre protección y seguridad de sistemas e información, y proporcionar transparencia en el nivel de cumplimiento.
  - Lograr todo lo anterior manteniendo a su vez el costo de servicios de TI y protección de tecnología.
- La necesidad de conectar y, en casos relevantes, alinearse con otros marcos de referencia y estándares relevantes en el mercado.
- La necesidad de vincular las principales investigaciones, marcos y orientación de ISACA, con un enfoque principal en el modelo comercial para la seguridad de la información (BMIS) y COBIT, pero también en otras áreas de enfoque relevantes, como el marco de garantía de TI (ITAF).

ISO/IEC 27001:2022

La serie de estándares internacionales ISO/IEC 27000 cubre prácticamente todos los aspectos de seguridad a un alto nivel. La serie incluye:

- *ISO/IEC 27000 Tecnología de la información. Técnicas de seguridad. Sistemas de gestión de la seguridad de la información. Resumen y vocabulario*
- ISO/IEC 27001 Seguridad de la información, ciberseguridad y protección de la privacidad. Sistemas de gestión de seguridad de la información. Requisitos
- ISO/IEC 27002 Seguridad de la información, ciberseguridad y protección de la privacidad. Controles de seguridad de la información
- ISO/IEC 27003 Tecnología de la información. Técnicas de seguridad. Sistemas de gestión de la seguridad de la información. Guía
- ISO/IEC 27004 Tecnología de la información. Técnicas de seguridad. Gestión de la seguridad de la información. Monitoreo, medición, análisis y evaluación
- ISO/IEC 27005 Seguridad de la información, ciberseguridad y protección de la privacidad. Guía para la gestión de los riesgos de seguridad de la información

- ISO/IEC 27006 Seguridad de la información, ciberseguridad y protección de la privacidad. Requisitos para los organismos que proporcionan auditoría y certificación de los sistemas de gestión de la seguridad de la información
- ISO/IEC 27007 Seguridad de la información, ciberseguridad y protección de la privacidad. Directrices para la auditoría de los sistemas de gestión de seguridad de la información
- ISO/IEC TR 27008 Tecnología de la información. Técnicas de seguridad. Directrices para la evaluación de los controles de seguridad de la información
- ISO/IEC 27010 Tecnología de la información. Técnicas de seguridad. Gestión de seguridad de la información para la comunicación intersectorial e interorganizacional
- ISO/IEC 27011 Seguridad de la información, ciberseguridad y protección de la privacidad. Controles de seguridad de la información basados en ISO/IEC 27002 para organizaciones de telecomunicaciones
- ISO/IEC 27013 Seguridad de la información, ciberseguridad y protección de la privacidad. Directrices sobre la implementación integrada de ISO/IEC 27001 e ISO/IEC 20000-1
- ISO/IEC 27014 Seguridad de la información, ciberseguridad y protección de la privacidad. Gobierno de la seguridad de la información
- ISO/IEC TR 27016 Tecnología de la información. Técnicas de seguridad. Gestión de la seguridad de la información. Economía de la organización
- ISO/IEC TR 27019 Tecnología de la información. Técnicas de seguridad. Controles de la seguridad de la información para la industria de servicios eléctricos
- ISO/IEC 27031 Tecnología de la información. Técnicas de seguridad. Guía para la preparación de la tecnología de la información y comunicación para la continuidad del negocio
- ISO/IEC 27032 Ciberseguridad. Directrices para la seguridad de Internet
- *ISO/IEC 27033* (Partes 1-6): *Tecnología de la información. Técnicas de seguridad. Seguridad de la red* e *ISO/IEC 27033-7:2023: Tecnología de la información. Seguridad de la red. Parte 7: Directrices para la seguridad de la virtualización de redes*
- *ISO/IEC 27034-1: Tecnología de la información. Técnicas de seguridad. Seguridad de aplicaciones. Parte 1: Visión general y conceptos*
- *ISO/IEC 27035: Tecnología de la información. Gestión de incidentes de seguridad de la información*
- *ISO/IEC 27036-3: Ciberseguridad. Relaciones con proveedores. Parte 3: Directrices para la seguridad de la cadena de suministro de hardware, software y servicios*
- *ISO/IEC 27037 Tecnología de la información. Técnicas de seguridad. Guía para la identificación, recolección, adquisición y conservación de la evidencia digital*
- *ISO 27799: Informática de salud. Gestión de seguridad de la información en salud mediante ISO/IEC 27002*

Marco de ciberseguridad NIST

Formalmente titulado marco del NIST para mejorar la ciberseguridad de la infraestructura crítica, este modelo proporciona una guía de alto nivel para alinear un programa de ciberseguridad con los objetivos empresariales. En respuesta a una incidencia cada vez mayor de ataques a la seguridad cibernética, el NIST convocó una serie de talleres para desarrollar un proceso mediante el cual una empresa pudiera identificar oportunidades de mejora en el programa de seguridad de la información. El marco destaca la necesidad de una integración eficaz de la gestión de riesgos y apoya ampliamente la mejora en la gestión de riesgos de la cadena de suministro.

El marco de ciberseguridad del NIST no proporciona controles que se apliquen. En cambio, guía a los profesionales a través del proceso de determinar las deficiencias entre el estado actual de la práctica y un estado objetivo deseado que podría cumplir mejor con la misión de la empresa, incluidas las necesidades de gestión de riesgos. El análisis de las deficiencias entre estados permite el uso de marcos basados en controles (incluidos los enumerados aquí) para mejorar la gestión de riesgos de seguridad de la información.

Los componentes del marco de ciberseguridad NIST incluyen:

- Marco básico: un conjunto de resultados relacionados con la ciberseguridad organizado en términos de cinco funciones simultáneas: Identificar, proteger, detectar, responder y recuperar. Cuando se consideran juntas, estas funciones proporcionan una visión estratégica y de alto nivel del ciclo de vida de la gestión de ciberseguridad de la empresa. El marco básico identifica las categorías clave subyacentes y las subcategorías para cada función. Para brindar claridad con respecto a los resultados esperados de cada subcategoría, el NIST proporciona ejemplos (o referencias informativas) de estándares, pautas y prácticas bien conocidos, incluidos varios mencionados anteriormente.

- Niveles de implementación del marco: un conjunto de cuatro niveles que ayudan a una empresa a determinar el nivel de diligencia requerido para su programa de gestión de riesgos de seguridad de la información, la integración de la gestión de riesgos en las operaciones empresariales y el intercambio de información de seguridad de la información con partes externas. Los niveles caracterizan las prácticas de la empresa dentro de un rango, desde Parcial (nivel 1) hasta Adaptativo (nivel 4). Estos niveles reflejan una progresión desde las respuestas reactivas, informales, hasta enfoques ágiles e informados sobre el riesgo. La coordinación con las partes interesadas de la empresa para seleccionar un nivel deseado respalda las discusiones sobre la medida en que estas características deben incluirse en el programa de seguridad de la información.
- El perfil del marco es una representación de cómo una empresa (o un subconjunto de la misma) ha implementado o desea implementar los resultados descritos en el marco básico. Al iterar a través de cada una de las categorías y subcategorías en el marco básico, según los impulsores comerciales y la evaluación de riesgos de seguridad de la información, los usuarios pueden documentar el estado actual del programa de seguridad de la información y pueden evaluar las oportunidades de mejora.

Marco de gestión de riesgo NIST

El marco de gestión de riesgos (RMF) NIST proporciona un proceso que integra las actividades de gestión de riesgos de seguridad, privacidad y cadena de suministro cibernético en el ciclo de vida de desarrollo del sistema. Originalmente destinado a ayudar a las agencias gubernamentales de EE. UU. a evaluar y mejorar la seguridad de la información, se ha ampliado para aplicarse a cualquier empresa y está disponible sin coste alguno. El RMF proporciona un enfoque basado en el riesgo para la categorización de activos relevantes, la selección e implementación de controles para lograr una protección adecuada y disposiciones para supervisar la eficacia y eficiencia continuas de las medidas de gestión de riesgos.

El RMF consta de siete pasos:

- **Prepararse** para aplicar el marco mediante la determinación de las metas y los objetivos de la empresa, los roles de gestión de riesgos relevantes, la estrategia de riesgo de la empresa y las directivas de políticas, los artefactos organizacionales con respecto a la evaluación de riesgos (existentes y planificados) y los métodos para monitorear y comunicar las actividades y resultados de riesgos.
- **Categorizar** el sistema y la información procesada, almacenada y transmitida según un análisis del impacto de la pérdida de confidencialidad, integridad y disponibilidad de ese sistema o información.
- **Seleccionar** el conjunto de controles de seguridad y privacidad (generalmente publicados en la Publicación especial 800-53 del NIST) que lograrán los objetivos de gestión de riesgos apropiados a la luz de la categorización. Los conjuntos de referencia de controles se proporcionan en un documento separado como punto de partida, y luego se pueden adaptar para lograr los objetivos de gestión de riesgos. Hay procesos similares disponibles para controles compartidos que pueden utilizar varias entidades en toda la empresa.
- **Implementar** los controles como se describe en un plan de seguridad del sistema detallado y actualizar la documentación relevante, según sea necesario.
- **Evaluar** la eficacia y eficiencia de los controles implementados a través de un proceso de análisis de control de seguridad disciplinado, basado en criterios detallados descritos en la Publicación especial 800-53A del NIST. Ese documento recomienda métodos para examinar la evidencia, entrevistar a las partes interesadas y probar el funcionamiento real de los controles implementados.
- **Autorizar** el funcionamiento del sistema, según la determinación de un alto funcionario de que los pasos anteriores brinden adecuadamente una condición de gestión de riesgos que es aceptable para la empresa, según el impacto potencial de una pérdida según lo determinado en el Paso 1. Si se determina que el riesgo no es aceptable, es posible que se le niegue al sistema la autoridad para operar, o se le puede indicar al propietario del sistema que corrija las deficiencias.
- **Monitorear** el sistema (o la infraestructura de control común) a través de la evaluación continua de la eficacia de los controles implementados, incluida la determinación de cambios importantes en el sistema o el panorama de riesgos que podrían desencadenar la necesidad de adiciones o cambios en el plan de seguridad del sistema.

Numerosos estándares específicos de la industria proporcionan sus propios criterios específicos y especificaciones de conformidad. Por ejemplo:

- **PCI DSS**: admite controles de seguridad específicos para proteger la seguridad de la tarjeta de pago y la información del titular de la tarjeta.
- **Ley de Portabilidad y Responsabilidad de Seguros Médicos de 1996 (HIPAA)**: requiere protecciones particulares para salvaguardar la información médica protegida electrónica (e-PHI) que representa

información médica identificable individualmente que una entidad cubierta crea, recibe, mantiene o transmite en forma electrónica.
- **Protección de infraestructura crítica (CIP) de North American Electric Reliability Corporation (NERC)**: un conjunto de requisitos diseñados para asegurar los activos necesarios para operar el sistema eléctrico masivo de Norteamérica.

Además de estos estándares internacionales y del sector industrial, muchos estándares locales, regionales y nacionales proporcionan requisitos y pautas adicionales para la gestión de programas de seguridad de la información.

3.4.3 Componentes del marco de seguridad de la información

La mayoría de los marcos estándares para la seguridad de la información muestra el desarrollo de programas de seguridad de la información que comienza por la evaluación del riesgo y la identificación de objetivos de control y de controles claves definidos por estándares como COBIT e ISO/IEC 27001 y 27002. Si bien estos estándares brindan orientación, los objetivos de control deben basarse en los objetivos organizacionales individuales y el apetito por el riesgo y la tolerancia adaptados para lograr los resultados deseados. A medida que el programa evoluciona y madura y las condiciones cambian, es posible que deban cambiarse los objetivos de control y que se requiera que los controles adicionales o modificados aborden nuevas condiciones, el riesgo emergente, las regulaciones que evolucionan o las obligaciones contractuales.

Los diferentes componentes que conforman el marco de gestión pueden ser separados en sus elementos funcionales (es decir, componentes técnicos, operativos, de gestión, administrativos y educativos). Esto puede ser útil para asegurar que cada aspecto tiene una representación adecuada en el marco y se le da la consideración de seguridad apropiada.

Componentes técnicos

La seguridad de la información generalmente está involucrada en la mayoría o en todos los componentes técnicos de TI de una empresa, incluido el suministro y mantenimiento de estándares de seguridad adecuados, la revisión de procedimientos para el cumplimiento de políticas, el diseño e implementación de métricas de seguridad adecuadas y la supervisión general. Varios de los controles clave identificados en el marco abordarán el riesgo asociado con los componentes técnicos, incluido la configuración, el monitoreo, el mantenimiento y la operación. Si bien la TI puede "poseer" los sistemas, normalmente no es el propietario de los datos y sirve como custodio con el requisito de brindar la protección y el cumplimiento adecuados con las políticas de seguridad de la información de la empresa operando dentro de los estándares aplicables. En otros casos, el propietario del negocio puede poseer los sistemas que respaldan la operación de negocios pero, en cualquier caso, TI servirá como custodio. Es esencial que todos los componentes de la tecnología tengan un propietario identificado y que no haya sistemas huérfanos. Esto es necesario para garantizar la responsabilidad de mantener todos los sistemas en cumplimiento con las políticas de seguridad y la propiedad y el tratamiento adecuado del riesgo asociado a niveles aceptables.

Desde el punto de vista de la seguridad de la información, la vasta mayoría de información de la empresa residirá con TI y será un foco importante del marco de seguridad de la información. La función de seguridad de la información debe regular adecuadamente la función de TI y proporcionar vigilancia que garantice el cumplimiento suficiente de la política para lograr niveles de riesgo aceptables consistentes con los objetivos de la estrategia de seguridad de la información.

Componentes operativos

Los componentes operativos de un programa de seguridad son actividades continuas de administración y gestión que tienen que llevarse a cabo para brindar el nivel requerido de aseguramiento de la seguridad. Estos componentes operativos incluyen aspectos como los SOP, las prácticas de seguridad de las operaciones de negocio y el mantenimiento y la administración de las tecnologías de seguridad. Suelen realizarse con una frecuencia entre diaria y semanal.

El gerente de seguridad de la información debe proporcionar una gestión continua de los componentes de seguridad de la información operativos. Puesto que es común que muchos de estos componentes caigan fuera del control directo del departamento de seguridad de la información (por ejemplo, procedimientos para colocar parches al sistema operativo), el gerente de seguridad de la información debe trabajar y supervisar los grupos organizacionales como TI, las unidades de negocio y otros grupos organizacionales para garantizar que las necesidades de seguridad operativas estén cubiertas. A continuación se mencionan algunos ejemplos de componentes operativos comunes:
- Gestión de identidad y administración de control de acceso.

- Monitoreo y análisis de eventos de seguridad.
- Procedimientos de colocación de parches al sistema y gestión de la configuración.
- Control de cambios y procesos de gestión de versiones.
- Recopilación y reporte de métricas de seguridad.
- Mantenimiento de tecnologías de control complementarias y tecnologías de soporte a programa.
- Respuesta, investigación y resolución de incidentes.
- Retiro y saneamiento del almacenamiento de medios y equipos de procesamiento de datos.

Para cada componente operativo relacionado con la seguridad de la información, el gerente de seguridad de la información debe identificar al dueño del componente y colaborar para documentar información clave que sea necesaria para gestionar las funciones necesarias. Esta información incluye la propiedad del componente y roles de ejecución, calendario de actividades o detonantes, la captura de datos o información necesarios, pasos de procedimientos reales, criterios de éxito, procedimientos de escalamiento de fallos y procesos de aprobación/revisión. Incluye también procesos para proporcionar métricas de gestión adecuadas en lo que respecta a la retroalimentación necesaria para una gestión continua que sea eficaz.

El gerente de seguridad de la información debe asegurarse de que se desarrollen e implementen procesos para mantenimiento de los registros (logs) de trabajo, escalamiento de problemas, supervisión de la gestión y revisiones periódicas del aseguramiento de la calidad y la evaluación del riesgo. El gerente de seguridad de la información debe actualizar la documentación de los roles y las responsabilidades a medida que surjan nuevas tareas en el desarrollo de componentes operativos. Por ejemplo, un nuevo procedimiento operativo que requiera de una revisión mensual por parte del director de operaciones (COO) de los temas de seguridad que estén relacionados con las actividades de negocio necesitaría agregarse a las listas y calendarios de tareas correspondientes.

Componentes de gestión

Además de una diversidad de tareas continuas de seguridad tanto técnica como operativa, el gerente de seguridad de la información debe considerar varios componentes de gestión. Éstos normalmente incluyen actividades de implementación estratégica, tales como el desarrollo o la modificación de estándares, revisiones de políticas y vigilancia de iniciativas o ejecución de programas. Por lo general, se trata de actividades que tienen lugar con menor frecuencia que los componentes operativos, quizá con una frecuencia de meses, trimestres o años.

Los objetivos, los requerimientos y las políticas de gestión son clave para dar forma al resto del programa de seguridad de la información, el cual, a su vez, define lo que debe gestionarse. El gerente de seguridad de la información tiene que asegurarse de que el proceso de desarrollo del programa se ejecute teniendo en consideración los temas legales, regulatorios, de riesgo y de recursos, así como un conjunto de métricas para respaldar las decisiones.

El análisis continuo o periódico de los activos, las amenazas, los riesgos y los impactos en la organización debe seguir siendo la base para modificar las políticas de seguridad y desarrollar o modificar los estándares. Las versiones preliminares suelen ser demasiado indulgentes, demasiado restrictivas o no están alineadas con las realidades operativas. En consecuencia, el gerente de seguridad de la información debe ser flexible al hacer ajustes a la interpretación de los estándares y las políticas durante las etapas iniciales de la implementación de un programa de seguridad.

Es fundamental establecer una comunicación constante con las unidades de negocio y operativas a fin de proporcionar retroalimentación que oriente a la gerencia de seguridad de la información, garantizar la eficacia del programa y mantener una alineación con los objetivos de la empresa, así como apoyarlos.

Durante el desarrollo de los componentes de gestión, tanto técnicos como operativos, es importante que exista una vigilancia por parte de la gerencia para garantizar el cumplimiento de los requerimientos y la congruencia con la dirección estratégica. Esta vigilancia suele llevarse a cabo mediante revisiones de gestión de los componentes del programa; (por ejemplo, el CIO, el director general ejecutivo (CEO), el comité directivo o ejecutivo que realiza una revisión trimestral de las operaciones de seguridad). Los temas para la revisión pueden incluir las modificaciones a los componentes operativos o técnicos, la eficacia general de los componentes del programa, la revisión de métricas y KPI, el análisis de la causa raíz de eventos perjudiciales, tales como interrupciones o inestabilidades, los problemas que obstaculizan la eficacia de los componentes que requieren de la atención de la gerencia, y/o la revisión de los puntos de acción y compromisos adquiridos en sesiones de revisión previas.

Componentes administrativos

A medida que crecen tanto el enfoque como las responsabilidades de la función de gestión de la seguridad de la información, crecen también los recursos, el personal y los aspectos financieros involucrados. Esto significa que la gerencia de seguridad de la información tiene que abarcar las mismas actividades de administración de negocio que otras unidades de negocio. El gerente de seguridad de la información a cargo de tal operación tiene que garantizar que todas las áreas financieras, de recursos humanos y otras áreas gerenciales sean eficaces.

Las funciones de administración financiera suelen constar de elaboración del presupuesto, planeación del tiempo, análisis/gestión del TCO, análisis/gestión del ROI, gestión de adquisiciones/compras e inventario. Estas funciones, en particular, la elaboración del presupuesto y la planificación del tiempo, suelen requerir actualizaciones a lo largo del año fiscal a medida que cambian las realidades financieras y las metas organizacionales. El gerente de seguridad de la información debe establecer un entendimiento mutuo funcional con el departamento de finanzas de la empresa para garantizar una relación de trabajo sólida, apoyo y cumplimiento con las políticas y los procedimientos financieros.

Las funciones de gestión de recursos humanos por lo general incluyen la gestión de descripciones de puestos, planificación organizacional, reclutamiento y contratación, gestión del desempeño, administración de nóminas y monitoreo de tiempos, formación y desarrollo del personal, así como gestión de conclusión de relaciones laborales. El programa de seguridad de la información debe justificar el tiempo y los recursos que son necesarios para estas actividades, en particular a medida que aumente el número de personal del programa con el paso del tiempo. Aquellos que tienen la responsabilidad de gestionar programas más grandes de seguridad de la información tienen que atender también la necesidad de desarrollar una estructura organizacional eficiente con niveles apropiados de personal de gestión y de supervisión. En todos los temas relacionados con la gestión de recursos humanos, es importante que el gerente de seguridad de la información trabaje de cerca con los responsables del departamento de recursos humanos y se apeguen a los procedimientos establecidos para evitar responsabilidades legales y otros tipos de riesgos.

Las funciones de gestión requieren que el gerente de seguridad de la información equilibre los esfuerzos del proyecto y los costos operativos constantes con la plantilla autorizada de personal, niveles de utilización y recursos externos. Rara vez un programa de seguridad de la información tendrá un número óptimo de recursos, y siempre será necesario priorizar los esfuerzos. El gerente de seguridad de la información debe trabajar de manera conjunta con el comité directivo y la dirección ejecutiva para determinar prioridades y establecer un consenso con respecto a los puntos del proyecto que podrían retrasarse debido a limitaciones en los recursos de seguridad de la información. Las escaladas en la actividad o los esfuerzos de proyecto inesperados pueden resolverse a menudo con recursos de terceros, tales como contratistas. El gerente de seguridad de la información debe mantener relaciones con los proveedores a los que con mayor frecuencia se implicará en esos casos.

Es bastante común que el gerente de seguridad de la información se sienta presionado a tomar una ruta más directa hacia los procesos de gestión de la seguridad, aseguramiento de la calidad (QA) y de desarrollo, o bien, a desviar recursos de operaciones diarias para acelerar los esfuerzos del proyecto. El gerente de seguridad de la información tiene la función de documentar y asegurarse de que la dirección ejecutiva entienda las implicaciones de riesgo que tendría adelantar una iniciativa sin la debida diligencia de seguridad; queda a consideración de la dirección ejecutiva decidir si la iniciativa tiene la suficiente importancia para justificar el riesgo. Si esta situación tiene lugar, el gerente de seguridad de la información debe hacer todo lo posible por aprovechar la primera oportunidad que tenga para volver a revisar los sistemas o las iniciativas que no estén certificados o acreditados.

A fin de garantizar que el ambiente de seguridad actual opera según se requiere, los recursos operativos de seguridad se deben desviar solamente hacia iniciativas de proyecto en caso de que no se utilicen por completo. Incluso en esta situación, es preciso comunicar claramente que los recursos operativos de seguridad se proporcionan para dicho fin en particular, y que un aumento en las actividades operativas (por ejemplo, un intruso) requiere de atención inmediata por parte del personal operativo.

Componentes educativos e informativos

Los programas de formación y concienciación del personal sobre los riesgos de seguridad suelen integrarse a la capacitación inicial y de orientación del personal. Las políticas y los procedimientos organizacionales generales, tales como las políticas de uso aceptable y de monitoreo de empleados, deben comunicarse y administrarse al nivel de recursos humanos de la empresa. Los temas y las responsabilidades que son exclusivos del rol de un empleado o de la empresa (p. ej., la autenticación de clientes en el call center), deben comunicarse y administrarse al nivel de la unidad de negocio. Las técnicas interactivas de formación, tales como pruebas en línea y representaciones de roles, suelen ser más eficaces que un simple enfoque informativo. Algunos ejemplos de estos tipos de capacitación incluyen ejercicios y capacitación del plan de contingencia y respuesta a incidentes. En cualquier caso, el gerente de seguridad de la información debe colaborar con las unidades de negocio y recursos humanos para identificar las necesidades de formación con respecto a la seguridad de la información. Las métricas pertinentes (por ejemplo, resultados promedio de pruebas aplicadas al personal, tiempo promedio transcurrido desde la última capacitación que recibió el empleado) deben monitorearse y hacerse del conocimiento del comité directivo y la dirección ejecutiva.

3.5 Políticas, procedimientos y directrices de seguridad de la información

Existe una amplia gama de interpretaciones para las políticas, estándares, procedimientos y directrices. Las definiciones utilizadas en este manual coinciden con los principales órganos normativos y deben adoptarse para evitar problemas de comunicación. Tanto las políticas como los estándares se consideran herramientas de gobierno y gestión, respectivamente, y los procedimientos y directrices son del ámbito de las operaciones. Para mayor claridad, los cuatro se definen en las siguientes subsecciones.

3.5.1 Políticas

Las políticas son las declaraciones de alto nivel de la intención, las expectativas y la dirección de la gerencia. Las políticas de alto nivel bien desarrolladas en una empresa madura pueden permanecer bastante estáticas por períodos extendidos.

Un ejemplo de una declaración de política efectiva de alto nivel sobre el control de acceso puede ser: "Los recursos de información deberán controlarse de un modo que restrinjan efectivamente el acceso no autorizado."

Las políticas deben estar claramente alineadas con, y respaldar a, los objetivos estratégicos de la seguridad de la empresa.

Se debe crear un proceso de excepción para situaciones en las que el cumplimiento de la política no sea posible. El proceso de excepción debe incluir una supervisión de gobierno formal documentada que reconozca la aceptación del riesgo creado por no adherirse a la política de seguridad de la información.

Desarrollo de políticas

Uno de los aspectos más importantes del plan de acción para ejecutar una estrategia será crear o modificar políticas y estándares, según sea necesario. Las políticas deben capturar la intención, las expectativas y la dirección de la gerencia. A medida que evoluciona una estrategia, es fundamental que se desarrollen políticas de apoyo a fin de estructurar la estrategia. Por ejemplo, si el objetivo es cumplir con ISO/IEC 27001:2022 en un periodo de tres años, entonces la estrategia tiene que considerar, entre otras cosas, los elementos que se van a tratar primero, los recursos que se van a asignar, cómo se van a conseguir los elementos de la norma y demás. La directriz mostrará los pasos y la secuencia, las dependencias y las etapas importantes. El plan de acción es, en esencia, un plan de proyecto para implementar la estrategia después de establecer la directriz.

Si el objetivo es cumplir con ISO/IEC 27001:2022, cada uno de los 14 dominios respectivos y principales subdivisiones tienen que ser el tema de una o más políticas. En la práctica, esto se puede lograr de manera efectiva con un promedio de poco más de una veintena de políticas específicas para instituciones incluso de gran tamaño. Es probable que cada política tenga varios estándares de apoyo que, por lo general, se dividirán en dominios de seguridad. En otras palabras, un conjunto de estándares para un dominio de alta seguridad podría ser más riguroso que los estándares para un dominio de baja seguridad. También podría ser necesario desarrollar otros estándares para diferentes unidades de negocio, dependiendo de sus actividades y requerimientos regulatorios.

La estrategia completa establece la base para crear o modificar políticas existentes. Debe ser posible dar seguimiento a las políticas hasta llegar directamente a los elementos de la estrategia. De lo contrario, o bien la estrategia estará incompleta, o bien, la política será incorrecta. Debe ser evidente que una política que contradice a la estrategia será contraproducente. La estrategia es la declaración de la intención, las expectativas y la dirección de la gerencia. Las políticas deben ser coherentes y apoyar la intención y la dirección de la estrategia.

La mayoría de las empresas en la actualidad cuentan con algunas políticas de seguridad de la información. Tradicionalmente han evolucionado al paso del tiempo y se han creado en respuesta a algún problema de seguridad o regulación, y a menudo son incongruentes e incluso contradictorias. Estas políticas casi nunca están relacionadas con una estrategia de seguridad (si existen) y solo guardan una relación casual con las actividades de negocio.

Las políticas son uno de los elementos primarios del gobierno. Por ello, deben estar debidamente elaboradas, y contar con la aceptación y validación del consejo y la alta gerencia; asimismo, deben difundirse ampliamente en toda la empresa. Podría haber ocasiones en las que sea necesario elaborar subpolíticas para tratar situaciones excepcionales separadas del grueso de la empresa. Por ejemplo, una parte independiente de la empresa debe llevar a cabo un trabajo militar clasificado como altamente confidencial. Las políticas que reflejan los requerimientos de seguridad específicos para trabajo militar confidencial podrían existir como un conjunto por separado.

Existe un gran número de atributos de políticas recomendables que deben de tenerse en consideración:

- Las políticas de seguridad deben ser una articulación de una estrategia de seguridad de la información bien definida y captar la intención, las expectativas y la dirección de la gerencia.
- Cada política debe establecer solo un mandato general de seguridad.
- Las políticas deben ser claras y de fácil comprensión para todas las partes interesadas.
- Las políticas rara vez deben tener una extensión que exceda unas cuantas oraciones.
- Rara vez habrá una razón para tener más de una veintena de políticas.

La mayoría de las empresas deben crear políticas de seguridad antes de desarrollar una estrategia de seguridad. En efecto, la mayoría de las empresas aún no han desarrollado una estrategia de seguridad. En muchos casos, el desarrollo de políticas no ha seguido al enfoque definido anteriormente y se ha adaptado provisionalmente a varios formatos. A menudo, estas políticas se han redactado para incluir estándares y procedimientos en documentos extensos y detallados recopilados en grandes y empolvados volúmenes relegados al almacén.

En muchos casos, en particular en empresas más pequeñas, se han desarrollado prácticas efectivas que no necesariamente están reflejadas en políticas escritas. Las prácticas vigentes, que tratan en forma adecuada los requerimientos de la seguridad, pueden ser de mucha utilidad para establecer la base para elaborar políticas y estándares. Este enfoque minimiza las interrupciones en la organización, la divulgación de nuevas políticas y la resistencia a limitaciones nuevas o desconocidas.

3.5.2 Normas

Las normas en este contexto son los criterios usados para determinar si los procedimientos, los procesos o los sistemas cumplen con los requisitos de la política. Las métricas muestran si un procedimiento cumple con una norma o no. Se establecen fronteras en términos de límites aceptables en procesos, personas y tecnologías.

Un estándar para contraseñas utilizado para efectos de control de acceso sería: "Las contraseñas para dominios de seguridad media y baja deberán contener no menos de ocho caracteres que constarán de una combinación de letras minúsculas y mayúsculas, y al menos un número y un signo de puntuación."

La norma para el control de acceso de empleados en las instalaciones puede incluir requerimientos de composición de contraseñas, longitud mínima y máxima de éstas, frecuencia de cambios de contraseñas y reglas para volver a utilizarlas. Por lo general, una norma debe establecer parámetros o límites suficientes para determinar sin ambigüedad si un procedimiento o práctica cumple con los requerimientos de la política en cuestión o no. Los estándares se deben redactar cuidadosamente, de manera que especifiquen solo los límites necesarios para garantizar la seguridad y, al mismo tiempo, maximizar las opciones de procedimiento.

Los estándares deben cambiar a medida que cambian los requerimientos y las tecnologías. En general, existen múltiples estándares para cada política, dependiendo del dominio de seguridad o del nivel de clasificación. Por ejemplo, el estándar de la contraseña sería más restrictivo cuando se acceda a dominios de alta seguridad.

Desarrollo de estándares

Los estándares son poderosas herramientas de la gestión de seguridad. Establecen los límites permisibles para procedimientos y prácticas de tecnología y sistemas, y también para personas y eventos. Si se implementan adecuadamente, son la ley para la constitución o la política. Proporcionan la vara que mide el cumplimiento de la política y una base sólida para realizar auditorías. Asimismo, regulan la elaboración de procedimientos y directrices. Los estándares establecen las líneas base de seguridad, reflejan el riesgo aceptable y controlan los objetivos, y son los criterios para evaluar el riesgo para que sea aceptable.

Los estándares son la herramienta predominante para la implementación de un gobierno efectivo de seguridad y deben ser propiedad del gerente de seguridad de la información. Deben elaborarse cuidadosamente para establecer solo los límites necesarios y significativos sin restringir de manera innecesaria las opciones de procedimientos. Las normas sirven para interpretar las políticas y deben reflejar el propósito de la política. Los estándares no deben ser ambiguos; deben ser consistentes y precisos con respecto al alcance y el público al que están dirigidos. Deben existir estándares para elaborar estándares y políticas adicionales en lo relativo a su formato, contenido y aprobaciones requeridas.

Los estándares deben darse a conocer a aquellos que se regirán o se verán afectados por estos. De igual forma, deben desarrollarse procesos de revisión y modificación.

Los procesos de excepción deberán desarrollarse para los estándares que no se puedan alcanzar de inmediato por razones tecnológicas o de otro tipo. Asimismo, debe desarrollarse un proceso para implementar controles de mitigación para situaciones de incumplimiento.

3.5.3 Procedimientos

Los procedimientos son responsabilidad de operaciones, incluyendo las operaciones de seguridad, pero éstos se incluyen en este manual para brindar mayor claridad. Los procedimientos deben ser claros e incluir todos los pasos necesarios para cumplir con tareas específicas. Deben definir resultados y exposiciones esperados, así como las condiciones requeridas para su ejecución. Los procedimientos también deben incluir los pasos que se requieren cuando ocurren resultados inesperados.

Los procedimientos deben ser claros, sin ambigüedades, y los términos deben ser exactos. Por ejemplo, las palabras "debe" y "deberá" se usan para cualquier tarea que sea obligatoria. La palabra "debería" se utiliza para referirse a una acción preferida que no es obligatoria. Los términos "pudiera" o "puede" solo se deben utilizar para denotar una acción puramente discrecional. Las tareas discrecionales solo deberían aparecer en los procedimientos, cuando sea necesario, ya que diluyen los mensajes de los procedimientos.

Los procedimientos para contraseñas incluyen los pasos detallados que se requieren para configurar cuentas de contraseñas y los pasos para cambiar o reiniciar las contraseñas.

3.5.4 Directrices

Las directrices para ejecutar procedimientos son responsabilidad de operaciones. Las directrices deben incluir información útil para los procedimientos de ejecución como la clarificación de políticas y estándares, dependencias, sugerencias y ejemplos, narrativas que clarifican los procedimientos, información previa que pueda ser útil y herramientas que puedan utilizarse. Las directrices también pueden ser útiles en muchas otras circunstancias, pero se han incluido en este manual en el contexto del gobierno de la seguridad de la información.

Las políticas, los procedimientos, los estándares y las directrices deben estar interconectadas, de manera que se entiendan con facilidad y que se puedan referenciar y mantener en caso necesario. Se recomienda siempre poseer una intranet u otros medios para que la audiencia apropiada pueda acceder a ellas cuando sea necesario.

3.6 Definición de un plan de acción para el programa de seguridad de la información

Las metas clave de la alineación estratégica, la gestión de riesgos, la entrega de valor, la gestión de recursos, la integración del proceso de aseguramiento y la medición del desempeño son universales y están definidas hasta cierto punto en el desarrollo de una estrategia de seguridad. El proceso de desarrollo del programa requiere que se considere detalladamente y se aclare cada una de las seis metas claves a partir del plan de acción en desarrollo. A medida que se desarrollan planes específicos del proyecto para varias partes del plan de acción, se deberían de evidenciar los enfoques para alcanzar de la mejor manera posible cada una de las metas clave.

Quizás estos sean conceptos que no sean bien comprendidos por la gerencia y otras partes interesadas, lo cual podría conducir a expectativas irreales y resultados deficientes. Para maximizar las posibilidades de éxito, quizá resulte más eficaz desarrollar una hoja de ruta en etapas para el programa de seguridad de la información comenzando con objetivos relativamente sencillos diseñados para demostrar el valor del programa y proporcionar retroalimentación en el logro de las metas clave.

Por ejemplo, la primera etapa podría ser crear ese subcomponente del programa necesario para demostrar el alcance de la alineación estratégica y los enfoques de mejoras. Para comenzar, un gerente de seguridad de la información puede entrevistar a las partes involucradas, tales como los jefes de departamento en Recursos Humanos, legal, finanzas y las principales unidades de negocios a fin de determinar los principales aspectos e inquietudes en la organización. La información que se obtenga de dichas entrevistas deberá ser suficiente para desarrollar una lista de miembros pertinentes del comité directivo de seguridad de información.

En la etapa 2, ese foro se puede utilizar para elaborar una versión de una política básica de un programa de seguridad de la información para someterla a la aprobación de la alta gerencia. Debido a que los miembros del comité directivo de seguridad de información, por definición, representan los intereses del negocio, el foro puede utilizarse para mencionar las metas de negocio específicas para la seguridad en relación con los procesos de negocio (y, por ende, también a los sistemas, tal como se muestra en la **figura 3.12**).

En la etapa 3, los miembros del comité directivo de seguridad de la información ostentan roles funcionales que pueden promover la concienciación con respecto a la política y llevar a cabo revisiones internas de seguridad para ver si se están cumpliendo.

En la etapa 4, las brechas en el cumplimiento que se hayan identificado en las revisiones de seguridad pueden utilizarse para efectuar cambios; se puede desarrollar al mismo tiempo un monitoreo que revise el cumplimiento de la estrategia de la política organizacional. Desde aquí, un gerente de seguridad de la información puede comenzar a trabajar en generar un consenso alrededor de los roles y las responsabilidades, los procesos y procedimientos en apoyo a la política.

Figura 3.12—Procesos de control para sistemas de gestión de seguridad de la información

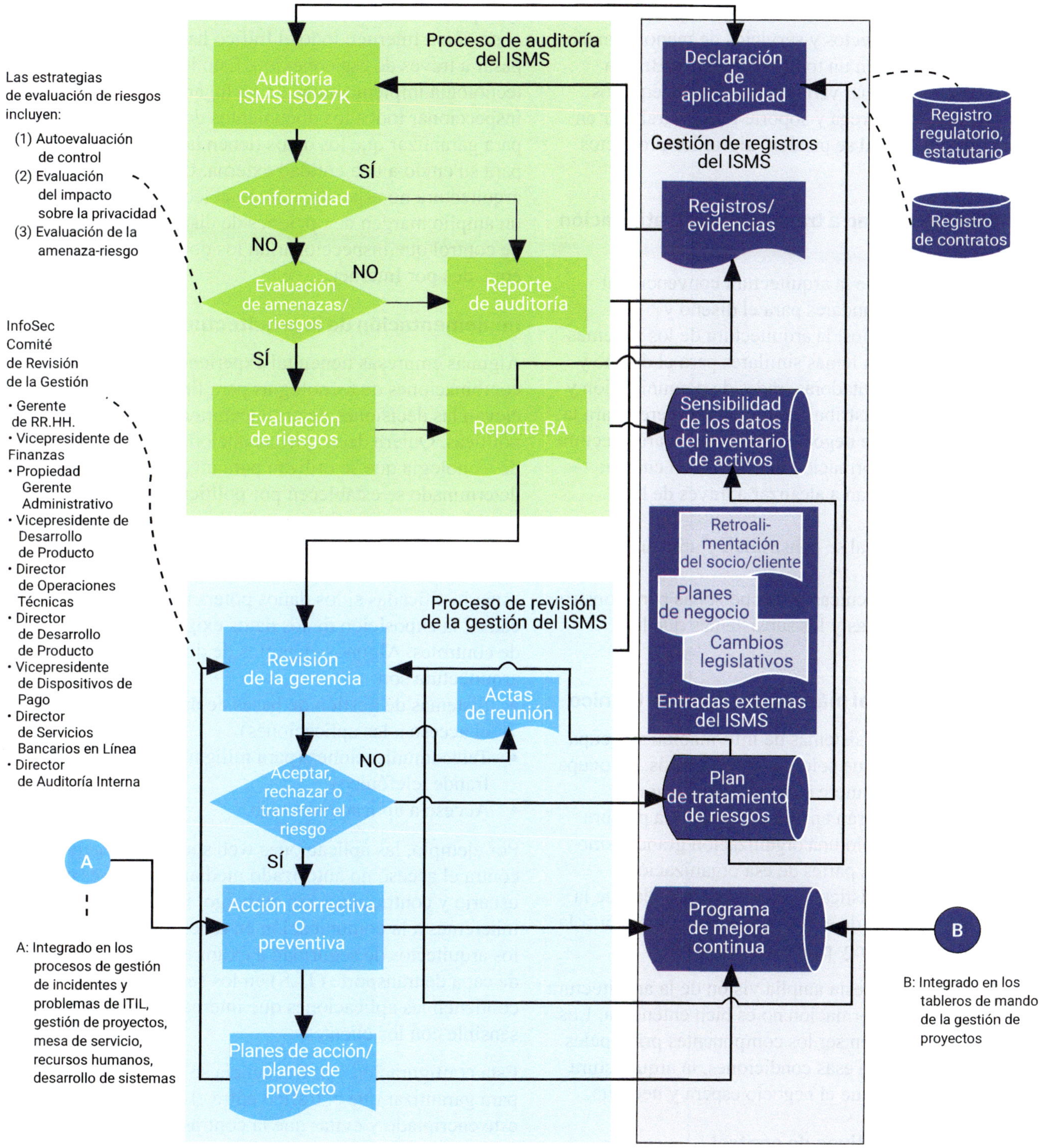

3.6.1 Aplicar marcos y arquitecturas para crear una hoja de ruta del programa

La arquitectura también funciona como un plan de acción para un grupo de proyectos y servicios de menor tamaño que deban integrarse en un todo homogéneo. Brinda un marco dentro del cual varios miembros de equipos grandes de diseño, entrega y soporte pueden trabajar en armonía y hacia el cual se pueden migrar los proyectos tácticos.

Simplicidad y claridad a través de la estratificación y la modularización

De la misma forma que la arquitectura convencional define las reglas y estándares para el diseño y construcción de edificios, la arquitectura de los sistemas de información aborda temas similares para el diseño y construcción de computadoras, redes de comunicación y sistemas de negocio distribuidos que se requieren para la entrega de servicios de negocio. Por tanto, la arquitectura de los sistemas de información debe tener en cuenta:

- Las metas que se van a alcanzar a través de los sistemas
- El entorno en el cual se construirán y utilizarán los sistemas.
- Las capacidades técnicas de las personas para construir y operar los sistemas y los subsistemas que los componen

Enfoque empresarial más allá del dominio técnico

La arquitectura de los sistemas de información se ocupa de mucho más cosas que solo factores técnicos. Se ocupa de lo que la empresa quiere alcanzar y los factores ambientales que influirán en dichos logros. La palabra empresa implica no solo una organización grande, sino una en la que todas las partes de esa organización muestran una característica de asociación y en la que la organización se ve desde el más alto nivel como una sola entidad con una misión y propósito integrados.

En algunas empresas, esta amplia visión de la arquitectura de los sistemas de información no es bien entendida. Los factores técnicos suelen ser los componentes principales en la arquitectura y, en esas condiciones, la arquitectura puede no entregar lo que el negocio espera y necesita.

Arquitectura y objetivos de control

En los casos donde se consideran objetivos de control de seguridad, el arquitecto de sistemas puede utilizar combinaciones de tecnologías para incluir puntos de control en la infraestructura de un sistema. Estos puntos, combinados con las actividades de control y los procedimientos asociados, pueden utilizarse para garantizar el cumplimiento de las políticas a medida que se incorporen sistemas que utilicen la infraestructura. Por ejemplo, si una red se construye para que exista una sola conexión a Internet, todo el tráfico hacia Internet debe pasar a través de esa conexión. Esto le permitiría a la tecnología implementarse en un lugar donde se pudieran inspeccionar todos los documentos destinados a Internet para garantizar que los datos tienen la autorización debida para su envío a una entidad externa. Con frecuencia, la arquitectura no especifica ninguna tecnología, lo cual deja un amplio margen de opciones de diseño a los puntos de control que inspeccionarían los documentos para ser enviados por Internet.

Implementación de la arquitectura

Algunas empresas tienen tal experiencia en cuanto a combinaciones de tecnologías para fines específicos que elevan las decisiones de arquitectura al nivel de las políticas. Quiere decir que las opciones de combinaciones de tecnología que se utilizan para un propósito determinado se establecen por política, pues algunas combinaciones permiten una fácil implementación de elementos de seguridad que cumplen objetivos de control específicos. Con frecuencia, las políticas de arquitectura están justificadas si los daños potenciales que pudiera causar la exposición de los datos exigen la redundancia de controles. Algunos ejemplos de dominios de política de arquitectura son:

- Sistemas de gestión de bases de datos (para restringir el acceso a las aplicaciones)
- Telecomunicaciones (para mitigar las amenazas de fraude telefónico)
- Acceso a aplicaciones web

Por ejemplo, las aplicaciones web suelen protegerse contra el acceso no autorizado mediante nombres de usuario y contraseñas. Sin embargo, las vulnerabilidades inherentes a la comunicación en redes públicas obligan a los arquitectos de seguridad a exigir el uso de la seguridad de capa de transporte (TLS) en los servidores de web que contienen las aplicaciones que intercambian información sensible con los clientes.

Esta configuración con frecuencia se impone por política para garantizar que el tráfico entre el cliente y el servidor esté encriptado y evitar que la contraseña y los datos de ID del usuario puedan verse en la red pública. Sin embargo, esta política no ofrece garantía de que el cliente no haya sido afectado o que la contraseña de usuario no haya sido robada. Para mitigar esta amenaza de usurpación de identidad se requiere un control de tecnología además de contraseñas y de encriptación TLS básica.

Una aplicación posee una variedad de alternativas para lograr el nivel de identificación del cliente necesario para mitigar el riesgo de usurpación de identidad. En las aplicaciones financieras, como los servicios bancarios en línea, los reguladores requerirán ahora que los bancos utilicen alguna forma de autenticación multifactorial para ofrecer una garantía adicional de la identidad de la persona que inicia la solicitud del cliente. La implementación uniforme de este requerimiento en todas las aplicaciones (al hacerla parte de la arquitectura de seguridad de la empresa) permitirá a la empresa reducir la amenaza de usurpación de una manera uniforme, eficiente y soportable. Existen varios enfoques sobre la arquitectura para los componentes de los sistemas de información (por ejemplo, arquitecturas para datos y bases de datos, servidores, infraestructuras técnicas, gestión de identidades). Sin embargo, pocas empresas han desarrollado una arquitectura de seguridad global de la empresa, estructurado su gestión y definido su relación con los objetivos del negocio. Equivale un tanto a la situación en la que existieron diseños separados, no integrados, para alas, motores, equipos de navegación, asientos de pasajeros, etc., de aeronaves, pero no a los diseños de la aeronave completa y la forma en que los distintos componentes se ensamblan. Es poco probable que el resultado funcione bien, si es que funciona, y sería poco confiable. Hay que reconocer que los sistemas de información están diseñados para operar de una forma menos acoplada; sin embargo, el punto es, de cualquier forma, relevante.

Se desarrollaron varios marcos arquitectónicos durante la década pasada para resolver este problema que ofrecían perspectivas y enfoques útiles que resolvían muchos de los problemas actuales relativos al diseño, administración, implementación y monitorización. Algunos enfoques específicos se enumeran en 3.4.1 Arquitecturas de seguridad de la información empresarial.

Los enfoques de los marcos ofrecen mucha flexibilidad al utilizar una variedad de estándares y métodos como COBIT, ITIL e ISO/IEC 27001. Es cierto que varios de los enfoques pudieran ser más sofisticados y complejos de lo que muchas empresas están dispuestas a adoptar. Sin embargo, con la creciente dependencia en los sistemas cada vez más complejos, junto con los problemas en aumento de administración y seguridad, las empresas finalmente no tendrán otra opción que organizarse.

Para el gerente de seguridad de la información, el enfoque puede ser de utilidad para desarrollar objetivos a largo plazo o sugerir enfoques para tratar los temas actuales. Algunas empresas han adoptado, gradualmente, elementos del enfoque de arquitectura, con el objetivo a largo plazo de una implementación total con el paso del tiempo.

Gestión del programa de seguridad y actividades administrativas

La gestión del programa de seguridad de la información incluye dirigir, vigilar y supervisar las actividades relacionadas con la seguridad de la información para apoyar los objetivos de la organización. La gestión es el proceso de alcanzar los objetivos de la organización de la empresa, reuniendo los recursos humanos, físicos y financieros en una combinación óptima con los procesos y la tecnología para tomar la mejor decisión para la empresa, considerando su entorno operativo.

En la empresa típica, la gestión del programa de seguridad de la información incluye la planificación a corto y largo plazo y la administración del día a día, además de dirigir diversos proyectos e iniciativas. También incluye una variedad de actividades de gestión de riesgos y gestión de incidencias, funciones de respuesta y una variedad de funciones de vigilancia y monitoreo. La gestión del programa generalmente incluye aspectos de gobierno, ya sea en términos de desarrollo de políticas y normas o de controles de procedimientos y normas generales de uso para los usuarios finales. Al igual que con otros aspectos de la seguridad de la información, el gobierno no puede permanecer estático en un entorno de riesgos cambiantes y debe evolucionar para ser eficaz.

El gerente de seguridad de la información tiene la responsabilidad de gestionar las actividades del programa de seguridad de la información para lograr los resultados indicados en 3.1.5 Resultados de la gestión del programa de seguridad de la información. Es responsabilidad de la alta gerencia apoyar dichos objetivos y proporcionar los recursos y la autoridad adecuados para garantizar que se alcancen. Asimismo, los roles y las responsabilidades de otros proveedores de aseguramiento deben definirse claramente a fin de evitar fallas o brechas en la protección.

En la medida en que se extiende el alcance de las responsabilidades del gerente de seguridad de la información, se corre el riesgo de que se descuiden algunos elementos de seguridad importantes. Puede ser de utilidad para el gerente de seguridad de la información considerar la siguiente lista de componentes de un programa de seguridad integral y bien administrado:

- Una estrategia de seguridad intrínsecamente vinculada con los objetivos de negocio que cuenta con la aceptación y aprobación de la alta gerencia.

- Una política de seguridad y estándares que concuerden con la estrategia y que la complementen.
- Procedimientos de seguridad completos y precisos para todas las operaciones importantes.
- Asignación clara de roles y responsabilidades.
- Un método establecido para garantizar la adecuación permanente a las metas y objetivos del negocio, como un comité de dirección de seguridad.
- Activos de información que han sido identificados y clasificados por su criticidad y sensibilidad.
- Una arquitectura de seguridad que complemente y se ajuste a esa estrategia y a los objetivos del negocio.
- Controles efectivos que se hayan diseñado bien, implementado y mantenido.
- Procesos de monitoreo eficaces implementados.
- Capacidades de respuesta funcionales y probadas ante emergencias e incidentes.
- Planes probados de continuidad del negocio/recuperación ante desastres.
- Participación apropiada de la seguridad de la información en la gestión de cambios, en el SDLC y en los procesos de gestión de proyectos.
- Procesos establecidos para garantizar la adecuada identificación, evaluación, notificación y gestión de los riesgos.
- Capacitación y concienciación de seguridad para todos los usuarios.
- Actividades establecidas para crear y mantener una cultura corporativa que valore la seguridad de la información.
- Procesos establecidos para mantener la concienciación de los problemas regulatorios y legales actuales y nuevos.
- Integración efectiva con los procesos de adquisiciones y de gestión de terceros.
- Resolución oportuna de los temas relacionados con incumplimientos y otras variaciones.
- Procesos para garantizar la interacción permanente con propietarios de procesos de negocios.
- Procesos aprobados de evaluación del riesgo y de impacto del negocio, desarrollo de estrategias de mitigación del riesgo, aplicación de las políticas y cumplimiento de las regulaciones.
- Métricas operativas, tácticas y estratégicas establecidas para monitorear la utilización y la efectividad de los recursos de seguridad.
- Métodos establecidos para la obtención y transmisión de información.
- Comunicación efectiva e integración con otros proveedores de aseguramiento organizacionales.

Nota

Esta lista no es completa, ni se adapta a todas las empresas. Su única finalidad es demostrar el rango de actividades y prácticas establecidas que constituirían un programa maduro de seguridad. Esta lista debe ajustarse al tamaño y naturaleza de cada empresa.

Administración del programa

La administración de un programa de seguridad, normalmente, implica una serie de funciones repetitivas similares a las que se requiere en otras unidades organizativas. Habrá diferencias en la administración de los proyectos de desarrollo de programas y en la administración existente, en los aspectos de operaciones del programa que deben ser consideradas.

La administración diaria podría incluir tareas tales como:

- Rendimiento del personal, seguimiento de tiempos y mantenimiento de registros de otra índole.
- Utilización de recursos.
- Compras y adquisiciones.
- Gestión de inventarios.
- Seguimiento y supervisión de proyectos.
- Elaboración de programas de concienciación.
- Elaboración de presupuestos, gestión financiera y control de activos.
- Desarrollo de casos de negocio y análisis financiero.
- Administración de RR. HH. y gestión de personal.
- Gestión de proyectos y programas.
- Gestión de operaciones y entrega de servicios.
- Implementación y administración de métricas e informes.
- Gestión del ciclo de vida del desarrollo de la TI.

También puede haber una serie de requisitos técnicos, administrativos y operativos. Estos incluyen:

- Gestión de llaves de cifrado
- Revisión y supervisión de registros
- Cambio de solicitud de vigilancia y revisión
- Configuración, revisión y vigilancia de la gestión de parches y del ciclo de vida de otra índole
- Escaneo (scanning) de vulnerabilidad
- Supervisión de amenazas
- Supervisión de cumplimiento
- Pruebas de penetración

Un gerente de seguridad de la información eficiente debe estar familiarizado con los marcos y los estándares internacionales más importantes de gestión de TI y de seguridad existente (es decir, COBIT, ISO/IEC 27001 y 27002) y debe estar capacitado para extraer los elementos relevantes y utilizarlos en el enfoque de gerencia más apropiado para la empresa. Algunos pueden resultar mejores que otros, dependiendo de la estructura organizacional, la cultura, los recursos disponibles, el sector de negocios, etc.

El gerente de seguridad de la información tiene muchas responsabilidades, y una puede ser como un facilitador para ayudar a resolver conflictos entre objetivos de seguridad y rendimiento. Como facilitador activo, el gerente de seguridad de la información obtiene el apoyo de la alta gerencia y la aceptación de la organización, y es probable que logre mayor cumplimiento de las políticas, los estándares y los procedimientos del programa de seguridad de la información. A través de un enfoque de facilitación, el gerente de seguridad de la información puede trabajar con los diferentes departamentos para discutir los riesgos en la seguridad de la información y sugerir soluciones que respondan a los requisitos de seguridad minimizando el impacto en las actividades de negocios. El gerente de seguridad de la información también necesitará asegurarse de que los procesos de ciclo de vida de la empresa incluyen la seguridad de la información. Al trabajar en un rol de consultor, el gerente de seguridad de la información puede facilitar el programa de seguridad de la información de la empresa y al mismo tiempo mantenerse informado sobre las actividades que pueden tener un impacto en la seguridad de la información.

3.6.2 Desarrollo de un plan de acción para el programa de seguridad de información

Una hoja de ruta para implementar la estrategia de seguridad de la información debe tener en cuenta diversos factores. Si la estrategia está bien desarrollada, también se contará con un plan de acción de alto nivel que logre los objetivos de la estrategia. Habrá que definir los objetivos, recursos y restricciones. Lo que resta es transformar la arquitectura o diseño conceptual o lógico en algo tangible. Los proyectos específicos e iniciativas se deben planificar tomando en cuenta presupuestos, cronogramas, personal y otros aspectos tácticos de gestión administrativa que, en conjunto, permitan alcanzar los objetivos estratégicos. Es semejante a las diferencias que existen entre la arquitectura de una vivienda y el trabajo necesario para la construcción de la misma.

Sin embargo, si no se desarrolla una estrategia y no se definen los objetivos de la gestión de riesgos, existe el riesgo de que los diversos elementos que se deben desarrollar para el programa de seguridad de la información no sean integrados o priorizados. Tampoco se dispondrá de métricas útiles y, con el paso de tiempo, puede ser que no se alcancen resultados óptimos.

Gran parte de los esfuerzos necesarios para desarrollar un programa de seguridad de la información consisten en diseñar controles que alcancen los objetivos de control, desarrollar proyectos que puedan implementarse, y utilizar y probar los controles. Un factor a tener en cuenta es la capacidad de la empresa para absorber nuevas actividades de seguridad para abordar las vulnerabilidades de control y cumplir con los nuevos objetivos. Se deben tomar en cuenta las consideraciones en la medida en que estas actividades sean perjudiciales para otras actividades dentro de la organización. Consulte 3.8.2 Controles y contramedidas.

Una habilidad importante que se debe tener cuando se desarrolla un plan de acción para un programa de seguridad de la información es la de revisar a detalle el nivel de seguridad de un determinado conjunto de datos, aplicaciones, sistemas, instalaciones y procesos existentes, que proporcionarán una visión de los proyectos específicos requeridos para cumplir con los objetivos estratégicos.

Un plan de acción para la implementación puede ser esencialmente un plan de proyecto de alto nivel (o una serie de planes de proyectos) o un diseño arquitectónico que pueda servir al mismo propósito. O bien puede servir para definir las medidas necesarias para lograr un objetivo específico del programa. El propósito es tener una visión global de las medidas necesarias, así como la secuencia. En proyectos más complejos, puede ser de ayuda tener ambas cosas. Un plan de acción debe incluir diversos hitos que proporcionarán KGI, mostrarán los KPI y definirán los factores críticos de éxito (CSF).

Análisis de diferencias como base para un plan de acción

Una vez que los roles y las responsabilidades organizacionales están debidamente establecidos y que se ha realizado el inventario de lo existente frente a lo requerido tanto en tecnología como en procesos, un gerente de seguridad de la información puede identificar los casos en los que los objetivos de control no estén soportados en forma apropiada por los controles. El gerente de seguridad de la información debe trabajar con el personal apropiado para identificar los puntos de control y ayudar a desarrollar procesos para monitorearlos.

Aquellos que ejecuten nuevos procesos y procedimientos deben concentrarse en los KGI y KPI, validando constantemente que los objetivos de control se estén cumpliendo y que el avance hacia los objetivos de control alcance las metas del programa de seguridad de la información. Es más importante que estén establecidos todos los procesos para el monitoreo de los objetivos de control que todos los procesos salgan bien a la primera. Es este monitoreo, si es eficaz, lo que proporcionará una base para que el programa de seguridad evolucione y madure.

3.6.3 Principios del ciclo de vida para apoyar al plan de acción

Puesto que la operación del programa de seguridad de la información, incluidas las actividades de gestión de riesgos, es un proceso continuo, el gerente de seguridad de la información debe tener en cuenta que el programa tiene un ciclo de vida. Este ciclo de vida incluye las fases de evaluación, tratamiento y seguimiento, como se ilustra en la **figura 3.13**.

Emplear el enfoque basado en el ciclo de vida integrado en la gestión de cambios contribuye a la optimización de recursos, permite al programa y al proceso de gestión de riesgos actualizarse para llevarse a cabo de forma progresiva.

Figura 3.13—Características de las fases SDLC

Fase SDLC	Características de la fase	Respaldo de las actividades de la gestión de riesgos
Fase 1: Iniciación	Se expresa la necesidad de un sistema de TI y se documenta el propósito y alcance del sistema de TI.	El riesgo identificado se utiliza para apoyar el desarrollo de los requerimientos del sistema, incluyendo los requerimientos de seguridad y un concepto de seguridad de las operaciones (estrategia).
Fase 2: Desarrollo o adquisición	El sistema de TI se diseña, compra, programa, desarrolla o construye.	El riesgo identificado durante esta fase puede usarse para apoyar los análisis de seguridad del sistema de TI que pueden llevar a compensaciones de arquitectura y diseño durante el desarrollo del sistema.
Fase 3: Implementación	Las características del sistema de seguridad deben configurarse, activarse, probarse y verificarse.	El proceso de gestión de riesgos apoya la aplicación en contra de sus requerimientos y dentro de su entorno operacional modelado. Las decisiones tomadas con respecto al riesgo identificado deben hacerse antes de realizar la operación del sistema.
Fase 4: Operación o mantenimiento	El sistema realiza sus propias funciones. El sistema suele realizar actualizaciones o cambios periódicos al hardware y al software; el sistema también puede alterarse de maneras menos obvias debido a los cambios en los procesos, las políticas y los procedimientos organizacionales.	Las actividades de gestión de riesgos se realizan para una nueva autorización periódica del sistema (o nueva acreditación) o cuando se realizan cambios importantes a un sistema de TI en su entorno operacional y de producción (p. ej., nuevos sistemas de interfaces).
Fase 5: Eliminación	Esta fase puede implicar la distribución de información, hardware y software. Las actividades pueden incluir el desplazamiento, el archivo, la eliminación o la destrucción de información y la desinfección o limpieza del hardware y software.	Las actividades de gestión se realizan para los componentes del sistema que se eliminarán o reemplazarán para garantizar que el hardware y el software se desechan de manera adecuada, que los datos residuales se tratan de forma adecuada y que la migración del sistema se realiza de una manera segura y sistemática.

3.7 Métricas del programa de seguridad de la información

Una métrica se define como una entidad cuantificable que permite la medición del logro de la meta de un proceso. La seguridad es la protección contra cualquier daño o la ausencia de éste. Por lo tanto, las métricas de seguridad suelen indicar el estado o grado de seguridad relativa a un punto de referencia. Podría resultar útil aclarar la diferencia entre la gestión de la infraestructura de seguridad de TI técnica a nivel operacional y la gestión general de un programa de seguridad de la información.

La métrica técnica es útil para la gestión operativa táctica de los sistemas de seguridad técnica (por ejemplo, ISD, servidores proxy, cortafuegos (firewalls), etc.). Puede indicar que la infraestructura está funcionando sin problemas, y las vulnerabilidades técnicas están identificadas y tratadas. Sin embargo, estas métricas son de poco valor desde un punto de vista de gestión o gobierno estratégico. La métrica técnica no dice nada sobre la alineación estratégica con los objetivos organizacionales o cuán bien se está gestionando el riesgo. Proporciona algunas medidas de cumplimiento de políticas o indica si se han alcanzado los objetivos de niveles de aceptación del posible impacto, y no ofrece ninguna información con respecto a si el programa de seguridad de la información está en la dirección correcta y alcanzando los resultados esperados.

Desde el punto de vista de gestión, las métricas técnicas no pueden proporcionar respuestas a preguntas como:

- ¿Hasta qué punto es segura la empresa?
- ¿Cuánta seguridad es suficiente?
- ¿Cómo sabemos cuándo hemos alcanzado un nivel adecuado de seguridad?
- ¿Cuáles son las soluciones de seguridad más efectivas?
- ¿Cómo determinamos el grado de riesgo?
- ¿Con qué exactitud se puede predecir el riesgo?
- ¿Está el programa de seguridad alcanzando sus objetivos?
- ¿Qué impacto tiene la falta de seguridad en la productividad?
- ¿Qué impacto tendría una violación crítica de la seguridad?
- ¿Qué impacto tendrán las soluciones de seguridad sobre la productividad?

En última instancia, la única forma de intentar proporcionar respuestas significativas a estas preguntas es mediante el desarrollo de medidas relevantes, métricas que específicamente traten los requerimientos de la gerencia para tomar decisiones apropiadas acerca de la seguridad de la empresa.

Por lo general, las auditorías completas y las evaluaciones de riesgo exhaustivas son las únicas actividades que llevan a cabo las empresas que brindan esta perspectiva tan amplia. Aun cuando desde el punto de vista de gestión de la seguridad son importantes y necesarias, estas actividades proporcionan solo una historia o una fotografía, no lo que idealmente se requiere para guiar en el día a día a la gerencia de la seguridad ni proporcionan la información necesaria para tomar decisiones prudentes.

3.7.1 Métricas de seguridad efectivas

Es difícil o imposible manejar una actividad que no se puede medir. El propósito fundamental de las métricas, las mediciones y el monitoreo es respaldar decisiones. Para que las métricas sean útiles, la información que proporcionan debe ser relevante para los roles y las responsabilidades del receptor de manera que se puedan llevar a cabo las decisiones informadas. Cualquier cosa que resulte en un cambio puede ser medido. La clave para las métricas efectivas es utilizar un conjunto de criterios para determinar cuáles de la cantidad casi infinita de candidatos de métricas son los más apropiados. Las buenas métricas son SMART:

- **Específica**: se basa en una meta bien entendida; clara y concisa.
- **Medible**: capaz de medirse; cuantificable (objetiva), no subjetiva
- **Alcanzable**: realista; según los valores y las metas importantes
- **Relevante**: directamente relacionada con una meta o actividad específica
- **Oportuna:** basada en un marco de tiempo específico

Otras consideraciones son:[36]

- **Precisas**: generalmente, es adecuado un grado razonable de precisión.
- **Rentables**: las mediciones no pueden ser demasiado costosas de adquirir o mantener.
- **Repetibles**: la medida debe ser capaz de ser fiable a lo largo del tiempo.
- **Predecibles**: las mediciones deben ser indicativas de resultados.
- **Procesables**: el destinatario debe tener en claro qué acciones se deben tomar.

Entre las métricas de seguridad estándar se incluyen el tiempo de inactividad debido al malware, la cantidad de

[36] Brotby, W.; *Information Security Management Metrics*, Auerbach Publications, EE. UU., 2009

sistemas comprometidos en una evaluación de seguridad, los resultados del tiempo de recuperación del sistema de aplicaciones, la cantidad de vulnerabilidades descubiertas con escaneos de red y el porcentaje de servidores parcheados. Aun cuando estas medidas puedan ser indicios de aspectos de seguridad y tal vez sean útiles para las operaciones de TI, ninguna proporciona información real sobre cuán segura es la empresa y probablemente no cumplirá con la mayoría de los criterios mencionados.

Existe un creciente entendimiento de que la falta de métricas útiles es un área de la seguridad de la información que ha obstaculizado a la dirección efectiva. Esto ha llevado al desarrollo de una variedad de enfoques para abordar este problema en los últimos años. Entre los principales esfuerzos están los siguientes:

- **ISO/IEC 27004:2016 Tecnología de la información. Técnicas de seguridad. Gestión de la seguridad de la información. Medición.** Este estándar es parte de la creciente serie de estándares de seguridad ISO/IEC 27XXX, que incluye ISO/IEC 27001:2022 Gestión de la seguridad de la información e ISO/IEC 27002:2022 Tecnología de la información. Técnicas de seguridad. Código de práctica para los controles de seguridad de la información. ISO/IEC 27004 "provee orientación en el desarrollo y uso de medidas y medición con el fin de evaluar la efectividad de un sistema de seguridad de la información implementado y controles o grupos de control según está especificado en ISO/IEC 27001."[37] Este estándar no ha tenido amplia aceptación y experimenta varias deficiencias. Como resultado, en la actualidad se está volviendo a escribir para que aborde varios de los problemas planteados por la comunidad de seguridad de la información.
- **COBIT:** COBIT ofrece varas medidas de muestra por cada uno de los 13 objetivos de empresa sugeridos, 13 objetivos de alineación y procesos asociados. Concretamente, *COBIT Area de Interés: Seguridad de la Information (Information Security)* proporciona medidas de seguridad de la información a modo de ejemplo para muchos procesos de gestión y de gobierno. Sin embargo, en la actualidad existe una falta de orientación sobre el desarrollo y la implementación real en términos de métricas relevantes y alcanzables.
- **El Centro para la Seguridad de Internet (CIS)**: *las métricas de seguridad del CIS ofrecen un enfoque integral para desarrollar e implementar las métricas de seguridad de la información.* Se basa en el consenso de 150 profesionales de la industria con respecto a las métricas relevantes y el enfoque para la implementación e incluye 28 definiciones de métricas con una cantidad posible de métricas para siete funciones de negocio importantes.
- ***Publicación especial 800-55 Revisión 5.1.1 del NIST: Guía de medición del desempeño para la seguridad de la información***: este documento está alineado con los controles de seguridad provistos en NIST SP 800-53 para ayudar con la evaluación de la implementación del programa de seguridad de la información. Ofrece un enfoque integral para la selección, el desarrollo y la implementación de un enfoque de métricas cuyo objetivo principal es respaldar la Ley Federal para la Modernización de la Seguridad de la Información (FISMA), que es un documento de políticas de alto nivel para las agencias federales de los EE. UU. y tiene valor para el ambiente comercial.

El riesgo operacional y la seguridad no se miden directamente en términos absolutos; por el contrario, el indicador de medición normalmente está relacionado con aspectos como las probabilidades, las exposiciones, los atributos, los efectos y las consecuencias. Varios de los enfoques que pueden ser útiles incluyen el valor en riesgo (VAR), el retorno sobre la inversión en seguridad (ROSI) y la ALE. VAR se utiliza para calcular la pérdida máxima probable en un período definido (día, semana, año) con un nivel de confianza típico de 95 por ciento o 99 por ciento. ROSI se utiliza para calcular el retorno sobre la inversión basándose en la reducción en pérdidas que resulta de un control de seguridad en comparación con el costo del control. ALE proporciona el cálculo de la pérdida anual posible basándose en la frecuencia y magnitud probables de la inestabilidad de seguridad. Estos números comúnmente especulativos se pueden utilizar como base para asignar o justificar recursos para actividades de seguridad.

Algunas empresas intentan determinar los impactos máximos que podrían tener eventos adversos como una medida de la seguridad. Medir la seguridad por las consecuencias e impactos es como medir cuán alto es un árbol según qué tan fuerte es el sonido que emite cuando cae. En otras palabras, tendrían que ocurrir eventos adversos para determinar si la seguridad está funcionando. La ausencia de incidentes adversos no confirma un estado de seguridad. Dicha falta podría significar que las defensas funcionan, o que nadie ha lanzado un ataque, o bien, que hay alguna vulnerabilidad que no se ha identificado. Los ataques simulados con

[37] International Organization for Standardization, *ISO/IEC 207004:2016 Tecnología de la información. Técnicas de seguridad. Gestión de la seguridad de la información. Medición*, Suiza, 2016

pruebas de intrusión pueden dan alguna medida de la efectividad de las defensas contra ataques específicos. Sin embargo, a menos que se haya lanzado un porcentaje de ataques que sea significativo en términos estadísticos de todos los ataques posibles, no se podría predecir el estado de la seguridad o la capacidad de la empresa para resistir un ataque.

Podría ser que todo aquello que se puede afirmar con certeza sobre la seguridad es que:

1. Algunas empresas son objeto de ataques con mayor frecuencia y/o registran mayores pérdidas que otras.
2. Existe una fuerte correlación entre una buena gestión y prácticas de seguridad y un número relativamente menor de incidentes y pérdidas.

Una buena gestión y un buen gobierno están inextricablemente conectados. Medir con precisión la eficacia de un gobierno y gerencia de seguridad de la información puede ser aun más difícil que medir la seguridad. En la mayoría de los casos, las métricas se basarán en los atributos, los costos y los posteriores resultados del programa de seguridad. La **figura 3.14** presenta los componentes de un programa de gobierno de la seguridad de la información y demuestra que se requiere el rumbo real del gobierno y la capacidad para medir y presentar informes sobre el desempeño.

Figura 3.14—Componentes de las mediciones de seguridad

Fuente: National Institute of Standards and Technology (NIST); *NIST Special Publication 800-55 Revision 5.1.1: Performance Measurement Guide for Information Security*, EE. UU., 2020. Cortesía reimpresa del NIST, Departamento de Comercio de los EE. UU. No sujeto a registro de autor en los Estados Unidos de América.

Dado que el gobierno de la seguridad es difícil de medir mediante un conjunto de métricas objetivas, existe una tendencia a utilizar métricas que están disponibles, independientemente de su probada pertinencia. Un ejemplo típico es el uso de los análisis de vulnerabilidad como una indicación de la seguridad global. Casi indiscutiblemente, si fuera posible eliminar todas, o casi todas, las vulnerabilidades (lo cual es imposible), se podría evitar la mayoría de los riesgos. La falacia radica en la suposición de que es posible determinar algo sobre el riesgo, amenaza o impacto, midiendo las vulnerabilidades técnicas sin tener en cuenta las amenazas viables, la exposición y los posibles impactos.

Si bien no existe una escala objetiva universal para la seguridad o el gobierno de seguridad, las métricas efectivas pueden diseñarse para orientar el desarrollo y la gestión del programa si se han desarrollado objetivos claros de seguridad de la información. En esencia, las métricas pueden reducirse a cualquier medida de los resultados del programa de seguridad de la información que avance hacia los objetivos definidos, que sirven como puntos de referencia. Se requieren diferentes métricas para proporcionar información en los niveles estratégico, táctico y operacional. Las métricas estratégicas estarán orientadas a resultados y objetivos del negocio de alto nivel para el programa de seguridad de la información.

Métricas de implementación del gobierno

Implementar una estrategia y un marco de gobierno de la seguridad de la información puede requerir de un esfuerzo significativo. Es importante que se cuente con las métricas relevantes durante la implementación de un programa de seguridad de la información. El desempeño del programa de seguridad en su conjunto será demasiado detallado para brindar información oportuna sobre la implementación y se deberá utilizar otro enfoque. Los KGI y KPI pueden servir para proporcionar información sobre el logro de las metas del proceso o servicio y pueden determinar si se están alcanzando los objetivos y logros importantes de la organización. Debido a que la implementación de varios aspectos del gobierno a menudo implicarán proyectos o iniciativas, los métodos de medición de proyectos estándar pueden cumplir con los requisitos de las métricas (por ejemplo, alcanzar etapas importantes u objetivos específicos, conformidad con el presupuesto y el cronograma).

Métricas de alineación estratégica

La alineación estratégica de la seguridad de la información en apoyo a los objetivos organizacionales es fundamental para el éxito definitivo del programa de seguridad de la información al proporcionarle valor a la empresa. Debe quedar claro que la rentabilidad de un programa de seguridad está vinculada inevitablemente a qué tan bien apoya los objetivos de la empresa y a qué costo. Si no se cuenta con objetivos organizacionales que sirvan de punto de referencia, cualquier otra medida, incluso las buenas prácticas, pueden ser innecesarias, inadecuadas o mal dirigidas. Desde el punto de vista del negocio, es posible que prácticas adecuadas y suficientes, proporcionales a los requisitos, resulten más rentables que las mejores prácticas. De igual forma es probable que una gerencia consciente de los costos las reciba mejor.

El mejor indicador integral de que las actividades relacionadas con la seguridad están alineadas con los objetivos de negocio (u organizacionales) es el desarrollo de una estrategia de seguridad que defina los objetivos de seguridad en términos del negocio y garantice que los objetivos se encuentren articulados de manera directa desde la planificación hasta la implementación de políticas, estándares, procedimientos, procesos y tecnología. La prueba decisiva es la evaluación en orden inverso de que es posible rastrear un control específico hasta un requerimiento de negocio en particular. Cualquier control cuyo rastro no se pueda establecer de vuelta hasta el requerimiento de negocio específico resulta sospechoso y debe analizarse para establecer su relevancia y posible eliminación.

Los indicadores de la alineación incluyen:

- En qué medida el programa de seguridad facilita de manera comprobable actividades de negocio específicas.
- Actividades del negocio que no han sido ejecutadas o están retrasadas debido a una inadecuada capacidad para gestionar el riesgo.
- Una empresa de la seguridad que es receptiva a los requerimientos de negocio definidos basándose en aportes del propietario del negocio.
- Objetivos organizacionales y de seguridad que están definidos y son claramente entendidos por parte de todos los involucrados en la seguridad y las actividades de aseguramiento relacionadas, medidos por pruebas de capacitación.
- Porcentaje de actividades del programa de seguridad correlacionadas con los objetivos organizacionales y validadas por la alta gerencia.
- Un comité directivo de seguridad conformado por ejecutivos clave con estatutos para garantizar la continua alineación de las actividades relacionadas con la seguridad y la estrategia de negocio.

Métricas de gestión de riesgos

La gestión de riesgos es el objetivo principal de todas las actividades relacionadas con la seguridad de la información y de todos los esfuerzos realizados con respecto al aseguramiento organizacional. Aun cuando la efectividad en la gestión de riesgos no está sujeta a una medición directa, algunos indicadores guardan una estrecha relación con un enfoque exitoso. Un programa exitoso de gestión de riesgos puede definirse como aquel que cumple con las expectativas y alcanza los objetivos definidos de manera eficiente, efectiva y consistente, al mantener el riesgo a niveles aceptables para la gerencia.

Una vez más, es un requerimiento que las expectativas y los objetivos de la gestión de riesgos estén definidos. De lo contrario, no se tendría una base para determinar si el programa está teniendo éxito y/o si está avanzando en la dirección correcta y si la asignación de recursos es apropiada.

Los indicadores de una gestión de riesgos apropiada pueden incluir:

- Un apetito de riesgo definido de la organización y tolerancia en términos relevantes para la empresa.
- La integridad de una estrategia y programa integrales de seguridad para alcanzar niveles de riesgo aceptables.
- La cantidad de objetivos de mitigación definidos para riesgos significativos identificados.

- Procesos para el manejo o la reducción de impactos adversos.
- La cobertura de todos los sistemas críticos para el negocio por procesos sistemáticos y continuos de gestión de riesgos.
- Tendencias de valoraciones periódicas de riesgos que indiquen avances hacia las metas que se hayan definido.
- Tendencias en impactos.
- Resultados de las pruebas a los planes de continuidad del negocio/recuperación ante desastres y respuesta a incidentes.
- La integridad del inventario de activos, la valoración y asignación de propiedad.
- El porcentaje de los BIA de todos los sistemas críticos o sensibles.
- El alcance de un proceso de clasificación de activos completo y en funcionamiento.
- La proporción de incidentes de seguridad de riesgo conocido en comparación con aquellos del riesgo no identificado.

La meta predominante de la seguridad de la información es reducir el impacto adverso que puede tener en la empresa a un nivel aceptable. Por lo tanto, una métrica clave es el impacto adverso que tienen en la empresa los incidentes de seguridad de la información y el alcance en que exceden o no los criterios de impacto y riesgo aceptable. Un programa efectivo de seguridad mostrará una tendencia en la reducción del impacto y la frecuencia de incidentes. Las mediciones cuantitativas incluyen análisis de tendencia de los impactos con el paso del tiempo en términos financieros.

Métricas de la entrega de valor

La entrega de valor ocurre cuando las inversiones en seguridad se optimizan para respaldar los objetivos de la organización. La entrega de valor es una función de alineación de la estrategia de los objetivos de seguridad; en otras palabras, cuando un caso de negocio se puede realizar de modo convincente para todas las actividades de seguridad. Se tiene niveles óptimos de inversión cuando se alcanzan las metas estratégicas para la seguridad y se logra una postura de riesgo aceptable al menor costo.

Los indicadores clave (KGI y KPI) incluyen:

- Las actividades de seguridad que estén diseñadas para alcanzar objetivos estratégicos definidos de una manera rentable.
- El costo de la seguridad es proporcional al valor de los activos.
- Los recursos de seguridad que son distribuidos según el grado de riesgo valorado y el posible impacto.
- Los costos de protección que son consolidados como una función de ingresos o valuación de activos.
- Los controles que están bien diseñados según los objetivos de control definidos y que logran esos objetivos de control y que se utilizan en su totalidad.
- El número de controles para alcanzar niveles aceptables de riesgo e impacto es adecuado y apropiado.
- La eficacia de los controles se determina a partir de pruebas periódicas.
- Las políticas establecidas que requieren que todos los controles se reevalúen con regularidad para determinar su costo, cumplimiento y efectividad.
- El uso de controles. Es poco probable que los controles que se usan en raras ocasiones sean rentables.
- La cantidad de controles para alcanzar niveles aceptables de riesgo e impacto. Se puede esperar que un número menor de controles efectivos sea más rentable que un número mayor de controles menos eficaces.
- La efectividad de los controles que se haya determinado a partir de las pruebas. Es poco probable que los controles marginales sean rentables.

Métricas de gestión de recursos

La gestión de recursos de seguridad de la información describe los procesos de planificación, asignación y control de los recursos de seguridad de la información, entre otros, personal, procesos y tecnologías, para mejorar la eficiencia y la efectividad de las soluciones de negocio.

Tal como sucede con otros activos y recursos de la organización, estos recursos de la seguridad de la información deben administrarse de manera apropiada. El conocimiento debe recopilarse, difundirse y estar disponible cuando se requiera. Brindar múltiples soluciones a un mismo problema resulta, sin duda, ineficiente y es indicio de una falta de gestión de recursos. Los controles y los procesos deben estandarizarse cuando sea posible a fin de reducir los costos administrativos y de capacitación. De igual forma, tanto los problemas como las soluciones deben estar bien documentados, referenciados y disponibles.

Los indicadores que denotan una gestión de recursos eficiente incluyen:

- Redescubrimiento de una solución para los problemas de ocurrencias poco frecuentes.
- La recopilación y difusión del conocimiento es eficiente.

- El grado en el cual los procesos relacionados con la seguridad están estandarizados.
- Los roles y las responsabilidades están claramente definidos para las áreas de seguridad de la información.
- Seguridad de la información incorporada a cada plan de proyecto.
- Porcentaje de activos de información y sus respectivas amenazas correctamente dirigidos por actividades de seguridad.
- La debida ubicación organizacional, nivel de autoridad y número de personal para el área de seguridad de la información.
- Niveles de utilización de recursos.
- Productividad del personal.
- Coste por usuario para los servicios de seguridad.

Medición del rendimiento

La medición, el monitoreo y la presentación de información sobre los procesos de seguridad de la información es un requerimiento para garantizar que se alcancen los objetivos de la organización. Se deben desarrollar métodos para monitorear los incidentes relacionados con la seguridad en toda la empresa y es fundamental diseñar métricas que proporcionen una indicación del desempeño de la maquinaria de seguridad y, desde una perspectiva de gerencia, la información necesaria para tomar decisiones necesarias para guiar las actividades de seguridad de la empresa.

Los indicadores para una medición efectiva del desempeño incluyen:

- El tiempo que toma la detección y la notificación de incidentes relacionados con la seguridad.
- El número y la frecuencia de incidentes no notificados que se hayan identificado con posterioridad.
- La realización de pruebas comparativas de costos y efectividad de empresas comparables.
- La capacidad para determinar la eficacia / eficiencia de los controles.
- Indicaciones claras de que se están cumpliendo los objetivos de la seguridad.
- Resultados de auditorías internas/externas.
- La ausencia de incidentes inesperados o inadvertidos relacionados con la seguridad.
- Conocimientos de las amenazas inminentes y cambiantes.
- Medios eficaces para determinar las vulnerabilidades de la organización.
- Métodos para monitorear los riesgos cambiantes.
- Consistencia en las prácticas de revisión de logs.
- Resultados de las pruebas de recuperación de desastres/plan de continuidad del negocio.
- El alcance del monitoreo sobre los controles clave.
- El porcentaje de las métricas que alcanzan criterios definidos (metamétrica).

3.7.2 Métricas y supervisión del programa de seguridad

En el proceso de gestión del programa de seguridad de la información deben considerarse varios aspectos de las métricas. Primero, ¿las métricas son necesarias para hacer seguimiento y guiar el desarrollo mismo del programa en los niveles de proyecto, de dirección y estratégico? En segundo lugar, ¿se necesitará del desarrollo de métricas para una gestión continua de los resultados del programa? Debido a que uno de los elementos esenciales en la selección de controles se basa en si se pueden monitorear y medir de manera efectiva, es crucial considerar este aspecto durante el diseño y desarrollo del programa. Los controles clave que no pueden monitorearse plantean un riesgo inaceptable que debería evitarse.

La seguridad de una empresa implica mucho más que controles técnicos específicos como cortafuegos, contraseñas, detección de intrusos y planes de recuperación de desastres. También incluye procesos que rodean a los controles técnicos y los problemas con los usuarios que hacen que sea un sistema complejo que involucra a varios componentes.

Como en cualquier sistema complejo, la aplicación de conceptos básicos de ingeniería de sistemas mejora el desempeño del sistema. Los conceptos de diseño, implementación planeada y mantenimiento programado pueden mejorar significativamente la efectividad y el desempeño de un programa de seguridad. Uno de los principios fundamentales de la ingeniería de sistemas es la capacidad para medir y cuantificar. Las mediciones permiten el diseño apropiado, la implementación precisa según las especificaciones y las actividades efectivas de gestión, incluyendo el establecimiento de metas, el proceso de seguimiento, la evaluación comparada (o benchmarking) y la priorización. En esencia, la medición es un requerimiento fundamental para el éxito de un programa de seguridad.

Un programa de seguridad efectivo requiere diseño y planificación, implementación y una gestión permanente de los procesos, las personas y la tecnología que abarquen todos los aspectos de seguridad en la empresa.

Podría resultar útil aclarar la diferencia entre la gestión de los sistemas de seguridad técnica de TI a nivel operacional y la gestión general de un programa de seguridad de la información. La métrica técnica es útil para la gestión operativa puramente táctica de la infraestructura de seguridad técnica (es decir, servidores de antivirus, dispositivos de detección de intrusos, cortafuegos). Estas métricas pueden indicar que la infraestructura se maneja de forma adecuada y que las vulnerabilidades técnicas se identifican y reciben el tratamiento correspondiente. Sin embargo, estas métricas poseen menos valor desde un punto de vista de gestión del programa de seguridad estratégico o general. No es que digan nada acerca de la alineación estratégica a los objetivos organizacionales o la eficiencia en el manejo del riesgo. Su función es proporcionar algunas medidas de cumplimiento de políticas o indicar si se han alcanzado los objetivos de niveles de aceptación del posible impacto. Tampoco proporcionan información sobre la dirección, la velocidad o la proximidad al objetivo que tiene el programa de seguridad de la información.

Desde un punto de vista de la gestión, a pesar de las mejoras en las métricas técnicas, a menudo son incapaces de proporcionar respuestas a las cuestiones relacionadas con el negocio por parte de las partes interesadas clave. Por esta razón, el programa de seguridad de la información requiere tanto métricas técnicas (para hacer un seguimiento e informar sobre la eficacia del control) como métricas más amplias para informar sobre la eficacia del programa y la optimización de recursos.

3.7.3 Métricas adaptadas a las necesidades de la empresa

El proceso de gobierno de seguridad de la información debería producir un conjunto de objetivos para el programa de seguridad de la información, objetivos adaptados a la empresa. Como se explicó en 3.2.2 Conceptos del programa de seguridad de la información, estas metas generan objetivos de control y la actividad de planificación correspondiente diseñada para alcanzar los objetivos que produzcan los resultados deseados. Las métricas del programa de seguridad de la información que corresponden directamente con estos objetivos de control son esenciales para la gestión del programa.

Es evidente que no es posible desarrollar métricas significativas de gestión de la seguridad sin que las bases del gobierno definan las metas y creen puntos de referencia. Esto quiere decir que las mediciones sin una referencia en forma de objetivos y metas no constituyen métricas y no son útiles como guía para la creación de un programa.

En definitiva, las métricas tienen solo un propósito: apoyar las decisiones. La empresa mide para gestionar. Mide para brindar información sobre la que puedan basarse las decisiones informadas relacionadas con lo que se trata de lograr (es decir, las metas).

Existen varias consideraciones clave para desarrollar métricas útiles y relevantes durante el desarrollo del programa. Puesto que el propósito de las métricas es respaldar las decisiones, es esencial conocer las decisiones que se toman en los distintos niveles de la empresa y, en consecuencia, qué información sobre métricas se requiere para tomar esas decisiones correctamente. Eso significa que las funciones y responsabilidades deben definirse para saber qué información es requerida por quién. Los primeros parámetros para el diseño de métricas puede resumirse como:

- ¿Quién necesita saber?
- ¿Qué necesitan saber?
- ¿Cuándo necesitan saberlo?

Las métricas deben proporcionarle información en uno o más de los tres niveles siguientes:

- Estratégico
- Gestión
- Operativo

Estratégico

Las métricas estratégicas por lo general son una compilación de otras métricas gerenciales diseñadas para indicar que el programa de seguridad está en el camino correcto, que cumple los objetivos y se ajusta al presupuesto para alcanzar los resultados deseados. En el nivel estratégico, la información requerida es esencialmente de navegación (es decir, que determina si el programa de seguridad va en la dirección correcta para alcanzar los objetivos definidos y dirigidos hacia los resultados deseados). Tanto el gerente de seguridad de la información como la alta gerencia requieren esta información para brindar una supervisión apropiada.

Gestión

Las métricas de gestión (o tácticas) son las que se requieren para gestionar el programa de seguridad, como el nivel de cumplimiento de las políticas y normas, la gestión de incidentes de seguridad y la efectividad de las respuestas, y la utilización de recursos humanos y otros recursos. A nivel de gestión de la seguridad, es necesario disponer de información sobre el cumplimiento, nuevos riesgos, utilización de recursos, alineación con las metas de la empresa y otros temas, con el fin de tomar las decisiones requeridas para una gestión eficaz.

El gerente de seguridad de la información precisa además de un resumen de las métricas técnicas para cerciorase de que la maquinaria funcione correctamente dentro de rangos aceptables, así como un conductor automovilístico desea saber cuánta gasolina hay en el tanque y que la presión de aceite y la temperatura del agua se encuentran dentro de un rango aceptable. Si bien estas métricas no garantizarán que el automóvil avance en la dirección correcta o que llegue a su destino, pueden indicar que no se alcanzará el destino.

Operativo

Las métricas operativas son las métricas técnicas y de procedimiento más comunes, tales como las vulnerabilidades abiertas y el estado de gestión de parches. Las métricas netamente técnicas son de utilidad principal para los gerentes de seguridad de TI y los administradores de sistemas. Estas incluyen las usuales medidas de mitigación de software malintencionado (malware), los datos de configuración de cortafuegos (firewall), las revisiones de syslog y otros temas operacionales.

Existe una serie de consideraciones adicionales que se deben desarrollar, que incluyen:

- **Manejables**: este atributo sugiere que los datos se deben recopilar, condensar, ordenar, almacenar, correlacionar, revisar y comprender de manera oportuna.
- **Significativos**: este atributo sugiere que los datos deben ser comprensibles para el receptor, relevantes para los objetivos y proporcionar una base para las decisiones necesarias para gestionar.
- **Realizables**: así como el compás hace ver claramente al piloto la dirección que debe seguir para permanecer en curso, las métricas de gestión muestran con claridad si se debe doblar a la izquierda o a la derecha. La información que apenas invita a posteriores investigaciones puede representar desorden.
- **Inequívocos**: es probable que la información que no es clara no sea útil.
- **Confiables**: es esencial poder confiar en los varios mecanismos de retroalimentación y en la consistencia al proporcionar el mismo resultado para las mismas condiciones cada vez que se miden. Por ejemplo, cuando el tanque de gas se encuentra vacío, el indicador debe informar cada vez que se mide. Además, para ser confiable, la métrica debe medir lo que usted piensa que está midiendo, no un evento no relacionado o un artefacto falso.
- **Exactos**: mostrar una dirección al norte cuando se va al sur es peor que no tener información alguna. El grado de precisión depende de cuán crítica es la medición y varía considerablemente. Las métricas cualitativas pueden ser aproximaciones, pero sin embargo pueden ser adecuadas en muchas situaciones. Las métricas cuantitativas necesitan ser precisas para ser útiles (por ejemplo, si el indicador muestra 10 galones de combustible pero el valor real es de solo cinco, la métrica puede ser peligrosa).
- **Oportunos**: para que sea útil, la retroalimentación se debe obtener cuando es necesaria. Es mejor saber que la puerta del granero está abierta antes de que el caballo se escape.
- **Predictivos**: en la medida de lo posible, los indicadores por adelantado son muy valiosos.
- **Genuinos**: las métricas sujetas a manipulación son menos confiables y además pueden verse afectadas en la precisión.

Estos atributos se pueden utilizar como una medición de las métricas mismas que sirven para clasificar las métricas y determinar cuáles son las más útiles. Cualquier métrica que sustancialmente fracasa en cumplir con estos criterios es sospechosa. En muchos casos, las métricas en uso por la mayoría de las empresas no clasificarán estos criterios de manera adecuada, pero sin embargo pueden ser los mejores que se encuentran disponibles. Incluso las métricas bien clasificadas pueden fallar. Un enfoque prudente es intentar crear un sistema de métricas que se referencien de manera cruzada para los propósitos de validación. Esto puede lograrse mediante la medición de dos aspectos separados de la misma cosa y asegurando la concordancia entre ellos. Por ejemplo, si un motor consume cinco galones (aprox. 19 litros) de combustible por hora, un tanque de 10 galones (aprox. 38 litros) debe durar dos horas. Después de una hora, el indicador de combustible debe indicar que la mitad del tanque todavía está disponible, asumiendo que estaba lleno al principio. De manera similar, las discrepancias entre medidas internas de cumplimiento y los resultados de una auditoría deben ser investigadas para determinar qué medida tiene fallas. Si ambas indican un nivel de cumplimiento similar, es útil para validar las mediciones.

Existen otros varios atributos descriptivos que se pueden desarrollar, pero los enumerados anteriormente en esta sección son los más significativos. La pregunta es entonces si estos atributos se pueden priorizar o si las métricas o combinaciones de métricas que no incluyan casi ninguna o ninguna de las características enumeradas se deben descartar. Se deben implementar sistemas de métricas de gestión de la seguridad con el fin de determinar la efectividad constante de la seguridad para obtener objetivos definidos en los niveles operacional, gerencial y estratégico. La información necesaria para tomar decisiones en materia de seguridad difiere en cada uno de esos niveles, como también las métricas que permiten recoger esa información.

Es necesario controlar los procesos para asegurarse del cumplimiento de las leyes y las regulaciones aplicables, a las cuales está sujeta la empresa. El monitoreo de todas las métricas relevantes se requiere para asegurarse de que estén operando y que la información que proveen está distribuida y manejada apropiadamente.

En años recientes, varias industrias se rigen por regulaciones específicas que garantizan la seguridad y privacidad de la información confidencial, especialmente en las empresas médicas y financieras, y reducen el riesgo operacional en las empresas nacionales con infraestructura crítica. El incumplimiento en estos casos puede tener implicaciones legales adversas, de manera que es necesario realizar un monitoreo adecuado.

A fin de evaluar la eficacia del programa de seguridad de una empresa, el gerente del programa de seguridad de la información debe tener un vasto entendimiento de cómo monitorear los programas y los controles de seguridad de manera continua. Algunos elementos del monitoreo son técnicos y cuantitativos por naturaleza, mientras que otros aspectos son, por necesidad, imprecisos y cualitativos. Se pueden utilizan las métricas técnicas para proporcionar métricas cuantitativas para el monitoreo y pueden incluir elementos como el número o porcentaje de:

- Vulnerabilidades no solucionadas
- Auditorías abiertas o cerradas
- Cuentas de usuario que cumplen con los estándares
- Penetraciones perimetrales
- Discrepancias no resueltas sobre seguridad

Las métricas cualitativas que se deben monitorear se pueden utilizar para determinar tendencias y pueden incluir lo siguiente:

- Niveles del CMMI a intervalos periódicos
- KGI
- KPI
- KRI
- Cuadros de mando de negocios
- Indicadores de calidad Six Sigma
- Indicadores de calidad ISO 9001:2015
- Resultados PAM (ISO 33020:2019)

Otras medidas de importancia aplicables incluyen la rentabilidad de los controles y el grado de fallos en los controles. Otras actividades de monitoreo se relacionan con el cumplimiento organizacional, con las políticas de seguridad y con los procedimientos establecidos por la empresa como el límite mínimo de seguridad. Puesto que los recursos de información cambian con el paso del tiempo, el nivel mínimo de seguridad, como los recursos, se debe adaptar a las amenazas cambiantes y nuevas vulnerabilidades. Todas las partes interesadas deben conocer dichos cambios y alcanzar un consenso apropiado.

Esta página se ha dejado en blanco deliberadamente

Parte B: Gestión del programa de seguridad de la información

Muchos de los elementos descritos en la Parte A establecen una base firme para planificar, implementar, operar y mantener un programa efectivo de seguridad de la información. Habiendo adquirido una comprensión de los objetivos y las expectativas de los líderes senior de la empresa, y habiendo establecido una estrategia basada en el negocio para administrar el riesgo de los objetivos de seguridad y privacidad de la empresa, el gerente de seguridad de la información está preparado para construir y mantener esa arquitectura integral. El programa se basa en un equipo multifuncional para construir, ejecutar, supervisar y mantener un enfoque rentable y práctico para proteger los recursos de la empresa.

Si bien muchas de las técnicas del programa incluyen componentes técnicos, la gran mayoría se relaciona con la gestión del riesgo para, a través y desde los seres humanos. De la misma manera que la propia empresa depende de las personas para la innovación, la toma de decisiones y la ejecución de tareas calificadas, el programa de seguridad de la información ayuda a garantizar que el factor humano fortalezca las actividades de gestión de riesgos. El apoyo efectivo al factor humano, combinado con procesos técnicos y administrativos efectivos y eficientes, proporciona la base para cumplir las promesas establecidas en el caso de negocio y el plan de gestión del programa del gerente de seguridad de la información.

3.8 Diseño y selección de controles de seguridad de la información

Los controles son el medio para gestionar el riesgo. Se componen de muchos de los elementos anteriores (como políticas, procedimientos, guías, prácticas y estructuras organizacionales) y representan el componente principal que se debe tener en cuenta cuando se desarrolla una estrategia de seguridad de la información.

Los controles se implementan para lograr objetivos particulares y trabajan juntos para permitir las metas de las partes interesadas a través del plan del programa estratégico. Los objetivos de control respaldan la alineación entre los objetivos y logros de seguridad y privacidad. Los objetivos de control se definen como una declaración del resultado deseado o propósito que se va a lograr mediante la implementación de procedimientos de control en un proceso en particular. Por ejemplo, un conjunto de objetivos de control para el control de acceso podría diseñarse para "brindar una seguridad razonable de que el acceso lógico a los programas, datos y recursos informáticos se restrinja a usuarios autorizados y apropiados, y que dichos usuarios están limitados a ejecutar las acciones autorizadas y apropiadas" además de que "el acceso físico a la computadora y otros recursos se restringe al personal autorizado y apropiado".[38] La alineación de los objetivos de control con los objetivos organizacionales ayuda a respaldar un enfoque rentable que equilibra el valor de TI con la optimización de recursos y riesgos. Las siguientes secciones describen los mecanismos para evaluar, gestionar y monitorear el riesgo hasta un nivel aceptable.

3.8.1 Gestión del riesgo mediante controles

Pueden ser físicos, técnicos o administrativos. Las opciones de control deben basarse en diversas consideraciones, que incluyen asegurar su efectividad, su costo o posible restricción de las actividades de negocio y su forma de control óptima.

Controles de TI

Puesto que la información y la tecnología tienen un papel clave en las operaciones de muchas empresas, los controles de TI constituyen la mayoría de los controles requeridos. Si bien incluyen controles técnicos, muchos controles de TI son controles técnicos y administrativos.

Controles que no están relacionados con TI

El gerente de seguridad de la información debe ser consciente de que también se deben desarrollar controles de seguridad de la información para los procesos de información no relacionados con TI, como el marcado de seguridad, los requisitos de gestión y almacenamiento de la información física y las consideraciones para gestionar y prevenir la ingeniería social. De igual forma, deben tenerse en cuenta los controles ambientales para que los sistemas seguros no sean objeto de robo, tal como ha sucedido en algunos casos muy sonados.

---

38 Association of International Certified Professional Accountants, "Information for management of a service organization in a SOC 1 engagement", 2019, *https://us.aicpa.org/content/dam/aicpa/interestareas/frc/auditattest/downloadabledocuments/info-for-mgmt-of-serv-org-in-soc-engagement.pdf*

Defensas por capas

La defensa por capas, o la aplicación de la defensa en profundidad, es un concepto importante en el diseño de una estrategia o arquitectura de seguridad de la información efectiva. Las capas se deben diseñar de manera que la causa del fallo de una capa no cause el fallo de la siguiente capa.

El número de capas necesarias dependerá de la confidencialidad y criticidad de los activos, la confiabilidad de las defensas y del grado de exposición. Es probable que una dependencia excesiva en un solo control genere un falso sentido de confianza. Por ejemplo, una compañía que depende exclusivamente de un cortafuego (firewall) aún puede ser objeto de numerosas metodologías de ataque. Una defensa adicional puede ser la creación, mediante la formación y la concienciación, de un "cortafuego humano" que pueda llegar a constituir una capa crucial de defensa. Segmentar la red puede constituir otra capa defensiva.

Tecnologías

En las últimas décadas se han desarrollado numerosas tecnologías de seguridad para contrarrestar las amenazas en constante aumento a las que están expuestos los recursos de información. La tecnología es una de las piedras angulares de una estrategia de seguridad efectiva. El gerente de seguridad de la información debe familiarizarse con la forma en la que estas tecnologías pueden funcionar como controles para alcanzar el "estado deseado" de seguridad. La tecnología no compensará por las deficiencias gerenciales, culturales u operativas, por lo que el gerente de seguridad de la información debe tener cuidado de no depender demasiado de ello. Tal como se muestra en la **figura 3.15**, para alcanzar defensas efectivas contra incidentes relacionados con la seguridad, es preciso utilizar la tecnología con una combinación de políticas, estándares y procedimientos.

Figura 3.15—Defensa en profundidad por función

Defensas contra inestabilidad del sistema	Políticas, estándares, procedimientos y tecnología
Prevención	Autenticación Autorización Concienciación y capacitación Etiquetado/manejo/retención de datos Cifrado Cortafuegos (firewall) Prevención de intrusos Gestión Protección del personal Seguridad física
Contención	Autorización Privacidad de datos Cortafuegos (firewalls)/dominios de seguridad Segmentación de redes Seguridad física
Detección/notificación	Auditoría/registros en bitácoras Honeypots Detección de intrusiones Mediciones/métricas Monitoreo Detección de virus
Reacción	Mecanismos de seguridad adicionales Respuesta a incidentes Nuevos/mejores controles Cambio en políticas/procedimientos

Figura 3.15—Defensa en profundidad por función (cont.)

Defensas contra inestabilidad del sistema	Políticas, estándares, procedimientos y tecnología
Recopilación de evidencia/monitoreo de incidentes	Auditoría/registros en bitácoras Informática forense Gerencia/monitoreo No repudio
Recuperación/restablecimiento	Respaldos/restablecimiento Continuidad del negocio/recuperación ante desastres Conexión de apoyo (failover)/sitios remotos

Fuente: W. Krag Brotby

Existen varias tecnologías que cuentan con mecanismos de seguridad, los cuales pueden desempeñar una función clave en el éxito de la estrategia de seguridad de una empresa. Dado el continuo y rápido desarrollo de la tecnología en este ámbito, un gerente de seguridad de la información prudente utilizará los recursos que estén disponibles para mantenerse actualizado en los últimos desarrollos.

3.8.2 Controles y contramedidas

Al diseñar el programa de seguridad de la información, la planificación debe incluir controles generales y controles en el nivel de sistema, según se requiera para lograr los objetivos de control. Los controles generales o comunes son actividades de control que ofrecen soporte de forma centralizada a toda la empresa como parte de la infraestructura de seguridad. En vista de que la infraestructura es frecuentemente compartida entre los diferentes departamentos de la misma empresa, el término "controles generales" se utiliza, a menudo, para describir todos los controles que se aplican a la infraestructura. Estos controles incluyen actividades de control que respaldan un sistema operativo, una red y la seguridad de las instalaciones. Normalmente, estos controles incluyen políticas, estándares y procedimientos centralizados de administración de usuarios, así como elementos técnicos, tales como controles de acceso, cortafuegos e IDS. Estos controles generales pueden luego ser heredados por actividades subordinadas a nivel de sistema para lograr objetivos de control.

En los casos en los que el procesamiento de información específico, no centralizado del negocio esté protegido por la tecnología, los controles que son específicos para brindar seguridad a un sistema se conocen frecuentemente como controles del nivel de sistema. En la mayoría de las empresas, los controles generales y aquellos a nivel de sistema los gestionan diferentes grupos (es decir, TI gestiona la infraestructura técnica mientras que el departamento de finanzas gestiona los controles financieros específicos). Algunos sistemas de TI empresariales también pueden estar alojados en entornos externos (p. ej., infraestructura alojada en la nube), por lo que los controles a nivel del sistema pueden extenderse más allá de los límites físicos de la empresa.

El gerente de seguridad de la información debe garantizar que se identifiquen los roles y las responsabilidades relacionados con la seguridad para estos y otros grupos. Los roles y las responsabilidades se deben documentar para garantizar un entendimiento colectivo en la empresa.

Una parte importante de la gestión de la seguridad es el diseño, la implementación, el monitoreo, las pruebas y el mantenimiento de los controles. Los controles se definen como las políticas, los procedimientos, las prácticas, las tecnologías y las estructuras organizacionales que están diseñados para brindar un aseguramiento razonable de que se alcanzarán los objetivos del negocio y que se evitarán, o bien, detectarán y corregirán, los eventos no deseados.

Los controles son esencialmente cualquier proceso normativo, bien sea físico, técnico o de procedimiento, necesario para alcanzar los objetivos. Las opciones de control se basan en diversas consideraciones, que incluyen eficacia, costo, restricciones de las actividades de negocio y forma óptima.

Los controles son uno de los métodos primarios para gestionar el riesgo de la seguridad de la información y una de las principales responsabilidades de la gerencia de seguridad de la información. Los controles para elementos físicos, tales como los procesos y procedimientos administrativos, son tan críticos como los controles que se aplican a la tecnología. Muchos fallos de seguridad pueden ser atribuidos, en última instancia, a fallos de gestión, y los problemas de gestión no suelen tener soluciones técnicas. Resulta inevitable que existan tanto personas como procesos físicos en cada extremo de los procesos técnicos, los cuales pueden constituir el mayor riesgo para la seguridad de la información. El gerente de seguridad de la información debe tener cuidado en no poner excesiva atención y dependencia en la tecnología.

El gerente de seguridad de la información debe ser consciente de que las normas o los procedimientos que son demasiado restrictivos o que impiden que la empresa cumpla con sus objetivos de negocio reducen el valor de la TI organizativa y son proclives a ser evadidos. El objetivo es establecer un equilibrio entre la necesidad de los controles y los requerimientos de negocio. Por lo tanto, es fundamental que el gerente de seguridad de la información tenga una buena perspectiva del negocio, que entienda el riesgo al que están expuestos los recursos de información de la empresa, interprete las políticas de seguridad de la información e implemente los controles de seguridad que consideren todos estos aspectos. El gerente de seguridad de la información debería utilizar el método menos restrictivo y disruptivo para el negocio que, sin embargo, cumpla con los criterios para un riesgo aceptable a un costo aceptable. El término medio óptimo entre la máxima seguridad y el menor impacto en las actividades del negocio es el equilibrio que el gerente de seguridad de la información eficiente debe esforzarse en resolver.

Se deben desarrollar controles de seguridad de la información para los procesos de información de TI y no relacionados con TI, como el marcado de seguridad, los requisitos de gestión y almacenamiento de la información física y las consideraciones para gestionar y prevenir la ingeniería social. Los controles ambientales también deben tenerse en cuenta, de manera que los sistemas de seguridad no estén sujetos a robo o destrucción por algún peligro físico.

Existen varios estándares y guías sobre gestión de la seguridad de la información con las cuales el gerente de seguridad de la información debería estar familiarizado. Dos de los componentes de la seguridad de la información más aceptados son COBIT y la norma ISO/IEC 27001 y 27002. Existen muchas fuentes de orientación adicionales, como varios marcos de referencia publicados por NIST y el *Standard of Good Practice for Information Security* publicado por el Information Security Forum.

3.8.3 Categorías de control

Para respaldar la creación de una estrategia de defensa en profundidad y garantizar el logro integral de los objetivos de control, los controles deben implementarse en varias categorías de control, que incluyen:

- **Preventivos:** los controles preventivos inhiben los intentos de violaciones a la política de seguridad e incluyen controles como la ejecución de control de acceso, encriptación y autenticación. Los controles preventivos abordan directamente el riesgo.
- **De detección**: los controles de detección advierten acerca de violaciones o intentos de violación a la política de seguridad e incluyen controles como pistas de auditoría, métodos de detección de intrusos y sumas de control (checksums).
- **Correctivos**: los controles correctivos remedian el impacto. Los procedimientos de respaldo y restablecimiento son una medida correctiva porque permiten recuperar un sistema en caso de que el daño haya sido tan extenso que no se puede continuar con el procesamiento si no se recurre a medidas correctivas.
- **Compensatorios**: los controles compensatorios son controles internos que reducen el riesgo de una debilidad existente o potencial del control que tenga como resultado errores y omisiones; por ejemplo, agregar un componente de pregunta/respuesta de seguridad a controles de acceso débiles puede compensar la deficiencia, y el seguro puede compensar las pérdidas por violaciones. Los controles correctivos y compensatorios abordan el impacto.
- **Disuasivos**: los controles disuasivos generan advertencias que pueden evitar posibles riesgos. Los ejemplos incluyen avisos de advertencia en las pantallas de inicio de sesión o recompensas por el arresto de intrusos (hackers). Los controles disuasivos tratan la amenaza.

Los controles y sus efectos se muestran en la **figura 3.16**. Observe que los controles compensatorios y correctivos, a menudo, se combinan ya que ambos abordan el impacto.

Figura 3.16—Tipo de control y efecto

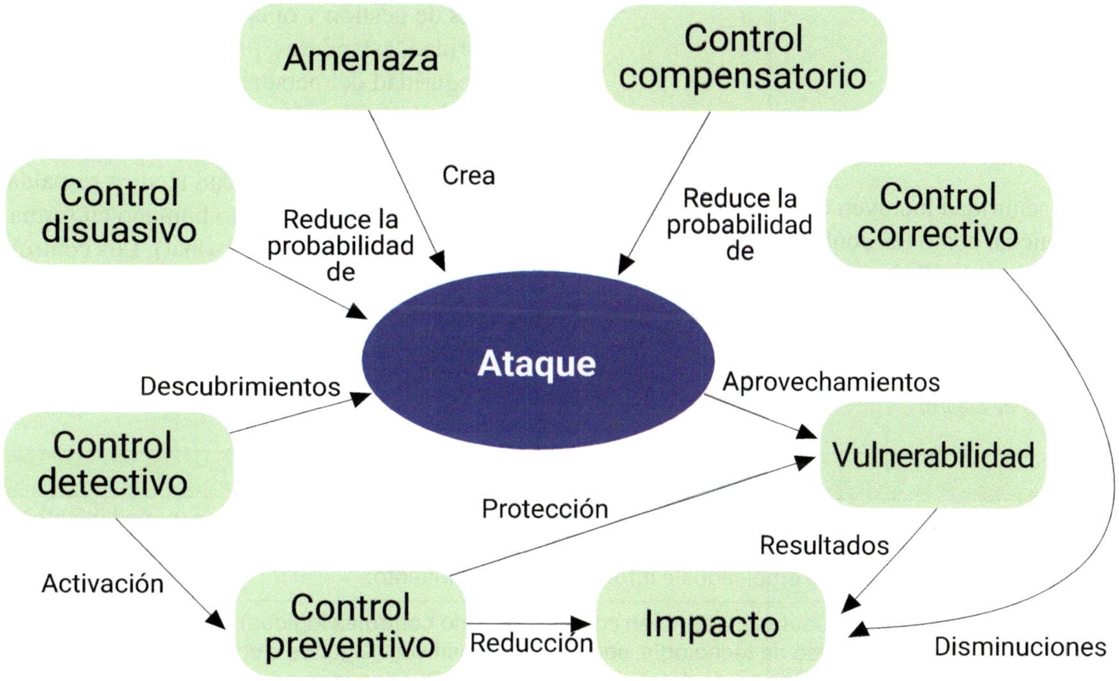

3.8.4 Consideraciones sobre el diseño de controles

Para garantizar un diseño integral y práctico, los controles y las contramedidas son más eficientes cuando se basan en un enfoque de arriba a abajo basado en el riesgo. Ello se debe a que los objetivos de control se determinan esencialmente mediante los niveles de riesgo aceptables definidos por la gerencia. Los niveles de riesgo aceptables son los objetivos que se deben diseñar para que se logren los controles. En consecuencia, los objetivos de control son el objetivo de diseño y la métrica de control posterior para la efectividad (es decir, la métrica de efectividad del control principal es el grado hasta el cual el control cumple con los objetivos).

Definir los objetivos de control es esencial en el desarrollo del programa y es pertinente a los controles físicos, administrativos y técnicos.

Alcanzar objetivos de control requiere combinaciones de varios tipos de controles. Por ejemplo, un control técnico como un cortafuegos puede requerir un control de protección física, un control de procedimiento de configuración y supervisión a través de un control administrativo.

Al igual que con otras actividades de seguridad, generalmente es mejor basar la selección de opciones en comparaciones de rentabilidad de las que están disponibles, pero este es solo uno entre muchos criterios. Otros elementos de selección que podrían ser necesarios considerar incluyen los siguientes:

- Impactos en la productividad/inconveniente para los usuarios
- Costos de adquisición e implementación
- Costos de capacitación
- Costos operativos
- Costos de mantenimiento y pruebas
- Aceptación del usuario
- Aceptabilidad cultural y ética
- Requerimientos legales y regulatorios, y restricciones
- Adaptabilidad al riesgo cambiante
- Escalabilidad
- Capacidad de monitoreo
- Capacidad para notificar
- Solidez

- Capacidad de recuperación
- Fiabilidad
- Facilidad de pruebas
- Capacidad de autoevaluación
- Modo de falla aceptable
- Resistencia a alteración

3.8.5 Métodos de control

Los controles de seguridad incluyen el uso de métodos técnicos y no técnicos, como los controles físicos, técnicos y administrativos (**figura 3.17**). Los controles técnicos son protecciones que se incorporan al hardware, software o firmware informático (p. ej., mecanismos de control de acceso, mecanismos de identificación y autenticación, métodos de encriptación y software de detección de intrusos). Los controles no técnicos son los controles de gestión y operativos, tales como políticas de seguridad, estándares, procedimientos operativos, así como seguridad del personal, física y ambiental. Por ejemplo, la autenticación multifactorial puede incluir procesos técnicos y manuales (p. ej., tarjetas inteligentes con un certificado de seguridad técnica respaldado por un elemento de conocimiento humano en forma de un número de identificación personal). Los controles físicos adecuados son un requerimiento esencial para alcanzar los niveles de riesgos generales aceptables.

Figura 3.17—Métodos de control

Categoría	Descripción
Gerenciales (administrativos)	Controles relacionados con la supervisión, los informes, los procedimientos y las operaciones de un proceso. Incluyen políticas, procedimientos, equilibrios, desarrollo de empleados e informes de cumplimiento.
Técnico	Controles (también conocidos como controles lógicos) proporcionados mediante el uso de tecnología, equipos o dispositivos. Algunos ejemplos incluyen cortafuegos, sistemas de detección de intrusos (IDS) basados en red o host, contraseñas y software antivirus. Un control técnico requiere controles de gestión (administrativos) adecuados para que funcione correctamente.
Físico	Controles como cerraduras, barreras, circuitos cerrados de televisión (CCTV) y dispositivos que se instalan para restringir físicamente el acceso a una instalación o hardware. Los controles físicos requieren mantenimiento, monitoreo y la capacidad de evaluar y reaccionar frente a una alerta si surge un problema.

Fuente: ISACA, *Manual de preparación para el examen CISA,* 27ª edición, EE. UU., 2019

Contramedidas

Además de establecer las protecciones generales que brindan los controles tradicionales, el gerente de seguridad de la información podría requerir en algún momento un control contra una amenaza específica. Dicho control se conoce como contramedida. Las contramedidas suelen brindar una protección específica, lo cual las hace más efectivas pero menos eficientes que las protecciones más generales, aunque no necesariamente menos rentables, según la ALE original y residual que esté relacionada con la amenaza que se esté contrarrestando.

Las contramedidas son controles que se implementan en respuesta a una amenaza específica que se sabe que existe. Pueden ser preventivas, de detección o correctivas, o bien, cualquier combinación de las tres. La norma ISO/IEC 27001:2022 no las reconoce y puede considerarse como una forma de control dirigido. Las contramedidas pueden ser no técnicas, y entre éstas se encontrarían por ejemplo, ofrecer una recompensa a quien proporcione información que conduzca al arresto de los intrusos (hackers).

Las contramedidas utilizadas para tratar de forma exhaustiva amenazas o vulnerabilidades específicas suelen ser costosas en términos tanto operativos como financieros, y pueden volverse una distracción de las operaciones de seguridad fundamentales. Su aplicación debe comenzar solo con una justificación clara y con la debida precaución, y cuando un control existente o más general no pueda mitigar una amenaza adecuadamente.

Las contramedidas se utilizan al igual que cualquier otro control. Debido a que se implementan en respuesta a una amenaza específica, suelen aplicarse como mejoras crecientes a los controles existentes. Por ejemplo, una empresa que escanea todo el correo electrónico para bloquear virus entrantes puede encontrar una amenaza a su infraestructura de correo electrónico debido a una entrada de correo basura (spam). Puede implementar una contramedida ante los ataques de correo basura (spam) mediante la mejora de escáneres de virus para bloquear correo entrante de una lista de remitentes conocidos de correo basura.

Un programa de seguridad de la información debe ser lo suficientemente flexible como para poder implementar una contramedida con muy poca advertencia. Los cambios de emergencia podrían necesitar pasar por alto procesos estándar de control de cambios; sin embargo, tienen que emplearse con el debido cuidado y documentarse exhaustivamente. Aún deben pasar por el proceso de gestión de cambios, incluso si se hace una vez ocurrido el hecho. Las contramedidas se implementan comúnmente en respuesta a amenazas específicas. Una contramedida técnica podría ser un bloqueador de teléfono celular para evitar el uso del teléfono en áreas sensibles.

Controles físicos y ambientales

Todos los esfuerzos por proteger la información tienen como fundamento una barrera física sólida que protege los medios físicos en los cuales reside la información. En muchas empresas, la seguridad física es un servicio que se proporciona como parte de la gestión de instalaciones. La organización de la seguridad física puede establecer requerimientos para cada edificio, y exige el cumplimiento de estos mediante el uso de una combinación de medidas de tecnología de seguridad física y procedimientos manuales. Un gerente de seguridad de la información debe validar las elecciones de tecnología en apoyo a los procesos de seguridad física y debe asegurarse de que se desarrollen políticas y estándares para garantizar una seguridad física adecuada.

Los controles tanto físicos como ambientales son un conjunto especializado de controles generales de los cuales dependen todos los equipos de computación y el personal. Además, algunas tecnologías cuentan con funciones que permiten que los mecanismos físicos invaliden controles lógicos. Por ejemplo, el acceso físico no autorizado a los dispositivos tecnológicos podría permitir el acceso no autorizado a la información. Aunque el gerente de seguridad de la información a menudo no es responsable de los controles de acceso físico, es importante asignar roles y responsabilidades con respecto a dichos controles y definir una guía de escalamiento a fin de garantizar el cumplimiento de los requerimientos. Debe ser imposible que una persona no autorizada conecte físicamente equipos a la red. Además, los equipos y los medios removibles (incluyendo papel y artículos desechables) deben protegerse contra robo.

Los métodos para evitar que individuos no autorizados obtengan acceso a recursos de información tangibles incluyen tarjetas de identificación y dispositivos de autenticación, tales como tarjetas inteligentes o controles de acceso basados en biometría, cámaras de seguridad, guardias de seguridad, vallas, alumbrado, candados y sensores. Muchos tipos de sensores de intrusos se encuentran disponibles, como los sensores de vibración, detectores de movimientos, y muchos más.

Los controles físicos también tienen por objetivo prevenir o mitigar el daño a instalaciones u otros recursos tangibles que podría derivarse de eventos naturales o tecnológicos. Por ejemplo, fuentes de energía de reserva pueden sostener operaciones si un huracán daña las líneas de energía que abastecen a la instalación o si falla la red de energía eléctrica. Entre los controles ambientales se encuentran el aire acondicionado, el drenaje, la supresión de incendios y otras medidas diseñadas para garantizar que las instalaciones de almacenamiento del sistema están diseñadas para cumplir con los requisitos físicos de operación del sistema informático. Si no se cuenta con controles ambientales adecuados para prevenir, detectar y recuperarse del daño físico a los sistemas de información, otras actividades de control general y aplicativo podrían resultar ineficaces o inútiles.

Cuando una empresa es grande y se encuentra dispersa en términos geográficos, podría asignarse un gerente de operaciones del sitio de TI a cada sitio para garantizar que todo el equipo se encuentre inventariado y configurado según los estándares de cumplimiento con las políticas. Un gerente de seguridad de la información puede establecer este rol y esta responsabilidad a un recurso para establecer una interfaz con organizaciones locales de seguridad física en representación del programa de seguridad de información.

Categorías de tecnologías de control

Al determinar los tipos de tecnologías de control que deben ser considerados por el gerente de seguridad de la información, puede ser útil considerar la autoridad operacional y los tipos de controles disponibles. Dado que la mayoría de los controles técnicos son responsabilidad directa del departamento de TI, se debe tener en cuenta la forma en que se mantendrá la seguridad. Las tecnologías típicamente se clasifican en una de tres categorías diferentes en función del tipo de controles que estén disponibles: nativas, complementarias o de apoyo a los controles. En algunos casos, la autoridad operacional puede dividirse entre los departamentos de TI y de seguridad.

Tecnologías nativas de control

Las tecnologías nativas de control son recursos de seguridad de instalación simple que se integran a los sistemas de información de negocio. Por ejemplo, la mayoría de los servidores Web incluyen funciones que proporcionan capacidades de autenticación, registro de accesos y encriptación de transporte de capa de conector seguro (SSL). Todos estos controles se considerarían nativos de la tecnología de servidores web.

Aun cuando la función de seguridad de la información establece las políticas y los estándares que rigen su uso, la configuración y la operación de la mayoría de las tecnologías nativas de control por lo general están a cargo de la unidad de TI. Esto ocurre porque los controles nativos a menudo tienen un impacto directo sobre las operaciones de producción. Además, proporcionar al personal de seguridad de la información los derechos de configuración de los sistemas de producción centrales a menudo viola el principio de segregación de funciones (SoD) y puede generar riesgos al complicar los procesos de control de cambios y problemas de propiedad del sistema.

Las tecnologías nativas de controles existen en todos los dispositivos de tecnología de la información, incluyendo:

- Servidores
- Bases de datos
- Enrutadores
- Conmutadores

Tecnologías de control complementarias

Las tecnologías de control complementarias suelen ser componentes que se agregan al ambiente de sistemas de información. A menudo ofrecen alguna función que no se encuentra disponible en los componentes nativos (por ejemplo, detección de intrusos en redes) o que resultan más apropiadas de implementar fuera de los principales sistemas de aplicación de negocio por razones de arquitectura o desempeño (por ejemplo, un solo cortafuegos de red en comparación con un filtrado de red individual basado en anfitrión (host)).

Las tecnologías de control complementarias tienden a ser más especializadas que las de control nativo y, por lo tanto, su operación suele estar a cargo de especialistas en seguridad. Incluso cuando estos especialistas en seguridad técnica son recursos del grupo de seguridad de la información, las operaciones técnicas de seguridad se pueden beneficiar al aprovechar el apoyo de las unidades de tecnologías de la información. En algunos casos, podría ser apropiado compartir la responsabilidad por una tecnología de control complementaria en particular, sobre todo si está integrada profundamente tanto en el dominio de aplicación de negocio como en el de seguridad. Las tecnologías de identidad confederada y de gestión de acceso son ejemplos comunes de las tecnologías complementarias cuya responsabilidad se comparte en las organizaciones de seguridad y de tecnología. Las tecnologías de control complementarias típicas incluyen:

- Sistemas confederados de gestión de identidad
- Inicio único de sesión
- IPS
- Cortafuegos (firewall)
- Redes de confianza cero
- Sistemas de confianza de dispositivos

Tecnologías de soporte de la gestión

Las tecnologías de soporte de la gestión sirven para automatizar un procedimiento relacionado con la seguridad, proporcionan procesamiento de la información de gestión o incrementan de otro modo la eficiencia o las capacidades de la gerencia. Algunos ejemplos son las herramientas SIEM, los sistemas de análisis de eventos de seguridad y los escáneres de supervisión de cumplimiento. Estas tecnologías son utilizadas principalmente por la organización de seguridad y no tienen un impacto directo en el ambiente productivo. Por estas razones y para contribuir a la SoD, la implementación y la operación de las tecnologías que soportan las operaciones de seguridad suelen estar a cargo del grupo de seguridad de la información con relativa independencia del departamento de TI.

Con frecuencia, los procedimientos relacionados con la seguridad pueden automatizarse para incrementar la eficiencia y las capacidades del programa de seguridad de la información. El uso de estas tecnologías de soporte para aumentar la productividad del recurso es una estrategia importante para desarrollar un programa efectivo y eficaz. Entre las tecnologías de soporte más comunes se encuentran las siguientes:

- Herramientas de gestión y monitoreo del cumplimiento
- Sistemas de flujo de trabajo de la gestión de acceso
- Herramientas de exploración de vulnerabilidades
- Herramientas de monitoreo de la configuración de protección
- Sistemas de distribución y administración de políticas
- SASE

- Sistemas SIEM y orquestación de la seguridad, plataformas de automatización y de entrega de informes (SOAR)

Componentes de control técnico y arquitectura

La gestión de la seguridad de la información incluye abordar una amplia gama de componentes técnicos que han sido previamente clasificados como tecnologías nativas de control, tecnologías de control complementarias y tecnologías de soporte de la gestión.

Los controles nativos y las tecnologías de apoyo forman, en conjunto, la arquitectura de seguridad técnica. Este concepto puede aplicarse a aplicaciones de negocio individuales o a la empresa como un todo, con el objetivo de revelar de qué manera la interacción de componentes técnicos individuales determina la seguridad general de la aplicación y de la empresa. Esta perspectiva integral de capacidades de componentes técnicos previene la perspectiva de una solución miope que conduzca a una seguridad general. El análisis de la arquitectura de seguridad de la información debería coordinarse estrechamente con revisiones y análisis de los factores de amenaza y de riesgo. El gerente de seguridad de la información debe garantizar que los componentes de la arquitectura de seguridad técnica concuerden con las posturas sobre riesgo y amenazas de la empresa, así como con las necesidades del negocio. En tanto la arquitectura técnica coincida con los niveles superiores de la arquitectura (es decir, lógico, conceptual), la alineación con los objetivos del negocio debe ocurrir de manera natural.

Cuando analice la arquitectura de seguridad técnica, el gerente de seguridad de la información debe utilizar un conjunto claramente definido de criterios cuantificables para permitir el monitoreo de las métricas de desempeño. Un enfoque común para desarrollar métricas es plantear preguntas que deben responderse y luego desarrollar métodos para brindar las respuestas. Algunos posibles criterios para analizar la arquitectura de seguridad técnica y los componentes y para desarrollar métricas apropiadas y monitorear son:

- Colocación del control
  - ¿Dónde se localizan los controles en la empresa?
  - ¿Los controles se encuentran estratificados?
  - ¿Es necesaria la redundancia de controles?
  - ¿Los controles se encuentran en o cerca del perímetro eficiente para proporcionar una amplia protección de acceso?
  - ¿Existen canales de acceso no controlados para procesar servicios o datos? (Considérense los vectores de acceso físico, de red, a nivel del sistema, de aplicación y de mensajes.)
- Efectividad de los controles
  - ¿Son los controles confiables?
  - ¿Son los controles los mínimos requeridos?
  - ¿Los controles inhiben la productividad?
  - ¿Los controles son automatizados o manuales?
  - ¿Son monitoreados los controles clave? ¿En tiempo real?
  - ¿Los controles son fáciles de eludir?
- Eficiencia del control
  - ¿Qué tan extensa es la protección del ambiente que ofrecen los controles?
  - ¿Los controles son específicos de un solo recurso o activo?
  - ¿Podrían o deberían utilizarse más a fondo?
  - ¿Alguno controla un punto concreto de fallo de la aplicación?
  - ¿Alguno controla un punto concreto de fallo de la seguridad?
  - ¿Existe una redundancia innecesaria en los controles?
- Política de control
  - ¿Los controles son seguros en caso de falla (fail secure) o dejan pasar todo en caso de falla (fail open)?
  - ¿Los controles implementan una política restrictiva (p. ej., negación a menos de que se permita expresamente) o una política permisiva (p. ej., permiso a menos de que se niegue expresamente)?
  - ¿Se aplica el principio de funcionalidad menos necesaria y acceso forzoso?
  - ¿La razón para la configuración del control se encuentra alineada con la política, las expectativas corporativas y otros impulsores?
- Implementación de controles
  - ¿Cada control se implementa de acuerdo con las políticas y los estándares?
  - ¿Los controles son auto protectores?
  - ¿Los controles alertarán al personal de seguridad si fallan o detectan una situación de error?
  - ¿Se han probado los controles para verificar que implementan la política deseada?
  - ¿Las actividades de control se registran, se monitorean y revisan?
  - ¿Cumplen los controles con objetivos de control definidos?
  - ¿Están relacionados los objetivos de control con las metas de la organización?
- Medida de control
  - ¿Quién es el responsable de medir los controles?
  - ¿Cómo debe informarse del resultado de control y a quién? ¿Con qué frecuencia?

- ¿Se comprobará el control por parte del propietario del control o algún otro equipo (p. ej., cumplimiento)?
- ¿Cuáles son los umbrales para informar de cualquier error o condición normal?

Los detalles de tecnologías de seguridad específicas, la arquitectura de control técnica y el análisis de requisito de control técnicos son componentes importantes del desarrollo, la administración y la gestión continua del programa de seguridad de la información. El gerente de seguridad de la información debe ser un buen conocedor de las tecnologías que forman parte de la arquitectura de seguridad técnica y tener acceso a los especialistas técnicos que son responsables de instalar, configurar y mantenerlas.

3.9 Implementación e integración de los controles de seguridad de la información

Los controles proporcionan el componente fundamental de la implementación de la estrategia. La implementación de la estrategia consiste en gran parte en diseñar, desarrollar, probar e implementar controles de varios tipos en diferentes combinaciones. El desarrollo de la estrategia incluye determinar el riesgo aceptable y la tolerancia al riesgo, como se describe en los capítulos 1 y 2. Los niveles de riesgo aceptables se utilizan para determinar los objetivos de control que, a su vez, establecen los requisitos principales para los controles. Los controles también están sujetos a algunos o todos los criterios que se describen en la sección anterior.

La seguridad de la información efectiva requiere controles que afectarán todos los aspectos de una empresa, incluidos personas, tecnología y procesos. A veces, se requiere de una combinación de controles para lograr los objetivos de control. Las opciones de control son esencialmente ilimitadas, lo cual se agrega al reto.

Por ejemplo, el control de acceso es una medida preventiva, puesto que previene el acceso no autorizado que puede causar daños a los sistemas. La detección de intrusiones es un control de detección porque permite detectar accesos no autorizados. Los procedimientos de backup y restauración son un control correctivo que permite recuperar un sistema cuando el daño es tan extenso que provoca la pérdida de datos o cuando el daño impide reparar los datos, lo cual trae como consecuencia un impacto. Los controles compensatorios (p. ej., el seguro) son similares a los controles correctivos y además compensan un impacto como resultado de un compromiso.

Los productos de seguridad ofrecen frecuentemente varias combinaciones de estos distintos tipos de controles. Un control típico es un firewall, que es un producto que filtra el tráfico de red para determinar cuáles protocolos (o puertos) se pueden utilizar para ingresar o salir de una red interna, y cuál dirección o rango de direcciones se permiten como origen y destino. Ello constituye un control preventivo debido a que restringe el acceso a puertos, protocolos o destinos específicos de la red, cuyo acceso no está permitido específicamente. El mismo firewall puede tener funciones más avanzadas que le permiten examinar el tráfico de red entrante para identificar la presencia de malware y así enviar mensajes de alerta a un centro de operaciones si pasa tráfico sospechoso a través del dispositivo. Este es un control de detección. El firewall también puede tener una función que permita a las operaciones desviar el tráfico entrante a un sitio de respaldo si, en respuesta a un alerta de virus, se confirma que un virus ha reducido la capacidad en el sitio principal. Sin embargo, esto normalmente se lograría haciendo cambios en el enrutador de Internet. Ello corresponde a un control de recuperación o correctivo ya que permite a los sistemas reanudar las operaciones normales. El servicio proxy que se ejecuta en el firewall debe desplegar un banner de advertencia, como control disuasivo, cuando detecta accesos no autorizados.

Tenga en cuenta que las funciones de control disuasorias, preventivas, detectivas o correctivas (o compensatorias) del firewall se pueden describir en su totalidad en términos técnicos sin utilizar la palabra firewall. Lo importante es que un gerente de seguridad de la información debe reconocer el valor de seguridad de las características del producto tecnológico, independientemente de la etiqueta que le dé a un producto el proveedor del mismo. Lo importante son las características y cómo se utilizan para lograr los objetivos de control y permitir que se establezcan los puntos de control, no la elección del producto o su nombre.

Los controles deben automatizarse en la medida que sea posible para que sea técnicamente inviable pasarlos por alto. (Consulte Contramedidas.) Algunas prácticas de control comunes que impiden que los usuarios omitan los controles son los mecanismos que contienen estos principios:

- **Control de acceso (lógico)**: los usuarios de la información deben ser identificados, autenticados y autorizados antes para permitirles acceso a la información. Existen varias formas de implementar un control de acceso. La mayoría de los modelos de control de acceso pertenecen a uno de los dos tipos: control de acceso obligatorio (MAC) o control de acceso discrecional (DAC) MAC se refiere a un medio para restringir el acceso a los datos de acuerdo con los requerimientos de seguridad de la información contenida en los datos y la correspondiente autorización de seguridad otorgada a los usuarios. MAC se utiliza generalmente en el ámbito militar donde, por ejemplo, se requiere una aprobación secreta para obtener acceso a datos clasificados como secreto. Generalmente, también existe un segundo requerimiento de necesidad de saber para obtener una autorización de acceso. DAC se refiere a los medios para restringir el acceso a los objetos basados en la identidad de personas y/o grupos a los cuales pertenecen. Los controles son discrecionales en el sentido de que las reglas pueden permitir a una persona con determinados privilegios de acceso transferir esos privilegios a otra persona. La elección de los mecanismos apropiados de control de acceso en una determinada situación depende de los requerimientos organizacionales para la protección de los datos.

- **Fallo seguro**: Dispositivo diseñado para apagarse y detener el procesamiento de información cuando se detecta un mal funcionamiento que puede afectar sus mecanismos de control de acceso. Las fallas de seguridad como política de control deben ser consideradas cuidadosamente ya que afectan la disponibilidad. También puede representar una situación de peligro cuando el acceso físico controlado eléctricamente falla generando una situación de bloqueo, lo cual impediría la salida en caso de incendio u otro desastre.
- **Principio del mínimo privilegio (PoLP)**: Se refiere a una estrategia de diseño de acceso a recursos que proporciona una capacidad administrativa para dividir el acceso a los recursos, de tal forma que aquellos que requieren un número menor de recursos que otros, tengan los mínimos privilegios del sistema que requieran para cumplir con sus responsabilidades.
- **Compartimentar (dividir en compartimientos) para minimizar daños**: Se refiere a la capacidad de la arquitectura del sistema para contener el acceso a subconjuntos de recursos del sistema, al requerir un conjunto separado de controles de autorización por subconjunto. Por ejemplo, un sistema en el cual no se otorguen privilegios administrativos sobre determinadas interfaces de red cuando éstos se solicitan se puede combinar con restricciones al puerto de red para impedir que los usuarios de Internet ingresen a las funciones administrativas.
- **Segregación de funciones (SoD)**: Se refiere a la capacidad del software de restringir que un usuario tenga dos funciones destinadas a proporcionar características de supervisión o vigilancia. Por ejemplo, el software debe evitar que una persona que tiene la facultad para imprimir cheques no pueda cambiar el nombre del beneficiario ni antes ni después de haberlo impreso.
- **Transparencia**: Se refiere a la capacidad de que cualquier persona comprenda cómo se supone que debe funcionar la seguridad del sistema, para que todas las partes interesadas puedan ver fácilmente qué efecto tienen sus actividades en la seguridad de los sistemas. Los usuarios, administradores, ingenieros y arquitectos deben ser capaces de conversar sobre los controles del sistema en una forma que todos puedan verificar que están funcionando según lo esperado. La transparencia suele alcanzarse manteniendo un diseño de tecnología lo más sencillo posible para evitar confusiones sobre la funcionalidad del sistema.
- **Confianza**: Se refiere a una estrategia de diseño que incluye la existencia de un mecanismo de seguridad por medio del cual se determina la identidad de un usuario, con base en la relación del usuario con un proveedor de identidad confiable. La parte de confianza cuenta con algún mecanismo para determinar la autenticidad de una conexión por parte del proveedor de identidad y se basa en esa información para permitir al proveedor de identidad pasarle la identidad del usuario. Una aplicación típica es el uso de un tercero de confianza en la arquitectura de PKI, que se conoce como la autoridad de certificación (CA), que da fe de la identidad de una entidad por medio de la emisión de una certificación.
- **Zero trust (Confianza cero)**:[39] Se refiere a un escenario en el cual no se otorga una confianza implícita a los activos o las cuentas de usuario basándose únicamente en su ubicación física o de red (es decir, redes de área local versus Internet) o en función de la propiedad de los activos (de la empresa o de la persona). A la luz de las recientes tendencias de la industria que involucran usuarios remotos, dispositivos móviles y recursos basados en la nube, la práctica de confianza cero reconoce que ya no es práctico implementar controles simplemente basados en límites perimetrales o asociaciones de usuarios.

[39] National Institute for Standards and Technology, Publicación especial 800-207: "Zero Trust Architecture", August 2020, *https://csrc.nist.gov/publications/detail/sp/800-207/final*

Solo la automatización no tiene por qué resultar en una solución fiable y cohesiva. El gerente de seguridad de la información podría querer aplicar una solución SOAR. SOAR generalmente se refiere a cualquier solución de seguridad o grupo de herramientas preexistentes que permite a las empresas optimizar la respuesta a incidentes, las operaciones de seguridad y la gestión de amenazas y vulnerabilidades. Al igual que los SIEM, SOAR integra múltiples fuentes de datos y ayuda a integrar fuentes de datos externas, como fuentes de inteligencia de amenazas. SOAR es popular entre los equipos de seguridad porque puede orquestar fuentes de datos SOAR (es decir, SIEM, EDR, antimalware) para automatizar la respuesta a incidentes.

3.9.1 Controles de referencia

Los niveles mínimos de controles de seguridad definidos deben ser un requerimiento permanente para todo desarrollo de nuevos sistemas. Los requisitos mínimos de seguridad deben definirse y documentarse, comúnmente en estándares, como parte esencial de la documentación del sistema. Debe asegurarse y apoyarse un seguimiento adecuado de los requisitos de seguridad en las distintas fases del ciclo de vida. Algunos ejemplos incluyen las funciones de autenticación, registro, control de acceso basado en roles y mecanismos de confidencialidad en la transmisión de datos. El gerente de seguridad de la información debe entender el apetito de riesgo de la empresa y debe consultar fuentes regionales e industriales para determinar el conjunto básico de funciones de seguridad que sea adecuado para las políticas organizacionales y los niveles de riesgo aceptables. Podrían justificarse los controles complementarios según el análisis de vulnerabilidad, riesgo y amenaza, y estos controles deben incluirse en el proceso de recopilación de requerimientos.

Se podría consultar al equipo de seguridad de la información durante las fases de diseño y desarrollo de la solución para evaluar la capacidad de las opciones de solución que cumplan con los requerimientos de riesgo aceptable. Rara vez se encuentra una solución perfecta, y siempre existen pros y contras entre los requerimientos de seguridad, desempeño, costos y otras exigencias. Es importante que el gerente de seguridad de la información aplique la debida diligencia al identificar y comunicar las deficiencias de las soluciones, así como al desarrollar, mitigar o compensar los controles que se requieran para lograr los objetivos de control. Debe también emplear recursos internos o externos para revisar las prácticas de codificación y la lógica de la seguridad durante el desarrollo a fin de garantizar que se estén empleando las mejores prácticas.

Durante las fases de calidad y aceptación, el gerente de seguridad de la información debe coordinar las pruebas de requerimientos de seguridad funcional establecidos originalmente además de probar las interfaces de los sistemas para determinar si existen vulnerabilidades. Estas pruebas deben verificar que los mecanismos de seguridad del sistema alcancen los objetivos de control y proporcionen al equipo de seguridad de la información las funciones necesarias de administración y retroalimentación. Si se identifica alguna deficiencia en la seguridad, vulnerabilidad en la codificación o fallas lógicas explotables, el gerente de seguridad de la información deberá trabajar junto con el equipo de proyecto para priorizar los problemas y desarrollar soluciones. Si los problemas no se pueden resolver o mitigar antes de la implementación planificada, el equipo de la alta gerencia debe revisar los problemas de seguridad y el riesgo relacionado para decidir si se debe implementar el sistema antes de resolver las vulnerabilidades que se hayan identificado. Si el sistema llega a implementarse sin que se hayan resuelto todos los problemas de seguridad, el gerente de seguridad debe garantizar que se documenten los problemas y que se acuerde un plazo para resolverlos. Si no hay una resolución viable disponible, el gerente de seguridad de la información debe rastrear y reevaluar periódicamente la situación para estar al tanto de una resolución viable tan pronto como esté disponible.

El gerente de seguridad de la información debe garantizar que se considere la segregación apropiada de deberes en todo el SDLC. Los planes de pruebas y aseguramiento de la calidad (QA) tienen que someterse a revisión por parte del gerente de seguridad de la información a fin de garantizar que se han probado y certificado de forma adecuada los elementos de seguridad. En algunos casos, como el de un software desarrollado para operaciones críticas, podría ser necesario llevar a cabo una revisión apropiada del código adicional al proceso de prueba de QA para garantizar que no existan vulnerabilidades inesperadas. A menudo se externalizan las revisiones de códigos para garantizar la independencia.

3.10 Pruebas y evaluación de los controles de seguridad de la información

Una vez implementados los controles, el siguiente paso es evaluar hasta qué punto alcanzan el objetivo deseado. Al igual que con otros elementos de la estrategia y el programa de seguridad, el objetivo no es asegurar que los controles eliminan completamente el riesgo, sino que las capas de los controles implementados alcanzan el nivel de riesgo aceptado previamente acordado.

La comprobación y la evaluación de los diferentes controles de gestión, técnicos y físicos tendrán lugar de forma continua a lo largo de la operación del programa de seguridad, incluidos los controles específicos del sistema, que serán evaluados continuamente durante el ciclo de vida del sistema. Puesto que se producen cambios en los objetivos de riesgo, el escenario de amenazas y la operación del sistema, el proceso de evaluación se debe evaluar constantemente para garantizar una consecución continua de los objetivos de control, incluidos los relacionados con la rentabilidad y la alineación con la misión. Las pruebas y evaluaciones se implementan mediante los métodos siguientes.

3.10.1 Fortaleza del control

La fortaleza de los controles se puede medir de acuerdo con el tipo de control que se esté evaluando (preventivo, de detección, manuales, automatizados, etc.) y con los resultados cualitativos y cuantitativos arrojados por las pruebas de cumplimiento. A pesar de que normalmente es preferible un control automatizado en lugar del control manual, el análisis detallado puede revelar que un control manual es mejor. El diseño de control automatizado puede crear alertas y generar informes automáticos. Sin embargo, una evaluación cuidadosa del proceso podría determinar que no se puede generar ninguna evidencia de la revisión y que no se pueden medir las acciones de respuesta subsiguientes, incluyendo la resolución. En este escenario, el control falla. Por otra parte, si las notas escritas a mano se registraron diariamente en los informes de registro de IDS con iniciales y fechas y estas notas contenían análisis, planes de acción, números de boletos y resolución, los controles manuales son mucho más efectivos que el control automatizado. Por supuesto, no puede llegarse a ninguna conclusión final en cuanto a la fortaleza del control hasta que se pruebe adecuadamente.

La fortaleza de un control se puede medir en términos de su fortaleza inherente, o de diseño, y de la probabilidad de su efectividad. Un ejemplo de un control inherentemente sólido es balancear los libros para dar cuentas de todo el efectivo y segregar las responsabilidades contables entre varios empleados. Otro ejemplo de un control inherentemente sólido por diseño es requerir un control dual para acceder a las áreas o materiales sensibles.

Para demostrar el valor y la alineación con los objetivos del negocio, la mitigación del riesgo debe estar vinculada a las funciones de negocios que respalda. Esto garantiza que las iniciativas de seguridad de la información y de gobierno de TI se sigan inherentemente y que la justificación del costo para el proceso de tratamiento esté a disposición y se explique a sí misma.

En muchos casos, la evaluación de la eficacia del control viene dada por un revisor independiente. Por ejemplo, el paso de evaluación del RMF del NIST, tal y como se describe en NIST Special Publication 800-37 Revision 2, recomienda que una empresa use un asesor de control de seguridad interno para una autoevaluación o que emplee a un asesor independiente. Afirma que "Un asesor independiente es un sujeto o grupo que puede realizar una evaluación imparcial. Esta imparcialidad implica que los asesores no tienen conflictos percibidos o reales de intereses respecto a la determinación de la eficacia del control o el desarrollo, la operación o gestión del sistema, los controles comunes o los controles de gestión del programa".

La empresa también puede definir los criterios por los cuales se evaluará la fuerza del control. Los pasos de evaluación de RMF incluyen criterios de evaluación para los controles de seguridad y privacidad junto con la explicación de cómo usar los criterios para garantizar que la mitigación del riesgo se ha aplicado según los planes de seguridad y privacidad aprobados.

Una revisión adicional independiente podría llevarse a cabo en forma de pruebas de penetración. Las pruebas de penetración son un tipo de evaluación especializada que simula las acciones de un agente amenazante malicioso. El personal de pruebas suele tener altas capacidades en la red, el sistema operativo y la seguridad de las aplicaciones y ser capaz de evaluar la eficacia de las defensas del sistema. Esta evaluación independiente y ágil contribuye a identificar vulnerabilidades desconocidas anteriormente (o subestimadas) que aumentan la posibilidad de un evento de riesgo.

Aunque las evaluaciones de control de seguridad y las pruebas de penetración pueden llevarse a cabo de forma poco frecuente, muchas empresas aplican un modelo de evaluación continua en el que herramientas automatizadas evalúan el estado de los controles técnicos. El proceso de monitoreo continuo proporciona una retroalimentación casi en tiempo real sobre posibles cambios en los controles implementados o el entorno en el que se aplican dichos controles. Permite una notificación rápida al personal de seguridad de la información correspondiente, que debe tener para tomar acciones adecuadas.

3.10.2 Recomendaciones de controles

Entre los elementos de control que deben considerarse cuando se evalúa la solidez de un control se encuentran si los controles son preventivos o de detección, manuales o automatizados, y formales (se encuentran documentados en manuales de procedimientos y se mantienen pruebas de su operación) o provisionales. Durante este paso del proceso, se proporcionan los controles que pueden mitigar o eliminar el riesgo identificado (en la medida en que son apropiados para las operaciones de la empresa) hasta un nivel aceptable. Los factores que se mencionan a continuación deben tenerse en cuenta cuando se recomienden controles y soluciones alternativos para lograr los objetivos de control:

- Efectividad de las opciones recomendadas
- Compatibilidad con otros sistemas, procesos y controles impactados
- Legislación y regulaciones relevantes
- Política y normas de la organización
- Estructura y cultura de la organización.
- Impacto operativo
- Seguridad y fiabilidad
- Medición

Las recomendaciones de control son el resultado del proceso de evaluación y análisis de riesgos y proporcionan los datos para el proceso de tratamiento de riesgos. Durante el proceso de tratamiento de riesgos se evalúan, priorizan e implementan los controles de seguridad de procedimientos y técnicos que se han recomendado. A fin de determinar cuáles son los apropiados y los que requieren una determinada empresa, se debe llevar a cabo un análisis de costo-beneficio sobre los controles que se hayan propuesto con la finalidad de demostrar que los costos que tendría la implementación de los controles se pueden justificar por la reducción en el nivel de riesgos o impactos. Para obtener resultados efectivos, el proceso de implementación de control debe buscar los aportes del propietario de la unidad de negocio correspondiente.

3.10.3 Pruebas y modificación de controles

Los cambios en el ambiente técnico u operacional con frecuencia pueden modificar el efecto protector de los controles o crear nuevos puntos débiles que los controles existentes no puedan mitigar. Las pruebas periódicas de los controles son obligatorias en la mayoría de las empresas que cotizan en bolsa y deben implementarse como una práctica regular en todas las empresas para garantizar que los controles de procedimientos se lleven a cabo de manera consistente y efectiva.

Los cambios en los controles técnicos u operacionales deben hacerse con precaución. Los cambios a los controles técnicos deben hacerse según los procedimientos de control de cambio y con la aprobación de las partes interesadas. El gerente de seguridad de la información debe analizar el ambiente de control propuesto a fin de determinar si existen vulnerabilidades nuevas o recurrentes en el diseño y para asegurarse de que el control esté debidamente diseñado (es decir, que sea auto protector, que contenga una política en caso de fallo, que se pueda monitorear). Una vez implementados, deberán llevarse a cabo pruebas de aceptación para verificar que los mecanismos exijan el cumplimiento de las políticas prescritas.

Los cambios de los procedimientos operativos deben someterse a la revisión y aprobación mediante el proceso de gestión de cambios apropiado. Deben considerarse los cambios requeridos a las entradas de procesos, pasos de actividades, aprobaciones o revisiones, y resultados de procesos, y se deberán coordinar las modificaciones a los procesos y las tecnologías relacionados. Se deben tener en cuenta las consideraciones relativas a las cargas de trabajo a fin de garantizar que los cambios hechos a los controles operativos no carguen demasiado de trabajo a los recursos y tengan un impacto en la calidad operativa. En caso de que el personal requiera capacitación adicional para implementar los cambios, se deberá coordinar y completar antes de la implementación. Se deberá revisar el control operacional en forma minuciosa después de la implementación para asegurarse de que se comprendieron todos los elementos y se han implementado en forma adecuada.

Existe un vasto volumen de información sobre el desarrollo de objetivos de control y la implementación de controles específicos en COBIT y otras fuentes como las directrices NIST y las normas ISO/IEC 27001 y 27002.

3.11 Concienciación y capacitación de la seguridad de la información

Un gran porcentaje de los incidentes de seguridad se produce por errores humanos, ya sea por una falta de entendimiento del comportamiento esperado o por errores accidentales. El control más eficaz para gestionar el factor humano es la concienciación y la formación relativa a la seguridad de la información. Un plan de acción eficaz para implementar una estrategia de seguridad debe considerar un programa continuo de sensibilización y capacitación sobre seguridad. Se ha demostrado que en casi todas las empresas, la mayoría del personal no conoce las políticas y normas de seguridad, ni siquiera cuando éstas existen. Para asegurar la sensibilización de las políticas nuevas o modificadas, todo el personal implicado debe capacitarse adecuadamente para poder ser capaz de ver la relación existente entre las políticas y las normas y sus tareas cotidianas. La información debe ajustarse a los grupos individuales para asegurar su importancia y debe presentarse en términos claros y de fácil comprensión para las personas a las que va dirigida. Por ejemplo, la presentación de nuevas normas sobre el endurecimiento de los servidores no tendrá mucho sentido para el departamento de expedición o embarques. Además de proporcionar información a los que se ven afectados por los cambios, es importante formar a los miembros del personal implicado en los diversos aspectos de la implementación de la estrategia. Esta capacitación deberá centrarse en el entendimiento de los objetivos de la estrategia (KGI), los procesos que se utilizarán y la métrica de ejecución para las distintas actividades (KPI), y los factores críticos de éxito (CSF), que son los elementos o eventos que deben ocurrir para lograr los KGI.

3.11.1 Concientización, capacitación y educación sobre seguridad

Los riesgos que son inherentes al uso de sistemas informáticos no pueden tratarse meramente a través de mecanismos de seguridad técnica. Un programa activo de concienciación sobre la seguridad puede reducir en gran medida los riesgos al tratar el elemento conductual de la seguridad a través de cursos de formación y una aplicación consistente de técnicas encaminadas a crear conciencia. Los programas de concienciación sobre la seguridad deben enfocarse en inquietudes comunes de la seguridad del usuario, tales como la selección de contraseñas, el uso apropiado de recursos informáticos, la seguridad en el uso de correo electrónico y navegación en la red, así como la ingeniería social. Los programas deben estar adaptados a grupos específicos. Asimismo, los usuarios son la primera línea para la detección de amenazas que podrían no ser detectables por medios automatizados (por ejemplo, actividad fraudulenta e ingeniería social). Los empleados deben recibir formación para que sean capaces de reconocer dichos incidentes y escalarlos a fin de mejorar la prevención de pérdidas.

Un aspecto importante para garantizar el cumplimiento del programa de seguridad de la información es la formación y la concienciación de la empresa sobre la importancia del programa. Además de la necesidad de ser informados sobre la seguridad de la información, todo el personal debe recibir capacitación sobre sus responsabilidades específicas que estén relacionadas con la seguridad de la información.

La concienciación del personal debe empezar por unir a la empresa (por ejemplo, mediante cursos de integración) y continuar de forma regular. Será necesario variar las técnicas para impartir dichas sesiones a fin de evitar que se vuelvan tediosas o aburridas. También podría ser necesario incorporarlas en algunos otros programas organizacionales de formación.

Los programas de concienciación sobre la seguridad deben consistir en cursos de capacitación (casi siempre en línea); pruebas sencillas para medir la retención de los conceptos de la capacitación; recordatorios de concienciación sobre la seguridad, tales como carteles, boletines informativos o protectores de pantalla; así como un programa regular de cursos de actualización. En empresas más grandes, podría existir una población bastante suficiente de altos directivos y gerentes de nivel medio que justifique la impartición de cursos de formación especiales a nivel directivo sobre los temas de concienciación y operaciones de seguridad de la información.

Todos los empleados de una empresa, y cuando corresponda, los usuarios externos, deben recibir la formación apropiada y actualizaciones periódicas sobre la importancia de las políticas, las normas y los procedimientos de seguridad en la empresa. La formación debería incluir los requisitos de la seguridad, las responsabilidades legales y los controles de negocio, así como instrucciones sobre el uso correcto de las instalaciones de procesamiento de información (p. ej., procedimientos de acceso y uso de paquetes de software). En el caso de los empleados nuevos, esto debe formar parte de la inducción dada a nuevos empleados y, por lo tanto, llevarse a cabo antes de que se les otorgue acceso a información o servicios.

3.11.2 Desarrollo de un programa de concienciación sobre seguridad de la información

El gerente de seguridad de la información debe adoptar un enfoque metódico para desarrollar e implementar el programa de formación y concienciación, y necesitará considerar aspectos como:

- ¿Quién es el público al que se desea llegar (p. ej., alta gerencia, gerentes de negocio, personal de TI, usuarios finales)?
- ¿Cuál es el mensaje que se desea transmitir (p. ej., políticas, procedimientos, eventos recientes)?
- ¿Cuál es el resultado que se desea obtener (p. ej., mejor cumplimiento de las políticas, cambios en el comportamiento, mejores prácticas)?
- ¿Cuáles son los métodos de comunicación que se van a utilizar (formación basada en ordenador [CBT], reuniones prácticas, Intranet, boletines informativos)?
- ¿Cuál es la estructura y la cultura de la organización?

Entre los diferentes mecanismos que están disponibles para incrementar la concienciación sobre la seguridad de la información se encuentran los siguientes:

- Programas de formación y concienciación sobre seguridad en ordenador.
- Recordatorios por correo electrónico y consejos sobre seguridad.
- Políticas y procedimientos (y actualizaciones) escritos sobre seguridad.
- Acuerdos de no revelación firmados por los empleados.
- Uso de diferentes medios para promover la seguridad (por ejemplo, boletines informativos sobre seguridad, página web, videos, carteles, recordatorios de acceso).
- Cumplimiento visible de las reglas de seguridad.
- Simulaciones de incidentes relacionados con la seguridad para mejorar la seguridad.
- Recompensas para los empleados que informen sobre casos sospechosos.
- Descripciones de trabajos.
- Revisión del rendimiento.

Al aplicar estos métodos para informar y reforzar la comprensión de la seguridad, los empleados y socios aprenderán cómo cumplir con las expectativas y cómo minimizar la probabilidad de que ocurra un incidente de seguridad debido a un error humano o una mala conducta.

3.11.3 Formación basada en el rol

Si bien todos los empleados y socios externos requerirán formación general en políticas y prácticas de la organización, el programa de seguridad también debe incluir formación específica para las responsabilidades de quienes desempeñan roles de trabajo específicos de seguridad, incluidos los roles de dirección. El tipo de capacitación deberá incluir descripciones más detalladas de cómo los comportamientos y prácticas deben reducir la probabilidad o el impacto de escenarios de riesgo concretos. Las consideraciones específicas incluyen:

- Capacitación para ejecutivos, líderes y gerentes a fin de ayudarlos a comprender sus responsabilidades para establecer expectativas de riesgo (como a través de la dirección del apetito por el riesgo, declaraciones de tolerancia al riesgo e indicadores clave). Aquellos en un rol ejecutivo o gerencial deben comprender su responsabilidad de establecer el tono para el cumplimiento de los objetivos y la ética de seguridad desde la parte superior de la empresa y respaldar el programa de seguridad como un componente de las actividades generales de gestión de riesgos de la empresa.
- La capacitación para aquellos en funciones con privilegios elevados (p. ej., gestión de control de acceso, funciones administrativas para activos críticos o confidenciales, gestión de información relacionada con la privacidad) debe centrarse en métodos específicos para salvaguardar recursos valiosos. La capacitación para el personal privilegiado debe reforzar la responsabilidad adicional que se le otorga al personal en esos roles y, si corresponde, informarles sobre las consecuencias adicionales por no cumplir con los procesos organizacionales.
- La capacitación para el personal de seguridad física está dirigida a aquellos que tienen la responsabilidad de la protección física, incluidos los factores ambientales, que respaldan la confidencialidad, la integridad y la disponibilidad de los activos importantes de la organización.

La capacitación, tanto general como específica para cada rol, debe actualizarse periódicamente. Puede ser útil utilizar las lecciones aprendidas anteriormente, ya sea de incidentes de seguridad internos reales o de aquellos que han ocurrido en otros lugares, para identificar oportunidades de mejora. Dado que las políticas, los procesos, las reglamentaciones y las tecnologías cambian, y dado que el panorama de riesgos está en constante evolución, es importante que el programa de seguridad incluya revisiones periódicas para garantizar que todas las actividades de concienciación y capacitación, como la documentación de la finalización satisfactoria de la capacitación, se mantengan actualizadas.

3.11.4 Métricas de capacitación y formación

Para garantizar que todo el personal necesario reciba la capacitación adecuada, debe haber un enfoque sistemático para medir y realizar un seguimiento de la entrega de los diversos cursos y los resultados de esa entrega. Las consideraciones incluyen:

- **Cobertura:** la métrica clave para el éxito de cualquier programa de capacitación es la cobertura del personal implicado (incluidos los participantes externos, si esa condición es pertinente). La cobertura de seguimiento ayuda a supervisar la cantidad de destinatarios, incluidos aquellos dentro de grupos particulares (p. ej., dentro de un rol, departamento o nivel de organización en particular). Se debe definir un nivel de cobertura objetivo (generalmente expresado como un porcentaje), después del cual se puede rastrear, informar y mantener el progreso hacia una meta específica.
- **Calificación**: si bien las empresas no están obligadas a calificar a los miembros en función de la formación, es una buena práctica hacer un seguimiento de los empleados que obtienen una puntuación por debajo del nivel esperado de competencia para ciertos programas de formación o concienciación. Por ejemplo, un SLA o un requisito reglamentario podrían exigir que un porcentaje determinado del personal implicado reciba una puntuación de aprobación particular.
- **Automatización e implementación**: la implementación de un sistema de gestión de aprendizaje (LMS) puede proporcionar una automatización que admita capacidades de creación, entrega y seguimiento e informes. El uso de un LMS apoya el seguimiento del cumplimiento de los requisitos de concienciación y formación, lo que permite tanto la gestión del cumplimiento como la mejora general de la seguridad de la información.

3.12 Integración del Programa de Seguridad con las Operaciones de TI

El programa de seguridad de la información es una colaboración con otros elementos del gobierno y la gestión de la tecnología y la información de la empresa. El gerente de seguridad de la información colabora con muchas de las partes interesadas descritas en el Capítulo 1 Gobernanza de seguridad de la información, que establecieron la estrategia y la metodología de seguridad de la información como parte de un enfoque integrado. Estas asociaciones sirven para garantizar que los procesos de seguridad de la información no obstaculicen innecesariamente las operaciones y que ayuden a reforzar la comprensión y la aceptación por parte del personal que no es de seguridad.

3.12.1 Personal, roles, habilidades y cultura

El gerente de seguridad de la información asigna recursos de personal basado en las habilidades técnicas y administrativas que se requieren para operar el programa de forma eficaz. Los miembros del personal incluyen ingenieros de seguridad, especialistas en aseguramiento de la calidad (QA) y pruebas, administradores de accesos, gerentes de proyectos, enlaces de cumplimiento, arquitectos de seguridad, coordinadores de cursos de concienciación, auditores y expertos en políticas. El gerente de seguridad de la información debe desarrollar puestos acordes a las necesidades específicas del programa, incluso combinar las responsabilidades de múltiples roles en un solo puesto para empresas pequeñas.

Es preciso que el gerente de seguridad de la información se asegure de que el personal dentro de la organización de seguridad, así como otras organizaciones responsables, mantenga las habilidades apropiadas que se necesitan para llevar a cabo las funciones del programa.
Los requerimientos de habilidades variarán entre una organización y otra, pues giran en torno a los sistemas de información existentes y las tecnologías de seguridad implementadas.

Los requerimientos de personal para el desarrollo del programa de seguridad de la información difieren una vez que se ha implementado el programa. Por ejemplo, es probable que el personal que participó en la construcción de un programa de seguridad difiera del personal que administrará los sistemas una vez que estén funcionando en condiciones normales. Las habilidades que rara vez se necesitan se adquieren mejor a través de la contratación de proveedores externos, tales como integradores o empresas de consultoría. Cuando un gerente de seguridad de la información se enfrenta a la necesidad de contar con una habilidad especializada, debe analizar los costes, tiempos e implicaciones de capital intelectual de contratar o formar a personal en comparación con contratar los servicios de un proveedor externo. Además, en algunas empresas pueden ser necesarias las verificaciones de antecedentes, especialmente si información clasificada, confidencial o altamente sensible está involucrada con el trabajo. El departamento de RR. HH. debe participar y realizar verificaciones de antecedentes ya que, en algunas jurisdicciones, existen regulaciones sobre la privacidad que limitan el alcance de la investigación en algunas jurisdicciones.

La gestión de proyectos es una actividad normal para gestionar el desarrollo de un programa de seguridad. Las empresas grandes suelen contar con una oficina de gestión de proyectos (PMO), la cual podría ayudar al gerente de seguridad de la información a desarrollar e implementar los proyectos. Las funciones existentes dentro de la empresa deberían utilizarse cada vez que sea posible a fin de maximizar la participación de la organización en el programa y aprovechar las capacidades existentes.

Roles

Un rol es una designación asignada a un individuo en virtud de una función de trabajo u otra clasificación. Una responsabilidad es una descripción de algún procedimiento o función relacionados con el rol que alguien es responsable de cumplir. Los roles son importantes para la seguridad de la información porque permiten asignar responsabilidades y derechos de acceso en función de las funciones realizadas en lugar de asignarlas a personas individuales. Debido a que normalmente existen menos roles que miembros del personal y los roles cambian con menos frecuencia, los costos administrativos se ven consecuentemente reducidos. Además, RR. HH. puede asignar los roles durante el proceso de contratación, que optimiza mucho más el proceso.

Los cuadros RACI pueden utilizarse de manera efectiva para definir los diferentes roles asociados con aspectos de desarrollo del programa de seguridad de la información. Es necesario designar los roles, las responsabilidades y la obligación de rendir cuentas de forma clara para garantizar una implementación y gestión efectivas.

Habilidades

Las habilidades son la capacitación, la práctica y la experiencia del personal en una función de trabajo determinada. Es importante comprender las habilidades del personal disponible para asegurar su asociación a las competencias requeridas para la implementación del programa. Las habilidades específicas necesarias para la implementación del programa pueden adquirirse a través de capacitación o de la utilización de recursos externos. Los recursos externos, como los consultores, frecuentemente constituyen una elección eficiente en materia de costos para las habilidades requeridas solo para un corto período de tiempo o para proyectos específicos.

Una vez que se ha acordado que cierto personal tendrá responsabilidades específicas de seguridad de la información, deberían establecerse acuerdos formales de empleo que hagan referencia a aquellas responsabilidades. Deben tenerse en cuenta al evaluar a los solicitantes de empleo.

Documentación

La vigilancia de la elaboración y el mantenimiento de documentación relacionada con la seguridad es un componente administrativo importante de un programa eficaz de seguridad de la información. Los documentos que comúnmente pertenecen al programa son los siguientes:

- Políticas, estándares, procedimientos y directrices.
- Diagramas técnicos de infraestructura y arquitecturas, aplicaciones y flujos de datos.
- Documentación sobre capacitación y concienciación.
- Análisis de riesgos, recomendaciones y documentación relacionada.
- Diseños de sistemas de seguridad, políticas de configuraciones y documentación de mantenimiento.
- Registros operativos, tales como informes de turnos y de monitoreo de incidentes.
- Procedimientos operativos y flujos de procesos.
- Documentación organizacional, como las gráficas de la organización, los objetivos de rendimiento y los modelos de RACI.

Se deberá asignar un dueño para cada documento, quien será responsable de actualizar la documentación (o patrones en el caso de registros operativos). Los cambios deberán efectuarse con las recomendaciones de la gerencia o del comité directivo de seguridad; la persona o grupo correspondiente deben aprobar también los cambios antes de su difusión. El dueño tendrá la responsabilidad de garantizar que el acceso a la documentación sea apropiado, esté controlado y se pueda auditar.

El gerente de seguridad de la información debe garantizar la disponibilidad de los componentes del sistema de gobierno (**figura 3.18**) (anteriormente llamados facilitadores) para tratar la elaboración, la aprobación, el cambio, el mantenimiento, la distribución controlada y la retirada de la documentación. En muchos casos, estos servicios se proporcionan como parte de un sistema más grande de gestión de documentos de la empresa, lo cual es una situación ideal considerando que el gerente de seguridad de la información no mantiene necesariamente la custodia de toda la documentación relacionada con la seguridad. El gerente de seguridad de la información debe asegurarse también de que los documentos técnicos y operativos sensibles estén protegidos por controles y prácticas iguales o más sólidos que los implementados para otros activos de información corporativa sensible. La documentación de seguridad debe seguir los estándares organizacionales para su clasificación y etiquetado adecuados.

Figura 3.18—Componentes COBIT de un sistema de gobierno

Fuente: ISACA, *COBIT 2019: Introduction and Methodology*, EE. UU., 2018

Se requerirán ciertos documentos para diseñar, iniciar e implementar el programa de seguridad de la información. Los requerimientos de documentación cambiarán en varias etapas y es importante asegurarse de que estén vigentes. Las actualizaciones de los estándares y los procedimientos deben abordar los cambios en los riesgos, la tecnología, las actividades del negocio o en los niveles mínimos, pero sin contravenir a las políticas publicadas, las cuales cambian con una frecuencia menor.

El control de versiones es esencial para garantizar que todas las partes estén operando a partir de las mismas revisiones de documentos y se requiere de un proceso de publicación y notificación fiable.

Alguna de la documentación requerida incluye:

- Objetivos del programa
- Hojas de ruta
- Casos de negocio
- Recursos requeridos
- Controles
- Presupuestos
- Diseños/arquitecturas de sistemas
- Políticas, normas, procedimientos y directrices
- Hitos de planes de proyectos y cronogramas
- KGI, KPI, CSF y otras métricas
- Requerimientos de capacitación y concienciación
- Análisis de riesgo e impacto del negocio
- SLA
- Criterios de gravedad

Mantenimiento de documentos

A medida que se implementa el programa de seguridad de la información y evoluciona la empresa, suele ser necesario actualizar la documentación. El gerente de seguridad de la información debe establecer procedimientos para agregar, modificar y, en algunos casos, retirar políticas, normas, procedimientos y otro tipo de información de seguridad de la información.

Una consideración importante para todas las actividades de documentación es asegurarse de tener aplicado un proceso de control de versiones apropiado para que todos los destinatarios utilicen documentación actualizada. Deberían desarrollarse procesos para retirar la documentación que ha sido reemplazada por ediciones posteriores. Los sistemas automatizados que emplean una misma fuente para toda la documentación ayudan a asegurar que solo se utilicen las políticas, las normas y los procedimientos actuales. Toda la documentación también debe tener marcas normalizadas que incluyan la fecha de edición efectiva, la versión, el propietario y la clasificación.

Un proceso para las propuestas de cambios se puede basar en las revisiones de la política o iniciar a medida que las partes interesadas reconozcan la necesidad de efectuar un cambio en la política. El gerente de seguridad de la información debe hacer seguimiento a los cambios que se propongan a las políticas, y revisarlos en los foros apropiados.

Probablemente ocurrirán modificaciones con más frecuencia en los estándares que en las políticas. Estos cambios suelen estar motivados por cambios en la tecnología, tales como la disponibilidad de nuevas capacidades de seguridad, cambios en los riesgos, la evolución de la infraestructura técnica y los requerimientos de nuevas iniciativas de negocio. Los estándares propuestos deben ser revisados por el comité directivo o los departamentos que se vean afectados por los estándares propuestos. Se debe brindar la oportunidad de hacer contribuciones y sugerir modificaciones, optimizar la cooperación y el cumplimiento. Se deben revisar los estándares de forma periódica o cuando lo justifiquen los cambios ambientales, los riesgos cambiantes, cuando lo soliciten las partes interesadas o bien, cuando alguna auditoría haya determinado que existe alguna insuficiencia. Los cambios a las normas deben gestionarse de un modo similar a los cambios en la política y deben incluir también un análisis de riesgo técnico u operativo relativo al cambio propuesto a las normas.

Las modificaciones a los estándares o las políticas deben desencadenar procedimientos para modificar las herramientas y los procesos de monitoreo del cumplimiento. Los cambios se deben compartir regularmente con auditores y personal de cumplimiento, quienes no están involucrados en el proceso de gestión de cambios, a fin de asegurar el conocimiento y la aceptación de los cambios antes de que se lleven a cabo actividades de auditoría.

Los cambios en las normas harán que sea necesario revisar los procedimientos que puedan requerir su modificación para contribuir a conservar el cumplimiento. Es posible que también resulte necesario modificar otra documentación, como pueden ser las políticas de utilización aceptables, directrices, procesos de adquisición y de aseguramiento de calidad.

3.12.2 Responsabilidades del coordinador de seguridad de la información

El programa típico de seguridad de la información tiene una serie de responsabilidades operacionales además de proporcionar diversos servicios relacionados con la seguridad. Las operaciones y los servicios varían considerablemente entre las empresas; sin embargo, la siguiente sección describe los más comunes de las grandes empresas.

Puesto que la seguridad de la información es un subdominio de gestión del riesgo corporativo, la seguridad de la información tiene un vínculo extensivo con la gestión del riesgo corporativo. La seguridad de la información funciona estrechamente con otros gestores de tipos de riesgo generales, como riesgo reputacional, riesgo de mercado y especialmente riesgo de operación. La gestión de riesgos de seguridad de la información debe estar bien integrada con la gestión de riesgos empresariales generales, a través de métodos que estén bien documentados dentro de los procesos de gestión y gobierno empresarial.

Además de supervisar los roles discutidos anteriormente, es esencial para un gerente de seguridad de la información eficaz mantener relaciones continuas con varios otros grupos y departamentos de la empresa. Estas funciones organizacionales tienen un gran impacto en la capacidad del gerente de seguridad de la información de ser eficaz en la implementación y gestión del programa de seguridad. Aunque los nombres de estos departamentos pueden variar, la mayoría de las empresas cuenta con estas funciones. Aunque el programa de seguridad de la información logre un gran éxito mediante la integración de las actividades de aseguramiento con los siguientes departamentos en la medida de lo posible, la integración efectiva con TI es esencial.

Seguridad física/corporativa

La mayoría de las empresas grandes tiene un departamento de seguridad corporativo encargado de las responsabilidades de seguridad física. Estos departamentos suelen ser manejados por personas que vienen de organizaciones policiales y con frecuencia tienen una exposición limitada a la seguridad de la información. En muchas empresas pequeñas, la seguridad física se trata como parte de la gestión de instalaciones. En cualquier caso, los problemas de seguridad física impactan invariablemente en la seguridad de la información; por lo tanto, es importante que exista una estrecha relación de trabajo entre los dos departamentos. Es fundamental que el gerente de seguridad de la información entienda la operación de seguridad física, que incluye las políticas, los estándares, los procedimientos y las prácticas relevantes, para evitar una situación en la que la seguridad física inadecuada perjudique el programa de seguridad de la información.

Auditoría de TI

La auditoría de TI o interna están, por lo general, encargadas de brindar confianza en el cumplimiento de las políticas y en la identificación del riesgo. A menudo, especialmente en ausencia de políticas y normas completas, estos auditores tendrán resultados sobre la seguridad de la información según lo que ellos consideren prácticas buenas o aceptables. Dependiendo de la experiencia de los auditores, estos resultados pueden o no estar de acuerdo con la perspectiva del gerente de seguridad de la información, y esto acentúa la necesidad de la documentación administrativa completa. Debido a que las actividades de auditoría interna, invariablemente impactan al programa de seguridad de la información, es esencial para el gerente de seguridad de la información desarrollar y mantener una buena relación con auditoría interna. Una buena relación con auditoría interna puede proporcionar un apoyo considerable para el logro de los objetivos de seguridad de la información.

Tecnología de la información

El personal de TI desempeña una función crítica en el desarrollo y gestión del programa de seguridad de la información, al ser el que implementa y opera los sistemas de procesamiento de la información. Es importante que el gerente de seguridad de la información desarrolle una relación de trabajo sólida con el departamento de TI para promover el entendimiento, la confianza y la comprensión de las metas comunes y la comunicación abierta. Esto puede representar un reto, ya que la TI frecuentemente percibe la seguridad como un obstáculo para sus esfuerzos.

Los requerimientos de TI suelen tener problemas para garantizar el cumplimiento de las políticas y estándares al mismo tiempo que se cumplen los requerimientos de desempeño y eficiencia. Este conflicto entre seguridad y desempeño puede causar que se sacrifique la seguridad para cumplir los objetivos operacionales.

Los requerimientos de seguridad suelen incluir la implementación de mecanismos de control en los ambientes de redes, sistemas y aplicación, así como garantizar que las operaciones tecnológicas atiendan los requerimientos de seguridad. Esto puede representar un reto para TI, ya que debe satisfacer las necesidades de seguridad y tratar, al mismo tiempo, problemas como la funcionalidad, la accesibilidad, el desempeño, la capacidad y la escalabilidad. El gerente de seguridad de la información debe trabajar de manera conjunta con TI para determinar las soluciones que satisfagan los requerimientos de seguridad y que permitan cumplir al mismo tiempo con los requerimientos de desempeño. La gerencia de TI debe entender que un compromiso serio afectará severamente la capacidad de cumplir con esos requisitos de desempeño.

Además de configurar la seguridad dentro del ambiente técnico real, muchas empresas recurren a TI para diseñar, implementar y operar sistemas de seguridad como cortafuegos, sistemas de gestión de identidad y tecnologías de encriptación (p. ej., redes virtuales privadas, aceleradores de SSL). La supervisión efectiva, el monitoreo y la buena comunicación son esenciales para lograr los objetivos de seguridad de la información.

La separación de las responsabilidades operacionales entre el departamento de seguridad de la información y TI se basa con frecuencia en el impacto que un sistema particular de seguridad tiene en el ambiente de tecnología de producción. Por lo general, cualquier sistema que afecte directamente a la producción será operado por TI. Por ejemplo, el fallo de un control pasivo, por ejemplo un IDS probablemente no ocasionaría una interrupción en todo el sistema, pero el fallo de un sistema en línea, como un cortafuegos, probablemente interrumpiría la conexión a Internet o con un socio de negocio.

Gerentes de unidad de negocio

El gerente de seguridad de la información debe involucrar a los gerentes de las unidades de negocio cuando se desarrolle un programa de seguridad de la información y continuar estableciendo dichas relaciones en el curso de las actividades de gestión de la seguridad. Estas interacciones proporcionarán la base para garantizar la alineación continua de la seguridad de la información con los objetivos del negocio. Garantizará que la responsabilidad del gerente de la unidad de negocio para las operaciones de negocio de primera línea cumpla con los requerimientos de seguridad y comprenda su responsabilidad de identificar y escalar los incidentes de seguridad y otras preocupaciones relacionadas con el riesgo.

La mayoría de las empresas se benefician al contar con un grupo encargado de la seguridad de la información compuesto por representantes de la unidades de negocio y otras unidades organizacionales principales (es decir, finanzas, legal, TI, seguridad física y de la información, etc.). Este foro puede brindar información consistente sobre asuntos tales como dirección del negocio, riesgos emergentes, efectividad del control y otros temas relacionados con la seguridad de la información, al gerente de seguridad de la información. También resulta útil para garantizar que las principales partes interesadas estén informadas sobre las actividades y los problemas relacionados con la seguridad de la información.

Además de las unidades de negocio con operaciones diarias, la mayoría de las organizaciones cuenta con unidades responsables de desarrollar nuevos productos o servicios dirigidos a usuarios internos, un mercado externo, o ambos. Es importante que el gerente de seguridad de la información participe en el proceso de desarrollo de cualquier producto o servicio que esté relacionado con los recursos de información de la empresa, en otras palabras, casi todas esas iniciativas. La unidad de negocio para el desarrollo de productos debe utilizar un nivel mínimo establecido de requerimientos de seguridad (por ejemplo, controles de autenticación, registros (logs) de actividades) para cualquier proyecto nuevo de desarrollo y trabajar con el gerente de seguridad de la información a fin de desarrollar controles adicionales para proteger contra riesgos específicos en la aplicación. Participar en una etapa temprana en el ciclo de desarrollo de un producto y los requerimientos de seguridad de la información establecidos ayudan al gerente de seguridad de la información a asegurarse de que se asignen tanto los recursos como el tiempo para la implementación de controles eficaces. Al trabajar con el equipo de arquitectura de seguridad, si existe, el grupo de seguridad de la información obtiene una comprensión de los efectos en la arquitectura y los posibles requisitos para las modificaciones.

Recursos humanos

El departamento de RR. HH. dentro de la mayoría de las empresas tiene responsabilidades importantes relativas a la seguridad de la información con respecto a la distribución, verificación de antecedentes, formación y exigencia de cumplimiento de la política de recursos humanos. Es preciso que el gerente de seguridad de la información trabaje en conjunto con los líderes de recursos humanos a fin de establecer los mejores medios para brindar formación a los empleados sobre políticas y procedimientos para el uso de recursos informáticos y obtener su compromiso al respecto.

El gerente de seguridad de la información tiene que asegurarse de que los departamentos de recursos humanos y jurídico se involucren muy de cerca con cualquier acción que implique monitorear las acciones de un empleado o el supuesto abuso de los recursos informáticos que éste lleve a cabo. Debido a las implicaciones legales que tienen las acciones contra el personal en la mayoría de los lugares, esta cooperación es crucial. El gerente de seguridad de la información debe establecer los procedimientos y el escalamiento como parte de los procedimientos de gestión de incidentes, de manera que todas las partes involucradas comprendan sus funciones y sus responsabilidades y estén preparados para la acción inmediata cuando efectivamente ocurra un evento. Un representante de alto nivel del departamento de recursos humanos se deberá asignar para que forme parte del comité directivo de seguridad de la información.

Departamento legal

Los problemas de seguridad de la información frecuentemente se relacionan con el cumplimiento, la obligación, la responsabilidad corporativa y la debida diligencia. En la mayoría de las empresas, estas áreas son del dominio del departamento jurídico. Otra área principal que recae en el departamento jurídico incluye los contratos de externalización y los proveedores de servicios. Si bien estas áreas se encuentran principalmente dentro del ámbito del departamento legal, es esencial que el gerente de seguridad de la información esté informado para garantizar la inclusión de las consideraciones de seguridad adecuadas. El gerente de seguridad de la información deberá coordinarse con un representante del departamento jurídico, el cual deberá contar con representación en el comité directivo de seguridad. El gerente de seguridad de la información puede ayudar a proteger a la empresa de la responsabilidad legal asegurándose de que el departamento legal tenga conocimiento continuo de los problemas de seguridad de la información y que el gerente de seguridad de la información actúe con el consenso del departamento legal.

Empleados

Los empleados sirven como primera línea de defensa en la seguridad de la información. Es esencial que, periódicamente o según sea necesario, se suministre la capacitación de seguridad adecuada sobre políticas relevantes, estándares y procedimientos aplicables. Se deben utilizar pruebas para confirmar el entendimiento, y el reconocimiento firmado de la capacitación debe conservarse con los registros del personal.

Una vez capacitados, todos los empleados tienen la responsabilidad de seguir las medidas, las normas y los procedimientos. Los empleando deben capacitarse para que informen sobre las amenazas y los incidentes potenciales, y transmitan sugerencias orientadas a mejorar el programa de seguridad de la información, basándose en su implicación cotidiana con el programa.

Adquisiciones

La mayoría de las empresas utilizan un proceso de adquisición formal que puede tener consecuencias para la seguridad de la información en términos de adquisiciones de productos. El gerente de seguridad de la información debe conocer el interior del proceso y debe poder participar en las prácticas de adquisición. Las empresas maduras cuentan con una lista de equipo aprobado que ha sido evaluada para el cumplimiento de la política y de las normas para gestionar y minimizar vulnerabilidades introducidas como resultado de las adquisiciones de nuevos equipos. En ausencia de tal proceso, es importante para el gerente de seguridad de la información estar informado de las propuestas de adquisición y dar la oportunidad de determinar qué riesgo puede ser introducido como consecuencia de ello.

Cumplimiento

Como consecuencia de los escenarios legales y reglamentarios cada vez más complejos en los que las empresas deben navegar, muchas empresas han puesto en marcha una oficina de cumplimiento que puede ser un departamento independiente o una parte del departamento legal. Debido a que puede ser necesario el reconocimiento de los requisitos legales y regulatorios aplicables de políticas, normas y procedimientos, es necesario que el gerente de seguridad de la información establezca una relación de trabajo con la oficina de cumplimiento.

Privacidad

Las regulaciones de privacidad se han vuelto cada vez más comunes y restrictivas en muchas partes del mundo. En respuesta, muchas empresas han establecido una oficina de privacidad o un director de privacidad. En algunos casos, es una parte de la oficina de cumplimiento o puede ser una función separada. En cualquier caso, los requisitos de privacidad en algunas jurisdicciones se hacen cumplir enérgicamente y el cumplimiento debe ser un foco importante de seguridad de la información. Para garantizar que los requisitos se cumplen, el gerente de seguridad de la información debe mantener la coordinación con la oficina de privacidad para evitar sanciones que se han vuelto cada vez más graves.

Capacitación

Muchas empresas grandes tienen un departamento independiente de capacitación y educación. El gerente de seguridad de la información debe tener contacto con esta función para ofrecer asistencia en capacitación y educación en sensibilización de la seguridad en las técnicas de seguridad necesarias.

Consulte 3.11 Concienciación y capacitación de la seguridad de la información.

Aseguramiento de la calidad (QA)

El QA debe incluir niveles aceptables de seguridad relacionados con los controles. Entender el proceso de control de calidad (QA) y garantizar que incluya pruebas relacionadas con los aspectos de la seguridad son una consideración importante para la seguridad de la información. El gerente de seguridad de la información debe mantener una relación con el departamento de QA para asegurar que el riesgo se aborda como una parte estándar del proceso.

Seguro

La mayoría de las empresas mantienen varias pólizas de seguros, como por ejemplo la de cobertura de interrupción del negocio, que tiene relevancia para las actividades de seguridad de la información en relación con la respuesta a incidentes, a la continuidad del negocio y a la recuperación ante desastres. Es responsabilidad del gerente de seguridad de la información entender el tipo y alcance del seguro de la empresa con el fin de incluirlo en la gestión y el análisis de riesgos, y en la planificación de la recuperación, ya que sirve como control compensatorio.

Gestión de terceros

La gestión de terceros incluye funciones y servicios externos. Algunos servicios, como el monitoreo externo de IDS, podrían estar bajo el control directo de seguridad de la información, pero es probable que la mayoría sea administrado por otros departamentos. Es importante que el gerente de seguridad de la información entienda no solo cuáles son las funciones o servicios proporcionados por terceros, sino también el riesgo asociado. La gestión del riesgo a niveles aceptables en estas situaciones puede suponer un reto y podría requerir una variedad de controles de prevención, detección y compensación, incluido supervisión y monitoreo.

Oficina de gestión de proyectos

La organización de seguridad de la información debe mantener una fuerte relación con cualquiera de las oficinas de gestión de proyectos (PMO) de la empresa. Es importante que el gerente de seguridad de la información o los representantes tengan conocimiento de todos los proyectos, especialmente de los proyectos de TI, en toda la empresa. Crear y mantener una relación con la oficina de gestión de proyectos (PMO) ayuda a garantizar que el equipo de seguridad de la información pueda revisar los proyectos para brindar información sobre un posible riesgo o las medidas de seguridad necesarias. Esta relación también brinda información sobre qué gerentes de proyecto tienen las mejores calificaciones para los proyectos de seguridad de la información a medida que se desarrolla el programa.

3.12.3 Responsabilidades interorganizacionales

El gerente de seguridad de la información es directamente responsable de muchos aspectos críticos del programa de seguridad de la información. Es importante tener en cuenta que pueden existir problemas en SoD si el mismo gerente es responsable de superponer aspectos de política, implementación y monitoreo. Si bien en empresas más pequeñas puede ser difícil alcanzar un nivel óptimo de separación, el gerente de seguridad de la información debe ser consciente del riesgo presentado e intentar proporcionar controles compensatorios en la medida posible. Generalmente, también recae en el gerente de seguridad de la información la responsabilidad de garantizar que dichas áreas de responsabilidad se asignen en forma apropiada a través de los altos directivos de la empresa, para evitar posibles conflictos de intereses. En la **figura 3.19** se ilustra una serie típica de roles y responsabilidades, con un enfoque de muestra para KPI. Existen muchos otros posibles KPI que se pueden considerar. Sin embargo, para que los KPI resulten útiles como una herramienta de gestión, también se deben definir los KGI. Este enfoque proporciona la métrica más útil, ya que muestra el punto hasta el cual se logró la meta o el objetivo. Esto muestra si hay un progreso adecuado o si se requieren esfuerzos adicionales para lograr la meta.

Figura 3.19—Responsabilidades y funciones de seguridad de la información

Rol	Responsabilidad del proceso de seguridad de la información	Ejemplos de indicadores clave de rendimiento
Dirección ejecutiva	Alineación y supervisión de estrategias relacionadas con la seguridad	Se asigna la responsabilidad organizacional de ejecutar todos los elementos del programa de seguridad.
Gestión de riesgos del negocio	Evaluación de riesgos de TI	La lista priorizada de riesgos de TI que necesitan abordarse debe mantenerse actualizada periódicamente.
Gerente de departamento	Aprobación de los requerimientos de seguridad y pruebas de aceptación	Se aprueban formalmente las funciones de seguridad que se van a incorporar en la aplicación.
	Autorización de acceso	Se aprueban formalmente las personas o grupos que tendrán acceso a los datos.
Asesor legal de la alta gerencia	Asesoramiento sobre protección de la información	Las políticas sobre protección de la información corresponden con las leyes y regulaciones aplicables, aprobadas formalmente, y que aquellos dentro del alcance las conozcan.
Gestión de operaciones de TI	Monitoreo de seguridad	Los incidentes relacionados con la seguridad se identifican antes de que ocasionen daños.
	Respuesta a incidentes	Las respuestas adecuadas a los incidentes de seguridad forman parte de los procedimientos operativos.
	Gestión de crisis	Se realizan pruebas de los procedimientos de recuperación periódicamente y con éxito.

Figura 3.19—Responsabilidades y funciones de seguridad de la información (cont.)

Rol	Responsabilidad del proceso de seguridad de la información	Ejemplos de indicadores clave de rendimiento
Gestión de operaciones de TI *(cont.)*	Inventario del sitio	Todos los dispositivos de computación que se han adquirido son considerados y se relacionan con un propósito comercial.
Gerente de calidad	Participación de revisiones de seguridad	Se configuran los sistemas que cumplan con la política de seguridad.
	Captura de requerimientos de la seguridad	Se documentan los requerimientos del negocio relacionados con la confidencialidad, integridad y disponibilidad.
	Diseño de seguridad de la aplicación	Se establecen planes técnicos de implementación para cumplir con los requerimientos del proceso de seguridad.
	Control de cambios	Se establecen planes seguros para archivar, recuperar y recopilar adaptaciones de productos y códigos provenientes de la empresa.
	Gestión de actualización sobre seguridad	Se garantizan la prueba y aplicación de las reparaciones al software de seguridad.
Compras	Captura de requerimientos de la seguridad	Se establecen los requerimientos formales de seguridad en todas las solicitudes de propuestas e información sobre productos.
	Requerimientos de contratación	Se establecen los requerimientos de negocio para la confidencialidad, integridad y disponibilidad en los contratos de mantenimiento de tecnología y proveedores de servicio de información.

A medida que se desarrolla cada fase de un programa de seguridad, la dirección ejecutiva, los gerentes con responsabilidad por la gestión de riesgos y la gestión del departamento deben conocer el contenido del programa de seguridad de la información de tal forma que sea posible coordinar las actividades y confirmar las áreas específicas de responsabilidad.

Los programas de seguridad de la información cruzan numerosas fronteras departamentales; por consiguiente, es importante promover la concienciación y obtener el consenso en una etapa temprana del proceso. Para lograrlo, el gerente de seguridad de la información se convierte en embajador del programa de seguridad de la información. El gerente de seguridad de la información debe trabajar muy de cerca con la gerencia para garantizar que aquellos que están en varios departamentos y unidades de negocio comprenden, aceptan y cuentan con los recursos necesarios para implementar su parte del programa de seguridad de la información.

Cuando las unidades comerciales individuales tienen líneas de productos u ofertas clave, la estructura organizacional podría incluir un agente de seguridad de la información comercial (BISO). El personal en este rol puede ayudar a mapear los requisitos de seguridad de la organización junto con los requisitos específicos de clientes o prospectos de esa unidad de negocios. El BISO podría ayudar a garantizar la alineación e implementación efectivas de los controles de seguridad dentro de los productos y servicios de la unidad y podría garantizar que los requisitos específicos del cliente se incorporen en la hoja de ruta de seguridad general. El BISO también puede trabajar en estrecha colaboración con los equipos de implementación de nuevos clientes para garantizar la implementación y el seguimiento efectivos de los controles de seguridad.

Una estrategia para incorporar las ideas y el apoyo de la administración de la empresa incluye la formación de un comité directivo de seguridad de la información o un consejo ejecutivo de seguridad, como se analiza en el Capítulo 1 Gobernanza de seguridad de la información. Dichos comités también pueden ser de utilidad para coordinar actividades entre grupos involucrados en otros aspectos de la gestión de riesgos y funciones de aseguramiento, de manera tal que ayuden a alcanzar la gestión de recursos y la alineación estratégica. Los miembros de estos comités son seleccionados por su capacidad para respaldar al programa de seguridad de la información y representar los intereses de la empresa. Ayudan a garantizar que se identifiquen los requisitos de seguridad de la información y que se logre el apoyo de toda la empresa. El comité directivo normalmente posee la estrategia de seguridad de la información y comúnmente se designa como el grupo facultado para aprobar cambios en las políticas o estándares.

3.12.4 Resolución de problemas a través del Programa de Seguridad de la Información

Además de las prácticas relacionadas con la gestión de eventos de seguridad de la información, el programa de seguridad de la información incluye elementos relacionados con un enfoque eficaz de gestión de problemas. La gestión de problemas se enfoca en determinar las causas raíz de los problemas. Por lo general, esto requiere de un enfoque sistemático para conocer los diversos aspectos del problema, definir el problema, diseñar un programa de acción y asignar responsabilidades y fechas límite para su resolución. Asimismo, se debe implementar un proceso de reporte para hacer seguimiento a los resultados y garantizar que el problema ya se haya resuelto.

Dado que el entorno de sistemas de información cambia continuamente mediante actualizaciones y adiciones, no es extraño que los controles de seguridad con los que se cuenta presenten un problema y no funcionen como debieran. Es en este punto que el gerente de seguridad de la información debe identificar el problema y asignarle una prioridad.

El gerente de seguridad de la información debe estar familiarizado con los controles de mitigación que pudiera ser necesario utilizar en caso de que falle el control de seguridad primario. En lugar de permitir que una vulnerabilidad de seguridad ponga en riesgo a la empresa, puede ser necesario que el gerente de seguridad de la información tome medidas alternativas para proteger los recursos de información hasta que se resuelva el problema. Por ejemplo, si falla un firewall, el gerente de seguridad de la información podría tomar la decisión de interrumpir la comunicación del sistema con el exterior hasta que se resuelva el problema con el firewall. Mientras que esto puede proteger los recursos de la información de riesgos externos, es posible que afecte la capacidad de la empresa para llevar a cabo sus actividades. Por ello, es importante que la gerencia establezca la autoridad y los límites específicos.

Gestión de proveedores

Una gestión permanente y la responsabilidad administrativa del típico gerente de seguridad de la información son el control y la supervisión de proveedores externos de hardware y software, suministros generales y diversos servicios. Esto es para garantizar que el riesgo introducido en los procesos de adquisición, implementación y prestación de servicios se gestiona adecuadamente. Otras unidades organizacionales involucradas en aspectos de la gestión de proveedores incluyen asuntos legales, finanza, compras y algunas unidades de negocios.

Los proveedores de servicios de seguridad son un componente común de muchos programas de seguridad de la información, pues suelen ser el enfoque más económico para realizar algunas funciones de supervisión y administración. Ellos pueden proporcionar al gerente de seguridad de la información habilidades especializadas según se requiera, incremento de personal a largo plazo mientras se lleva a cabo el reclutamiento para puestos vacantes e incluso la asignación de tareas de rutina. Los proveedores externos de servicios de seguridad pueden prestar una variedad de servicios, como son evaluación y auditoría, ingeniería, soporte operativo, arquitectura y diseño de seguridad, servicios de consultoría y soporte forense.

Los proveedores de servicios de seguridad pueden liberar recursos internos para que se enfoquen en proyectos u operaciones en los que la conservación del capital intelectual apremia. El uso de recursos externos de seguridad puede proporcionar también una perspectiva fresca y objetiva sobre el programa de seguridad de la información. Si el gerente de seguridad de la información utiliza los servicios de un proveedor de seguridad externo, las capacidades y los enfoques que adopte dicho proveedor deberán alinearse con el programa de seguridad de la información de la empresa.

El uso de agentes externos en la realización de funciones relacionadas con la seguridad usualmente genera riesgos que debe atender el gerente de seguridad de la información. Se deben abordar asuntos como la viabilidad financiera, la calidad del servicio, la contratación del personal adecuado, la observancia de las políticas de seguridad de la empresa y el derecho a auditar.

Factores físicos y ambientales

La confidencialidad, la integridad y la disponibilidad de la información pueden verse comprometidas por el acceso físico no autorizado y el daño o la destrucción de componentes físicos. El nivel de seguridad que rodea a cualquier hardware o software de TI, o cualquier activo de información físico, como documentos u otros medios, debe depender de la criticidad de los sistemas, la sensibilidad de la información a la que se pueda acceder, la importancia de las aplicaciones procesadas, el costo del equipo y la disponibilidad del equipo de respaldo. El control de la seguridad física puede residir en un departamento de seguridad independiente o, algunas veces, en la gestión de instalaciones; sin embargo, esta función se ubica cada vez más dentro del grupo de seguridad de la información.

Independientemente de quién sea el responsable de la seguridad física, el gerente de seguridad de la información debe garantizar que las políticas, los estándares y las actividades de seguridad física sean suficientes como para no poner en riesgo los esfuerzos de seguridad de la información. Existe una amplia variedad de controles de seguridad físicos, tales como candados electrónicos, detectores de movimiento, cámaras, jaulas de alambre de acero y dispositivos de rastreo de radiofrecuencia, que se encuentran disponibles para implementar la seguridad física.

Es preciso establecer políticas y estándares de seguridad física como complemento de los procesos de control. El control físico de acceso a los recursos informáticos debe aplicarse en función de la sensibilidad de la información a la que se accede, procesa y almacena. El acceso debe otorgarse de acuerdo a las necesidades.

La ubicación en las instalaciones y los factores ambientales también son importantes. Debe evitarse colocar sistemas críticos en ambientes inestables o cerca de tuberías de agua u otras fuentes de posibles riesgos. Los ambientes informáticos tienen que implementar sistemas para monitorear y controlar los factores ambientales, tales como la temperatura, la humedad y la calidad de la energía eléctrica.

Las computadoras personales suelen utilizarse en áreas de usuarios menos seguras y, por ello, pueden requerir de consideraciones especiales para garantizar que se mantengan niveles de seguridad adecuados. Si una estación de trabajo tiene una función particularmente sensible o se requiere que almacene información sensible, sería conveniente aislar dicha estación de trabajo. Otros controles físicos en las estaciones de trabajo pueden incluir asegurar físicamente el dispositivo para prevenir robo, bloquear el armazón para prevenir alteraciones, quitar o deshabilitar las interfaces del dispositivo externo (p. ej., USB, puertos en serie) y exigir el almacenamiento con base LAN para minimizar los datos sensibles en los discos de la estación de trabajo.

Las laptops y los dispositivos portátiles necesitan consideraciones especiales, en particular dado el riesgo significativo de robo o pérdida. Los gerentes de seguridad de la información deben considerar el uso de la encriptación de todo el disco para proteger la información sensible en caso de pérdida.

La seguridad de los medios electrónicos e impresos debe protegerse también. La divulgación de información sensible en papel, microfilm, cinta, CD ROM u otro medio físico representa un riesgo tan grande para la empresa como lo es una inestabilidad creada en línea, por lo que dichos medios deben almacenarse en lugares seguros. El transporte y almacenamiento de las cintas de respaldo, si no están encriptadas, también puede representar un riesgo significativo, particularmente cuando se almacenan fuera de las instalaciones de la organización. Asimismo, el gerente de seguridad de la información debe considerar implementar una política de escritorios limpios para evitar el acceso no autorizado a la información sensible en las áreas menos seguras de una oficina.

Es preciso tener en consideración las cuestiones geográficas, sobre todo cuando impliquen instalaciones organizacionales y sitios de recuperación en caso de desastre. Las regiones que registren una mayor incidencia de sismos, huracanes, inundaciones u otros desastres naturales deben evitarse cuando se elijan sitios para instalaciones. Debe tenerse en cuenta la proximidad a instalaciones que presentan riesgos especiales (por ejemplo, plantas de energía nuclear, instalaciones de producción de químicos, aeropuertos). Los principales sitios de procesamiento, los sitios de recuperación ante desastres y las instalaciones de almacenamiento de datos fuera del sitio deben ubicarse lo más lejos posible uno de otro para garantizar que un desastre no impacte a más de un sitio.

Variaciones culturales y regionales

El gerente de seguridad de la información debe estar consciente de las diferencias en las percepciones, las costumbres y el comportamiento adecuado en las diferentes regiones y culturas, y reconocer que lo que se considera razonable en una cultura puede no ser aceptable en otra. El gerente de seguridad de la información necesita identificar al público y a las personas que podrían verse afectadas por las actividades relacionadas con la seguridad de la información.

Además, las leyes en los diferentes países restringen determinados intercambios de información personal. El gerente de seguridad de la información debe conocer estas complicaciones y trabajar para desarrollar un programa de seguridad de la información que satisfaga las necesidades individuales de la empresa.

Deben desarrollarse e implementarse políticas, controles y procedimientos con respecto a estas diferencias. Deben evitarse algunos elementos que pudieran ser ofensivos culturalmente para otros, en particular si existen elementos alternativos disponibles que cumplan con los requerimientos de control. En caso de duda, el gerente de seguridad de la información debe trabajar con el departamento legal y de recursos humanos para desarrollar estrategias apropiadas para tratar las diferencias existentes en las diferentes regiones y culturas que se encuentran representadas dentro de la empresa para identificar posibles conflictos y trabajar para encontrar soluciones.

Logística

El gerente de seguridad de la información debe tratar los temas logísticos de forma eficaz, sobre todo considerando el volumen significativo de interacción con otras unidades de negocio y personas que requiere un programa eficaz de seguridad de la información. A continuación se mencionan algunos temas logísticos que el gerente de seguridad de la información debe estar en capacidad de manejar:

- Ejecución y planificación estratégica interorganizacionales
- Gestión de proyectos y tareas
- Coordinación de reuniones y actividades del comité
- Desarrollo de programas de procedimientos que se ejecutan regularmente
- Priorización de recursos y gestión de cargas de trabajo
- Coordinación de recursos y actividades de seguridad con proyectos y operaciones más grandes

Algunos recursos corporativos ya existentes, como los sistemas de programación en línea y de gestión de recursos, pueden ayudar con estos puntos. Asimismo, el gerente de seguridad de la información debe desarrollar habilidades de gestión de logística a través de capacitación, auto estudio o tutoría.

3.12.5 Integración con procesos de TI

Es importante establecer interrelaciones definidas entre las áreas de seguridad en la empresa y otras áreas de aseguramiento de la organización, para garantizar que existan canales de comunicación claros. Por ejemplo, las actividades de gestión de riesgos de seguridad de la información deben integrarse bien con las actividades del gerente de riesgos de la organización, para garantizar la continuidad y la eficiencia de los esfuerzos. El plan de continuidad del negocio es a menudo un área independiente que debe integrarse a las actividades de respuesta a incidentes del departamento de seguridad de la información.

Integración

El gerente de seguridad de la información debe asegurar que el programa de seguridad de la información se relacione de manera eficaz con otras áreas de aseguramiento organizacionales. Esto ayudará a impulsar a la empresa hacia el resultado estratégico de la integración del proceso de aseguramiento de negocios, analizado en el Capítulo 1 Gobernanza de seguridad de la información. Servirá para reducir las brechas en la seguridad y la duplicación de esfuerzos, situaciones en las que las prácticas deficientes en un área sirven para menoscabar los esfuerzos de seguridad de la información o proveedores de procesos de aseguramiento (p. ej., cumplimiento, aseguramiento de calidad, gestión de cambios y configuración, actividades legales, auditoría, seguridad física) que operan con propósitos cruzados. Estas relaciones suelen ser mutuas; es decir, que se recibe de estos departamentos información relacionada con la seguridad y, a su vez, la seguridad de la información proporciona información relevante a estas unidades. Las áreas de aseguramiento hacen contribuciones, proporcionan requerimientos y retroalimentación al programa de seguridad de la información que, a su vez, proporciona métricas y datos de evaluación para evaluar el aseguramiento. Es importante que las unidades de aseguramiento de la empresa formen parte del comité directivo, ya que de esta manera se puede garantizar una mayor conciencia con respecto a los temas relacionados con la seguridad. Una participación más amplia y constante también ayuda a evitar el efecto de compartimentación desintegrada que se genera cuando las áreas de aseguramiento operan de forma aislada.

Para que sea eficaz, la seguridad de la información tiene que ser dominante y cubrir todos los aspectos de la empresa. La variedad de responsabilidades para una gestión eficaz de la seguridad es amplia y, en la mayoría de los casos, excede la autoridad directa del gerente de seguridad de la información. Como resultado, es muy probable que el gerente de seguridad de la información tenga éxito al operar de forma cooperativa, ser un buen comunicador y desarrollar un caso de negocio (business case) convincente sobre las iniciativas de seguridad.

Procesos del ciclo de vida de desarrollo de sistemas

Alcanzar una seguridad eficaz de los sistemas de información es más fácil cuando las consideraciones de riesgo y protección se encuentran incluidas en el SDLC (System Development Life Cycle, o ciclo de vida de desarrollo de sistemas). Si bien algunas empresas se enfocan en SDLC como el ciclo de vida del desarrollo de *software*, el proceso de integración es importante para que cualquier sistema esté protegido.

Dado que las actividades SDLC suelen ser responsabilidad de otros departamentos, pero tienen un impacto significativo en la seguridad, el gerente de seguridad de la información debe desarrollar enfoques para la integración de estas funciones a las actividades de seguridad de la información. También es fundamental crear un proceso para transmitir cualquier cambio propuesto al gerente de seguridad de la información, quien luego puede garantizar que se evalúe el riesgo asociado y se brinde el tratamiento adecuado.

El SDLC normalmente incluye una fase de planificación, una fase de diseño, una fase de implementación, una fase de prueba y una fase de mantenimiento (**figura 3.20**).

Figura 3.20—Ciclo de vida del desarrollo de software

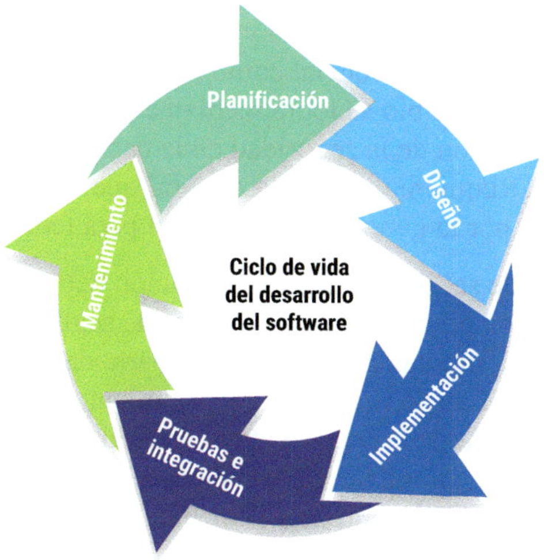

Fuente: ISACA, *Software Development Fundamentals Study Guide*, EE. UU., 2021

Cada una de estas fases incluye etapas detalladas para garantizar que el sistema sea funcional, confiable y seguro, desde los requisitos iniciales hasta el final de la vida útil del sistema. El SDLC brinda una oportunidad importante para garantizar que los requisitos de seguridad se consideren e incluyan en el proceso de ingeniería del sistema. La colaboración entre el personal de seguridad y de TI durante cada una de las etapas ayuda a garantizar que el diseño y el desarrollo de los controles forman parte integral del proceso de SDLC.

Esta integración también proporciona beneficios en la organización, ya que se ha comprobado que las técnicas de prevención mediante la inclusión de controles son más efectivas que la seguridad que se ha añadido al final del ciclo. No integrar la seguridad en el diseño de un sistema o aplicación es uno de los principales factores que contribuyen a las vulnerabilidades de la ciberseguridad de hoy en día, por lo que es más fácil que los sistemas se vean comprometidos. Con demasiada frecuencia, la seguridad se considera una cuestión de último momento y los controles se implementan de manera ad hoc solo después de que se identifican las debilidades de seguridad. Esto es menos que satisfactorio y, a menudo, consume mucho tiempo y es costoso para la empresa. La seguridad y mitigación de riesgos deberían ser parte del diseño en cualquier proceso de SDLC, comenzando con la evaluación de las amenazas y riesgos del sistema propuesto, la identificación de los controles, la implementación de dichos controles, pruebas y revisión.

Otra oportunidad para la integración es durante las operaciones y el mantenimiento del sistema. La integración de las consideraciones de seguridad debe incorporarse en los procedimientos para operar el sistema de manera segura, incluida la aplicación de los diversos controles descritos en otras partes de esta guía. Esa aplicación incluye actualizaciones seguras del sistema, durante las cuales los componentes del sistema se reemplazan con versiones más nuevas. Dado que están alineadas con la remediación de fallas y la gestión de cambios, las mejoras y actualizaciones del sistema deben incluir una supervisión de seguridad eficaz, documentación y gestión de riesgos.

Si bien el ciclo de vida general sigue el patrón descrito anteriormente, existen numerosos modelos para aplicar el SDLC. Si bien hay muchas metodologías para elegir, esta guía se centra en los dos métodos más conocidos en el desarrollo de software: cascada y Agile. Todas las metodologías incluyen en cierto modo planificación, diseño, pruebas y mantenimiento.

Cascada: Llamada así por su ejecución lineal y secuencial, muy similar al flujo descendente de una cascada, incluye un conjunto de actividades que la conforman. Estos típicamente incluyen una fase de concepto, una fase de requerimientos, una fase de implementación, una fase de prueba y una fase de instalación y verificación. Se suelen llevar a cabo en ese orden con poca o ninguna iteración.

Agile proporciona un enfoque flexible y colaborativo y representa un término general para un conjunto de marcos y prácticas para crear software. El desarrollo de software aplicado a la metodología agile, brinda la oportunidad de integrar continuamente consideraciones de seguridad en una forma dinámica. Debido a los numerosos ciclos iterativos de planificación y retroalimentación que pueden ocurrir en días, semanas y meses, este método SDLC presenta oportunidades adicionales para la integración de la seguridad con el equipo de TI.[40]

DevOps y DevSecOps

El desarrollo y las operaciones integradas (DevOps) combinan los conceptos de desarrollo ágil, infraestructura ágil y operaciones flexibles, para permitir el lanzamiento rápido y continuo de versiones y la mejora continua en la creación de valor de TI. La corriente DevOps se originó debido a la frustración de grupos de TI con herramientas y procesos disfuncionales y deficientes, con el objetivo de lograr que el desarrollo de software y las operaciones fueran más eficientes y menos costosas.

Los DevOps dividen los proyectos grandes en entregables más pequeños y en múltiples desarrollos, lo que facilita la gestión desde el diseño hasta la puesta en marcha y las operaciones. Los desarrollos frecuentes e iterativos pueden ser orquestados para ser movidos en bloque entre diversos grupos hasta su puesta en producción, minimizando así el riesgo de disrupciones. Los pequeños despliegues son más sencillos de depurar a lo largo del proceso de desarrollo y permanecen estables tras su puesta en producción.

Algunos beneficios para el rendimiento del negocio con el uso de DevOps son:

- Reduce el tiempo de comercialización
- Retorno de la inversión más rápido
- Alto rendimiento
- Mejora de la calidad
- Satisfacción del cliente
- Reducción de la complejidad de TI
- Mejora del rendimiento del proveedor y de los socios de negocio
- Reducción de las amenazas debidas al factor humano

Los posibles retos en el uso de metodologías DevOps son:

- Tener una idea equivocada sobre lo que significa DevOps
- Creer que DevOps no se preocupa por el cumplimiento y la seguridad
- Necesidad de automatización
- Falta de habilidades
- Cultura de la organización
- Miedo al cambio
- Mentalidad cerrada

DevOps es la evolución natural de la metodología Agile, que contrarresta las fallas en un enfoque tradicional SDLC en cascada. Agile mejora la eficiencia y, por lo general, se basa en herramientas populares de código abierto para una canalización de integración continua/desarrollo continuo (CI/CD) que hace posible la rápida retroalimentación y la implementación de código, lo que permite a las empresas lograr implementaciones de software diarias si así lo desean.

Aunque la reducción del tiempo de comercialización hace que los equipos comerciales y de productos estén muy contentos, los profesionales de la seguridad cibernética tienen preocupaciones: el código vulnerable, si no se verifica, también se puede implementar más rápido. La forma tradicional de proporcionar garantía de seguridad no puede seguir el ritmo y no funciona en un mundo de CI/CD, lo que provocó el movimiento DevSecOps. DevSecOps aplica los mismos principios a la ciberseguridad que DevOps aplica a los procesos de TI tradicionales para mejorar la eficiencia, eliminando la intervención manual siempre que sea posible. DevSecOps tiene como objetivo cambiar la seguridad hacia la izquierda al incorporar la garantía de seguridad en cada etapa de los canales de CI/CD y convertirla en un criterio de éxito tan esencial como el desarrollo y las pruebas. Este cambio se logra mediante la creación y automatización de la seguridad en la canalización de CI/CD. Requiere un cambio cultural que debe ser respaldado por la gerencia de alto nivel para tener éxito.

El gerente de seguridad de la información debe garantizar la integración efectiva de los procesos de seguridad con las herramientas de CI/CD como parte del entorno DevSecOps. Las políticas, los procedimientos y los SLA para la garantía de la seguridad del software deben revisarse para garantizar que puedan adaptarse para trabajar en un mundo de CI/CD de alta velocidad.

[40] ISACA, *Software Fundamentals Study Guide, https://store.isaca.org/s/store#/store/browse/detail/a2S4w000004KokfEAC*

Gestión de cambios

La mayoría de las empresas emplea alguna forma de proceso de gestión de cambios, ya sea formal o informal. La seguridad debe ser una parte integral del proceso de gestión de cambios porque los cambios en el sistema o en el proceso pueden introducir nuevas vulnerabilidades. El gerente de seguridad de la información debe identificar todos los procesos de gestión de cambios que utiliza la empresa y establecer un proceso de notificación cuando se están realizando cambios que pueden tener un impacto en la seguridad.

El gerente de seguridad de la información debe implementar procesos para garantizar que las implicaciones de seguridad se consideren como una práctica estándar. Por lo general, esto se logra mediante el requisito de que se evalúe el riesgo y el posible impacto del cambio propuesto antes de la implementación y se trate correctamente si el riesgo supera el nivel aceptable. Parte de la evaluación consiste en analizar hasta qué punto los controles existentes pueden mitigar un cambio en el riesgo. A medida que se hacen cambios a los sistemas y los procesos, es importante considerar que es común que exista la tendencia de que los controles de seguridad existentes se vuelvan menos eficaces. Por lo tanto, es esencial que el gerente de seguridad de la información garantice que los controles y las contramedidas de seguridad de la información se prueben regularmente como parte del proceso de gestión de cambios y, si es necesario, se actualicen, adapten o modifiquen para abordar los cambios en el riesgo o impacto.

Una empresa descentralizada puede representar un reto especial para el gerente de seguridad en términos de gestión de cambios. A menudo, muchas líneas de negocio son altamente autónomas y podrían ser difíciles de supervisar y garantizar el cumplimiento de las políticas y procedimientos corporativos. Es importante conocer la estructura organizacional durante el desarrollo y la implementación de un programa de seguridad para establecer un enfoque eficaz de gestión de cambios.

Para mantener la responsabilidad por el cumplimiento de las políticas a través de los inevitables cambios en el sistema, el entorno, el negocio y el riesgo, un programa de seguridad de la información debe identificar dónde se inician, financian e implementan los cambios de TI dentro de la empresa. El gerente de seguridad de la información debe negociar ponerle un freno a esos procesos de forma tal que aquellos que estén en las funciones de trabajo que especifican, compran y utilizan nuevos sistemas tengan incluido el cumplimiento de la política en sus funciones de trabajo. Esto incluye proporcionar una notificación oportuna para que el gerente de seguridad de la información pueda comprender las posibles vulnerabilidades en los nuevos sistemas o dispositivos, identificar nuevos riesgos que introduzcan los sistemas y ayudar al equipo de implementación a desarrollar estándares que cumplan con la política y que se puedan presentar a un gerente de entregas como aprobadas previamente para su uso en producción. Éste es un elemento clave de la integración efectiva del programa de seguridad en el trabajo cotidiano de la empresa.

Gestión de la configuración

La configuración incorrecta es la principal causa de violaciones a la seguridad en los sistemas de información. Como consecuencia de ello, es esencial que se apliquen controles estrictos de procedimientos técnicos para gestionar eficazmente este riesgo al garantizar la correcta configuración antes de la activación del sistema o dispositivo en la red.

Las causas típicas subyacentes para la presencia de fallas en la configuración apropiada de los sistemas incluyen la ausencia de estándares y procedimientos claros para la configuración y un personal sobrecargado de trabajo que no sigue los procedimientos correctamente o toma atajos indebidos. El gerente de seguridad de la información debe asegurarse de que exista documentación apropiada sobre la configuración correcta, se proporcione supervisión adecuada y que el personal de TI tenga la capacitación suficiente como para realizar estas actividades. Si no existe la documentación de procedimientos adecuada, probada y validada ni las habilidades adecuadas, se debe examinar la carga de trabajo de los responsables para ver si el tiempo es el problema o si se requiere de algún tipo de exigencia de cumplimiento para garantizar una configuración correcta.

Gestión de versiones

Cuando se implementa correctamente, la gestión de versiones reduce las posibilidades de fallas operacionales, al garantizar que se han realizado pruebas de seguridad adecuadas y que existan las condiciones requeridas para el correcto funcionamiento del nuevo software, dispositivos o sistemas. El gerente de seguridad de la información debe asegurarse que existan estándares y procedimientos adecuados para que los productos no se implementen en producción antes de tiempo. Además, es importante vigilar y supervisar de manera adecuada para garantizar que se sigan los procedimientos para evitar el fallo inesperado del sistema de producción.

3.12.6 Computación en la nube

La computación en la nube representa una parte significativa de la TI empresarial y merece una atención especial dentro del programa de seguridad de la información. NIST define la computación en la nube como "un modelo para permitir el acceso conveniente y bajo demanda a una red compartida de recursos informáticos configurables (por ejemplo, redes, servidores, almacenamiento, aplicaciones y servicios) que pueden ser suministrados y liberados rápidamente con un mínimo esfuerzo de gestión o de interacción con el proveedor de servicios".[41]

La característica que define a la computación en la nube es que el procesamiento y los datos están en algún lugar de la nube en lugar de estar en un lugar específico conocido. La computación en la nube se puede proporcionar como alojamiento (hosting) público para una serie de entidades no relacionadas o como alojamiento privado, en el caso de grandes empresas que desean un mayor control sobre el entorno.

Las cinco características esenciales de la nube incluyen:

- **Autoservicio por demanda**: Las capacidades de cómputo pueden ser suministradas sin interacción humana por parte del proveedor de servicios.
- **Amplio acceso a la red**: Las capacidades de cómputo están disponibles a través de la red y diversas plataformas de clientes pueden acceder a ellas.
- **Agrupación de recursos**: Los recursos de cómputo se agrupan para admitir un modelo de múltiples clientes.
- **Elasticidad**: Los recursos pueden aumentar o disminuir rápidamente y, en algunos casos, automáticamente, en respuesta a las demandas del negocio.
- **Servicio medido**: La utilización de los recursos se puede optimizar aprovechando las capacidades de cobro por uso.

A medida que la computación en la nube se ha generalizado, estas características se han aplicado a través de varios modelos para apoyar las necesidades empresariales.

Modelos de servicios en la nube (cloud)

Se puede considerar que el modelo de la nube está compuesto por tres modelos de servicio principales (**figura 3.21**). Como los servicios en la nube han evolucionado, existe una variedad de servicios, plataformas y software.

Figura 3.21—Cloud Computing Service Models

Modelo de servicio	Definición	Lo que se debe considerar
Infraestructura como un servicio (IaaS)	La IaaS es la capacidad para proporcionar servicios de tratamiento, almacenamiento, redes y otros recursos de computación fundamentales, ofreciendo al cliente la posibilidad de desplegar y ejecutar software arbitrario, que puede incluir sistemas operativos y aplicaciones. IaaS coloca estas operaciones de TI en las manos de un tercero.	Opciones de minimizar el impacto si el proveedor de la nube experimenta una interrupción del servicio
Plataforma como servicio (PaaS)	La PaaS es la capacidad para implementar en la infraestructura de la nube aplicaciones creadas o adquiridas por el cliente que se hayan creado utilizando lenguajes y herramientas de programación que estén respaldados por el proveedor.	• Disponibilidad • Confidencialidad • Privacidad y responsabilidad legal en caso de una violación de seguridad, ya que las bases de datos que contienen información sensible estarán alojadas fuera del sitio • Propiedad de los datos • Preocupaciones acerca del e-discovery

[41] NIST, Special Publication 800-145: "The NIST Definition of Cloud Computing", September 2011, *https://csrc.nist.gov/publications/detail/sp/800-145/final*

Figura 3.21—Cloud Computing Service Models (cont.)

Modelo de servicio	Definición	Lo que se debe considerar
Software como un servicio (SaaS)	Capacidad para utilizar las aplicaciones del proveedor que se ejecutan en la infraestructura de la nube. Se accede a las aplicaciones desde diferentes dispositivos de clientes mediante una fina interfaz del cliente, como un explorador web (p. ej., correo electrónico basado en Internet).	• ¿Quién es el propietario de las aplicaciones? • ¿Dónde residen las aplicaciones?

Fuente: ISACA, *Cloud Computing: Business Benefits With Security, Governance and Assurance Perspectives*, EE. UU., 2009

Nota

La Cloud Security Alliance (CSA) es una organización sin fines de lucro con la misión de promover las mejores prácticas para proporcionar aseguramiento de la seguridad con la computación en la nube y puede considerarse una fuente principal de información en este tema.

Ventajas

La computación en la nube es vista como un cambio significativo a la plataforma en la cual los servicios del negocio se traducen, utilizan y gestionan. Muchos lo consideran un cambio tan importante en TI como la llegada de la computadora personal o el acceso a Internet. Sin embargo, una diferencia importante entre la nube y esas tecnologías es que las introducciones de esas tecnologías más tempranas abarcaron una fase de desarrollo más lenta. Con la nube, las partes requeridas se han juntado de forma más rápida para su implementación. Algunos de los impulsores que llamaron la atención de la nube a los responsables de la toma de decisiones de la empresa son:

- **Utilización optimizada de los recursos**: las empresas, normalmente, utilizan solo de 15 a 20 % de los recursos informáticos del servidor. Esto significa que tiene cinco veces más de capacidad de computación de lo que normalmente se utiliza. Al utilizar una solución en la nube de pago por uso, los recursos se vuelven disponibles cuando son necesarios y son liberados cuando ya no son más necesarios; hay una alineación casi perfecta con la demanda real.
- **Ahorro en los costos**: el incremento en el uso del servidor más la transición de la capacidad computacional de computadoras adquiridas y mantenidas a servicios rentados en la nube cambian el paradigma de los costos de computación de un gasto de capital (CAPEX) a un gasto operacional (OPEX), con un ahorro potencial significativo en los costos totales y directos. En efecto, los servicios flexibles y bajo demanda permiten pruebas de la solución sin inversiones considerables de capital y proporcionan transparencia de los cargos de uso para impulsar el cambio de comportamiento dentro de las empresas.
- **Mejor capacidad de respuesta**: los servicios a demanda, ágiles, escalables y flexibles que pueden implementarse rápidamente proporcionan a las empresas la capacidad de responder a los requerimientos de cambios y períodos pico.
- **Ciclo de innovación más rápido**: la innovación se maneja mucho más rápido en la nube que en la empresa. La gestión de parches y las actualizaciones a nuevas versiones se vuelven más flexibles. Para el usuario en la nube, la actualización hacia una nueva versión de software es, a menudo, nada más que escribir un localizador de recursos uniforme (URL) diferente en el explorador web.
- **Menos tiempo para la implementación**: la computación en la nube proporciona potencia de procesamiento y almacenamiento de datos según sea necesario y en la capacidad necesaria, en tiempo casi real, y no requiere las semanas o meses (o financiación) necesarias cuando se realiza en línea una nueva iniciativa de negocio en una empresa de TI tradicional.
- **Capacidad de recuperación**: un ambiente grande y altamente resiliente reduce el potencial de fallas en los sistemas. La falla de un componente de un sistema basado en la nube tiene menos impacto en la disponibilidad de todo el servicio y reduce el riesgo de tiempo de interrupción.

Dependiendo de las necesidades del negocio, cualquiera o todos los beneficios precedentes podrían ser suficiente razón para considerar una solución de computación en la nube. La economía mundial ha impulsado recientemente a que muchas empresas sean más fiscalmente conservadoras. En el espacio de TI, la computación en la nube presenta ahorros potencialmente significativos al permitir que las empresas maximicen la computación dinámica en una forma de pago por uso.

Al igual que con cualquier tecnología cambiante, la computación en la nube ofrece la posibilidad de alta rentabilidad en términos de contención de costos y características como agilidad y velocidad de aprovisionamiento. Sin embargo, también trae el potencial de riesgo desconocido y potencialmente alto. La computación en la nube presenta un nivel de abstracción entre la infraestructura física y el propietario de la información que se almacena y procesa. Tradicionalmente, los propietarios de los datos han tenido el control directo o indirecto del entorno físico que afecta a sus datos. En la nube, esto ya no es el caso. Debido a esta abstracción, ya existe una amplia demanda de una mayor transparencia y un enfoque de seguridad robusta del proveedor de la computación en la nube y del entorno de control.

Después de que se haya determinado que los servicios de la nube son una solución viable para una empresa, es importante identificar los objetivos de negocio y el riesgo asociado a la implementación en la nube. Esto ayudará a las empresas a determinar qué tipos de datos se deben confiar a la nube, así como qué aplicaciones y servicios pueden ofrecer los mayores beneficios. Para muchas empresas, la prudencia dicta inicialmente confiar solo en servicios no críticos, de valor relativamente bajo en la nube.

Evaluación de los proveedores de servicios en la nube

Tal como sucede con muchos servicios externos, el factor principal para la computación en la nube es, en general, el costo. Dependiendo de la criticidad de los servicios suministrados, la selección de un proveedor basada solo en el costo podría presentar un riesgo excesivo para la empresa. Por lo tanto, a la empresa le interesa realizar una evaluación exhaustiva sobre los posibles proveedores del servicio según la postura de seguridad y tolerancia a los riesgos de la empresa. Se debe tener en cuenta que los servicios suministrados están bajo el control de varias otras empresas, que incluye el proveedor del centro de datos, el transporte de la red troncal y el proveedor del servicio de Internet, entre otros. La falla en cualquiera de estos proveedores ocasiona una pérdida en operaciones posiblemente críticas. La evaluación exhaustiva de todos los proveedores puede servir para cuantificar este riesgo en alguna medida y proveer una base informada para tomar la decisión de utilizar estos servicios.

3.13 Gestión de relaciones y servicios externos

Además de los servicios en la nube, las empresas confían cada vez más en otros socios externos para suministrar, alojar y operar información y tecnología. Si bien no es un desafío nuevo, el riesgo inherente a la cadena de suministro ha atraído un escrutinio cada vez mayor por parte del personal de seguridad y los reguladores. La empresa obtiene grandes beneficios del uso de proveedores externos; al igual que con otros aspectos de la información y la tecnología, ese valor debe equilibrarse con la optimización de recursos y riesgos para lograr los objetivos de riesgo de las partes interesadas.

3.13.1 Gobierno de relaciones con terceros

Un aspecto importante del gobierno de la seguridad de la información son las reglas y los procesos empleados cuando se trata de relaciones con terceros. Estas partes incluyen:

- Proveedores de servicios
- Operaciones externalizadas
- Socios comerciales
- Empresas fusionadas o adquiridas

La capacidad para gestionar con eficacia la seguridad en estas relaciones supone un importante desafío para el gerente de seguridad de la información. Esto es especialmente cierto cuando se trata de empresas fusionadas. Estos desafíos incluyen diferencias culturales que suelen surgir ante los planteamientos de seguridad y comportamientos que no son aceptables para el gerente de seguridad de la empresa. Pueden encontrarse incompatibilidades tecnológicas entre las empresas, procesos distintos que no se integran bien o niveles inadecuados para el nivel mínimo de seguridad. Otras áreas de preocupación pueden implicar la capacidad de respuesta a incidentes, de la continuidad del negocio y de recuperación en caso de desastres.

Para asegurar que la empresa está adecuadamente protegida, el gerente de seguridad de la información debe evaluar los impactos de cualquier tipo de fallos de seguridad razonablemente posibles por parte de terceras personas que pueden llegar a estar implicadas con la empresa. Es importante comprender correctamente estas posibles fallas y tener un plan para gestionarlas para que los impactos potenciales puedan reducirse de forma efectiva a un margen aceptable para la gerencia.

Las responsabilidades del gerente de seguridad de la información para hacer frente al riesgo potencial y a los posibles impactos en las relaciones con terceras partes deben ser claras y suelen estar documentadas. Las políticas, las normas y los procedimientos que establecen la implicación de la seguridad de la información se deben desarrollar antes de comenzar cualquier tipo de relación con terceras partes para poder determinar el riesgo y para que la gerencia pueda decidir si es aceptable o si debe mitigarse. Finalmente, es necesario disponer de un modelo de compromiso formal entre la organización de seguridad de la información y los grupos que establecen y gestionan las relaciones con terceras partes para la empresa.

3.13.2 Proveedores de servicios externos

Una típica empresa comercial utiliza muchos recursos de información para apoyar sus procesos de negocio. Estos recursos se pueden originar dentro de la empresa o los pueden proporcionar entidades externas a esta. La mayoría de las empresas utiliza una combinación de ambas. El gerente de seguridad de la información necesita estar consciente de la ubicación y los permisos de acceso para todos los recursos de información, ya que todos requieren protección independientemente de quién los esté procesando.

El gerente de seguridad de la información tiene que abordar varias consideraciones al contratar servicios externos, que incluyen las siguientes:

- Asegurarse de que la empresa posea los controles y procesos adecuados para facilitar la externalización.
- Asegurarse de que hayan cláusulas de gestión de riesgos de la información adecuadas en el contrato de externalización.
- Asegurarse de que se realice una evaluación de riesgos para el proceso que se externalizará.
- Asegurarse de que se realice un nivel adecuado de diligencia debida antes de firmar el contrato.
- Gestionar diariamente el riesgo de la información para servicios contratados a proveedores externos.
- Asegurarse de que se marquen los cambios de materiales a la relación y se realicen nuevas evaluaciones de riesgos si es necesario.
- Asegurarse de monitorear los procesos adecuados cuando las relaciones finalizan.

Las consideraciones al contratar servicios de externalización incluyen las siguientes:

- La externalización o la planificación para externalizar funciones críticas del negocio, generalmente incrementa el riesgo de la información.
- La complejidad de la gestión de riesgos de la información se incrementa en los convenios de externalización mediante la separación de las responsabilidades de especificación de controles e implementación de controles.
- La separación de responsabilidades para la especificación de controles e implementación de controles es apoyada mediante el contrato de externalización. Esto destaca la importancia del contrato como el método primario a través del cual la empresa puede gestionar su riesgo de la información.
- En los casos en que la función del negocio externalizada opera dentro de una industria regulada, el contrato de servicio de proveedores externos necesita considerar de manera explícita los requerimientos de regulación.
- La complejidad de la evaluación de riesgos de la información aumenta en los convenios de externalización, debido a que existen tres áreas diferentes de riesgos de la información que se deben evaluar: la función del negocio, el proveedor de externalización y la externalización misma.
- El estilo del contrato general y la cantidad de innovación suministrada por el proveedor tienen un impacto principal en la manera en que se especifican los requerimientos de la gestión de riesgos de la información.
- La relación entre la empresa y el proveedor de externalización a menudo contribuye más a una gestión de riesgos de la información efectiva en un convenio de servicio de proveedores externos que el contrato.
- Debido a que pocos negocios permanecen estáticos, la gestión de riesgos de la información dentro del convenio de externalización debe evolucionar de manera que siga siendo relevante para las necesidades de la empresa.
- La estrategia de salida para el convenio de externalización es por lo menos tan importante como la transición inicial. Se debería desarrollar en la etapa de planificación e incluir en el contrato para facilitar la disponibilidad permanente de la función del negocio contratada con proveedores externos. La estrategia de salida es demasiado importante como para suspenderla antes de que el convenio de servicio de externalización concluya.

Los requerimientos de la gestión de riesgos de la información para funciones de negocios contratadas con proveedores externos son diferentes de los requerimientos para funciones internas y, en muchos casos, mayores. Después que se han analizado el riesgo de la información y se han identificado los controles, es necesario definir estos controles dentro del contrato para que el proveedor los implemente. La externalización genera una desconexión entre el establecimiento de los controles y su implementación. La **figura 3.22** brinda una vista simplista de esta separación de las responsabilidades de la empresa en comparación con las del proveedor.

Figura 3.22—Desconexión de responsabilidades con proveedores de externalización

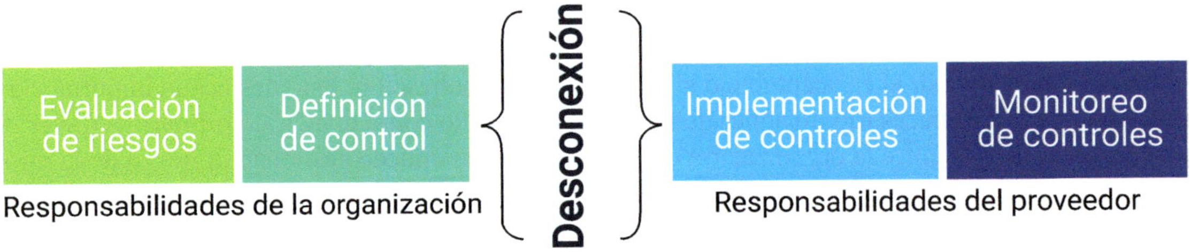

Aunque la empresa puede externalizar la gestión de riesgos de la información a una tercera parte, no puede delegar la responsabilidad.

La desconexión entre la definición de control y la implementación de control hace que la gestión del riesgo asociado con las funciones de negocios de externalización sea compleja y que el contrato de externalización sea esencial en la gestión del riesgo de la información. El desafío para el gerente de seguridad de la información está en definir e implementar controles de gestión de riesgos de la información en diferentes funciones de negocios contratadas con proveedores externos en toda la empresa.

El problema del negocio es la necesidad de definir e implementar las medidas de gestión de riesgos de la información para proteger la información dentro de las funciones de negocios que se han delegado a terceros para que operen diariamente.

Las recomendaciones sobre riesgos de la información para iniciativas de externalización incluyen garantizar lo siguiente:

- Participación oportuna de profesionales de gestión de riesgos de la información para garantizar la definición de evaluación y controles de riesgo
- Negociación de los controles claves de la gestión de riesgos de la información dentro del contrato
- Mecanismos para negociar pequeños cambios a los controles de la gestión de riesgos de la información, ya que éstos pueden ser costosos
- Evitar cambios difíciles y complicados en los controles de la gestión de riesgos de la información
- Mecanismos para obtener información sobre la posibilidad de que el riesgo de la información se gestione de manera efectiva
- Mecanismos para compensar la falta de confianza en el personal del proveedor

Externalización y proveedores de servicios

Los dos tipos de externalización que un gerente de seguridad de la información puede afrontar incluyen terceras partes como proveedores de servicios de seguridad y funciones o procesos de TI contratados externamente, los cuales deben integrarse en el programa general de seguridad de la información. La mayoría de los requerimientos de seguridad son similares, dependiendo de la importancia y sensibilidad de los activos y del alcance de los servicios que incluye, pero la propiedad es diferente. El gerente de seguridad de la información normalmente es el dueño del proceso relacionado con los servicios de seguridad contratados como servicio externo, mientras que otros servicios contratados son generalmente responsabilidad del dueño del proceso de negocio. El riesgo que representan los proveedores externos o terceras partes conectados a la red interna de la empresa puede ser significativo y se debe considerar con cuidado.

La economía es la motivación principal de la externalización. Por consiguiente, es fundamental que el gerente de seguridad de la información realice desde el comienzo los esfuerzos para asegurar que los responsables de tomar las decisiones no comprometan innecesariamente la seguridad debido al costo. También es importante comprender el costo total de propiedad (TCO) de la externalización mientras dure el contrato. Por lo general, durante un contrato extendido, hay muy poco, de haberlo, beneficio económico general. Esto puede deberse a que, en general, los niveles de servicio se contratan para un nivel específico mientras que las circunstancias pueden dar como resultado la contracción del negocio y requerir menos servicios sin la reducción acorde de los costos. También es posible que un crecimiento en el negocio requiera servicios adicionales con el posible resultado que demanda el contratista como tarifas mucho más altas. Cualquier evento puede incrementar el costo por unidad del servicio provisto, lo que reduce o elimina el ahorro de costos inicial. Algunas empresas también descubrieron que demanda un tiempo considerable negociar mayores niveles de servicio, lo cual afecta de forma adversa la agilidad de la empresa para satisfacer las necesidades cambiantes del negocio. Finalmente, los costos potencialmente considerables de repatriación de los servicios externos contratados al final del período del contrato, en caso de que la empresa elija de nuevo servicios internos, deben considerarse también. Esto puede ocurrir porque la empresa descubre que las constricciones impuestas por la externalización no son aceptables o que los costes asociados con un nuevo contrato son demasiado altos.

Otras consideraciones importantes y posiblemente adversas al evaluar la opción de externalización pueden ser:

- Pérdida de destrezas esenciales.
- Falta de visibilidad en los procesos de seguridad.
- Nuevo acceso y otro riesgo relacionado con el control.
- Viabilidad del proveedor externo.
- Complejidad de la gestión de incidentes.
- Diferencias culturales y éticas.
- Costos imprevistos y deficiencias del servicio.

Ya sea que se consideren la externalización de todas las operaciones o la evaluación de los proveedores de servicios, es necesario auditar y monitorear la adecuación de los controles del proveedor mientras esté vigente el contracto, para asegurar que no se le reste importancia a las medidas de seguridad con el paso del tiempo como resultado de las presiones del costo. Esto se puede realizar mediante una auditoría independiente o a través de visitas en el sitio a las instalaciones de terceros, para verificar que existan los controles apropiados.

También se deben tener en cuenta la existencia y aplicación de leyes de privacidad para proteger la información de la compañía. Lo anterior resulta particularmente válido debido a que en culturas diferentes, las personas podrían manejar la información de manera distinta (por ejemplo, lo que una compañía en un país considera información delicada puede resultar no serlo en otro país).

Mientras los controles técnicos para el componente de TI de los procesos contratados como servicios externos podrían parecer obvios, las disposiciones con las que funcionan los procesos de negocio requieren que se hayan establecido actividades de capacitación, concienciación, monitoreo y controles manuales para asegurar que los empleados en las instalaciones de terceros utilicen estándares aceptables para interactuar con los procesos y manejar los datos físicos y electrónicos.

Los proveedores externos de seguridad son una estrategia viable que el gerente de seguridad de la información puede utilizar para asistir en el diseño y manejo del programa de seguridad de la información de la empresa o para prestar otros servicios de TI. Uno de los principales problemas relacionados con la seguridad es que los proveedores externos tienen que cumplir de manera permanente y verificable con las políticas y las normas de seguridad de la empresa. Esto puede afectar a las brechas de seguridad.

La madurez del programa de seguridad del proveedor y la garantía de cumplimiento del proveedor de las políticas de seguridad de la empresa deben ocupar un lugar preponderante en la lista de los factores de decisión que se consideran al seleccionar un proveedor. Este proceso de propuesta y evaluación también se aplica cuando se estudia la posibilidad de utilizar una filial o departamento autónomo de la empresa para ciertos servicios de seguridad.

Los problemas asociados con la externalización que requieren de atención son amplios y se deben enumerar según el alcance, el tipo y el riesgo asociado con la iniciativa. Algunos de los problemas comunes son los siguientes:

- Aislamiento del acceso de la parte externa a los recursos
- Integridad y autenticidad de los datos y las transacciones
- Protección contra código o contenido malicioso
- Acuerdos y procedimientos de privacidad/ confidencialidad
- Normas de seguridad para los sistemas de transacciones
- Confidencialidad en la transmisión de datos
- Gestión de identidad y de acceso de terceros
- Contacto en caso de incidentes y procedimientos de escalamiento
- Exigencia de cumplimiento de proveedores críticos únicos
- Alineación con los procesos de seguridad
- Capacidad de influir en las normas de cumplimiento y seguridad y en los procesos de los proveedores
- Datos ubicados en el extranjero

3.13.3 Retos de la externalización

Los recursos de información contratados como servicio externo pueden representar otros retos para el gerente de seguridad de la información, como por ejemplo empresas externas que pueden mostrarse renuentes a compartir detalles técnicos sobre la naturaleza y el alcance de sus mecanismos de protección de la información. Es importante intentar garantizar que se incluyan niveles de protección específicos apropiados en los acuerdos de niveles de servicio (SLA) y otros contratos de externalización. Un enfoque común es especificar los requerimientos para determinadas auditorías, tales como las certificaciones SOC 2[42] o ISO 27001:2022. También es importante analizar SOC 2 u otros reportes de auditoría al momento de recibirlos para conocer los comentarios de auditores externos y, de existir, comentarios sobre efectividad del control de clientes y cumplimiento de políticas. Observe que los informes SOC 2 con frecuencia no son suficientes en sí mismos, ya que los criterios los definió la empresa en cuestión. Para las relaciones de alto riesgo, por lo general es preferible contar con las evaluaciones periódicas de conformidad realizadas directamente por la sede principal de la empresa o por un tercero contratado.

Desde una perspectiva de gestión de riesgos, es importante también que la gestión y respuesta a incidentes, la planificación de continuidad de negocio y la planificación y pruebas de recuperación de desastres incluyan todos los servicios y funciones importantes externalizados. Esto incluye la implementación de un plan bien definido y probado de detección de incidentes, escalamiento y respuesta de acuerdo con las entidades de externalización.

Para empresas reguladas, tales como instituciones financieras, a menudo hay un tiempo para la notificación de los organismos reguladores en relación con eventos sospechosos que incluyen información regulada. Los contratos con terceras partes deben garantizar que los procesos se establecen para respaldar dichas notificaciones.

La viabilidad financiera del proveedor externo es otra consideración. En vista de que los contratos de externalización a menudo se otorgan a licitadores de bajo costo, el riesgo de que la empresa externa continúe operando de acuerdo con el contrato y cumpla los acuerdos de indemnización podría ser una función de sus capacidades financieras. La información financiera se puede obtener de diferentes fuentes, incluyendo informes de crédito, solicitudes de firmas negociadas públicamente de la Comisión de la Bolsa de Valores de los EE. UU. e informes anuales. Si estas certificaciones no están disponibles, se debe obtener información de los proveedores. Información suficiente para determinar cómo las entidades externas aseguran los activos de la información.

Una parte del riesgo asociado con servicios de información contratados con proveedores externos se puede transferir al incorporar cláusulas de indemnización en los SLA. Las cláusulas clave que deberían ser parte de un contrato con terceros deben incluir, sin limitarse a:

- Derecho al código fuente en caso de incumplimiento del proveedor (por ejemplo depósito del código fuente).
- Requerimiento de que el proveedor permanezca de manera oportuna en cumplimiento con los requerimientos regulatorios e industriales.
- Derecho a auditar los libros contables y las instalaciones de los proveedores.
- Derecho a revisar los procesos del proveedor.
- SOP definidos.
- Derecho a evaluar las habilidades de los recursos del proveedor.
- Información anticipada de si se van a realizar cambios en los recursos utilizados.

Un SLA también debe ser elaborado y formalmente acordado para que explique el tiempo de respuesta (sistema y humano), expectativas de exploración y otros aspectos clave.

3.13.4 Gestión de proveedores y cadena de suministro que incorpora IA

La IA ha influenciado en gran medida la gestión de la cadena de suministro. Algunas de las soluciones que ofrece la IA incluyen la selección de proveedores basada en datos, la automatización de contratos, la supervisión del rendimiento y la mejora de la eficiencia y la eficacia generales.[43] La cadena de suministro que incorpora IA incluye diversos tipos de proveedores, desde fabricantes,

[42] AICPA, *AICPA Guide for Supply Chain: Reporting on an Examination of Controls Relevant to Security, Availability, Processing Integrity, Confidentiality, Privacy in a Production, Manufacturing, or Distribution System*, *www.aicpa.org/interestareas/frc/assuranceadvisoryservices/soc-for-supply-chain.html*

[43] Garcia, L.; "Leveraging Vendor Management Using AI", LinkedIn, 5 de agosto de 2023, *https://www.linkedin.com/pulse/leveraging-vendor-management-using-ai-luciano-garcia/*

proveedores y proveedores de logística.[44] Las empresas pueden utilizar estas herramientas para optimizar y mejorar la eficacia operativa en gran medida.[45]

Sin embargo, el uso de la IA en la gestión de proveedores no está exento de riesgos, especialmente en el ámbito de la ciberseguridad. Este riesgo incluye violaciones de la seguridad de los datos debido a la cantidad de datos que utiliza la IA, y daños a la reputación a causa de estas violaciones.[46]

Las empresas pueden administrar la gestión de proveedores de la cadena de suministro que incorpora IA y el riesgo de ciberseguridad de la siguiente manera:[47]
- Llevar a cabo una diligencia debida al revisar proveedores
- Supervisar el rendimiento de los proveedores de forma regular
- Realizar evaluaciones de riesgos exhaustivas y periódicas
- Implementar controles de ciberseguridad sólidos
- Realizar entrenamientos en concienciación para los empleados
- Supervisar el riesgo de la cadena de suministro

3.13.5 Contratos de externalización

El propósito fundamental de los contratos es doble: 1) asegurar que las partes estén al tanto de sus responsabilidades y derechos dentro de la relación; y 2) ofrecer los medios para dirigir los desacuerdos una vez que el contrato entre en vigor. En este marco, el gerente de seguridad de la información debe estar familiarizado con ciertas disposiciones para la seguridad y la protección de información. Mientras que el gerente de seguridad de la información puede o no estar involucrado en las revisiones de contratos, los siguientes temas deben abordarse con el departamento legal para garantizar un entendimiento de los requerimientos de seguridad que deben tratarse.

La disposición de seguridad más común se refiere a la confidencialidad o no divulgación. Cada parte normalmente acordará que cualquier información confidencial o delicada que reciba como parte del acuerdo, o sobre la otra parte, lo mantendrá confidencial mediante medidas adecuadas. También podría incluir el requerimiento de devolver o destruir cualquier información de propiedad exclusiva o confidencial al terminarse el contrato o después de un período específico de tiempo. El gerente de seguridad de la información deberá determinar el nivel específico de destrucción que se requerirá (por ejemplo, destrucción de documentos, eliminación de la información de discos y cintas de grabación).

El contrato también puede estipular que cualquiera de las partes o ambas deben mantener controles de seguridad para garantizar que los sistemas y la información contemplados dentro de los términos del acuerdo estén protegidos por los medios apropiados. El contrato debe definir lo que significa apropiado y los requerimientos para demostrar la efectividad de tales protecciones. Ya sea a través de la producción de un informe actual de auditoría de terceros (por ejemplo, SSAE16) o el cumplimiento con un marco de seguridad de las normas industriales (como ISO/IEC 2700X o COBIT), deben definirse las normas por las cuales se juzgará el programa en el contrato. Además, si el producto o servicio contratado incluye la conectividad entre el comprador y vendedor, el contrato debe incluir responsabilidad por la seguridad de esa conexión. También deben incluirse las especificaciones para el nivel de seguridad esperado (por ejemplo, cortafuegos, detección de intrusos/prevención contra intrusos, monitoreo) o requerimientos técnicos específicos.

Cuando se determine (mediante una evaluación de riesgos) que el contrato de un proveedor de servicio supera el límite máximo de riesgo predeterminado, éste debe contener siempre disposiciones que contemplen el derecho de auditoría y el derecho de inspección sin previo aviso. Esto normalmente se prevé para cualquier tercero que tenga acceso, almacene o procese cualquier tipo de información sensible o crítica para el negocio; preste servicios críticos para la misión; o se conecte con la infraestructura de la red de la empresa contratante. La cláusula de derecho de auditoría debe permitir al cliente, después de la notificación apropiada, realizar una auditoría profunda del programa y de los procesos de seguridad del tercero para verificar la efectividad de todos los controles asociados. El derecho de inspección sin previo aviso, a pesar de que no favorece, en general, a los proveedores de servicios, puede proporcionar mayor incentivo para cumplir con los requerimientos contractuales constantemente. Si estas disposiciones se incluyen en el contrato, los parámetros para una auditoría, tales como criterios, notificación, alcance, restricciones,

[44] Choudhary, A., "Securing the AI-Enabled Supply Chain With Vendor Management", *ISACA Journal*, 27 de diciembre de 2023, *https://www.isaca.org/resources/isaca-journal/issues/2023/volume-6/securing-the-ai-enabled-supply-chain-with-vendor-management*

[45] *Op cit* Garcia

[46] *Op cit* Choudhary

[47] *Ibid.*

frecuencia y la responsabilidad por los costos incurridos, deben ser explícitos. El derecho de inspección debe tener, idealmente, y si las tiene, pocas restricciones.

En caso de que cualquiera de las partes sufra una violación de seguridad, el contrato debe especificar los roles que cada parte jugará en la investigación y el proceso de acciones correctivas. También deben tratarse temas tales como qué parte guiará la investigación, los procedimientos de notificación y las responsabilidades (incluyendo las notificaciones reglamentarias y de cumplimiento con la ley), y los plazos. Durante un incidente activo, la tensión es alta, los temperamentos pueden ponerse de manifiesto, y es mucho más difícil lograr justicia y equidad; por esta razón, cualquier situación relacionada con estos aspectos se puede resolver de una manera más fácil y equitativa al estar claramente especificada en el contrato.

Finalmente, el contrato debe contener las cláusulas de indemnización para asegurar la compensación por los impactos ocasionados por el proveedor de servicios. Normalmente, los proveedores de servicio intentarán limitar la compensación por las fallas a cantidades específicas o, en algunos casos, a la cantidad de tarifas pagadas durante un período específico, como los últimos 12 meses. Esos límites no están dentro de los mejores intereses de la empresa contratante. Otra consideración es lo que se denominan disposiciones de potestad jurídica, que requieren que cualquier posible litigio se lleve a cabo en determinadas jurisdicciones, por lo general, a favor del proveedor de servicios. Si bien estos elementos están dentro del ámbito del departamento legal (si existe uno, que puede no ser el caso en una empresa pequeña), es útil que el gerente de seguridad de la información comprenda estos problemas.

El contrato entre las partes es un elemento clave al establecer un nivel apropiado de control de la información de las instalaciones de procesamiento de la información de la empresa (IPF). Dependiendo de los procesos del negocio y de las necesidades operacionales de la empresa que requieran de los servicios de un proveedor de externalización, podría ser necesario incluir en los contratos una serie de preguntas complejas de seguridad. Los puntos que debe cubrir el contrato (desde la perspectiva del gerente de seguridad de la información) pueden incluir, aunque no se limitan, a los siguientes:

- Especificaciones detalladas de los servicios externos contratados
- Requerimientos específicos de seguridad
- Restricciones sobre reproducción de la información y protección de los bienes
- Prohibición del acceso sin autorización explícita y mantenimiento de una lista de los individuos con acceso
- Derecho de auditoría e inspección
- Cláusulas de indemnización para mitigar los impactos ocasionados por el proveedor del servicio
- Requerimientos de planes de respuesta a incidentes (IRP) y planes de continuación de los negocios (BCP)
- Nivel de calidad de servicio
- Integridad y confidencialidad de los bienes del negocio
- Acuerdos de no revelación que serán firmados por los empleados/agentes de terceros
- Protección de la propiedad intelectual
- Propiedad de la información
- Requerimiento de cumplimiento de las disposiciones legales y regulatorias aplicables
- Devolución o destrucción de la información/activos al final del contrato
- Duración del mantenimiento de la confidencialidad
- Requisito de que los empleados o agentes de terceros deban cumplir con las políticas de seguridad de la empresa
- Procesos de escalamiento
- Reducciones o incrementos predeterminados en los costes asociados con niveles de servicio cambiantes
- Tiempos de repuesta e implementación para los requisitos cambiantes de servicio
- Condiciones y circunstancias para la cancelación del contrato y los costes asociados

3.13.6 Acceso de terceros

El acceso de terceros a las instalaciones de procesamiento de la empresa del gerente de seguridad de la información debe controlarse según la evaluación de riesgos y definirse claramente en un SLA. El acceso se debe autorizar siguiendo los principios de la menor cantidad de privilegios posible, lo que se debe saber y lo que se debe hacer. Es importante tener en cuenta que los terceros podrían tener diferentes conjuntos de principios de cultura empresarial y éticos que se deben considerar en términos de riesgo.

El acceso de los terceros debe basarse en métodos de acceso claramente definidos, derechos de acceso y nivel de funcionalidad y el acceso debe requerir la aprobación del propietario de los activos.

El uso del control de acceso debe ser registrado en su totalidad y debe ser revisado con regularidad por el gerente de seguridad. La frecuencia de la revisión debe decidirse según factores como:

- Importancia de la información a la cual se le concedieron los derechos de acceso

- Criticidad de los privilegios otorgados
- Período del contrato

Las anomalías que se detecten deben informarse inmediatamente al propietario de los activos y las condiciones de escalamientos deben especificarse siempre que sea necesario. Los derechos de acceso concedidos a los terceros deben suprimirse inmediatamente después de que venza el contrato.

El acceso a la red y la información no debe otorgarse a terceros mientras no se haya firmado el contrato. El contrato debe definir los términos de acceso, los requerimientos de control y garantizar que existan, y se mantendrán los mecanismos de protección adecuados por la duración del contrato.

3.14 Comunicación y entrega de informes para el programa de seguridad de la información

Entre los resultados más importantes del programa de seguridad de la información se encuentran las comunicaciones y los informes efectivos sobre el logro exitoso de los objetivos de seguridad y privacidad, el estado de riesgo continuo y las oportunidades de mejora. La alta gerencia tiene la responsabilidad de mantenerse al tanto de varios factores de riesgo. Para algunos, no mantenerse al día podría resultar en penas de cárcel o sanciones económicas. A través de varias técnicas de evaluación, monitoreo y generación de informes, el gerente de seguridad de la información puede cumplir con los compromisos asumidos en el caso comercial, demostrar la implementación exitosa de la estrategia de seguridad y garantizar que las partes interesadas relevantes estén siempre informadas sobre los resultados del monitoreo continuo.

3.14.1 Evaluación de la gestión del programa

Determinadas situaciones exigen que el gerente de seguridad de la información evalúe el estado actual de un programa existente de seguridad de la información (por ejemplo, si se asciende o se contrata para desempeñar un rol existente de CSO). También es importante que el gerente de seguridad de la información reevalúe de forma periódica la eficacia del programa en lo que respecta a los cambios en las exigencias, ambiente y limitaciones organizacionales. El resultado de dicho análisis debe compartirse con el comité directivo de seguridad de la información y otras partes interesadas para que se revisen y se desarrollen las modificaciones que sean necesarias al programa.

Aun cuando el gerente de seguridad de la información tiene que determinar el alcance más apropiado para evaluar el estado actual, las secciones que se presentan a continuación establecen varias áreas críticas para la evaluación.

Objetivos del programa

El gerente de seguridad de la información tiene que evaluar los objetivos de seguridad documentados que establece el programa. Entre las consideraciones clave se encuentran las siguientes:

- ¿Se ha desarrollado una estrategia de seguridad de la información y una hoja de ruta?
- ¿Se han determinado los criterios de riesgo e impacto aceptables?
- ¿Existen políticas, normas y procedimientos completos y actuales?
- ¿Las metas del programa están alineadas con los objetivos de gobierno?
- ¿Los objetivos son cuantificables, realistas y están relacionados con tiempos específicos?
- ¿Los objetivos del programa están alineados con las metas, iniciativas, necesidades de cumplimiento y ambiente operativo de la organización?
- ¿Existe un consenso sobre los objetivos del programa? ¿Los objetivos se desarrollaron de manera coordinada?
- ¿Se han implementado métricas para medir el éxito y las deficiencias de los objetivos del programa?
- ¿La gerencia lleva a cabo revisiones periódicas de los objetivos y su realización?

Requisitos de cumplimiento

La satisfacción de los requerimientos de cumplimiento y su alineación se encuentran entre los indicios más visibles del estado de la gestión de la seguridad. Debido a que muchos estándares establecen requerimientos para la gestión de programas, el gerente de seguridad de la información tiene que evaluar el programa de gestión mismo, marco y componentes, en comparación con los estándares de cumplimiento obligatorios y voluntarios. Entre las consideraciones clave se encuentran las siguientes:

- ¿La gerencia determinó el nivel de cumplimiento que llevará a cabo la empresa, así como los plazos y las etapas importantes?
- ¿Se facilita establecer una comunicación estrecha entre los grupos de cumplimiento y de seguridad de la información? ¿Se encuentran claramente definidos los

requerimientos de cumplimiento de la seguridad de la información?
- ¿El programa de seguridad de la información integra específicamente los requerimientos de cumplimiento en políticas, estándares, operaciones y métricas de éxito?
- ¿Los componentes técnicos, operativos y de gestión del programa se alinean con los componentes que requieren los estándares regulatorios?
- ¿Cuáles han sido los resultados de revisiones de cumplimiento o auditorías recientes del programa de seguridad de la información?
- ¿Las deficiencias de cumplimiento del programa se monitorean, informan y resuelven de manera oportuna?
- ¿Se utilizan las tecnologías de gestión del cumplimiento para incrementar la eficiencia de satisfacer las exigencias de cumplimiento de seguridad?

Gestión de programas

La evaluación de los componentes de la gestión del programa revela el nivel de apoyo de la gerencia y la amplitud general del programa existente. Los programas de seguridad, que son muy técnicos y dirigidos tácticamente, tienden a implementar un número menor de componentes de gestión, mientras que los programas estratégicos impulsados por los estándares, el cumplimiento y el gobierno implementan una serie más exhaustiva de actividades de gestión para garantizar que los requerimientos se establezcan y se cumplan. Entre las consideraciones sobre los componentes de gestión del programa están las siguientes:

- ¿Se cuenta con una vasta documentación del programa en sí? ¿Las políticas, los estándares y los procedimientos clave se han reducido a directrices operativas accesibles y se han distribuido a las partes responsables?
- ¿Las personas responsables comprenden sus roles y responsabilidades?
- ¿Se tienen roles y responsabilidades definidos para los miembros de la alta gerencia, el consejo, etc.? ¿Estas organizaciones entienden y cumplen con sus responsabilidades?
- ¿Las responsabilidades de la seguridad de la información están representadas en los objetivos individuales de los gerentes de negocios y forman parte de su evaluación de rendimiento individual?
- ¿Se completan, aprueban formalmente y distribuyen las políticas y los estándares?
- ¿Los gerentes de las unidades de negocio se involucran en las actividades de orientación y soporte del programa de seguridad de la información? ¿Se cuenta con un comité directivo formalmente constituido?
- ¿Cómo se encuentra posicionado el programa dentro de la empresa? ¿Ante quién es responsable el programa? ¿Este posicionamiento transmite un nivel apropiado de autoridad y visibilidad para los objetivos que debe alcanzar el programa?
- ¿El programa implementa funciones de gestión eficaces (por ejemplo, elaboración del presupuesto, gestión financiera, gestión de recursos humanos, gestión del conocimiento)?
- ¿Se utilizan métricas pertinentes para evaluar el desempeño del programa? ¿Estas métricas se recopilan y reportan regularmente?
- ¿Existen foros y mecanismos para una vigilancia continua por parte de la gerencia de las actividades del programa? ¿La gerencia reevalúa la eficacia del programa con regularidad?

Gestión de las operaciones de seguridad

El gerente de seguridad de la información tiene que evaluar la eficacia con la cual el programa de seguridad de la información implementa las actividades operativas de seguridad, tanto dentro de la organización de seguridad como en otras unidades organizacionales. Entre las consideraciones clave a este respecto se encuentran las siguientes:

- ¿Los requerimientos y procesos de seguridad se encuentran incluidos en los procedimientos SOP de seguridad, tecnología y unidades de negocio?
- ¿Los SOP relacionados con la seguridad incluyen responsabilidad, visibilidad del proceso y vigilancia por parte de la gerencia?
- ¿Se cuenta con SOP documentados para las actividades relacionadas con la seguridad, tales como gestión de la configuración, gestión de accesos, mantenimiento de sistemas de seguridad, análisis de eventos y respuesta a incidentes?
- ¿Se cuenta con un calendario de procedimientos que se llevan a cabo regularmente (por ejemplo, revisiones de configuración técnica)? ¿El programa incluye el registro de las actividades programadas?
- ¿Existe una SoD entre los encargados de implementar sistemas, los administradores de seguridad y el personal de cumplimiento?
- ¿El programa incluye reportes de las métricas operativas, tácticas y estratégicas que ofrezcan a la gerencia la información necesaria para la supervisión? ¿Se cuenta con otros mecanismos de vigilancia?

- ¿La gerencia revisa con regularidad las operaciones de seguridad? ¿Existe un foro para escalar los problemas operativos a la gerencia para su resolución?

Gestión de la seguridad técnica

La gestión del ambiente de seguridad técnica es un elemento crucial para garantizar que los sistemas y los mecanismos de seguridad que procesan la información se implementan de forma eficaz. Además de evaluar el ambiente técnico actual, el gerente de seguridad de la información debe considerar los siguientes temas relativos a la gestión de problemas con la seguridad técnica:

- ¿Existen estándares técnicos para la configuración de la seguridad de componentes individuales de redes, sistemas, aplicaciones y otras tecnologías?
- ¿Existen estándares que traten problemas con la seguridad de arquitectura, tales como topología, protocolos de comunicación y compartimentación de sistemas críticos?
- ¿Los estándares respaldan y exigen el cumplimiento de políticas y requerimientos de alto nivel? ¿Los estándares son un esfuerzo cooperativo entre el personal de tecnología, de operaciones y de seguridad?
- ¿Los estándares técnicos se implementan de manera uniforme? ¿Existen procedimientos para evaluar e informar periódicamente sobre el cumplimiento de los estándares técnicos? ¿Existe un proceso formal para manejar las excepciones?
- ¿Existe un monitoreo continuo de los controles clave? ¿Los controles proporcionan notificación de fallas?
- ¿Se aplica la separación de los entornos de desarrollo, prueba y producción?
- ¿Los sistemas aplican SoD, en particular, cuando involucra altos niveles de acceso administrativo?
- ¿Existe una visibilidad confiable y detallada (registro) de las actividades del sistema, configuraciones, accesibilidad y eventos relacionados con la seguridad? ¿Esta visibilidad es continua o intermitente?
- ¿Están vigentes los procesos de desactivación correctos para evitar la fuga de datos?
- ¿Existe una ruta o canal claro de comunicación y escalamiento para las prioridades o responsabilidades entre equipos?
- ¿Existe un RACI aceptable para varias operaciones de seguridad?

Niveles de recursos

El gerente de seguridad de la información tiene que evaluar el nivel de recursos financieros, humanos y técnicos asignados al programa. Es preciso identificar las áreas de deficiencia y escalarlas a la alta gerencia o el comité directivo. Algunas consideraciones incluyen las siguientes áreas:

- Recursos financieros:
  - ¿Cuál es el nivel actual de financiamiento para el programa?
  - ¿Se mantiene un capital y presupuesto operativo integrales?
  - ¿Las asignaciones financieras están alineadas con las expectativas de presupuesto del programa?
  - ¿Existen vínculos entre la asignación de recursos y los objetivos de negocio?
  - ¿Se priorizan las funciones dentro del programa en términos de la asignación financiera?
  - ¿Qué funciones es probable que padezcan un financiamiento insuficiente?
- RR. HH.:
  - ¿El programa implementa una metodología de gestión de las cargas de trabajo?
  - ¿Cuál es el nivel actual de personal para el programa?
  - ¿Los recursos existentes se utilizan completamente en términos de tiempo y habilidades?
  - ¿Los recursos actuales cuentan con las destrezas adecuadas para las funciones para las que están allí?
  - ¿Existen tareas de bajo valor que otros recursos pudieran llevar a cabo?
  - ¿De qué otros recursos humanos (por ejemplo, personal de TI) depende el programa para operar con eficacia? ¿La seguridad de la información es una parte integral de las descripciones del puesto y los planes de actividades de estos recursos?
  - ¿El plan de acción de capacitación para el personal está en línea con el plan estratégico?
- Recursos tecnológicos:
  - ¿Qué tecnologías soportan actualmente los objetivos del programa de seguridad de la información?
  - ¿La capacidad de soporte que tienen las tecnologías es suficiente para soportar las demandas actuales? ¿Estas tecnologías aumentarán para satisfacer futuras necesidades?
  - ¿El programa prevé el mantenimiento, administración y ocasional reemplazo de las tecnologías de soporte?
  - ¿Existen otras tecnologías que pudieran hacer el programa más eficiente o eficaz?

3.14.2 El ciclo planificar/hacer/comprobar/actuar

El programa de seguridad de la información se basa en la gestión efectiva y eficiente de los controles diseñados e implementados para tratar o mitigar las amenazas, el riesgo, las vulnerabilidades y los impactos. La dependencia única que tiene un proceso de negocio como la seguridad de la información de la gestión eficaz y eficiente brinda la oportunidad de utilizar los conceptos y metodologías del sistema de gestión de calidad total (TQM).

Un resultado importante de la TQM, desarrollado originalmente por el físico estadounidense Walter Shewhart durante la década de 1920, fue una técnica iterativa de resolución de problemas de cuatro pasos utilizada para mejorar los procesos comerciales. Ese ciclo fue adaptado y popularizado por el pionero del control de calidad W. Edwards Deming en la década de 1950. El ciclo, que Deming llamó ciclo Shewhart en honor a su mentor, se convirtió en el famoso proceso personalizado de planificar/hacer/comprobar/actuar (PDCA). El PDCA comprende cuatro procesos de evaluación y mejora de la calidad, como muestra la **figura 3.23**.

Figura 3.23—Metodología PDCA

La metodología PDCA es un modelo de proceso iterativo.

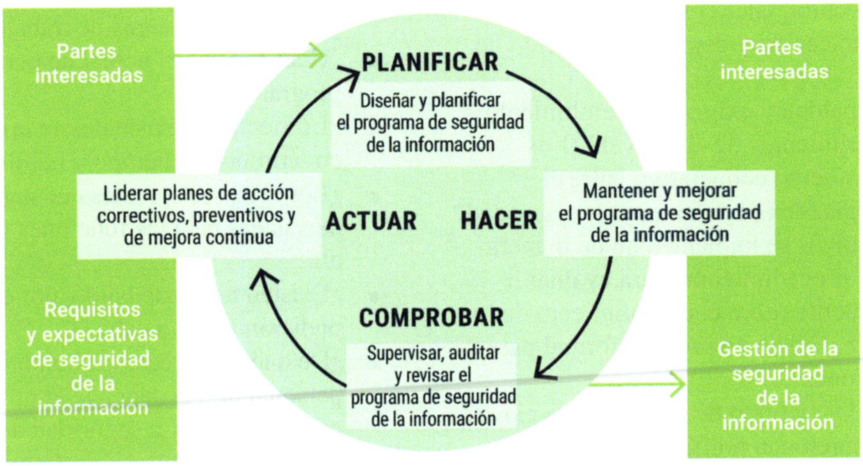

PLANIFICAR	Diseñar, planificar e iniciar el programa de seguridad de la información. Estas actividades incluyen la creación de una estrategia, conceptos de socialización y, políticas, objetivos, metas y prácticas según sea necesario para gestionar el riesgo.
HACER	Ejecutar y controlar la estrategia de seguridad de la información, incluyendo su integración dentro de las prácticas organizacionales.
COMPROBAR	Facilitar auditorías semestrales para determinar la conformidad con la declaración de aplicabilidad e identificar oportunidades de mejora. Cuando sea apropiado, desarrollar e integrar matrices de desempeño que apoyen las metas y objetivos del programa de seguridad de la información.
ACTUAR	Ante el descubrimiento de no conformidades y/u oportunidades, crear y dar seguimiento a los planes de acción correctivos, preventivos y de mejora continua. Presentar los resultados de la auditoría interna/externa y las evaluaciones de riesgos al comité de revisión de la gestión para tomar decisiones sobre la aceptación, el rechazo o la transferencia de riesgos y el compromiso de recursos y capital para facilitar los esfuerzos posteriores.

El enfoque TQM, combinado con una metodología de gobierno que contemple la adhesión del programa estratégico a las metas de la organización, proporciona al gerente de seguridad de la información las herramientas que puede utilizar para implementar y mantener un programa altamente efectivo y eficiente. Tal como se describe en el Capítulo 1 Gobernanza de seguridad de la información, los elementos básicos de una metodología de gobierno incluyen una visión estratégica, objetivos, KGI, CSF, KPI y las acciones claves o los planes de acción tácticos y anuales. Estos elementos se definen a continuación y se describen en la **figura 3.24**:

- La visión es una definición amplia, clara y convincente del propósito de la empresa. Debe incluir los resultados que se esperan del programa de seguridad de la información.
- Los objetivos estratégicos son un conjunto de metas necesarias y suficientes para conducir a la empresa hacia su visión. Estas metas deben reflejarse en los KGI.
- Los CSF son un conjunto de circunstancias o eventos necesarios para alcanzar los objetivos estratégicos.
- Los KPI son métricas concretas a las que se hace seguimiento para garantizar que se logren los CSF.
- Las acciones claves, en las cuales se incluyen los planes de acción tácticos y anuales son las iniciativas que se conciben para lograr los objetivos estratégicos y los KGI.

Figura 3.24—Objetivos estratégicos, CSF, KPI, acciones clave

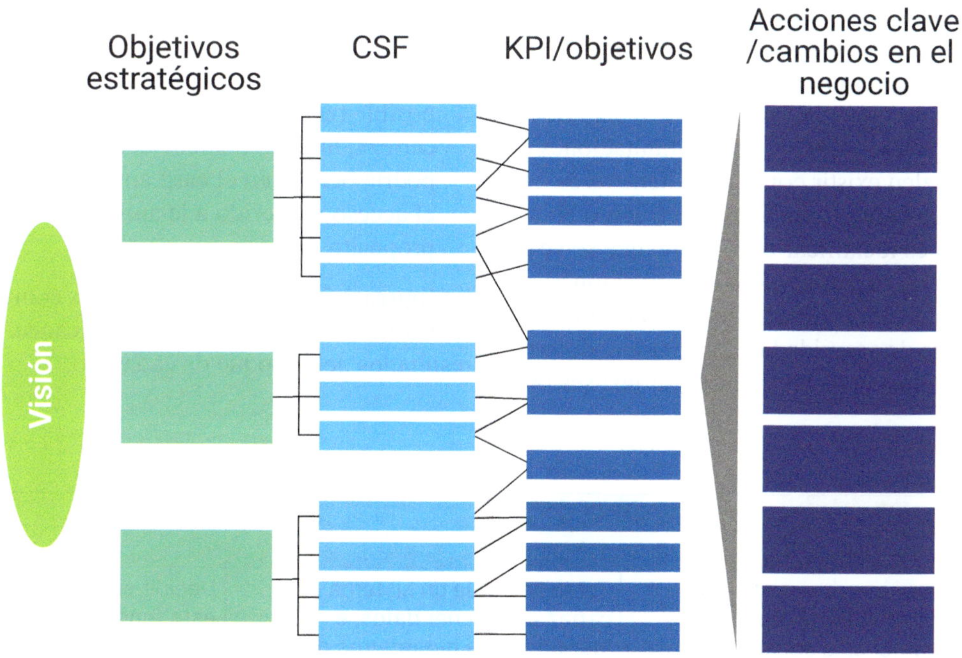

3.14.3 Revisiones y auditorías de seguridad

Durante el desarrollo y la gestión de un programa de seguridad de la información, es esencial para el gerente tener un enfoque estandarizado consistente para determinar y evaluar el estado de los diversos aspectos del programa. El uso de un enfoque coherente proporcionará información sobre las tendencias en el tiempo y puede servir como un indicador para la mejora del programa de seguridad de la información. Esto se puede lograr mediante el uso de un proceso de revisión de seguridad similar al de una auditoría. Al igual que con los métodos estándar de auditoría, las revisiones de seguridad tienen:

- **Objetivo:** un objetivo de revisión es una declaración de aquello que se va a determinar en el curso de una revisión. Por ejemplo, el objetivo de una revisión podría ser determinar si el acceso por Internet a una aplicación bancaria se puede explotar para obtener acceso a sistemas internos o no. Los objetivos definen lo que el gerente de seguridad de la información desea obtener de la revisión. Normalmente, el objetivo es determinar si un entorno dado de sistemas cumple con los estándares de seguridad. En el ejemplo anterior, el objetivo de la revisión es aquel de un típico estudio de penetración externa (es decir, asegurarse de que los usuarios de servicios de red no puedan explotar vulnerabilidades del sistema para obtener acceso a los sistemas en los que residen dichos servicios).
- **Enfoque:** el enfoque se refiere a la asignación de los objetivos al aspecto que se debe revisar. Así, el objetivo de revisión dicta el alcance. Por ejemplo, el

objetivo de la revisión en el ejemplo anterior dicta que el alcance incluya los puntos de acceso a Internet de la aplicación y toda la tecnología subyacente que facilita dicho acceso. Si el alcance es difícil de describir, se debe aclarar el objetivo de revisión a fin de garantizar que el resultado de la revisión estará bien definido y será posible ponerlo en marcha.

- **Restricción:** la restricción es la situación en la que un revisor opera y que puede afectar a los aspectos de la realización de la revisión. Esto podría o no obstaculizar su capacidad para revisar el alcance total y para completar el objetivo en revisión. En el ejemplo, una limitación podría ser una prohibición del acceso a la aplicación durante el horario de oficina. La capacidad de cumplir con el objetivo de la revisión en el contexto de las restricciones es algo que debe evaluar un gerente de seguridad de la información.
- **Enfoque:** un enfoque es un conjunto de actividades que cubre el alcance en una forma en la que cumple con el objetivo de la revisión, dadas las limitaciones que se tienen. Suelen existir conjuntos alternativos de actividades que cubren tanto el alcance como el objetivo. La idea es identificar el conjunto que se vea obstaculizado por el menor número de limitaciones. En el ejemplo anterior una limitación podría ser que no se diera al gerente de seguridad de la información las acreditaciones correspondientes para crear una sesión en la red como un usuario autorizado de la aplicación que se esté revisando. (En este ejemplo, el objetivo requiere que el revisor proporcione una determinación sobre si es posible que se explote el acceso por Internet a una aplicación o no para obtener acceso a los sistemas internos.) A fin de cumplir con este objetivo, la revisión debe tener acceso por Internet a la aplicación como parte del alcance. Un gerente de seguridad de la información, en esta situación, debe identificar la falta de autorización para acceder a la aplicación como una restricción y encontrar alguna otra manera de lograr el mismo objetivo. Un enfoque podría ser instalar el sistema en un entorno de prueba en donde la autorización de acceso no fuera un problema.
- **Resultado**: un resultado es una valoración sobre si se cumplió o no el objetivo de la revisión. Es una respuesta a la pregunta: "¿Es esto seguro?". Si no es posible responder esta pregunta con cierto grado de certeza, la revisión debe declararse incompleta. Esto podría ocurrir en el caso anterior, si no se lograra el acceso requerido a la aplicación para cubrir el propósito.

La **figura 3.25** ilustra algunos tipos comunes de revisiones, así como el objetivo, alcance, limitaciones y resultados del enfoque de cada tipo.

Figura 3.25—Alternativas para revisión de la seguridad

Tipo de revisión	Autoevaluación de control	Arquitectura de la seguridad o revisión del diseño	Verificación de la seguridad
Objetivo	Establecer que los controles implementados son suficientes para mantener la seguridad en el entorno de los sistemas requeridos para efectos de seguridad	Establecer que un sistema es capaz de obtener datos, e identificar los parámetros de configuración	Decidir si un proceso de seguridad está funcionando
Alcance	Documentación de los mecanismos de seguridad del sistema en el entorno de sistemas que alberga los datos que una empresa debe proteger	Esquemas de funcionamiento de la red y del sistema operativo, así como diseño técnico detallado	Descripción del proceso, parámetros de seguridad del sistema que soporta directamente el proceso
Limitacione s	• Desconocimiento o falta de experiencia en productos de terceros • Tiempo • La posible tendencia de los participantes quienes también son responsables de mantener el sistema	• Desconocimiento o falta de experiencia en productos de terceros • Tiempo	La confianza en los supuestos con respecto a las interfaces de los sistemas y el respaldo de sistemas (por ejemplo, alimentación de datos, red, sistemas operativos)

Figura 3.25—Alternativas para revisión de la seguridad (cont.)

Tipo de revisión	Autoevaluación de control	Arquitectura de la seguridad o revisión del diseño	Verificación de la seguridad
Enfoque	• Identificar riesgos, exposiciones y posibles perpetradores. • Evaluar la capacidad de los controles para proteger, detectar o recuperarse de explotaciones.	Comparar los parámetros definibles de todos los componentes del sistema con las configuraciones seguras conocidas o políticas de seguridad.	• Revisar todos los procedimientos y configuraciones de seguridad del sistema. • Identificar la comunidad de usuarios esperada. • Evaluar si se implementaron los controles esperados.
Resultado	Lista de debilidades de control	Lista de problemas por resolver, proceso iterativo	Sí o no

Durante la realización de revisiones de seguridad, un gerente de seguridad de la información puede recopilar datos no solo sobre la política y el proceso en varios niveles de la empresa, sino también sobre deficiencias de control específicas que puedan poner en riesgo la información. Estos datos pueden utilizarse para ayudar a priorizar las actividades para desarrollar un programa.

Auditorías

Al igual que las revisiones de seguridad, las auditorías tienen objetivos, alcances, limitaciones, enfoques y resultados. La práctica profesional de la auditoría de sistemas de información se basa en un enfoque en el cual los auditores identifican, evalúan, prueban y valoran la eficacia de los controles. La efectividad se determina según si los controles existentes cumplen o no con un determinado conjunto de objetivos de control. Al llevar a cabo una auditoría, un equipo de auditoría consolida documentación que: 1) correlaciona los controles con los objetivos de control, 2) establece lo que el equipo llevó a cabo para probar dichos controles y 3) relaciona esos resultados de las pruebas con la evaluación final. Este conjunto de documentos, denominado papeles de trabajo, podría o no entregarse junto con el reporte final.

Cuando un programa de seguridad de la información ha establecido políticas y normas, una auditoría resulta en extremo útil para identificar si dichas políticas y normas se han implementado en su totalidad. Sin embargo, cuando un programa de seguridad de información está en desarrollo, dichas políticas y estándares podrían no haberse finalizado aún. En esa situación, un gerente de seguridad de la información podría elegir una norma publicada externamente y hacer que un equipo de auditoría determine en qué grado está cumpliendo su empresa. Un estándar externo o un marco, como COBIT o ISO/IEC 27001 y 27002, proporcionan una estructura de objetivos de control que le permite a un equipo de auditoría organizar el análisis de los controles existentes. Los papeles de trabajo de dicha auditoría pueden ser a menudo de mayor utilidad que el informe final. El valor en el análisis de los controles existentes y su correlación con un conjunto de estándares externos es más útil si el conjunto de estándares externos se asemeja en gran medida a aquellas que el gerente de seguridad de la información pretende implementar como parte del programa de seguridad de la información.

Diversas publicaciones de estándares se enfocan en diferentes aspectos de control. A continuación se presenta una muestra, que inicia con aquellos cuyo alcance es más general, seguido por aquellos que tienen un alcance más limitado hacia dominios de tecnología específicos:

- COBIT menciona objetivos de control y prácticas de control para cada uno de ellos.
- The Standard of Good Practice for Information Security [El estándar de sanas prácticas para la seguridad de la información] cataloga las prácticas de la gestión de seguridad de la información y menciona los requerimientos correspondientes en términos de recursos y responsabilidades.
- La norma ISO/IEC 27001 y 27002 contiene prácticas de control en el área de seguridad de TI, a la cual sigue un apéndice que incluye objetivos de control de seguridad y prácticas de control para cada objetivo de control.

Auditores

Es esencial que el gerente de seguridad de la información desarrolle una buena relación de trabajo con los auditores, ya sean internos o externos. Aunque no es inusual que los auditores sean vistos de manera negativa por personal de TI y de seguridad de la información y otros en la empresa, los gerentes de seguridad de la información eficientes entienden que las auditorías constituyen tanto un proceso esencial de aseguramiento como un aliado crítico e influyente para alcanzar un nivel adecuado de gobierno y cumplimiento de la seguridad. Ellos pueden ser un factor clave en la implementación de los estándares de seguridad al comunicar información de retroalimentación basada en los resultados de las auditorías a la alta gerencia para influir en la posición de los ejecutivos y conseguir su apoyo para actividades relacionadas con la seguridad. Incluir auditores en la gestión general de la seguridad puede ser una herramienta poderosa para mejorar la cultura de seguridad de una empresa.

Es importante que el programa de seguridad de la información integre actividades de auditoría interna y externa. Algunas auditorías son obligatorias, como aquellas que se requieren para establecer el cumplimiento de un estándar regulatorio. Otras son voluntarias, como sucede cuando un auditor independiente hace una certificación sobre el cumplimiento de un estándar de la industria. El gerente de seguridad de la información debe trabajar de manera conjunta con los coordinadores de auditoría de la organización para garantizar que se asignen tiempo y recursos para llevar a cabo las actividades de auditoría. Es necesario establecer procedimientos con antelación para la programación, observación de actividades de los empleados y obtención de datos de configuración a partir de sistemas técnicos.

En algunos casos, una deficiencia que haya identificado un auditor podría no ser aplicable a la empresa específica a la que pertenece el gerente de seguridad de la información. Si se identifican algunas áreas de preocupación durante una auditoría, el gerente de seguridad de la información debe trabajar junto con los auditores para acordar el riesgo relacionado, los factores de mitigación y los objetivos de control satisfactorio. Con esta información a la mano, el gerente de seguridad de la información puede desarrollar una o más posibles soluciones que sean adecuadas para los entornos operativo, financiero y técnico de la empresa. Cualquier combinación de controles de mitigación y de compensación que exija el cumplimiento de los objetivos de control acordados debería resolver el problema. Los hallazgos de auditoría proporcionan una retroalimentación sólida e independiente que el comité directivo y la alta gerencia pueden utilizar para determinar la eficacia del programa de seguridad de la información.

3.14.4 Supervisión e imposición del cumplimiento

Los procesos de exigencia de cumplimiento deben considerarse durante el desarrollo del programa para asegurar la efectividad subsiguiente y la manejabilidad después de la implementación del programa. La exigencia de cumplimiento se refiere a cualquier actividad dentro del programa de seguridad de la información diseñada para garantizar el cumplimiento de las normas, las políticas y los procedimientos de la empresa.

El cumplimiento, en especial el de los controles de procedimientos, podría ser uno de los mayores retos de la gestión de un programa de seguridad y es un elemento al que debe prestársele especial atención cuando se diseñan los controles durante el desarrollo del programa. La facilidad de monitoreo y cumplimiento a veces es uno de los factores esenciales en la selección de controles. Los procesos complejos de control que aún no se pueden aplicar, o cuyo cumplimiento es difícil de monitorear, generalmente tienen poco valor y pueden representar un riesgo.

Los procedimientos que permitan hacer cumplir los estándares deben diseñarse suponiendo que existe el propósito de que las actividades de control son para servir de apoyo a los objetivos de control. Estos procedimientos proporcionan una capa adicional de control que garantiza que los procedimientos establecidos por la gerencia se sigan en realidad. Por ejemplo, en un procedimiento de restablecimiento de contraseña, un procedimiento de reforzamiento puede consistir en que un supervisor escuche llamadas realizadas al centro de soporte seleccionadas al azar e identifique a cualquier miembro del personal del centro de soporte que se olvidó de solicitar a un usuario un código de identificación de seguridad antes de restablecer la contraseñas. El procedimiento de reforzamiento sería utilizar la lista, en primer lugar, para lanzar una advertencia y, luego, para disciplinar a aquellos miembros del personal del centro de soporte que no hayan seguido el procedimiento de restablecimiento de contraseñas.

Cumplimiento de políticas

La política constituye la base de toda responsabilidad respecto a las obligaciones relacionadas con la seguridad en toda la empresa. Las políticas deben ser lo suficientemente completas para cubrir todas las situaciones en las cuales se maneja información, pero también bastante flexibles para permitir que diferentes procesos y procedimientos evolucionen para distintas tecnologías y aún seguir cumpliendo. Salvo empresas muy pequeñas, un gerente de seguridad de la información no tendrá control directo sobre las actividades del SDLC de todos los sistemas de información que existan en la empresa. Por ello, es necesario designar roles de seguridad formales que establezcan qué director departamental es responsable de implementar procesos que garanticen el cumplimiento de la política de seguridad y el cumplimiento de los estándares adecuados para un conjunto determinado de sistemas de información.

Es responsabilidad del gerente de seguridad de la información asegurarse de que, en el proceso de asignación, no existan sistemas huérfanos o sistemas que no cuenten con encargados del cumplimiento de la política. Asimismo, es su responsabilidad proporcionar supervisión y garantizar que los procesos de cumplimiento con las políticas estén debidamente diseñados. Un gerente de seguridad de la información puede llevar a cabo dicha supervisión mediante una combinación de procesos de revisiones de seguridad, recopilación de métricas y presentación de información.

La literatura que existe sobre la gestión de la seguridad de la información suele hacer referencia a un proceso de excepciones a la política. Este es un método mediante el cual las compañías, o sus departamentos, pueden revisar la política y decidir no seguirla tomando en consideración diferentes factores. Pueden existir diversas justificaciones para las excepciones de la política. Las excepciones pueden basarse en una decisión de riesgo-beneficio donde el beneficio que se obtiene al no seguir la política justifica el riesgo. Puede ser factible desde el punto de vista financiero o técnico cumplir estándares y políticas específicas. Tales interrelaciones deberían tomarse en cuenta durante el proceso de desarrollo de la política, cuando sea posible, para disminuir la necesidad de llevar a cabo excepciones posteriores. Como parte del desarrollo del programa, se debería poner en marcha un proceso formal de exención para controlar el ciclo de vida de estas excepciones y así garantizar que sean revisadas periódicamente y deshabilitadas a la brevedad posible. Dichas excepciones de la política deben ser evaluadas por riesgo e impacto antes de su implementación, y el riesgo identificado debe ser aceptado por los niveles de gestión apropiados.

Cumplimiento de normas

Los estándares establecen las fronteras de opciones para los sistemas, los procesos y las acciones que aun cumplen con la política. Las normas deben estar diseñadas para garantizar que todos los sistemas del mismo tipo dentro del mismo dominio de seguridad se configuren y operen de la misma forma según la criticidad y sensibilidad de los recursos. Éstos permitirán desarrollar procedimientos de administración de plataformas utilizando documentos de estándares como referencia para garantizar que se mantenga el cumplimiento de la política. Los estándares también proporcionan economía de escala; debe llevarse a cabo una sola vez la correlación de la configuración a la política para cada dominio de seguridad y los esfuerzos hechos en ingeniería de procesos y tecnología se vuelven a utilizar para sistemas del mismo tipo.

Tanto como sea posible, se debe automatizar el cumplimiento de los estándares para garantizar que las configuraciones de sistemas no se desvíen del cumplimiento de la política, ya sea de manera intencionada o accidental. Sin embargo, así como las políticas deben reflejar la intención, dirección y excepciones establecidas por la gerencia, para conservar la flexibilidad al momento de desarrollar distintos estándares y para ofrecer diversas opciones que cumplan con la política, siempre se deberían revisar las excepciones para determinar si éstas se salen del objetivo de la política. También puede ser que una determinada situación de negocio justifique una desviación de los estándares existentes; sin embargo, podría determinarse que cae dentro del propósito de la política. Al igual que con las excepciones de la política, las excepciones de los estándares deben incluir la evaluación de riesgos y la aceptación por parte de la gerencia apropiada. Si se requiere que las excepciones se sometan a un proceso de gestión de cambios (asumiendo que hay uno vigente), la evaluación del riesgo de cambio será una parte estándar del proceso.

Resolución de problemas relacionados con el incumplimiento

Los problemas relativos al incumplimiento generalmente pueden resultar en riesgos para la empresa, por lo que es importante desarrollar procesos específicos para manejarlos de una manera oportuna y efectiva. Dependiendo de cuán significativo es el riesgo, se pueden adoptar varios enfoques para tratarlo. Si un incidente particular de incumplimiento es un riesgo grave, entonces se debe resolver rápidamente. El gerente de seguridad se beneficia de un método que consiste en determinar la criticidad e implementar un proceso de respuesta basado en riesgos.

Por lo general, se desarrolla un programa para documentar cada tema de incumplimiento, y se asigna y registra la responsabilidad de resolverlo. El seguimiento periódico también es clave para garantizar que cualquier problema de incumplimiento y otras desviaciones se traten de forma oportuna y satisfactoria. Es posible identificar los problemas de incumplimiento y otras divergencias a través de una serie de mecanismos, que incluyen:

- Supervisión normal
- Informes de auditoría
- Revisiones de seguridad
- Escaneos de vulnerabilidades
- Trabajo de debida diligencia

Exigencia de cumplimiento

La exigencia de cumplimiento es una serie continua de actividades dirigidas a garantizar el cumplimiento de la política y, de manera predeterminada, exige el cumplimiento de los requisitos de estándares que no se cumplen. Las auditorías representan una fotografía instantánea en el tiempo; la exigencia de cumplimiento es un proceso continuo que ayuda a reducir el riesgo y a garantizar opiniones de auditoría positivas.

Las responsabilidades por la exigencia de cumplimiento podrían compartirse entre las unidades organizacionales, y los resultados suelen compartirse con la dirección ejecutiva y los comités de auditoría y cumplimiento del consejo de dirección. Los departamentos jurídico y de auditoría interna suelen tener la responsabilidad de evaluar las estrategias de negocio y las operaciones, respectivamente. La unidad de seguridad de la información suele tener la responsabilidad de implementar una evaluación independiente de los estándares técnicos, utilizando preferiblemente herramientas automatizadas operadas de forma independiente. En empresas más grandes y en industrias que se encuentran bajo estrictas regulaciones, se puede establecer una organización de cumplimiento independiente para manejar y coordinar estas actividades.

El propio programa de seguridad de la información es también blanco de la evaluación y desempeño del cumplimiento. El gerente de seguridad de la información debe estar preparado para trabajar de cerca con personal de cumplimiento y auditoría interna para demostrar que el programa de seguridad de la información cumple con los estándares y las regulaciones aplicables. Tal como sucede con una auditoría formal, los problemas identificados deben definirse en términos de riesgo, factores de mitigación y objetivos de control aceptables. Dependiendo de la magnitud del problema, el gerente de seguridad de la información podría resolverlo de manera independiente, o bien, colaborar con la dirección ejecutiva y/o el comité directivo de seguridad para crear soluciones aceptables.

3.14.5 Enfoques de supervisión

Es importante que el gerente de seguridad desarrolle un método congruente y confiable para determinar la eficacia continua del programa. Una forma es llevar a cabo evaluaciones de riesgo de manera regular y hacer seguimiento a las mejoras con el paso del tiempo. Otra herramienta estándar es el uso de pruebas externas e internas de escaneo y penetración para determinar las vulnerabilidades del sistema, aunque esto indica la efectividad de un solo aspecto del programa general. Hacerlo con regularidad y realizar un seguimiento a los resultados puede ser un indicador útil de las tendencias en seguridad técnica. La mayoría de las empresas realiza normalmente análisis de vulnerabilidades para determinar si se han tratado las vulnerabilidades abiertas y si aparecen otras. El mejoramiento constante es característico de un programa efectivo, aunque tiene escaso valor si no va acompañado por información sobre amenazas viables e impactos potenciales para brindar información suficiente para informar decisiones de seguridad apropiadas.

Además de monitorear las actividades de seguridad automatizadas, las actividades de gestión de cambios que lleve a cabo la empresa también deben contribuir al programa de monitoreo de la seguridad de la información. Las métricas son importantes pero de poco uso si no se resuelven las tendencias adversas a tiempo. El gerente de seguridad de la información debe contar con un proceso mediante el cual se revisen las métricas de forma regular, y se informe cualquier actividad inusual. Se debe desarrollar un plan de acción para reaccionar ante actividades inusuales.

Monitoreo de las actividades relacionadas con la seguridad en la infraestructura y las aplicaciones de negocio

Debido a que es probable que la vulnerabilidad de una empresa a las violaciones de seguridad exista en todo momento, el monitoreo continuo de las actividades de seguridad es una práctica prudente de negocio (y, cada vez más, un requerimiento regulatorio) que debe implementar el gerente de seguridad de la información. Gran parte de este monitoreo será técnico y puede ser llevado a cabo por el personal de TI. En este caso, los requerimientos de monitoreo deben definirse en estándares operativos adecuados junto con criterios de gravedad y procesos de escalamiento.

El monitoreo continuo de los sistemas de detección de intrusos (IDS) y los cortafuegos pueden brindar información en tiempo real sobre los intentos de violación de las defensas perimetrales. Capacitar al personal de la mesa de ayuda para escalar informes sospechosos que pueden indicar una violación o un ataque puede servir como un monitoreo eficaz y un sistema de advertencia temprana. Esta información puede ser crucial para tomar acciones correctivas de forma oportuna.

Determinación del éxito de las inversiones en seguridad de la información

Es importante que el gerente de seguridad de la información cuente con procesos para determinar la eficacia general de las inversiones en seguridad y hasta qué grado se han cumplido los objetivos. Siempre hay una competencia por los recursos dentro de las empresas, por lo que la alta gerencia buscará obtener el mejor ROI a fin de justificar los costes. Durante el diseño y la implementación del programa de seguridad, el gerente de seguridad de la información deberá asegurarse de que los KPI estén definidos y concuerden, y que se implemente un mecanismo para medir el progreso en relación con esos indicadores. El gerente de seguridad de la información puede entonces evaluar el éxito o el fracaso de diversos componentes del programa de seguridad y si sus costos están justificados o no. Ello resultará útil cuando se desarrolle un caso de negocio (business case) para otros elementos del programa de seguridad.

Es necesario determinar con precisión los costos reales para los diversos componentes de un programa de seguridad a fin de evaluar su rentabilidad. El concepto de TCO es útil para evaluar los diversos componentes de un programa de seguridad. Además de los costos de adquisición e implementación iniciales, es importante incluir:

- Costes para administrar controles
- Costos de capacitación
- Costes de mantenimiento
- Costes de supervisión
- Tarifas por actualizaciones
- Tarifas de un asesor o centro de soporte
- Tarifas asociadas con otros sistemas interrelacionados que pueden haber sido modificados para adaptarse a los objetivos de seguridad

3.14.6 Medición del desempeño de la gerencia de seguridad de la información

El gerente de seguridad de la información debe saber cómo implementar procesos y mecanismos que proporcionen la capacidad de evaluar el éxito alcanzado y las deficiencias del programa de seguridad de la información. Medir el éxito del programa consiste en definir objetivos cuantificables, monitorear las métricas más apropiadas y analizar los resultados de forma periódica para determinar los puntos de éxito y las oportunidades de mejora. Los objetivos específicos del programa de seguridad de la información varían de acuerdo con el alcance y el nivel operativo del departamento de seguridad; sin embargo, deben alinearse con las metas del negocio en términos conceptuales y cronológicos.

Por lo general, un programa de seguridad de la información incluye un conjunto básico de objetivos comunes:

- Lograr niveles de riesgo y pérdida aceptables relacionados con problemas en la seguridad de la información.
- Brindar apoyo para que sea posible alcanzar los objetivos generales de la organización.
- Brindar apoyo para que sea posible alcanzar los objetivos de cumplimiento de la organización.
- Maximizar la productividad operativa del programa.
- Maximizar la rentabilidad de la seguridad.
- Establecer y mantener la concienciación sobre la seguridad en la organización.
- Facilitar arquitecturas de seguridad lógicas, técnicas y operativas eficaces.
- Maximizar la eficacia del marco y los recursos del programa.
- Medir y gestionar el rendimiento operativo.

Aun cuando cada empresa debe desarrollar sus metas específicas, las siguientes secciones cubren la mayoría de los objetivos comunes y sugieren metodologías para medir su entrega exitosa.

Medición del riesgo y la pérdida relacionados con la seguridad de la información

El objetivo principal de un programa de seguridad de la información es asegurar que el riesgo se gestione apropiadamente y que los impactos originados por eventos adversos se mantengan dentro de límites aceptables. Alcanzar la seguridad perfecta y sin afectar el nivel de funcionalidad del sistema es prácticamente imposible. Es posible lograr determinar si el programa de seguridad está funcionando a un nivel aceptable, comparando la eficacia operativa con la seguridad adecuada, de diversas maneras desde diferentes perspectivas.

A continuación se presentan posibles enfoques para medir periódicamente el éxito del programa en comparación con los objetivos de gestión de riesgos y prevención de pérdidas:

- El enfoque de la gestión de las vulnerabilidades técnicas plantea las siguientes preguntas:
  - ¿Cuántas vulnerabilidades operativas o técnicas existen?
  - ¿Cuántas se han resuelto?
  - ¿Cuál es el tiempo promedio para resolverlas?
  - ¿Cuántas se han repetido?
  - ¿A cuántos sistemas (críticos o de otro tipo) han impactado dichas vulnerabilidades?
  - ¿Cuántas tienen la posibilidad de una explotación externa?
  - ¿Cuántas podrían ocasionar una inestabilidad grave (por ejemplo, ejecución remota de un código privilegiado, acceso administrativo no autorizado, exposición masiva de información sensible impresa)?
- El enfoque de gestión de riesgos está relacionado con las siguientes cuestiones:
  - ¿Cuántos problemas de riesgo alto, medio y bajo no están resueltos? ¿Cuál es la expectativa de pérdida anual (ALE) total?
  - ¿Cuántos se resolvieron durante el período de reporte? En caso de contar con ella, ¿cuál es la ALE total que se ha eliminado?
  - ¿Cuántos problemas se eliminaron por completo en comparación con los que se mitigaron parcialmente y los que se transfirieron?
  - ¿Cuántos se aceptaron porque no se pudo justificar ningún método de mitigación o compensación?
  - ¿Cuántos permanecen abiertos a causa de una falta de acción o cooperación?
  - El enfoque de prevención de pérdidas está relacionado con las siguientes cuestiones:
  - ¿Se registraron eventos de pérdida durante el período de reporte? ¿Cuál es la pérdida total, incluyendo investigación, recuperación, reconstrucción de datos y gestión de relaciones con los clientes?
  - ¿Cuántos eventos se pudieron evitar (es decir, riesgo o vulnerabilidad identificado antes del evento de pérdida)?
  - ¿Cuál fue el tiempo promedio que se necesitó para identificar los incidentes de pérdida? ¿Para iniciar los procedimientos de respuesta a incidentes? ¿Para aislar los incidentes de otros sistemas? ¿Para contener las pérdidas ocasionadas por el evento?

Además de estas métricas cuantitativas, es posible aplicar una serie de métricas cualitativas al monitoreo del éxito de la gestión de riesgos. Algunos de éstos son:

- ¿Las actividades de gestión de riesgos se llevan a cabo según lo programado?
- ¿Se han comprobado los planes de respuesta a incidentes (IRP) y los planes de continuidad del negocio (BCP)?
- ¿Se encuentran actualizados los inventarios de activos, custodias, valuaciones y análisis de riesgos?
- ¿Existe un consenso entre las partes interesadas en la seguridad de la información sobre los niveles aceptables de riesgo para la empresa?
- ¿Las actividades de vigilancia y revisión por parte de la dirección ejecutiva tienen lugar según lo planificado?

Medición del apoyo de los objetivos organizacionales

El programa de seguridad de la información tiene que respaldar los objetivos fundamentales de la organización. La medición de este conjunto de objetivos es bastante subjetiva y los objetivos organizacionales pueden cambiar rápidamente ante las cambiantes presiones operativas y condiciones del mercado. El comité directivo de seguridad de la información y la dirección ejecutiva pueden revisar las siguientes medidas cualitativas:

- ¿Existe una correlación documentada entre las etapas organizacionales importantes y los objetivos del programa de seguridad de la información?
- ¿Cuántos objetivos de seguridad de la información se completaron exitosamente en apoyo a las metas organizacionales?
- ¿Hubo metas organizacionales que no se cumplieron porque no se alcanzaron los objetivos de seguridad de la información?
- ¿Cuán firme es el consenso entre las unidades de negocio, la dirección ejecutiva y otras partes interesadas en la seguridad de la información para que los objetivos del programa estén completos y sean apropiados?

El gerente de seguridad de la información debe reconocer que gran parte del valor de una medida exitosa se encuentra en el análisis de por qué se cumplió o no un objetivo. Las medidas cualitativas tales como aquellas representadas por el apoyo a los objetivos organizacionales deben manejarse como tales. En el caso de los objetivos fallidos, es preciso analizar las razones por las cuales no se alcanzaron, y la retroalimentación debe utilizarse para orientar una optimización constante del programa de seguridad de la información.

Medición del cumplimiento

Una preocupación esencial, permanente y prioritaria para la gestión del programa de seguridad de la información es el cumplimiento de las políticas y de los estándares. Dado que la mayoría de los fallos de seguridad se deben a que el personal no cumple con los estándares al aplicar los procedimientos, el cumplimiento es un elemento esencial de la gestión de la seguridad. Se debe conocer el grado de criticidad y sensibilidad porque éste determina el nivel de cumplimiento que se debe alcanzar para gestionar el riesgo a niveles aceptables. Cualquier cumplimiento por debajo de 100 por ciento es inaceptable en el caso de los pilotos de aviones de pasajeros o los operadores de plantas nucleares, porque los impactos serían catastróficos. Si se trata de una actividad que no representa una amenaza para la vida o la empresa, el costo y el nivel de las iniciativas de cumplimiento se deben evaluar en comparación con los beneficios y los posibles impactos.

Medir el cumplimiento de estándares técnicos por lo general es sencillo y, con frecuencia, se puede automatizar. Sin embargo, el cumplimiento de estándares de procedimiento o proceso generalmente es más difícil y puede representar un reto. Debido a que frecuentemente es en esta área donde se registran las fallas que conducen a la inestabilidad de la seguridad, la misma requiere de una consideración cuidadosa. Algunos requerimientos de cumplimiento son lo suficientemente críticos como para requerir un monitoreo continuo y directo, como los accesos controlados por vigilantes y los procedimientos de inicio de sesión. En otros casos, los controles de detección, como por ejemplo archivos de registro (log) y listas de verificación, pueden ser suficientes.

Los requerimientos de cumplimiento pueden ser estatutarios, contractuales o internos. Cuando una empresa tenga que cumplir con estándares obligatorios o voluntarios que involucren a la seguridad de la información, el gerente de seguridad de la información tiene que asegurarse de que las metas del programa se encuentren alineadas con tales requerimientos. De igual forma, las políticas, los procedimientos y las tecnologías implementadas por el programa tienen que cumplir con los requerimientos que establecen los estándares adoptados. Las mediciones del cumplimiento alcanzado suelen vincularse a los resultados de auditorías internas o externas. El gerente de seguridad de la información podría querer implementar un monitoreo del cumplimiento, ya sea automatizado o manual, con mayor frecuencia y/o con un alcance más amplio que el obtenido con auditorías incrementales. Además del cumplimiento inmediato real, el programa debe medirse según la eficacia para resolver los problemas de cumplimiento que se hayan identificado.

Se debe tener en cuenta que el cumplimiento y la seguridad no son necesariamente sinónimos. Muchas empresas han abordado erróneamente el cumplimiento legal, normativo o contractual como el objetivo principal del programa de seguridad. Una empresa que ha alineado adecuadamente los enfoques de seguridad y privacidad con todos los objetivos organizacionales relevantes cumplirá naturalmente con los requisitos relacionados con las obligaciones de cumplimiento.

Medición de la productividad operativa

Ningún programa de seguridad de la información cuenta con recursos ilimitados. Es crucial que el gerente de seguridad de la información maximice la productividad operativa, especialmente a la luz del rápido crecimiento de las empresas de TI. La productividad se puede mejorar mediante el uso de tecnologías de automatización, externalización de tareas operativas de bajo valor y el aprovechamiento de las actividades de otras unidades organizacionales. Las tecnologías de automatización de la gestión de la seguridad pueden funcionar como multiplicadores de la fuerza de trabajo, incrementando muchas veces más la realización de tareas operativas. Las herramientas de exploración de vulnerabilidades son un ejemplo notable de este efecto: La evaluación manual de las vulnerabilidades que a varias personas les tomaba muchas semanas realizarla, ahora puede completarse en cuestión de horas o días. Los ahorros en los costos de personal pueden justificar a menudo el gasto en dichas herramientas.

Las medidas de productividad resultan de mayor utilidad cuando se aplican en el análisis de comparación basado en tiempo. Este enfoque demuestra firmemente el valor que tiene la automatización de la seguridad al presentar la productividad antes y después de que se aplicara una tecnología que impulsa la productividad. Al utilizar este enfoque, el gerente de seguridad de la información puede demostrar el retorno sobre las inversiones en seguridad.

La productividad es una medida del producto de trabajo generado por recurso. Por ejemplo, si el análisis de las entradas en el registro de incidentes y el recurso es el analista de seguridad, entonces la medida de productividad son las entradas en el registro de incidentes analizados por analista. Las medidas de productividad pueden aplicarse a recursos tecnológicos además del personal (por ejemplo, paquetes de red procesados por nodo del IDS).

El gerente de seguridad de la información debe establecer metas periódicas para incrementar la productividad del programa de seguridad de la información a través de iniciativas específicas. Estas metas deben revisarse para determinar las ganancias obtenidas en la productividad. Cuando sea posible, el gerente de seguridad de la información debe analizar datos como el costo de empleado por hora y el trabajo invertido por tarea para demostrar a la alta gerencia el valor financiero que tienen las iniciativas para mejorar la productividad.

Medición de la rentabilidad de la seguridad

Es importante que el programa de seguridad de la información se pueda sustentar en términos financieros ya que las limitaciones financieras son una razón común de las fallas de seguridad, que incluyen la no planificación de requerimientos de mantenimiento constantes. El gerente de seguridad de la información tiene que trabajar para maximizar el valor de cada inversión en seguridad a fin de controlar los gastos en la seguridad de la información y garantizar que los objetivos se alcancen de manera sostenible.

Este proceso comienza con una proyección exacta de los costos y la elaboración del presupuesto. El éxito de esta actividad suele establecerse mediante el monitoreo de la aplicación del presupuesto en comparación con las proyecciones originales y puede ayudar a identificar problemas con la planificación de costos de seguridad. Además de medir la eficacia de la elaboración del presupuesto, el gerente de seguridad de la información debe implementar procedimientos para medir la rentabilidad continua de los componentes de la seguridad, que la mayoría de las veces se alcanzan mediante un seguimiento de las proporciones de costo-resultados. Este enfoque establece las metas de rentabilidad para nuevas tecnologías y metas de mejoras a tecnologías existentes al medir el costo total de generar un resultado específico.

Para ser precisos, los costos tienen que incluir costos de mantenimiento, operaciones y administración por el período analizado (por ejemplo, mes, trimestre, año). Incluir todos los costos pertinentes proporciona al gerente de seguridad de la información el TCO para la inversión de seguridad que se esté analizando. Las proporciones de resultado-unidades por divisa-unidad (por ejemplo, 7400 paquetes enviados a través de la red analizados anualmente por dólar estadounidense) o viceversa (0,04 € por un millar de correos electrónicos explorados cada año) se pueden utilizar para demostrar la rentabilidad y el coste de los resultados. Otros ejemplos incluyen los siguientes:

- Costos de evaluación de vulnerabilidades por aplicación
- Costos para controles de seguridad en estaciones de trabajo por usuario
- Costos de protección contra correo electrónico no solicitado (spam) o protección contra virus por buzón de correo

Las iniciativas para la adquisición e implementación de tecnología representan solo una fracción de los costos del ciclo de vida completo. El gerente de seguridad de la información tiene que considerar regularmente los costos totales de mantener, operar y administrar los componentes de la seguridad técnica. Asimismo, es preciso considerar también los costos de personal relacionados con las actividades operativas y de gestión continuas. Estos análisis deben compartirse con el comité directivo de seguridad para ayudar a identificar áreas de oportunidad para mejorar la rentabilidad y ayudar a proyectar futuras necesidades de recursos.

Medición de la conciencia organizacional

Incluso en un ambiente técnico controlado herméticamente, las acciones del personal podrían crear amenazas que pueden mitigarse únicamente mediante actividades de formación y concienciación. Es importante que el programa de seguridad de la información implemente procesos para monitorear la eficacia continua de los programas de concienciación.

El monitoreo de la conciencia organizacional se logra con mayor frecuencia al nivel del personal. El gerente de seguridad de la información debe trabajar de manera conjunta con el departamento de Recursos Humanos (RR. HH.) con la finalidad de implementar métricas para hacer seguimiento al éxito de las actividades de concienciación de la organización. Los registros de capacitación inicial, aceptación de políticas y acuerdos de uso, así como actualizaciones continuas de concienciación son métricas útiles relativas al programa efectivo de capacitación. Además de identificar a las personas que necesitan capacitación, esto ayuda a identificar las unidades organizacionales que pudieran no estar involucradas del todo en el programa de concienciación sobre la seguridad.

Otra medida de la eficacia del programa de concienciación es someter a prueba a los empleados. El gerente de seguridad de la información debe desarrollar herramientas, tales como evaluaciones breves en línea o impresas que se apliquen inmediatamente después de la capacitación para determinar la eficacia de dicha capacitación. Llevar a cabo encuestas adicionales sobre un muestreo aleatorio de empleados varios meses después de que se haya dado la capacitación ayudará a determinar la eficacia a largo plazo tanto de la capacitación para crear conciencia como de otras iniciativas (por ejemplo, boletines informativos sobre seguridad de la información).

Medición de la efectividad de la arquitectura de seguridad técnica

La arquitectura de seguridad técnica suele ser una de las manifestaciones más tangibles de un programa de seguridad de la información. Es importante que el gerente de seguridad de la información establezca medidas cuantitativas de la eficacia del ambiente de control técnico. El rango de posibles métricas técnicas es bastante amplio, por lo que el gerente de seguridad de la información debe identificar aquellas métricas que sean más significativas para los destinatarios identificados. Las métricas de seguridad técnica pueden clasificarse para efectos de reporte y análisis por recurso protegido y ubicación geográfica. Algunos ejemplos de métricas de la eficacia de la seguridad técnica se mencionan a continuación:

- Intentos de escaneo y ataque repelidos por los dispositivos de control de acceso a red; calificar por activo o recurso objetivo, geografía de origen y tipo de ataque.
- Intentos de escaneo y ataque detectados por los IDS en redes internas; calificar por fuente interna contra externa, recurso objetivo y tipo de ataque.
- Número y tipo de inestabilidades reales; calificar por gravedad del ataque, tipo de ataque, gravedad del impacto y fuente del ataque.
- Estadísticas sobre virus, gusanos u otro malware identificado y neutralizado; calificar por impacto potencial, severidad del recrudecimiento en Internet y vector de ataque del malware.
- Tiempo de inactividad atribuible a fallas en la seguridad y sistemas sin parches.
- Número de mensajes procesados, sesiones examinadas y kilobytes (KB) de datos examinados por los IDS.

Además de las métricas de éxito cuantitativas anteriores, existe un número importante de medidas cualitativas que se aplican al ambiente de control técnico. Algunos ejemplos incluyen los siguientes:

- Se han probado mecanismos técnicos individuales para verificar los objetivos de control y el cumplimiento de la política.
- La arquitectura de seguridad está conformada por controles apropiados de forma estratificada.
- Los mecanismos de control se configuran y monitorean en tiempo real de forma apropiada, se implementa una autoprotección y el personal de seguridad de la información recibe alertas de fallas.
- Todos los sistemas críticos comunican incidentes al personal de seguridad de la información o a las herramientas de automatización de análisis de eventos para la detección de amenazas en tiempo real.

Aun cuando estas medidas y métricas son útiles para las gerencias de TI y de seguridad de la información y otras personas, la mayoría de estas métricas y medidas podrían no ser significativas o de interés para la alta gerencia. Probablemente sea mucho más útil para la alta gerencia y la gerencia ejecutiva contar con un resumen integral que indique que el departamento de seguridad funciona acorde con las expectativas.

Medición de la efectividad del marco y los recursos de gestión

Una gerencia de seguridad de la información eficiente maximiza los resultados producidos por los componentes y los procesos que implementa. Los mecanismos para obtener retroalimentación del proceso, identificar los problemas y las oportunidades, monitorear la consistencia de la implementación, y comunicar de forma eficaz los cambios y el conocimiento ayudan a maximizar la eficacia del programa. A continuación se mencionan algunos métodos para monitorear el éxito del programa en esta área:

- Monitorear la frecuencia con la que se repiten problemas.
- Monitorear el nivel de captación y difusión del conocimiento operativo.
- Implementaciones de procesos estandarizados.
- Documentación de roles de seguridad de la información y responsabilidades de forma clara y completa.
- Incorporar los requerimientos de seguridad de la información en cada plan de proyecto.
- Hacer el programa más productivo y rentable.
- Monitoreo de la utilización general de los recursos de seguridad y de sus tendencias.
- Alineación con y en respaldo de los objetivos de la organización.

El gerente de seguridad de la información debe implementar dichos mecanismos con la meta de extraer un valor adicional latente del marco, los procedimientos y los recursos que conforman el programa.

Medición del desempeño operativo

Medir, monitorear e informar sobre los procesos de seguridad de la información ayuda al gerente de seguridad de la información a garantizar que los componentes operativos del programa apoyan de manera eficaz los objetivos de control. Las medidas del desempeño operativo de la seguridad incluyen, entre otras:

- Tiempo para detectar, escalar, aislar y contener incidentes.
- Tiempo entre la detección y la resolución de vulnerabilidades.
- Cantidad, frecuencia y gravedad de los incidentes descubiertos después de que han ocurrido.
- Tiempo promedio entre la publicación de parches contra vulnerabilidades por parte del proveedor y su aplicación.
- Porcentaje de sistemas que se han auditado dentro de un determinado período.
- Número de cambios que se liberan sin una aprobación absoluta de control de cambios.

El gerente de seguridad de la información debe determinar las métricas más apropiadas para monitorear las operaciones de seguridad dentro de todas las unidades organizacionales. Estas métricas deben recopilarse, analizarse y distribuirse de manera periódica a todas las partes interesadas y a la gerencia responsable. El comité directivo de seguridad debe analizar los problemas de desempeño para determinar su causa raíz, y se deberán implementar soluciones de mejora.

3.14.7 Monitorización y comunicación continuas

Existen varias consideraciones con respecto a la supervisión que se deben tener en cuenta cuando se implemente o se gestione un programa de seguridad, independientemente de su alcance. Los controles, ya sean nuevos o modificados, requieren de métodos para determinar si están operando según lo planeado, además de las muchas otras consideraciones de diseño. El monitoreo de controles técnicos a menudo consiste en revisar registros (logs) y diversas alertas, tales como un IDS o cortafuegos, de posibles vulnerabilidades de seguridad o amenazas emergentes. Los controles de procesos y procedimientos, normalmente, son muy importantes pero más difíciles de implementar. Es posible que la supervisión técnica de procesos físicos sea la más eficaz y eficiente. El personal suele interactuar con los sistemas de información en diversos puntos dentro de los procesos tradicionales, y éstos serán los puntos de control más prometedores para monitorear. El monitoreo en una etapa temprana en los procesos, además de estar pendiente de los resultados adecuados, brinda una alerta temprana de cualquier problema inminente.

El monitoreo de la seguridad de los sistemas de información es un componente operativo crucial de cualquier programa de seguridad de la información. El gerente de seguridad de la información debe considerar el desarrollo de un ambiente de monitoreo central que proporcione a los analistas visibilidad de todos los recursos de información de la empresa. Existe una amplia gama de incidentes relacionados con la seguridad que se registran y que se podrían monitorear, por lo que cada empresa necesitará determinar qué incidentes serían más pertinentes en términos de recursos afectados y tipo de evento. Entre los tipos de incidentes que con mayor frecuencia se monitorean se encuentran los siguientes:

- Intentos fallidos de acceder a los recursos.
- Procesamiento de fallas que puedan indicar intentos de penetrar el sistema.
- Interrupciones, condiciones de anticipación y fallas relacionadas con el diseño y otros problemas.
- Cambios a configuraciones del sistema, en particular, a los controles de seguridad.
- Acceso al sistema y actividades privilegiados.
- Detección de fallas en el componente de seguridad técnica.

Es crucial desarrollar procedimientos para analizar incidentes y tomar acciones de respuesta apropiadas. Los analistas de monitoreo de seguridad deben recibir capacitación sobre estos procedimientos, en tanto que los supervisores de monitoreo deberán contar con procedimientos para resolver anomalías. Por lo general, los procedimientos de respuesta implican analizar eventos relacionados y estados del sistema, recopilar información adicional relacionada con el evento, investigar cualquier actividad sospechosa o escalar el asunto a analistas de nivel superior o a la gerencia. Asimismo, deben llevarse a cabo pruebas periódicas de la ruta para escalar los eventos de seguridad y de la iniciación de incidentes.

Además del monitoreo en tiempo real, el gerente de seguridad de la información debe realizar un análisis periódico de las tendencias en los incidentes relacionados con la seguridad, tales como tipos de intentos de ataque o los recursos que con mayor frecuencia son blanco de tales ataques. La perspectiva más amplia que aporta este tipo de análisis puede revelar los patrones de amenazas y riesgos que, de otro modo, podrían pasar inadvertidos. En la medida de lo posible, los controles clave deben monitorearse, en tiempo real. Los controles de detección, como las revisiones de registros, tienden a ser útiles solamente para determinar cómo podría desarrollarse algo que ya ocurrió. Incluso las alertas de IDS son reactivas; según el ajuste, un IDS puede no ser efectivo como medio para producir una respuesta rápida. Los resultados de un monitoreo continuo pueden extenderse para brindar certeza a la gerencia de que la seguridad está proporcionando niveles apropiados de aseguramiento operativo y que se están alcanzando los objetivos de control.

Esta página se ha dejado en blanco deliberadamente

Estudio de casos

Al comienzo del año financiero de una empresa multinacional, se contrató a un nuevo gerente de seguridad de la información para supervisar el programa de seguridad de la información de la empresa. El gerente de seguridad de la información solicitó y obtuvo políticas y procedimientos, antes de las auditorías internas anuales, y los resultados de las auditorías externas más recientes.

Tras revisar la información suministrada por la auditoría interna, el gerente de seguridad de la información se centró en el componente de gestión de cambios del programa general de seguridad de la información. Al evaluar la efectividad del diseño de control para el proceso de gestión de cambios, el gerente observó a través de entrevistas con el personal clave de TI que la empresa utiliza un sistema de control de cambios de propiedad (denominado GLASS) para ingresar solicitudes de cambio y realizar el seguimiento de las mismas a través del proceso de gestión de cambios, teniendo en cuenta aprobaciones y planes para desplegar y revertir los cambios. GLASS mantiene un registro de todos los cambios realizados en el sistema de facturación, junto con la fecha asociada, utilizando identificadores únicos para cada cambio y registros de auditoría que capturan otras actividades del sistema de facturación.

Para determinar la efectividad operativa del proceso de control, el gerente de seguridad de la información realizó entrevistas con los propietarios de la tecnología del sistema de facturación y el personal de auditoría de la empresa, y posteriormente utilizó una muestra aleatoria de cambios tomada del sistema de control de cambios de propiedad. La metodología de muestreo utilizada coincidía con las políticas de auditoría interna de la empresa. Se realizó la evaluación del control resultante involucrado en la auditoría, junto con los parámetros que exigen las políticas y los procedimientos de la empresa. Se aprobó el sistema de control de cambios y no se encontraron excepciones.

Sin embargo, la auditoría externa de la empresa determinó que hubo cambios en el sistema que no tenían las aprobaciones requeridas. Al revisar las políticas y los procedimientos, el gerente de seguridad de la información no pudo encontrar ningún motivo obvio por el cual no se realizaron los cambios durante la auditoría interna. A través de investigaciones posteriores con el equipo de auditoría y el personal responsable de migrar los cambios a uno de los sistemas de producción, el gerente de seguridad de la información determinó que GLASS no era el único punto de ingreso de solicitudes de cambio, sino que podía eludirse.

A la empresa se le asignó la tarea de desarrollar una solución de monitoreo que examinara todo el sistema de facturación y la actividad del sistema de base de datos, y lo comparase con la funcionalidad aprobada (denominada "VIEW"). Esta herramienta alertaría a la seguridad de TI sobre las acciones que no reflejaban aquellos cambios permitidos por las políticas y los procedimientos de gestión de cambios, como un cambio que no tuvo aprobaciones y se migró a la producción.

1. Al evaluar la efectividad del diseño de control, revisar el programa de auditoría y realizar preguntas al personal, ¿cuáles son algunos de los errores que cometió el gerente de seguridad de la información?

2. ¿Qué tipo de control representa la implementación de la herramienta VIEW?

   A. Compensatorios
   B. Correctivos
   C. De detección
   D. Preventivo

Respuestas en la página 278

Capítulo 3 Clave de respuestas

Estudio de casos

1. Los métodos de revisión y muestreo del gerente de seguridad de la información estaban viciados. En primer lugar, aunque el gerente de seguridad de la información no estaría involucrado principalmente en la función de auditoría; podría consultar los informes de auditoría para recopilar información adicional. En segundo lugar, las entrevistas deberían respaldarse con investigación adicional, ya que éstas pueden ser poco confiables; los empleados pueden omitir información o no ser sinceros con la información que brindan por varias razones. Además, como se observa en el estudio de caso, las entrevistas no detectaban los problemas más significativos de cambios que ocurrían y que eludían el sistema.

   Al investigar sobre un proceso que tiene un control de versión y un sistema de monitoreo integrados, es importante tener en cuenta todos los puntos de entrada posibles. Debido a que es la tecnología de control complementaria, GLASS, que registraba la actividad, era importante observar si existía o no una forma de evitar este sistema. Cuanto más cerca pueda estar el gerente de seguridad de la información de la tecnología de control nativa de un sistema, más cerca estará de acceder a la funcionalidad básica. El gerente de seguridad de la información omitió esta parte de la investigación.

2. A. Un control compensatorio es un control interno que reduce el riesgo de una debilidad existente o potencial del control que tenga como resultado errores y omisiones. VIEW reacciona frente a los intentos de violación y registra la información, pero no reacciona en base a las acciones de otros controles y corrige errores; por ende, es de detección.

   B. Un control correctivo tendría el poder de rectificar el impacto. En el caso de la herramienta VIEW, es un supervisor de las actividades y envía alertas cuando ocurre la violación de una actividad aceptable.

   C. Un control de detección advierte sobre violaciones o intentos de violación de la política de seguridad; en este caso, el registro de actividades del sistema y comparación con las acciones autorizadas. La herramienta VIEW puede reaccionar solamente una vez que haya ocurrido una acción; por lo tanto, es de detección.

   D. VIEW reacciona según la actividad ya implementada dentro de los sistemas objetivo; por lo tanto, no puede ser una herramienta preventiva. Para que sea preventiva, la herramienta debería tener el poder de evitar que los usuarios completen una acción que no se autorizó.

Capítulo 4

Gestión de incidentes

Visión General

Parte A: Preparación para la gestión de incidentes

Parte B: Operaciones de gestión de incidentes

Visión General

Este capítulo explica los conocimientos esenciales que se requieren para establecer un programa efectivo de gestión de incidentes de seguridad para responder y subsiguientemente gestionar los incidentes que amenazan los sistemas y la infraestructura de la información de una empresa.

Esta área representa el 30 % del examen CISM (aproximadamente 45 preguntas).

Área 4 Descripción del contenido del examen

A. Preparación para la gestión de incidentes

1. Plan de respuesta a incidentes
2. Análisis del impacto en el negocio
3. Plan de continuidad del negocio
4. Plan de recuperación de desastre
5. Clasificación y categorización de incidentes
6. Capacitación, pruebas y evaluación de la gestión de incidentes

B. Operaciones de gestión de incidentes

1. Herramientas y tecnologías para la gestión de incidentes
2. Investigación y evaluación de incidentes
3. Métodos de contención de incidentes
4. Comunicaciones de respuesta a incidentes
5. Erradicación y recuperación de incidentes
6. Prácticas de revisión pos-incidente

Objetivos de aprendizaje/ Enunciados de tareas

Tras finalizar este capítulo, el gerente de seguridad de la información deberá ser capaz de:

- Identificar las influencias internas y externas para la organización que tienen un impacto con la estrategia de seguridad de la información.
- Establecer y mantener el plan de respuesta a incidentes, en línea con el plan de continuidad del negocio y el plan de recuperación ante desastres.
- Establecer y mantener un proceso de clasificación y categorización de los incidentes de seguridad de la información.
- Desarrollar e implementar procesos para garantizar la identificación oportuna de los incidentes de seguridad de la información.
- Establecer y mantener procesos para investigar y documentar los incidentes de seguridad de la información según los requisitos legales y regulatorios.
- Establecer y mantener un proceso de gestión de incidentes, incluida la contención, notificación, escalado, erradicación y recuperación.
- Organizar, formar, equipar y asignar responsabilidades a los equipos de respuesta a incidentes.
- Establecer y mantener los planes y procesos de comunicación para entidades internas y externas.
- Evaluar los planes de gestión de incidentes de seguridad a través de pruebas y revisiones periódicas, incluidos ejercicios de simulación, revisión de listas de verificación y pruebas de simulación.
- Realizar revisiones pos-incidente para facilitar la mejora continua, incluido el análisis de la causa raíz, las lecciones aprendidas, las acciones correctivas y la reevaluación del riesgo.

Recursos sugeridos para lectura adicional

Alberts, C; A. Dorofee; G. Killcrece; R. Ruefle; M. Zajicek; *Defining Incident Management Processes for CSIRTs: A Work in Progress,* Carnegie Mellon University, EE. UU., 2004

Bace, R.; *Intrusion detection,* Macmillan Technical Publishing, Reino Unido, 2000

Brown, R.; S. Roberts; *Intelligence-Driven Incident Response: Outwitting the Adversary,* O'Reilly Media, Inc., EE. UU., 2017

Burtles, J.; *Principles and Practice of Business Continuity: Tools and Techniques, 2nd Edition,* Rothstein Associates Inc., EE. UU., 2016

Carnegie Mellon University, Software Engineering Institute, *Create a CSIRT, https://insights.sei.cmu.edu/documents/491/2017_019_001_485695.pdf*

Cloud Security Alliance (CSA), *Top Threats to Cloud Computing V1.0,* EE. UU., 2010

CSA, *Top Threats to Cloud Computing: Egregious Eleven Deep Dive,* EE. UU., 2020

CSA, *Top Threats to Mobile Computing,* EE. UU., 2012

Federal Emergency Management Agency, *www.fema.gov*

Hiles, A.; *The Definitive Handbook of Business Continuity Management, 3ª edición,* John Wiley & Sons Inc., EE. UU., 2011

International Organization for Standardization (ISO), *ISO 22301:2024 Security and resilience — Business continuity management systems — Requirements*, Suiza, 2024

Johansen, C.; *Digital Forensics and Incident Response Second Edition,* Packet Publishing Ltd, Reino Unido, 2020

Kabay, M.; *CSIRT Management*, EE. UU., 2009, *www.mekabay.com/infosecmgmt/csirtm.pdf*

Lucas, J.; B. Moeller; *The Effective Incident Response Team*, Addison-Wesley, EE. UU., 2004

Lucas, M.; *Network Flow Analysis,* No Starch Press, EE. UU., 2010

Luttgens, J.; M. Pepe; K. Mandia; *Incident Response & Computer Forensics, 3rd Edition*, McGraw Hill Education, EE. UU., 2014

Maiwald, E.; W. Sieglein; *Security Planning and Disaster Recovery,* McGraw-Hill Education, Reino Unido 2002

Marcus, E., *The Resilient Enterprise: Recovering Information Services from Disasters,* Veritas Software Corporation, EE. UU., 2002

Middleton, B.; *Cyber Crime Investigator's Field Guide, 2nd Edition*, Auerbach Publications, EE. UU., 2005

National Institute of Standards and Technology (NIST), *NIST Special Publication 800-61 Revision 2 Computer Security Incident Handling Guide*, EE. UU., 2021

NIST, *NIST Special Publication 800-83 Revision 1 Guide to Malware Incident Prevention and Handling,* EE. UU., 2013

NIST, *NIST Special Publication 800-86 Guide to Integrating Forensic Techniques into Incident Response,* EE. UU., 2006

Nelson, B.; A. Philips; C. Stuart; *Guide to Computer Forensics and Investigations, 6th Edition*, Cengage Learning, EE. UU., 2018

Nikkel, B.; *Practical Forensic Imaging: Securing Digital Evidence with Linux Tools,* No Starch Press, EE. UU., 2016

Rajnovic, D.; *Computer Incident Response and Product Security,* Pearson Education, EE. UU., 2010

Sanders, C.; *Practical Packet Analysis: Using Wireshark to Solve Real-world Network Problems,* No Starch Press, EE. UU., 2017

Solomon, M.; E. Tittel; N. Broom; D. Barrett; *Computer Forensics Jump Start, 2nd Edition*, Wiley Publishers, EE. UU., 2011

Snedaker, S.; *Business Continuity & Disaster Recovery Planning for IT Professionals, 2nd Edition*, Syngress Publishing Inc., EE. UU., 2013

Toigo, J.; *Disaster Recovery Planning,* Prentice Hall PTR, Reino Unido, 2002

Preguntas de autoevaluación

Las preguntas que se incluyen en el examen de certificación CISM están desarrolladas con el propósito de medir y probar el conocimiento práctico sobre la gestión de la seguridad de la información. Todas las preguntas son de opción múltiple y están diseñadas para que se obtenga una mejor respuesta. Todas las preguntas del examen CISM tienen el formato de planteamiento de un problema (pregunta) y cuatro opciones (opciones de respuesta). Se pide al candidato que elija la respuesta correcta o la mejor respuesta entre las opciones. El enunciado se puede formular como una pregunta o como un enunciado incompleto. Muchas veces una pregunta del examen de certificación CISM requerirá que el candidato elija la respuesta más probable o la mejor.

En cada caso, el candidato debe leer la pregunta cuidadosamente, eliminar las respuestas que sean claramente incorrectas y luego hacer la mejor elección posible. Conocer el formato en que se presentan las preguntas y cómo estudiar para obtener el conocimiento de lo que se va a probar será de gran ayuda para responder las preguntas correctamente.

1. El objetivo **PRINCIPAL** de una revisión posterior al incidente es:

    A. Recoger pruebas para acometer acciones legales posteriores.
    B. Identificar las personas que no tomaron las medidas adecuadas.
    C. Elaborar un informe para la gerencia sobre el incidente.
    D. Identificar formas para mejorar el proceso de respuesta.

2. ¿Cuál sería la cualidad **MÁS** apropiada que debe poseer de un gerente de incidentes?:

   A. Habilidades de presentación de informes a la gerencia
   B. Habilidad para seguir las políticas y los procedimientos
   C. Integridad en todas las acciones
   D. Habilidad para soportar el estrés

3. ¿Cuál es la razón **PRINCIPAL** para llevar a cabo una priorización de emergencias?

   A. Priorizar recursos limitados a la hora de gestionar los incidentes
   B. Alinearse con los pasos obligatorios del proceso de gestión de incidentes
   C. Mitigar las probabilidades de que se produzca un incidente
   D. Detectar un incidente antes de que se extienda más

4. ¿Cuál de las opciones siguientes es la **MÁS** importante al decidir si se construirá una instalación alternativa o se utilizará un centro de emergencia alternativo completamente equipado operado por un proveedor externo?

   A. El costo de reconstruir las instalaciones de procesamiento de información
   B. El costo diario incremental de perder los diferentes sistemas que se tienen
   C. La ubicación y el coste de los equipos comerciales de recuperación
   D. La expectativa de pérdidas anuales estimada basándose en los riesgos clave

5. ¿Cuál de los siguientes documentos debe contener un manual para el equipo de respuesta a incidentes informáticos?:

   A. Evaluación de riesgos
   B. Criterios de gravedad
   C. Directorio telefónico de emergencia
   D. Tabla de todos los archivos de respaldo

6. Si una empresa necesita contratar un seguro contra la conducta deshonesta o fraudulenta de sus propios empleados, ¿cuál de los siguientes tipos de cobertura necesitaría obtener?

   A. Fidelidad
   B. Interrupción del negocio
   C. Documentos y registros valiosos
   D. Continuidad de negocio

7. ¿Cuál de los siguientes métodos garantizaría **MEJOR** la suficiencia de un plan de recuperación ante desastres?

   A. Revisiones periódicas de la información del plan de recuperación
   B. Revisión sobre el papel de los planes de recuperación en caso de desastre
   C. Ejercicios de recuperación periódicos, utilizando a personal experto
   D. Auditorías periódicas de las instalaciones de recuperación en caso de desastre

8. Si un intruso o programa malicioso ha obtenido un acceso de súper usuario (p. ej., raíz) a un sistema, ¿cuál de los siguientes procedimientos proporcionaría la **MEJOR** protección?

   A. Evitar que el administrador del sistema acceda al sistema hasta que se investigue el incidente.
   B. Inspeccionar detenidamente el sistema y el resultado de la detección de intrusos para identificar todos los cambios a fin de revertirlos posteriormente.
   C. Reconstruir el sistema utilizando los dispositivos originales.
   D. Cambiar todas las contraseñas, para después retomar las operaciones normales

9. ¿Cuál de las opciones siguientes será el desafío **MÁS** significativo al desarrollar un plan de gestión de incidentes?

   A. Desalineación entre las metas de la organización y del plan
   B. Implementación de centralización de logs, correlación y seguimiento de eventos
   C. Desarrollo de métricas de incidentes
   D. Falta de apoyo de la gerencia y consenso organizacional

10. Si se requiere de una copia forense de una unidad de disco duro, ¿cuáles de los datos copiados serán los **MÁS** defendibles desde una perspectiva legal?

    A. Una copia comprimida de todo el contenido de la unidad de disco duro
    B. Una copia que incluya todos los archivos y directorios.
    C. Una copia bit por bit de todos los datos
    D. Una copia encriptada de todo el contenido de la unidad de disco duro

Respuestas en la página 284

Capítulo 4 Clave de respuestas

Preguntas de autoevaluación

1. A. Las pruebas forenses se deben haber obtenido en etapas anteriores del proceso.
   B. Una revisión posterior al incidente no debe centrarse en encontrar y castigar a las personas que no tomaron las acciones apropiadas ni en conocer la identidad del atacante.
   C. Aun cuando una revisión posterior al incidente puede servir para elaborar un informe/presentación para la gerencia, esta no es su meta principal.
   D. La meta principal de una revisión posterior al incidente es identificar formas en las cuales se pueda mejorar el proceso de respuesta a incidentes.

2. A. Las habilidades de presentación son útiles para preparar informes para la gerencia pero no son la cualidad más esencial.
   B. La capacidad de respetar las políticas y los procedimientos es importante, pero los incidentes son imprevistos y caóticos. Es probable que no existan procedimientos y políticas específicas para tratarlos, y si la persona no puede lidiar con el estrés de un incidente, la capacidad es de poco valor.
   C. La integridad es una cualidad esencial, pero si un empleado no la tiene probablemente no debiese ser contratado por la empresa.
   D. Los gerentes de incidentes trabajan en ambientes muy estresantes cuando se ocupan de los incidentes. Si una persona no es capaz de soportar el estrés, se pueden tomar decisiones incorrectas; por lo tanto, la cualidad principal de los gerentes de incidentes es soportar el estrés.

3. **A. La razón principal para llevar a cabo una priorización de emergencias es que los recursos para el manejo de incidentes son limitados y deben utilizarse para el beneficio de todos. Con una clasificación, priorización y asignación de incidentes basados en su criticidad, es posible asignar los recursos con mayor eficiencia.**
   B. La priorización de emergencias, en general, no se considera un proceso obligatorio en el manejo de incidentes.
   C. La priorización de emergencias no mitiga un incidente, pero aplica recursos disponibles de manera más eficaz para abordar el impacto.
   D. La priorización de emergencias no sirve para detectar incidentes.

4. A. El coste para reconstruir la instalación de procesamiento principal no es un factor para elegir un centro de recuperación alternativo.
   B. El coste diario de perder sistemas es el mismo, tanto si el centro alternativo se construye o alquila.
   C. La decisión, ya sea de construir un centro alternativo o de alquilar instalaciones de un centro de emergencia alternativo completamente equipado a un tercero, debe basarse en los costes y debe garantizar que la ubicación no sea susceptible a los mismos riesgos ambientales que el centro principal.
   D. La expectativa de pérdidas anuales no es un factor para elegir construir o alquilar un sitio alternativo.

5. A. Las evaluaciones de riesgos estarían disponibles para el equipo de respuesta. Sin embargo, suelen cambiar al menos una vez al año, y no tendría sentido incluirlas en el manual.
   B. Los criterios de gravedad permanecerán relativamente estáticos y es la única opción que resulta apropiada para el manual. Las otras opciones cambiarán con frecuencia y no tendría sentido volver a imprimir el manual cada vez que cambien los números telefónicos o los archivos de copia de seguridad.
   C. Un directorio telefónico cambiará con frecuencia por lo que no se incluiría en el manual.
   D. Una tabla de archivos de copia de seguridad, suele ser muy grande y cambia con frecuencia, por lo que no se incluiría en el manual.

6. **A. La cobertura de fidelidad es una cobertura de seguro contra la pérdida ocasionada por la deshonestidad o fraude cometido por empleados.**
   B. El seguro contra interrupción del negocio protege contra las pérdidas por eventos que impiden que funcione el negocio.
   C. El seguro para documentos y registros de valor protege contra los costes asociados con la destrucción de registros del negocio por causa de incendio, inundación u otro incidente.

D. El seguro para la continuidad del negocio es similar a la cobertura de interrupción del negocio pero, en general, brinda una protección más amplia.

7. **A. El fallo más común de los planes de recuperación ante desastres es no disponer de la información operativa esencial actualizada.**
   B. Las simulaciones en papel (verificaciones sobre el plan) son útiles solo si la información sobre los sistemas y las versiones están actualizadas.
   C. Los ejercicios de recuperación son críticos para probar los planes y procedimientos, pero el personal experto cuenta con el conocimiento para recuperar los sistemas sin utilizar los planes ni los procedimientos por escrito, lo que hace que la prueba de recuperación sea menos útil porque no se puede garantizar que estas personas estén disponibles en un verdadero desastre.
   D. Las auditorías pueden ser útiles, pero normalmente son poco frecuentes y utilizan un muestreo; por lo tanto, proporcionan un aseguramiento limitado y solo ocasional de que la información de los planes de recuperación sea actual y esté actualizada.

8. A. Evitar el acceso por parte de los administradores del sistema no brinda protección y no contribuye en nada para restablecer el sistema.
   B. El acceso raíz hace que sea posible iniciar los cambios que son difíciles o imposibles de localizar y no es una opción aceptable para resolver el problema.
   C. Si alguna persona o programa malicioso, obtiene privilegios de superusuario en un sistema sin autorización, la empresa nunca sabe realmente lo que el atacante o programa le ha hecho al sistema. La única manera de asegurar su integridad es limpiar el sistema realizando un formateado de bajo nivel en el disco duro o reemplazándolo por uno nuevo (por lo general, después de realizar una copia de seguridad de bits con el propósito de hacer análisis posteriores y para evitar la destrucción de los datos que pudieran no existir en otro lado) y comenzar de nuevo reinstalando el sistema operativo y las aplicaciones con los dispositivos originales.
   D. El cambio de contraseñas no brinda protección contra ningún cambio malicioso realizado al sistema.

9. A. El plan de gestión de incidentes es un subconjunto de la estrategia de seguridad, la cual ya concuerda con las metas de la organización y, por lo tanto, no representa mayor reto.
   B. Se requiere la implementación de la centralización de registros, correlación y seguimiento de eventos, pero no es el desafío más significativo.
   C. Deben desarrollarse métricas de incidentes, pero éstas son sencillas y no son un desafío significativo.
   D. Obtener la aprobación de la alta gerencia con frecuencia resulta difícil, pero es el primer paso que se requiere para llevar adelante cualquier plan de gestión de incidentes.

10. A. Que una copia esté o no comprimida no es relevante, y una operación de copia directa no incluirá todo el contenido del disco duro que no esté identificado por el sistema operativo como un archivo estándar.
   B. Una copia de todos los archivos y directorios no será una imagen del disco duro y no podrá copiar varios datos, que incluyen los datos entre el final de un archivo y el final del sector de disco ("slack space") y los archivos eliminados que no se hayan sobrescrito.
   C. No existe alternativa para hacer una copia bit por bit. Para proporcionar pruebas con validez legal suficiente, solo una copia de bits generará una imagen real del disco duro.
   D. Que los datos estén cifrados no es relevante, y copiar todos los archivos y las carpetas producirá la pérdida de determinados datos, como por ejemplo, los datos entre el final de un archivo y el final del sector de disco ("slack space").

Esta página se ha dejado en blanco deliberadamente

Parte A: Preparación para la gestión de incidentes

Nota

A los efectos de este manual de revisión, un programa de gestión de incidentes de seguridad se centrará de manera eficiente en el riesgo de seguridad y los incidentes posteriores que enfrenta una empresa. Los incidentes pueden ir desde lo mundano, como la pérdida de una persona clave frente a un competidor, un cambio en el mercado que amenaza los objetivos estratégicos, la pérdida de conectividad a Internet debido a una retroexcavadora que busca fibra, hasta un desastre, como un incendio o una inundación en las instalaciones primarias de procesamiento de datos.[48]

4.1 Descripción general de la gestión y la respuesta a incidentes

Un programa de gestión de incidentes de seguridad es un subconjunto de la gestión de riesgos, con un enfoque en la planificación, preparación e identificación de eventos que se desvían de las operaciones normales planificadas. El objetivo deseado es: 1) reducir el impacto sufrido por una empresa y 2) recuperarse y retomar las operaciones a niveles aceptables. La velocidad con la que una empresa puede identificar, analizar, responder a y recuperarse de un incidente reduce el impacto sufrido por la empresa y en última instancia los costos asociados con el incidente. Esto suele resultar en el entendimiento por parte de la alta gerencia de que la empresa necesita un medio efectivo y eficiente para responder al incidente.

Las actividades y recursos del programa individual se basan en la madurez, la industria, las metas estratégicas, los requisitos de cumplimiento, las operaciones geográficas, los niveles de personal y el deseo expresado o la necesidad de abordar los incidentes de la empresa. Las empresas maduras en sectores muy regulados podrían tener más capacidades, infraestructuras y recursos dedicados a la gestión de incidentes de seguridad en relación con las empresas que no tienen los mismos impulsores o similares. Cada empresa debe decidir sobre la estructura y las operaciones razonables y apropiadas; no existe una única respuesta para la gestión de incidentes. Lo que funciona para un equipo podría no funcionar para otro según las diferentes restricciones y los requisitos operativos.

Un número de factores contribuyentes entran en juego y deben tenerse en cuenta al desarrollar un programa de gestión de incidentes. Trabajar con las partes interesadas y los grupos atendidos por la empresa es tan crítico para el éxito del programa general como lo es el apoyo de la alta gerencia. Como experto en la materia relacionada con la gestión de la seguridad de la información, se le puede pedir al gerente de seguridad de la información que establezca un programa de gestión de incidentes de seguridad desde cero. Es posible que se le solicite a un gerente de seguridad de la información que revise las capacidades, las habilidades y la instrumentación existentes para abordar cualquier brecha potencial o para mejorar, aumentar y madurar un programa existente para satisfacer las necesidades de una empresa en función de los cambios en su entorno operativo.

Garantizar el desarrollo exitoso (y, en última instancia, la gestión) del programa de gestión de incidentes de seguridad de una empresa no difiere de garantizar el éxito de otros programas de gestión existentes. Los procesos clave deben identificarse, las prácticas y actividades deben definirse, el personal debe capacitarse en los niveles de habilidad apropiados y, una vez que estén operativos, deben administrarse para garantizar el soporte y la alineación adecuados con las metas y los objetivos estratégicos de la empresa.

4.1.1 La relación entre la gestión de incidentes de seguridad y la respuesta a incidentes

Existen diferencias sutiles y matices entre la gestión de incidentes de seguridad y las funciones de respuesta a incidentes. La **gestión de incidentes de seguridad** es la capacidad de proporcionar y garantizar la gestión de principio a fin de un incidente dentro de una empresa. Esto implica identificar cómo las tareas y los procesos se relacionan entre sí, cómo se intercambia información (de forma interna y externa) y qué acciones deben coordinarse para gestionar de forma satisfactoria un incidente. La **respuesta a incidentes** incluye los procesos, los procedimientos y las actividades realizadas al responder a un incidente y se centra en las acciones de identificación, selección, contención, erradicación y recuperación realizadas para retomar operaciones normales, tal y como se habían previsto.

[48] Para este capítulo, el autor contactó a Brandon McCrillis, instructor del Instituto SANS y consultor principal de Qualified Cyber, LLC, para colaborar en el tema de la gestión de incidentes de seguridad y la respuesta a incidentes.

Resumiendo, la gestión de incidentes de seguridad incluye todos los procesos, las prácticas y las actividades que tienen lugar antes, durante y después de un incidente. Sin embargo, la respuesta a incidentes es un subconjunto de actividades realizadas cuando una empresa declara un incidente.

Juntas, la gestión de incidentes de seguridad y las capacidades de respuesta a incidentes son la puesta en marcha de las acciones de emergencia a la luz de un evento adverso que impacta en la empresa. Ambos son componentes de la resiliencia operativa general y de la gestión de riesgo. La gestión de incidentes y las capacidades de respuesta ayudan a garantizar que el riesgo de la empresa se gestiona y aborda de manera adecuada. Alcanzar este objetivo requiere no solo el reconocimiento por parte de la alta gerencia, sino también compromisos razonables y apropiados para garantizar que el riesgo se aborde de manera suficiente y se gestione de manera eficiente y efectiva hasta el nivel aceptable de tolerancia al riesgo.

4.1.2 Importancia de la gestión y respuesta a incidentes

Los incidentes pueden originarse a partir de un amplio espectro de fuentes potenciales, incluidos ataques cibernéticos a gran escala, pérdidas asociadas con desastres naturales, la pérdida de personal clave, accidentes en el lugar de trabajo o cualquier otro evento adverso inesperado que ocurra como resultado de un cambio en el panorama de amenazas. Los esfuerzos deben incluir la gestión y respuesta a los incidentes relacionados con la seguridad de la información, independientemente del medio (lógico, físico, humano) que originó el incidente.

La forma en que una empresa se prepara para responder y gestionar incidentes influirá en gran medida en su capacidad para recuperarse y reanudar las operaciones comerciales normales. Este resultado requiere un enfoque coherente y coordinado que esté alineado con la empresa para garantizar que cuando ocurra un incidente, los impactos y los costos para la empresa serán mínimos.

Como se suele decir, "La cuestión no es si pasará, sino cuándo." Ninguna empresa está libre de sufrir incidentes, y todas necesitan entender que su estrategia y solución deben adaptarse para proporcionar una gestión de incidentes de seguridad adecuada y capacidades de respuesta que cumplan con las necesidades de las partes interesadas y garanticen que los esfuerzos están en línea con las necesidades de la empresa. El enfoque adoptado depende de una serie de factores, que incluyen.

- **Comunidad de usuarios a la que se presta servicio**: ¿Quiénes son los usuarios de esta capacidad?
- **Misión, metas y objetivos de la empresa**: ¿Está el enfoque en línea con la empresa?
- **Servicios que se van a proporcionar:** ¿Qué servicios van a cubrir las necesidades de la comunidad?
- **Modelo organizativo y relaciones con varias partes interesadas:** ¿A quién corresponde la rendición de cuentas y la responsabilidad de la empresa?
- **Financiamiento para los costos de puesta en funcionamiento y las operaciones en curso:** ¿Cómo será financiada esta capacidad?
- **Recursos necesarios por el equipo de respuesta a incidentes de seguridad informática (CSIRT):** ¿Qué se necesita para cumplir con las capacidades deseadas por la comunidad de usuarios a la que se atiende?

Muchas organizaciones, tales como el Instituto de Ingeniería de Software de la Universidad Carnegie Mellon (CMU SEI), el Instituto Nacional de Normas y Tecnología (NIST) de EE. UU., el Consorcio Internacional de Resiliencia Organizativa (ICOR), el Instituto SANS e ISACA, brindan diferentes grados de información, enfoques y metodologías para desarrollar capacidades de gestión de incidentes.

La gestión de incidentes de seguridad involucra todas las acciones tomadas antes, durante y después de que ocurra un incidente de seguridad de la información. La gestión de incidentes de seguridad incluye la gestión de programas (planificación, capacitación, pruebas), prácticas operativas (procesos, procedimientos, protocolos) y tácticas (recopilación de pruebas, clasificación, análisis inicial) y actividades individuales.

Las prácticas de gestión de incidentes de seguridad deben diseñarse para mitigar el impacto de un incidente y garantizar una recuperación eficiente y eficaz con los siguientes objetivos en mente:

- Apoyar la estrategia de empresa general.
- Proporcionar un medio efectivo de abordar la situación de manera tal que minimice el impacto a la empresa.
- Brindar a la gerencia suficiente información para decidir los cursos de acción apropiados.
- Mantener o restaurar la continuidad de los servicios de la empresa en línea con los planes de continuidad de negocio y los planes de recuperación de desastres.
- Proporcionar una defensa inicial contra ataques posteriores.
- Proveer disuasión adicional mediante el uso de tecnología, investigación y acusación.

La gestión de incidentes de seguridad incluye la coordinación de los recursos de negocio y los recursos técnicos que han sido asignados como parte del equipo de gestión de incidentes de seguridad de la empresa. Además de la seguridad y la TI, los miembros pueden incluir representantes del departamento legal, de finanzas/contabilidad, recursos humanos (RR. HH.), relaciones públicas (RR. PP.), comunicación corporativa, y las líneas implicadas del negocio, además de los recursos que responden activamente a los incidentes, como los proveedores de hardware o los proveedores de servicios.

Una capacidad de gestión de incidentes de seguridad eficaz es parte importante del desarrollo y la implementación de cualquier sistema. Las empresas ahora se dan cuenta de que la comunicación activa y la colaboración entre el negocio (p. ej., propietarios de sistemas, riesgos y controles), sus contrapartes técnicas (p. ej., los desarrolladores de aplicaciones, administradores de sistemas y redes, información y seguridad cibernética) y el personal que realiza y respalda las actividades de gestión de incidentes de seguridad proporciona la mejor información para desarrollar enfoques de líneas base de seguridad, mejores prácticas defensivas y procesos de respuesta optimizados para identificar, detectar, prevenir, responder y recuperarse de la creciente variedad de amenazas a las que se enfrentan. Al mismo tiempo, una capacidad de gestión de incidentes de seguridad efectiva aumenta los esfuerzos generales de resiliencia organizativa en caso de necesidad.

El alcance de la gestión de incidentes de seguridad y las capacidades de respuesta deben estar en equilibrio con la seguridad básica, la continuidad del negocio (BC) y la recuperación de desastres (DR) definidos por las partes interesadas adecuadas. El nivel de capacidad de gestión de incidentes de seguridad también debe considerarse en el contexto de los planes BC y DR. En algún momento puede ser más rentable utilizar opciones de procesamiento alternativas que mantener un alto nivel de gestión de incidentes de seguridad y capacidad de respuesta.

Las metas de las actividades de gestión y respuesta a incidentes se pueden resumir de la siguiente manera:

- Identificar y detectar los incidentes con rapidez.
- Diagnosticar incidentes con exactitud.
- Contener y minimizar los daños.
- Restaurar los servicios afectados.
- Determinar las causas raíz.
- Implementar mejoras para evitar que se repitan.
- Documentar e informar.

4.1.3 Ciclo de vida de la gestión y el manejo de incidentes

El tratamiento de incidentes es un servicio que involucra a todos los procesos o tareas relacionados con el tratamiento de eventos e incidentes. Implica múltiples funciones:

- **Detección y reporte**: la capacidad para recibir y revisar información de eventos, reportes de incidentes y alertas
- **Triaje**: las acciones que se toman para categorizar, priorizar y asignar eventos e incidentes para maximizar la efectividad de los recursos limitados
- **Análisis**: el intento de determinar lo que ha sucedido, el impacto y la amenaza, qué daño se ha ocasionado y los pasos de recuperación o mitigación que se deben seguir
- **Respuesta a incidentes**: las acciones tomadas para resolver o mitigar un incidente, coordinar y difundir información e implementar estrategias de seguimiento para prevenir incidentes recurrentes

El ciclo de vida de la gestión de incidentes de seguridad se describe en la **figura 4.1**.

Por definición, los incidentes son eventos inesperados. La capacidad para detectar, identificar y evaluar la situación, determinar las causas y llegar con rapidez a las soluciones puede suponer la diferencia entre un problema y un desastre. Una consideración importante es reconocer en qué punto un incidente se vuelve un problema y, posteriormente, cuándo la incapacidad de tratar un problema en forma adecuada amerita una declaración de desastre. El tiempo para establecer tales determinaciones no existe durante una crisis. La **figura 4.2** muestra la progresión de un desastre.

Figura 4.1—Ciclos de vida de la gestión de incidentes

Fase	Actividades
Planeación y preparación	• Crear políticas, adquirir apoyo de la gerencia, concienciar al usuario y generar capacidad de respuesta • Realizar investigación y actividades de desarrollo • Crear listas de comprobación y adquirir las herramientas necesarias • Desarrollar un plan de comunicación y una formación de concienciación • Asegurar la aceptación y el compromiso de las partes interesadas con un programa de respuesta a incidentes
Detección, clasificación e investigación	• Definir eventos frente a incidentes y procesos de notificación • Detectar y validar incidentes • Priorizar y calificar incidentes • Implementar sistemas de detección de intrusión, sistemas de prevención de intrusión y supervisión de eventos de información de la seguridad
Contención, análisis, seguimiento y recuperación	• Ejecutar una estrategia de contención para varios incidentes • Realizar análisis forenses según los procesos de gestión de pruebas • Ejecutar procedimientos de recuperación en línea con los planes de continuidad del negocio y de recuperación en caso de desastre • Determinar la fuente del incidente.
Evaluación posterior al incidente	• Revisiones postmortem ▪ ¿Qué sucedió exactamente y a qué hora? ▪ ¿Cómo gestionaron el incidente el personal y la gerencia? ¿Se siguieron los procedimientos documentados? ¿Eran los adecuados? ▪ ¿Qué acciones correctivas pueden prevenir incidentes similares en el futuro? • Informar sobre las métricas relacionadas con la gestión de incidentes de seguridad (p. ej., tiempo medio hasta descubrir el incidente, coste de la recuperación) • Proporcionar retroalimentación sobre las lecciones aprendidas
Cierre del incidente	• Realizar un análisis postmortem de la respuesta a incidentes • Enviar informes a la gerencia y las partes interesadas

Fuente: ISACA, *Incident Management and Response,* EE. UU., 2012

Figura 4.2—Progresión de un desastre

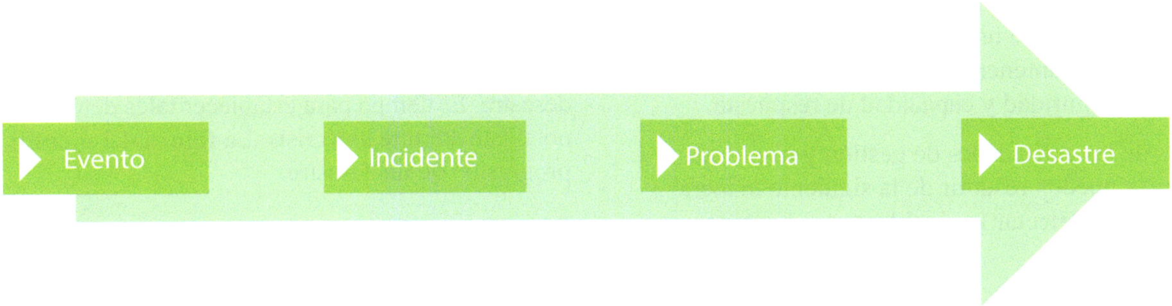

Es preciso contar con una planificación y compromiso rigurosos de los recursos para prever tales eventos. Tal como sucede con otros aspectos de la seguridad, para que exista una capacidad eficaz de gestión de incidentes es crucial que exista un consenso entre todas las partes interesadas y que se obtenga el apoyo de la alta gerencia. Se puede obtener respaldo como consecuencia de los impactos inaceptables de incidentes anteriores a la empresa o en el desarrollo de un caso de negocio persuasivo que detalle ejemplos de eventos similares en otras empresas que muestren las consecuencias de una gestión de incidentes de seguridad inadecuada. El proceso de gestión y respuesta a incidentes puede conducir a una reducción en los costos generales de la seguridad al establecer niveles mínimos para tratar eventos comunes al brindar protección con una capacidad adecuada de respuesta, contención y recuperación. Esto es similar al enfoque común para proteger contra incendios mediante la aplicación de una combinación de controles preventivos razonables, junto con un sistema de detección de incendios efectivo, planes de evacuación y centrales de alarmas y detectores para la respuesta por parte del departamento de bomberos, complementado con pólizas de seguro en casos en que las medidas de gestión y respuesta a incidentes no sean suficientes. Aun cuando pudiera construirse una estructura completamente a prueba de incendios, la rentabilidad óptima utiliza una combinación de enfoques de gestión de riesgos desarrollada mediante ensayo y error.

Muchas empresas cuentan con un departamento independiente responsable del plan de BC y DR, y el grado de participación y autoridad de la seguridad de la información varía mucho entre estas. Sin importar cómo estén estructurados dichos departamentos, es esencial que trabajen de manera cercana, y que los planes se complementen y estén bien integrados. Deben definirse claramente a las personas que estarán a cargo de los distintos tipos de evento, y se deben establecer criterios claros de gravedad y declaración.

Los criterios de gravedad deben describirse en términos consistentes y concisos, y deben ser fáciles de entender, de forma tal que se determinen de manera uniforme los eventos similares con respecto a su nivel de gravedad. También deben establecerse los criterios de escalamiento y declaración de incidentes para que quede claro quién tiene la autoridad de determinar el nivel de respuesta, activar los equipos, declarar un incidente o desastre y movilizar los equipos adecuados para iniciar los procesos de contención y recuperación. Los criterios de severidad y su uso deben divulgarse ampliamente y comunicarse a las partes relevantes. El personal debe recibir capacitación para reconocer los posibles incidentes y proporcionar su adecuada clasificación, y debe ser capacitado para conocer los requerimientos de notificación, reporte y escalamiento. El gerente de seguridad de la información debe ser consciente de que siempre existe la posibilidad de que los eventos aumenten y se transformen en desastres, sin importar lo mucho que se hayan preparado y cómo se gestionen los incidentes.

4.2 Gestión de incidentes de seguridad y planes de respuesta a incidentes

Una gestión eficaz de incidentes garantiza que se identifiquen, detecten, registren y gestionen los incidentes para limitar los impactos. Es necesario registrar los incidentes para que se pueda realizar un seguimiento de las actividades de respuesta a incidentes, se pueda brindar información que ayude en las actividades de planificación y ningún aspecto del incidente pase desapercibido. El registro se requiere para documentar de manera adecuada la información que pueda incluir datos forenses que puedan utilizarse para la prosecución de opciones legales o disciplinarias. Los incidentes deben clasificarse para garantizar que se priorizan correctamente y que se canalizan hacia los recursos apropiados. La gestión de incidentes incluye procesos de soporte inicial que permiten comparar nuevos incidentes con errores y problemas conocidos de tal forma que sea posible identificar rápidamente cualquier solución alterna detectada con anterioridad.

La gestión de incidentes de seguridad proporciona una estructura para investigar, diagnosticar, resolver y luego cerrar incidentes. El proceso garantiza que los incidentes cuenten con un dueño, que se les dé seguimiento y se monitoreen a lo largo de su ciclo de vida. Podría haber ocasiones en las que ocurran incidentes importantes que requieran de una respuesta más allá de aquella que proporciona el proceso normal de incidentes y podría requerir de la activación de las capacidades de BC/DR.

La respuesta a incidentes es el último paso en un proceso de manejo de incidentes que abarca la planificación, coordinación y ejecución de actividades apropiadas de contención, erradicación y recuperación, y puede incluir el desarrollo de recomendaciones o conducir a actividades de mitigación de seguimiento identificadas durante las lecciones aprendidas.

El gerente de seguridad de la información debe ser consciente de los incidentes que no tienen carácter técnico que deben planificarse y atenderse. Entre este tipo de incidentes se encuentran la ingeniería social, el robo o la pérdida de cintas de respaldo o dispositivos, el robo físico de material sensible y desastres naturales.

4.2.1 Importancia de la gestión de incidentes

A medida que las empresas dependen cada vez más de los procesos y sistemas de información, y que la interrupción de dichas actividades ocasiona impactos graves a un nivel inaceptable, ha aumentado la criticidad de contar con una gestión y respuesta eficaces a incidentes. Algunos factores que intensifican la necesidad de una gestión de incidentes de seguridad efectiva son:

- La tendencia de aumento de las ocurrencias y de aumento de las pérdidas causadas por incidentes de seguridad de la información (p. ej., ransomware).
- El aumento de las vulnerabilidades en el software o sistemas que afecta una parte significativa de la infraestructura de una empresa y tiene un impacto en las operaciones.
- Fallo de los controles técnicos de seguridad para prevenir incidentes.
- Mandatos legales y normativos exigen el desarrollo de una capacidad para la gestión de incidentes.
- La creciente sofisticación y las capacidades de los agentes de amenazas.
- Amenazas persistentes avanzadas (APT).
- Explotación de procesos y prácticas de TI mal gestionados.
- Más ataques de día cero.

4.2.2 Resultados de la gestión de incidentes

Los resultados de una buena gestión y respuesta a incidentes incluyen los siguientes:

- La empresa puede tratar de manera eficaz los eventos imprevistos que podrían amenazar con la interrupción del negocio (p. ej., objetivo de tiempo de recuperación (RTO) y objetivo de punto de recuperación (RPO)).
- La empresa contará con capacidades suficientes de detección y monitoreo para garantizar que los incidentes se detectan a tiempo.
- Los criterios de declaración y gravedad bien definidos estarán implementados, ya que definirán los procesos de notificación y escalamiento.
- El personal deberá entrenarse en el reconocimiento de incidentes, la aplicación de criterios de gravedad y los procedimientos adecuados de escalamiento y presentación de informes.
- La empresa contará con capacidades de respuestas que apoyen de manera comprobable la estrategia de negocio, pues será receptiva a la criticidad y sensibilidad de los recursos protegidos.
- La empresa contribuirá a gestionar el riesgo de incidentes de forma proactiva, apropiada y rentable, y brindará una integración de las áreas relacionadas con la seguridad dentro de la organización a fin de maximizar la eficacia.
- La empresa proporcionará funciones de monitoreo y métricas para medir el desempeño de las capacidades de gestión y respuesta a incidentes, y realizará pruebas periódicas a sus capacidades y garantizará que tanto la información como los planes se actualizan con frecuencia, se mantienen vigentes y que se encuentran disponibles cuando se requieran.

Las actividades de monitoreo y métrica garantizarán que:

- Los activos de información están debidamente protegidos y que el nivel de riesgo se encuentra dentro de límites aceptables.
- Se cuenta con equipos de gestión y respuesta a incidentes correctamente capacitados y equipados.
- Se cuenta con planes eficaces de respuesta a incidentes (IRP) y que son del conocimiento y entendimiento de las partes interesadas (por ejemplo, gerencia, departamentos de TI, usuarios finales, administradores de incidentes).
- Los incidentes sean rápidamente identificados, correctamente categorizados y contenidos, y se analice el origen de los mismos para permitir la recuperación dentro de los objetivos de recuperación aceptables.
- Los flujos de comunicación a las diferentes partes interesadas y los terceros estén bien controlados, tal como se documenta en el plan de comunicación.
- Las lecciones aprendidas se documentan y comparten con las partes interesadas para incrementar el nivel de concienciación sobre la seguridad y servir como base para mejorar.
- Las partes interesadas, tanto internas como externas (p. ej., clientes, proveedores, socios de negocio), obtienen un aseguramiento de que la empresa tiene un control adecuado y está preparada para garantizar la supervivencia del negocio a largo plazo.

4.2.3 Recursos para la gestión de incidentes

Se pueden utilizar muchos recursos internos y externos en el desarrollo de un plan de gestión y respuesta a incidentes. En una empresa clásica, estos recursos pueden ser, entre otros:

- Oficina de cumplimiento
- Gestión de instalaciones
- Recursos humanos
- Equipos de respuesta a emergencias nacionales y del sector

- Centros de análisis e intercambio de información
- Proveedores de seguro
- Auditoría interna
- Departamento de TI
- Autoridades policiales
- Departamento legal
- Gobierno local
- Seguridad física
- Oficial de privacidad
- Relaciones Públicas
- Gestión de riesgos
- Ventas y marketing
- Alta gerencia
- Proveedores externos
- Socios de capacitación
- Asesores de confianza
- Proveedores/suministradores

Al igual que con otros aspectos de la seguridad de la información, es esencial desarrollar una visión clara, los objetivos y una estrategia de implementación. La estrategia debe considerar los elementos necesarios para pasar del estado actual de gestión de incidentes de seguridad al estado deseado, tal y como lo define la empresa. Esto debe aclarar qué recursos se requieren y cómo deben utilizarse.

4.2.4 Políticas y estándares

Es necesario apoyar el plan de respuesta a incidentes (IRP) con políticas, estándares y procedimientos bien definidos. Un conjunto documentado de políticas, estándares y procedimientos es importante para:

- Garantizar que las actividades de gestión de incidentes de seguridad se encuentren alineadas con la misión del equipo de gestión de incidentes de seguridad (IMT).
- Establecer expectativas correctas.
- Proporcionar asesoría sobre necesidades operativas.
- Mantener la consistencia y la confiabilidad de los servicios.
- Comprender con claridad los diferentes roles y responsabilidades.
- Establecer requisitos para identificar personal alternativo para todas las funciones importantes.

4.2.5 Objetivos de la gestión de incidentes

En lo fundamental, la gestión de incidentes de seguridad existe para abordar los eventos inevitables que pueden amenazar la operación de cualquier empresa. Funciona como la penúltima red de seguridad después de que los controles han fallado en evitar o contener un incidente. El principal propósito es responder y contener los incidentes de seguridad y restaurar las operaciones normales de la forma más rápida posible en caso de incidentes. No hacerlo puede ocasionar la declaración de un desastre, y las operaciones de recuperación. Esto puede suponer trasladarse a un sitio alternativo para restaurar las operaciones tal y como se define en los planes de BC/DR.

Los objetivos de la gestión de incidentes son:

- Manejar incidentes cuando ocurren para que sea posible mitigar o erradicar la exposición y permitir la recuperación dentro de los objetivos de tiempo de recuperación (RTO) y los objetivos del punto de recuperación (RPO).
- Restablecer los sistemas y los procesos de negocio a una operación normal.
- Evitar que vuelvan a ocurrir incidentes mediante la documentación y aprendizaje de incidentes pasados.
- Aplicar contramedidas proactivas para prevenir o minimizar la probabilidad de que los incidentes tengan lugar en el futuro.
- Aplicar salvaguardas para proteger y reducir el impacto en los activos en caso de que se produzca un incidente.

Preferiblemente, las capacidades de respuesta y gestión de incidentes de seguridad deben tratar de manera efectiva una gran variedad de posibles eventos no esperados. Las empresas deben asegurarse no solo de tener capacidades de monitoreo bien desarrolladas para los controles clave a fin de proporcionar una detección temprana de problemas potenciales, sino también de que estas capacidades sean accesibles para el personal de gestión de incidentes de seguridad adecuado. El personal debe ser capacitado para evaluar la situación, realizar la priorización de emergencias, gestionar respuestas eficaces que maximicen la continuidad operativa y minimicen los impactos. Los gerentes de incidentes establecerán provisiones para capturar toda la información que sea relevante y aplicarán las lecciones aprendidas de experiencias pasadas. Estarán preparados para un desastre mediante criterios bien definidos, experiencia, conocimiento y la facultad para activar los procesos de recuperación ante desastres que sean necesarios para mantener o recuperar el estado operativo.

4.2.6 Alineación estratégica

Tal como sucede con muchas otras funciones de soporte, la gestión de incidentes de seguridad debe estar alineada con el plan estratégico de la empresa. Los componentes que se mencionan a continuación pueden ayudar a alcanzar dicha alineación:

- **Comunidad de usuarios:** ¿A quién presta servicios el equipo de gestión de incidentes de seguridad (IMT)?

Es importante saber quiénes son las partes interesadas para esta función e identificar sus expectativas y sus necesidades de información. Por ejemplo, la alta gerencia de instituciones financieras puede acatar los estándares de Basilea II u otra reglamentación. Por lo tanto, el IMT debe cumplir con ciertos requisitos de rendimiento y notificación.

- **Misión**: define el propósito del equipo y los principales objetivos y metas que proporciona el IMT. A continuación se presenta un ejemplo de una posible declaración de la misión del IMT: "La misión del equipo de gestión de incidentes de seguridad es desarrollar, mantener y proporcionar capacidades y servicios de gestión de incidentes de seguridad para proteger los activos de información de la empresa contra incidentes informáticos. Nos esforzamos por brindar certeza a las partes interesadas de que los riesgos y los ciberincidentes o los incidentes relacionados con la TI se resuelven de forma eficiente y eficaz, y que se prevendrán/minimizarán las pérdidas que resulten de dichos incidentes".
- **Servicios**: se deberán definir claramente los servicios prestados por el IMT para satisfacer las expectativas de las partes interesadas. Los servicios ofrecidos en una empresa pueden diferir en gran medida, y por lo general guardan una relación positiva con el tamaño de la empresa y el grado de participación de la alta gerencia. A un nivel alto, estos servicios incluyen funciones como gestión de incidentes, gestión de vulnerabilidades, concienciación de la situación, transferencia de conocimientos y gestión de eventos.[49]
- **Estructura organizacional**: la estructura del IMT debe apoyar en forma eficaz a la estructura de la empresa. En el caso de compañías multinacionales, una estructura basada en la ubicación geográfica podría ser la mejor. Para empresas que cuenten con múltiples subsidiarias, podría conformarse un IMT por cada subsidiaria principal. La mejor estructura sería aquella que proporcione al negocio la máxima disponibilidad de servicios del IMT al menor costo.
- **Recursos:** se necesita un personal lo suficientemente calificado para que sea eficaz y efectivo. Puesto que la gestión de incidentes de seguridad puede incluir una amplia gama de servicios, la mayor parte del tiempo no es posible contar con todos los recursos disponibles dentro de un IMT. Una forma de resolver este problema es establecer miembros de equipo virtuales y complementar el equipo con recursos externos.
- **Financiación:** el IMT suele estar conformado por miembros altamente especializados. La capacitación, el equipo y los sistemas que utilizan durante la prestación de los servicios también podría ser una labor muy especializada y requerir gastos mayores de capital. Es necesario contar con financiamiento suficiente para garantizar la continuidad de los servicios críticos de respuesta a incidentes.
- **Apoyo de la gerencia**: la participación de la alta gerencia es esencial para establecer una capacidad de gestión de incidentes de seguridad satisfactoria dentro de una empresa. Una falta de apoyo puede ocasionar varios problemas. Por ejemplo, la incapacidad de responder a un incidente debido a los silos existentes dentro de la empresa, miembros del equipo no capacitados debido a la falta de fondos, asignación presupuestaria insuficiente para permitir una respuesta eficaz y eficiente, o para atraer o retener personal calificado. Sin el compromiso de la alta gerencia, la gestión de incidentes de seguridad y las capacidades de respuesta dependerán, en el mejor de los casos, del heroísmo personal o introducirán una variedad de riesgos legales (p. ej., la alteración o el mal manejo de las pruebas).

4.2.7 Plan de respuesta y recuperación

Las empresas deben contar con un enfoque formal, centrado y coordinado que responda a los incidentes, incluido un plan de respuesta a incidentes (IRP) que proporcione la hoja de ruta para implementar la capacidad de respuesta a incidentes. Cada empresa necesita un plan que cumpla con sus requisitos únicos, que se relacione con la misión, el tamaño, la estructura y las funciones de la empresa. El plan debe establecer los recursos necesarios y el respaldo de la gerencia. El IRP debe incluir los siguientes elementos:

- Misión
- Estrategias y metas
- Aprobación de la alta gerencia
- Enfoque organizacional de respuesta a incidentes
- Responsabilidades y personal clave para la toma de decisiones
- Comunicación con el resto de la empresa y con otras empresas
- Métricas para medir la capacidad de respuesta a incidentes y su efectividad
- Plan de acción para madurar la capacidad de respuesta a incidentes
- Cómo el programa se adapta a toda la empresa

La misión, las estrategias y las metas de la empresa para la respuesta a incidentes deben ayudar a determinar la estructura de su capacidad de respuesta a incidentes. La

[49] FIRST, "FIRST CSIRT Services Framework" Versión 2.1, *www.first.org/standards/frameworks/csirts/csirt_services_framework_v2.1*

estructura del programa de respuesta a incidentes también debe ser tratada dentro del plan. Una vez que una empresa desarrolla un plan y obtiene la aprobación de la gerencia, la empresa debe implementar el plan y revisarlo al menos una vez al año (o cuando haya algún cambio significativo que podría introducir un riesgo no planificado) para asegurarse de que la empresa está siguiendo la hoja de ruta para madurar su capacidad y el cumplimiento de sus objetivos de respuesta a incidentes.

La siguiente sección trata de la necesidad de capacidades de respuesta a incidentes y las responsabilidades típicas de un gerente de seguridad de la información. Estas responsabilidades pueden variar de forma significativa en diferentes empresas y, en algunos casos, pueden incluir algunas actividades de DR y BC.

4.2.8 El rol del gerente de seguridad de la información en la gestión de incidentes

El rol que el gerente de seguridad de la información tiene dentro del plan de BC, DR y respuesta a incidentes se verá influenciado por muchos factores, como el tamaño de la empresa, la industria, los requisitos regulatorios aplicables y la madurez de las capacidades de BC, DR y respuesta a incidentes. El gerente de seguridad de la información suele ser responsable de responder a los incidentes relacionados con la información.

En empresas más pequeñas, el gerente de seguridad de la información puede estar involucrado en todas las funciones de BC, DR y respuesta a incidentes, ayudando a las unidades comerciales a completar sus análisis de impacto comercial (BIA), trabajando con el departamento de TI para identificar soluciones adecuadas de respaldo y recuperación, coordinando esfuerzos de respuesta a incidentes a medida que se intensifican los eventos y la prestación de los servicios normales de seguridad de la información que necesita la empresa.

En empresas más grandes, las funciones de negocio de BC, DR y la respuesta a incidentes pueden ser departamentos separados, cada uno con su propio personal dedicado y los presupuestos que se necesitan para respaldar las operaciones. Aquí, el rol del gerente de seguridad de la información podría ser de consultor interno, asesorando como experto en la materia en cualquiera de las funciones anteriores. El gerente de seguridad de la información puede ser un colaborador general, apoyando y aumentando las operaciones existentes y brindando servicios en apoyo de las necesidades comerciales, o puede funcionar simplemente como un compañero comercial, con incidentes de seguridad que se informan con el fin de monitorear, priorizar y remediar, y con esfuerzos de respuesta realizados por el departamento de respuesta a incidentes.

Independientemente del entorno en el que opere el gerente de seguridad de la información, es importante tener una buena comprensión conceptual y práctica de lo que se requiere para abordar adecuadamente las responsabilidades relacionadas. Además, debe haber una buena comprensión de los procesos de BC y DR. Esto es para garantizar que la gestión de incidentes y los planes y actividades de respuesta a incidentes se integren adecuadamente con los BCP y DRP generales en el caso de que un incidente se convierta en un desastre.

4.2.9 Gestión de riesgos

Para obtener resultados de gestión de riesgos satisfactorios, se requieren una gestión de incidentes de seguridad y capacidades de respuesta efectivas. || Cualquier riesgo que se materialice que los controles internos de la empresa no hayan prevenido constituye un incidente que debe ser gestionado y al que se debe responder con la finalidad de que no aumente y se transforme en un desastre.

4.2.10 Integración del proceso de aseguramiento

El tipo y la naturaleza de los incidentes que pudiera enfrentar el gerente de seguridad de la información a menudo requieren de la participación de otras funciones de la organización, tales como la seguridad física, RR. HH. y el departamento jurídico.

Es importante asegurar que los planes de gestión y recuperación en caso de incidentes incluyan e incorporen en forma activa a esas áreas cuando sea pertinente. Un resultado eficaz es un conjunto de planes que define qué departamentos participan en las diversas actividades de gestión y respuesta a incidentes, y especificar que dichas interacciones se han probado en condiciones reales.

4.2.11 Entrega de valor

Las capacidades de gestión de incidentes de seguridad deben estar estrechamente integradas con las funciones de negocio y constituir la última línea de defensa para apoyar una gestión de riesgos rentable.

La gestión de incidentes de seguridad implica algo más que la tecnología que evita o responde a incidentes; incluye una serie de procesos que puede proporcionar un equilibrio óptimo entre la prevención, la contención y la restauración.

Para entregar valor, la gestión de incidentes debe:

- Integrarse con procesos de negocio y estructuras de la manera más continua posible.
- Mejorar la capacidad de los negocios para gestionar el riesgo y brindar certeza a las partes interesadas.
- Integrarse en el plan de continuidad del negocio (BCP).
- Formar parte de la estrategia e iniciativa general de la empresa para proteger y asegurar las funciones y los activos críticos del negocio.
- Establecer la barrera y optimizar los esfuerzos de la gestión de riesgos.

4.2.12 Gestión de recursos

La gestión de recursos abarca tiempo, personas, presupuesto y otros factores para alcanzar los objetivos de manera eficiente ante determinadas limitaciones de recursos. Las actividades de gestión y respuesta a incidentes consumen recursos que se deben gestionar para alcanzar una eficacia óptima. Esto se logra al asegurar supervisión apropiada, monitoreo de recursos y presentación regular de informes. Cuando no es posible alcanzar todos los objetivos, una gestión de recursos eficaz garantiza que se traten primero las prioridades más importantes. En términos de respuesta a incidentes, las capacidades de priorización de emergencias garantizan que los recursos limitados se apliquen más efectivamente para contener y limitar el daño. Esto se basa en la identificación rápida de los activos comprometidos que no pueden abordarse de inmediato, los activos que no están afectados y pueden esperar, y los que pueden ser restablecidos más eficientemente con los recursos disponibles.

4.2.13 Definición de los procedimientos de gestión de incidentes

No existe un conjunto único y fijo de procedimientos de gestión de incidentes de seguridad para cada empresa. Sin embargo, existe una serie de mejores prácticas que la mayoría de las empresas adopta y adapta para satisfacer sus necesidades específicas. Entre los enfoques que con mayor frecuencia se adoptan están aquellos del CMU SEI y del SANS Institute, entre otros.

4.2.14 Plan de acción detallado para la gestión de incidentes

Existen varios enfoques para desarrollar el plan de gestión de incidentes de seguridad y el IRP.

En *Defining Incident Management Processes* (Definición de los procesos de la gestión de incidentes) de CMU/SEI se describe el siguiente enfoque (**figura 4.3**):[50]

Figura 4.3—Fases de la respuesta a incidentes

1. **Preparar (preparar/mejorar/sustentar)**: este proceso define todo el trabajo de preparación del programa que se tiene que realizar antes de contar con alguna capacidad para responder a incidentes. Contiene subprocesos para evaluar una capacidad del tratamiento de incidentes y revisión post mortem de incidentes para efectos de mejoras. Los subprocesos incluyen:

   - Coordinar la planificación y el diseño:
     - Identificar requerimientos de la gestión de incidentes.
     - Establecer la visión y la misión.
     - Obtener financiamiento y patrocinio.
     - Desarrollar un plan de implementación.
   - Coordinar la implementación:
     - Desarrollar políticas, procesos y planes.
     - Establecer los criterios para el manejo de incidentes.
     - Implementar recursos definidos.

[50] Alberts, C; A. Dorofee; G. Killcrece; R. Ruefle; M. Zajicek; *Defining Incident Management Processes for CSIRTs: A Work in Progress,* Carnegie Mellon University, EE. UU., 2004

- Evaluar la capacidad de gestión de incidentes.
- Llevar a cabo revisiones post mórtem.
- Determinar cambios en el proceso de gestión de incidentes.
- Implementar cambios en el proceso de gestión de incidentes.

2. **Proteger (reputación/marca/infraestructura/datos)**: desde el punto de vista del negocio, la meta es proteger la reputación y la marca de la empresa. Desde el punto de vista de la tecnología, la meta es un proceso que tiene la intención de proteger y asegurar los datos críticos y la infraestructura informática, así como a su comunidad de usuarios cuando se responde a un incidente. También propone mejoras sobre un programa predeterminado mientras que se mantiene en consideración un contexto apropiado. Los subprocesos incluyen:

   - Implementar cambios a la infraestructura informática para mitigar incidentes reales o posibles.
   - Implementar mejoras a la protección de la infraestructura a partir de revisiones post mórtem u otros mecanismos de mejora de procesos.
   - Evaluar la infraestructura informática mediante la realización de valoraciones y evaluaciones proactivas de la seguridad.
   - Proporcionar datos para detectar procesos en incidentes reales/posibles.

3. **Detectar eventos (eventos/incidentes/anomalías)**: el proceso de detección identifica cualquier actividad inusual, sospechosa o maliciosa que pudiera comprometer las funciones de negocio críticas o la infraestructura. Los subprocesos incluyen:

   - **Detección proactiva**: el proceso de detección se lleva a cabo regularmente antes de un incidente. El IMT monitorea varios tipos de información desde escaneo de vulnerabilidades en línea/periódica, monitoreo de redes, alertas de antivirus y cortafuegos, productos de administración de eventos e información de seguridad (SIEM), productos de administración de integridad de archivos, productos de prevención de pérdida de datos, alertas de servicios de monitoreo de terceros, servicios de alerta de vulnerabilidades, análisis de riesgos, informes de inteligencia sobre amenazas y auditorías/evaluaciones de seguridad.
   - **Detección reactiva**: el proceso de detección se lleva a cabo cuando existen reportes de usuarios de sistemas u otras empresas. Los usuarios podrían advertir cualquier actividad inusual o sospechosa y reportarla al IMT. Es posible también que el IMT de otra empresa proporcione consejos cuando su sistema haya recibido alguna actividad maliciosa proveniente de su empresa.
   - Para que el IMT reciba el reporte oportunamente, se deberá contar con múltiples canales de comunicación que vayan de los usuarios finales al IMT. Éstos pueden establecerse como llamadas telefónicas, mensajes de correo electrónico, informes en formato web, suites de colaboración en equipo o sistemas de detección de intrusos automatizados (IDS).

4. **Triaje**: el triaje es un proceso de clasificación, categorización, correlación, priorización y asignación de informes/eventos entrantes en principalmente tres categorías: los problemas que no pueden resolverse fácilmente, los que pueden esperar y los que no pueden ser tratados de manera eficiente con los recursos disponibles. Es un elemento esencial de cualquier capacidad de gestión de incidentes para garantizar la máxima efectividad de los recursos limitados. Cuando el IMT recibe varios reportes de incidentes, la priorización de emergencias permite priorizar los eventos de manera apropiada, maximizando así la efectividad de la respuesta. También sirve como un solo punto de entrada para cualquier comunicación e información del IMT.

   - Debidamente organizada, la priorización de emergencias puede proporcionar una fotografía instantánea del estado actual de toda actividad de incidentes reportados, una ubicación central para todos los reportes sobre el estado de los incidentes y una evaluación inicial de los reportes entrantes para su atención posterior. La priorización de emergencias puede llevarse a cabo en dos niveles:
     - **Táctico**: según un conjunto de criterios.
     - **Estratégico**: según el impacto de la actividad en la habilidad de conseguir las metas y los objetivos de negocio.
   - Los subprocesos incluyen:
     - **Categorización**: es el uso de criterios predeterminados para clasificar a todos los reportes/eventos entrantes. Existen muchas formas de categorizar los eventos, como:
       - Denegación de Servicio (DoS)
       - Código malicioso
       - Acceso no autorizado
       - Uso inapropiado
       - Éxitos y fallas de inicio de sesión
       - Elevación de los privilegios de cuenta
       - Acceso de cuenta privilegiada
       - Extracción de datos

- Uso de cuenta extendido
- Patrones de acceso remoto
- Cambios en la configuración de inicio de sesión/auditoría
- Ataques de phishing, virus, gusanos, etc.

- **Correlación**: este subproceso correlaciona un reporte/evento con otra información relevante. Una mayor correlación de un reporte/evento proporciona mayor información que le sirve al IMT para decidir la respuesta apropiada. Por ejemplo, un evento específico puede ser la causa de un incidente mientras que otro puede ser una consecuencia y tratarlo no resolverá el problema.
  - **Priorización**: en un mundo ideal, a cada evento no deseable se le da seguimiento tan pronto como es posible. Sin embargo, los recursos son limitados y pudiera no ser siempre posible. Para garantizar un impacto mínimo en las funciones de negocio o los activos de información críticos, los incidentes se priorizan, generalmente, según su posible impacto en lugar de según un conjunto específico de criterios. Los esfuerzos de solución, obviamente, comienzan con la prioridad más alta y luego descienden hacia la prioridad más baja.
- **Asignación**: cuando se ha identificado un incidente o posible incidente, éste es asignado al IMT para iniciar el esfuerzo de respuesta. La asignación se puede basar en lo siguiente:
  - Carga de trabajo de los miembros del IMT
  - Los miembros del IMT que han atendido incidentes similares
  - Categoría o prioridad del evento
  - Unidad de negocio relevante

5. **Responder**: el proceso de respuesta incluye los pasos que se toman para tratar, resolver o mitigar un incidente. CMU/SEI define tres tipos de actividades de respuesta:[51]

   - **Respuesta técnica**: es apropiada para que miembros técnicos del IMT, tales como administradores de incidentes y representantes de TI, analicen y resuelvan un incidente. Entre las formas de respuesta técnica se encuentran las siguientes:
     - Recopilar datos para su análisis posterior.
     - Analizar la información de soporte del incidente, tal como los archivos de registros (logs)
     - Investigar estrategias de mitigación técnica correspondientes y opciones de recuperación
     - Realizar consultas de asistencia técnica por teléfono o correo electrónico
     - Obtener asistencia en el sitio
     - Analizar registros (logs)
     - Desarrollar e implementar parches y soluciones alternas
   - **Respuesta gerencial**: la respuesta gerencial incluye actividades que requieren de intervención, notificación, interacción, escalamiento o aprobación de supervisores o de la gerencia como parte del esfuerzo de respuesta. Esta actividad de respuesta suelen ejecutarla los gerentes de negocio, la alta gerencia y los miembros de las unidades de negocio afectadas.
   - **Respuesta legal**: la respuesta legal está relacionada con la actividad relativa a temas de investigación, proceso legal, responsabilidad civil, propiedad intelectual y privacidad, leyes, regulaciones y acuerdos de no divulgación. Dado que esta respuesta puede requerir un conocimiento profundo de temas legales, se suele remitir al equipo jurídico corporativo.

4.2.15 Estado actual de la capacidad de respuesta a incidentes

La mayoría de las empresas ya cuenta con algún tipo de capacidad de respuesta a incidentes, ya sea provisional o formal. El gerente de seguridad de la información tiene que identificar aquello con lo que ya se cuenta y tomarlo como base para entender el estado actual. Existen muchas formas de hacer esto, que incluyen:

- **Encuesta a la alta gerencia, gerentes de negocio y representantes de TI**: usa aportes de alta gerencia, gerentes de línea de negocio y representantes de tecnología, encuestas a empleados y grupos de discusión para reunir información que ayude a determinar el desempeño y la percepción anteriores del IMT y sus capacidades de proceso.
- **Autoevaluación**: el IMT lleva a cabo una autoevaluación comparada con el conjunto de criterios para desarrollar un entendimiento de las capacidades actuales. Éste es el método más fácil debido a que no requiere de la participación de muchas partes interesadas. La desventaja de este método es que puede proveer solamente una visión limitada sobre la capacidad y los aspectos actuales que las partes interesadas pueden considerar importantes.

[51] *Ibid.*

- **Evaluación o auditoría externa**: esta es la opción más detallada que combina entrevistas, encuestas, simulación y otras técnicas de evaluación en el análisis. Esta opción suele utilizarse para aquellas empresas que ya cuentan con una capacidad de gestión de incidentes de seguridad adecuada, pero que la quieren mejorar aún más o aplicar la reingeniería de los procesos.

Estas técnicas ayudarán a determinar si el estado actual es efectivo y, de no ser así, ayudarán a determinar el estado deseado de la capacidad de respuesta a incidentes.

Historial de incidentes

Los incidentes, tanto internos como externos, que han ocurrido en el pasado podrían aportar información valiosa sobre tendencias, tipos de eventos e impactos al negocio. Esta información se utiliza como un aporte para la evaluación de los tipos de incidentes que tienen que preverse y considerarse.

En la **figura 4.4** se muestra una muestra de información histórica después de un incidente. Hay que tener en cuenta que esto representa algunos elementos de muestra para realizar el seguimiento y no pretende ser una lista completa.

Figura 4.4—Información histórica de muestra para realizar un seguimiento con respecto a incidentes de seguridad

N° de incidente de la organi-zación	N° de incidente del proveedor	Fecha y hora de inicio	Fecha y hora de finali-zación	Duración de la interrup-ción	Descripción	Causa raíz	Solución	Impacto al negocio
12345	Z12111	14/1/2021 4:00 p. m. ET*	14/1/2021 5:00 p. m. ET	1 hora	Describe un evento específico en un sistema de ingreso de órdenes que ocasionó una pérdida de la funcionalidad. Brinda detalles en función del negocio.	Describe la causa raíz de una pérdida en la funcionalidad desde el sistema de ingreso de órdenes. Esto representa las razones clave detrás de las cuales las funciones no están disponibles.	¿Qué fue hecho específicamente para resolver el problema? Incluye el grupo que realizó la acción y el sistema al que la acción fue dirigida.	Incluye pérdida específica de la función, áreas geográficas o de negocio afectadas, cantidad de usuarios afectados (si corresponde)

Figura 4.4—Información histórica de muestra para realizar un seguimiento con respecto a incidentes de seguridad (cont.)

N° de incidente de la organización	N° de incidente del proveedor	Fecha y hora de inicio	Fecha y hora de finalización	Duración de la interrupción	Descripción	Causa raíz	Solución	Impacto al negocio
12346	Z12156	23/2/2021 7:00 a. m. ET	23/2/2021 7:31 a. m. ET	31 min.	Describe un evento específico en el sistema de facturación de la empresa que ocasionó una pérdida de la funcionalidad. Brinda detalles en función del negocio.	Describe la causa raíz de una pérdida en la funcionalidad desde el sistema de facturación. Esto representa las razones clave detrás de las cuales las funciones no están disponibles.	¿Qué fue hecho específicamente para resolver el problema? Incluye el grupo que realizó la acción y el sistema al que la acción fue dirigida.	Incluye pérdida específica de la función, áreas geográficas o de negocio afectadas, cantidad de usuarios afectados (si corresponde)
12347	Ninguno	16/4/2021 4:30 a. m. ET	17/4/2021 5:00 a. m. ET	24 hrs 30 min.	Describe el ataque de DoS y los sistemas relacionados afectados. La clave es detallar la funcionalidad perdida por este evento.	Describe la causa raíz de una pérdida de funcionalidad desde el sistema afectado por el ataque de DoS. Esto representa las razones clave detrás de las cuales las funciones no están disponibles.	¿Qué fue hecho específicamente para resolver el problema? Incluye el grupo que realizó la acción y el sistema al que la acción fue dirigida.	Incluye pérdida específica de la función, áreas geográficas o de negocio afectadas, cantidad de usuarios afectados (si corresponde)

* ET = Zona de hora del este, Estados Unidos de América

Amenazas

Las amenazas son cualquier evento que pudiera causar daño a los activos, operaciones o personal de una empresa. Hay algunas amenazas que deben considerarse, entre ellas:

- **Ambientales**: las amenazas ambientales incluyen los desastres naturales. Si bien los desastres naturales varían entre las diferentes ubicaciones, algunos podrían ocurrir por períodos prolongados y otros podrían ocurrir cada año. Algunas amenazas potencialmente catastróficas son muy poco comunes y poco prácticas para tratar de manera efectiva, por lo que son generalmente ignoradas (por ejemplo, la caída de un cometa) o podrían ser tratadas con algún tipo de seguro contra la interrupción de negocios.
- **Técnicas**: las amenazas técnicas incluyen incendios, fallos en la energía eléctrica, fallos en la calefacción, ventilación y aire acondicionado (HVAC), problemas en los sistemas de información y software, fallas en las telecomunicaciones y fugas de gas/agua. Las amenazas técnicas suelen estar presentes en cada empresa y son bastante comunes. Con una planificación suficiente es posible manejar a la mayoría de las amenazas técnicas de forma adecuada. Las excepciones pueden ser las

amenazas persistentes avanzadas y los ataques de día cero.

- **Ocasionadas por el hombre**: las amenazas que surgen de acciones ocasionadas por el hombre pueden incluir daños derivados de empleados descontentos, accidentes en el lugar de trabajo, atajos para ahorrar tiempo y la inestabilidad política, que pueden degradar o tener un impacto profundo en las funciones de negocio. Muchas de estas amenazas pueden ser fáciles de identificar mientras que otras, como el espionaje y el fraude corporativos, serán mucho más difíciles.

Vulnerabilidades

Una debilidad en un sistema, tecnología, proceso, personas o control que puede explotarse y provocar un compromiso es una vulnerabilidad. Una vulnerabilidad que puede ser explotada por una amenaza resulta en un riesgo. Uno de los aspectos de la gestión de riesgos es el tratamiento de las vulnerabilidades para mantener el riesgo dentro de los límites aceptables determinados por la tolerancia y el apetito de riesgo de la empresa. La gestión de vulnerabilidades forma parte de la capacidad de gestión de incidentes; es la identificación, el monitoreo y la reparación proactivos de cualquier debilidad.

4.2.16 Desarrollo de un plan de respuesta a incidentes

El IRP es el componente operativo de la gestión de incidentes. El plan detalla las acciones, el personal y las actividades que se realizan en caso de que ocurran eventos adversos que causen la pérdida de datos, sistemas o procesos de información. El plan debe incluir la constitución, la gestión y el mantenimiento del equipo de respuesta a incidentes.

Elementos de un plan de respuesta a incidentes

Un enfoque común para el desarrollo de un IRP es basarlo en un modelo de respuesta a incidentes de seis fases que incluye preparación, identificación, contención, erradicación, restauración y seguimiento. Estas etapas se definen de la siguiente manera:

1. **Preparación**: esta fase prepara a una empresa para desarrollar un IRP antes de que ocurra un incidente. Una preparación suficiente facilita una ejecución sin problemas. Las actividades en esta fase incluyen las siguientes:

   - Establecer un enfoque para manejar incidentes
   - Establecer una política y advertencias en los sistemas de información para disuadir intrusos y permitir la recopilación de información
   - Establecer un plan de comunicación con las partes interesadas
   - Desarrollar criterios sobre cuándo reportar un incidente a las autoridades
   - Desarrollar un proceso para activar el IMT
   - Establecer una ubicación segura para ejecutar el IRP
   - Asegurar la disponibilidad de los equipos necesarios
   - Establecer una capacidad de crear una línea base para las métricas de riesgo de seguridad de la información
   - Establecer una capacidad para la recopilación, análisis y escalamiento rápido y automático del estado del riesgo de seguridad de la información
2. **Identificación**: esta fase tiene el propósito de verificar si ha ocurrido un incidente y determinar mayores detalles sobre el mismo. Se pueden desarrollar informes de posibles incidentes de fuentes como sistemas de información, usuarios finales u otras empresas. No todos los reportes corresponden a incidentes válidos; podría tratarse de falsas alarmas o podrían no considerarse incidentes. Las actividades en esta fase incluyen las siguientes:

   - Asignar la propiedad de un incidente real o posible a un administrador de incidentes
   - Verificar que los reportes o eventos reúnan los requisitos para considerarse incidentes
   - Establecer una cadena de custodia cuando se manejan posibles evidencias
   - Determinar la gravedad de un incidente y escalarlo según sea necesario
3. **Contención/Limitación del riesgo**: después de que se ha identificado y confirmado un incidente, el IMT se activa y se comparte la información del administrador de incidentes. El equipo llevará a cabo entonces una evaluación detallada y se pondrá en contacto con el dueño del sistema o el gerente de negocio de los sistemas/activos de información afectados a fin de coordinar las acciones que se tomarán. La acción que se tome en esta fase tendrá el propósito de limitar la exposición. Las actividades en esta fase incluyen las siguientes:

   - Activar el IMT/IRT para contener el incidente
   - Notificar a las partes interesadas pertinentes que se hayan visto afectadas por el incidente

- Obtener un acuerdo sobre las acciones tomadas que pudieran afectar la disponibilidad del servicio o el riesgo del proceso de contención
- Involucrar a los representantes de TI y miembros de equipos virtuales correspondientes para implementar procedimientos de contención
- Obtener y conservar las evidencias
- Documentar y generar respaldos de las acciones tomadas a partir de esta fase
- Controlar y gestionar las comunicaciones de RR. PP. con el público

4. **Erradicación**: cuando se han aplicado medidas de contención, es tiempo para determinar la causa raíz del incidente y erradicarla. La erradicación se puede llevar a cabo de varias formas: restableciendo respaldos para alcanzar un estado limpio del sistema, eliminando la causa raíz, mejorando las defensas y llevando a cabo análisis de vulnerabilidad para identificar cualquier sistema impactado de forma adicional con la misma causa raíz. Las actividades en esta fase incluyen las siguientes:

   - Determinar las señales y las causas de incidentes
   - Localizar la versión más reciente de respaldos o soluciones alternas
   - Eliminar la causa raíz En caso de infección por gusano o virus, se puede eliminar mediante la aplicación de parches apropiados y software de antivirus actualizado
   - Mejorar las defensas mediante la implementación de técnicas de protección
   - Realizar un análisis de vulnerabilidad para descubrir vulnerabilidades relacionadas identificadas durante el análisis de causa raíz

5. **Recuperación**: esta fase garantiza que los sistemas o servicios afectados se restablezcan a una condición especificada en los objetivos de entrega del servicio (SDO) o en el BCP. La limitación de tiempo hasta esta fase se documenta en el RTO. Las actividades en esta fase incluyen las siguientes:

   - Restablecer las operaciones, tal como se definió en el SDO
   - Validar que las acciones tomadas sobre los sistemas restablecidos hayan sido exitosas
   - Involucrar a los propietarios del sistema en las pruebas que se lleven a cabo sobre el sistema
   - Facilitar a los propietarios del sistema la declaración de operación normal

6. **Lecciones aprendidas**: al final del proceso de respuesta a incidentes, siempre se debe elaborar un reporte para compartir lo que sucedió, las acciones que se tomaron y los resultados obtenidos después de que se ejecutó el plan. Parte del reporte debe incluir las lecciones aprendidas que brindan al IMT y a otras partes interesadas puntos de aprendizaje valiosos de lo que se pudo haber hecho mejor. Estas lecciones deben desarrollarse en un plan para mejorar la capacidad de gestión de incidentes y la documentación del IRP. Las actividades en esta fase incluyen las siguientes:

   - Crear el informe del incidente
   - Analizar los problemas encontrados durante los esfuerzos de respuesta a incidentes
   - Proponer mejoras según los problemas encontrados
   - Presentar el informe a las partes interesadas pertinentes

Análisis de brechas: bases para un plan de respuesta a incidentes

El análisis de brechas brinda información sobre la brecha que existe entre las capacidades actuales de respuesta a incidentes y el nivel deseado determinado por la alta gerencia. Comparar los dos niveles permite identificar mejoras en las capacidades, habilidades y tecnologías, como:

- Procesos que necesitan mejorarse para ser más eficientes y efectivos
- Los recursos que se necesitan para lograr los objetivos de la capacidad de respuesta a incidentes

El informe del análisis de la brecha resultante se puede utilizar en la planificación para determinar qué pasos se requieren para cerrar las brechas entre el estado actual y el estado deseado. También puede servir para determinar la estrategia más efectiva para alcanzar los objetivos y determinar la prioridad de los esfuerzos. Las prioridades deben basarse en las áreas de mayor impacto potencial y el mejor costo-beneficio.

Logística

El plan debe incluir provisiones para todo el apoyo logístico que se necesite para continuar con las actividades de negocio normales durante las actividades de recuperación. Esto incluye procedimientos detallados impresos y actualizados que puedan seguir fácilmente tanto el personal interno como el externo que no esté familiarizado con las operaciones estándar y de recuperación. Esto garantiza la implementación del plan, incluso si algunos miembros del personal regular no están disponibles. Asimismo, se debe garantizar que la ubicación fuera del sitio cuente con un abastecimiento de formatos especiales, tales como cheques, facturas y pedidos.

Si la función de captura de datos depende de determinados dispositivos de hardware o programas de software, estos programas y equipos, incluso equipos y programas de intercambio electrónico de datos (EDI) especializados, deben proveerse en el sitio de recuperación.

4.2.17 Equipos de gestión y respuesta a incidentes

El plan debe identificar a los equipos y definir sus responsabilidades asignadas antes de que ocurra un incidente. Para implementar las estrategias que hayan sido desarrolladas para la recuperación del negocio, es necesario designar y capacitar a los líderes de equipo para la toma de decisiones, del área técnica y del usuario final a fin de dirigir los equipos. Dependiendo del tamaño de la operación de negocio, el equipo puede estar conformado por una sola persona. La participación de estos equipos depende del nivel de interrupción del servicio y los tipos de activos perdidos, comprometidos, dañados o en peligro. Se debe desarrollar una matriz que indique las correlaciones entre las funciones de los distintos equipos. Esto facilitará la estimación de la magnitud de las actividades y la activación de la combinación de equipos adecuada. A continuación se mencionan algunos ejemplos de los equipos que por lo general se requieren:

- **Equipo de acción ante emergencias**: se les denomina equipo de respuesta rápida, su función es ocuparse de incendios u otros escenarios de respuesta a emergencias.
- **Equipo de evaluación de daños**: individuos calificados que evalúan la extensión del daño a los activos y realizan una determinación inicial con relación a lo que es una pérdida completa o a lo que se puede restaurar o salvar.
- **Equipo de manejo de emergencias**: es responsable de coordinar las actividades de todos los demás equipos de recuperación y tomar decisiones clave.
- **Equipo de reubicación**: es responsable de coordinar el proceso de movilizarse de la ubicación afectada a un sitio alterno o regresar a la ubicación original una vez ya restablecida.
- **Equipo de seguridad**: cuando no se define ninguna capacidad formal/designada por la empresa, el equipo de seguridad a menudo será el CSIRT de facto. Es responsable de monitorear la seguridad de los sistemas y los enlaces de comunicaciones, de contener cualquier amenaza de seguridad constante, resolver cualquier problema relacionado con la seguridad que impida la recuperación rápida del sistema, y garantizar la instalación y el funcionamiento adecuados de cada paquete de software de seguridad.

Se debe acordar una cantidad de decisiones importantes durante las fases de planificación, implementación y evaluación del plan de respuesta y recuperación. Estos incluyen:

- Metas/requisitos/productos servicios para cada fase
- Indicadores clave de metas (KGI), indicadores clave de desempeño (KPI)
- RTO/RPO
- Informar sobre los criterios
- Factores cruciales de éxito y aspectos de ruta crítica de la implementación
- Instalaciones alternas en las cuales se puedan llevar a cabo tareas y operaciones
- Recursos de información crítica que se van a implementar (por ejemplo, datos y sistemas).
- Autoridad de decisión y personas responsables de llevarlas a cabo
- Recursos disponibles, incluyendo los financieros, humanos y técnicos, para ayudar en el despliegue
- Programa de actividades con prioridades establecidas

4.2.18 Organizar, capacitar y equipar al personal de respuesta

La capacitación de los equipos de respuesta no solo es esencial, sino que resulta crítica. El gerente de seguridad de la información debe desarrollar escenarios razonables y realistas de eventos y probar los planes de respuesta y recuperación para garantizar que los participantes de los equipos conozcan sus tareas y responsabilidades. A través de este proceso, los equipos identificarán también los recursos que requieren para la respuesta y la recuperación. Uno de los valores agregados de la capacitación es que permite detectar y modificar los procedimientos ambiguos para lograr claridad y determinar los recursos de recuperación que pudieran no ser efectivos o adecuados.

Los miembros de un IMT deben someterse al siguiente programa de capacitación:

- **Inducción en el IMT**: la inducción debe proporcionar la información esencial que se requiere para ser un miembro efectivo del IMT.
- **Tutoría de los miembros del equipo con respecto a los roles, las responsabilidades y el procedimiento:** los miembros actuales del IMT pueden compartir conocimientos valiosos para ayudar a los nuevos miembros después de la inducción. Para facilitar la efectividad de la tutoría, se puede utilizar un sistema de apoyo, agrupando los miembros nuevos con miembros de mayor experiencia.

- **Capacitación en el sitio de trabajo**: la misma puede servir para brindar una comprensión de las políticas, los estándares, los procedimientos, las herramientas disponibles, los códigos de comportamiento aceptables, etc., de la compañía.
- **Capacitación formal**: los miembros del equipo pueden requerir capacitación formal para alcanzar el nivel adecuado de competencia para contribuir con la capacidad de gestión de incidentes.

4.2.19 Proceso de notificación de incidentes

Un componente fundamental para cualquier programa de seguridad es contar con un proceso eficaz y oportuno de notificación de incidentes relacionados con la seguridad. El gerente de seguridad de la información debe saber de qué manera el obtener información relevante y oportuna puede contribuir a que la empresa responda con rapidez y eficacia y, en última instancia, limitar las posibles pérdidas y el daño que pudieran ocurrir como resultado de un incidente. Se deben utilizar mecanismos de notificación que permitan a monitor o sistema de detección automatizada enviar un correo electrónico o mensajes telefónicos siempre que sea posible. Entre las funciones que es más probable que requieran de información relativa a incidentes cuando éstos ocurren, se encuentran:

- Desarrollo de aplicaciones
- Propietarios del proceso de negocio
- Ciberseguridad
- RR. HH. (cuando un incidente parece implicar a personal interno)
- Departamento de TI
- Asesor jurídico/general
- Operaciones de redes
- Seguridad física y de la información
- Departamento de privacidad (cuando un incidente parece tener repercusiones en la privacidad)
- Comunicaciones corporativas/RR. PP.
- Gestión de riesgos
- Alta gerencia
- Equipo de inteligencia de amenazas

Las actividades de notificación son eficaces solo si personal instruido entiende sus responsabilidades y las lleva a cabo con eficiencia y oportunamente. Por lo tanto, el gerente de seguridad de la información también necesita definir las responsabilidades y comunicarlas al personal clave. De igual forma, puede resultar eficaz trabajar de manera conjunta con recursos humanos para determinar cómo se pueden documentar estas responsabilidades en las descripciones de puesto de los empleados.

4.2.20 Retos en el desarrollo de un plan para la gestión de incidentes

Cuando se desarrolla y mantiene un plan de gestión de incidentes, podría haber retos inesperados como resultado de lo siguiente:

- **Falta de participación de la gerencia y consenso dentro de la organización**: la mayoría de los retos resultan de una falta de participación de la gerencia y consenso entre las unidades de negocio. Cuando ocurre un incidente, podría no darse la respuesta gerencial que se espera, lo que obstaculiza los esfuerzos de la gestión de incidentes. Esto puede ocurrir cuando la alta gerencia y otras partes interesadas o la comunidad de usuarios no participan en la planificación e implementación para la gestión de incidentes. También pueden ocasionarse retos por la falta de reuniones regulares entre el IMT y la comunidad de usuarios. Un sentido de propiedad entre la comunidad de usuarios en la gestión de incidentes ayuda a garantizar que existan recursos suficientes y apoyo disponibles para el IMT.
- **Incompatibilidad entre las metas y la estructura organizacionales**: el negocio opera a un paso acelerado y puede cambiar significativamente en un breve período. La gestión de incidentes de seguridad podría no estar en posición de lidiar con la velocidad o la naturaleza de los cambios que ocurren dentro de la empresa. Considérese una situación en la cual el negocio se expande a países emergentes. La presencia en nuevos países puede crecer a un paso significativo; sin embargo, podría ser difícil expandir las capacidades de gestión de incidentes. Una ronda de conversaciones podría ser necesaria para identificar a las funciones de negocio críticas y a las partes interesadas locales, y conocer las regulaciones locales. La alta gerencia suele ocuparse de asuntos de negocio en esta etapa y podría no ser capaz de invertir tiempo en la gestión de incidentes. Es responsabilidad, entonces, del IMT identificar temas críticos y hacerlos del conocimiento de la dirección ejecutiva.
- **Rotación de miembros del IMT**: el desarrollo de un plan de gestión de incidentes de seguridad podría tomar mucho tiempo e implicar la frecuente interacción con varias partes interesadas. El experto en gestión de incidentes, quien suele ser un miembro de la alta gerencia o el gerente de seguridad de la información, puede abandonar la empresa de forma inesperada, lo que ocasiona que se paralice cualquier

iniciativa de planificación o desarrollo. La falta de un experto puede afectar el interés y los recursos que se dedican a la implementación del plan.

- **Falta de un proceso de comunicación**: contar con procesos ineficaces de comunicación puede producir ya sea una comunicación insuficiente o una comunicación excesiva. En el caso de la comunicación ineficaz, las partes interesadas relevantes podrían no recibir la información que necesitan. Esto podría traer como consecuencia una comprensión diferente sobre la necesidad de planificación de la gestión de incidentes, los beneficios que se pueden obtener, o su rol en el desarrollo, la implementación y el mantenimiento de una capacidad de gestión de incidentes. Una comunicación excesiva podría ocasionar que las partes interesadas den la espalda a la gestión de incidentes, debido a que podrían sentir que el plan es demasiado para manejarlo o que compite con prioridades que ellos han establecido.
- **Plan amplio y complejo**: el plan propuesto podría ser bueno y abarcar muchos temas; sin embargo, es demasiado complejo y demasiado amplio. La comunidad de usuarios podría no estar preparada para participar y comprometerse en planes que parezcan extralimitarse.

4.3 Análisis del impacto en el negocio

Se lleva a cabo un BIA para determinar el impacto en una empresa de la pérdida de disponibilidad de un recurso. Establece el escalamiento de esa pérdida con el tiempo, identifica los recursos mínimos necesarios que se deben recuperar y prioriza la recuperación de los procesos y los sistemas de apoyo. A menudo se piensa en el BIA en el contexto de BC y DR. Se pueden utilizar otros métodos aparte del BIA para determinar el impacto potencial. El impacto es el resultado del riesgo y se debe determinar el rango de riesgo de la empresa para proporcionar la información necesaria y dirigir las actividades de gestión de riesgos. Si bien los eventos de alta probabilidad con poco o ningún impacto individual no son necesariamente motivo de alarma, no deben descartarse por completo sin comprender el papel del evento dentro del sistema al que respalda.

Por desgracia, es común que estas evaluaciones determinen solo un resultado del peor de los casos, que representa una minoría de eventos. Como resultado de esta inflación de impacto, la gestión a menudo descarta estas evaluaciones al considerarlas no realistas y excesivamente pesimistas.

Un enfoque más efectivo involucra la realización de un conjunto razonablemente pequeño de análisis de escenarios con partes interesadas principales, en cuyo caso se determina un rango de resultados potenciales. Este intervalo de resultados se utiliza para definir una distribución cuantitativa de magnitudes de impacto, incluidos los valores mínimo, máximo y más probable, así como también un grado de confianza. Estos valores luego se pueden utilizar como datos de entrada de métodos de análisis cuantitativos (p. ej., simulaciones de Monte Carlo para determinar la distribución de probabilidad) y métodos de análisis cualitativos que ofrecen a la gestión descripciones más precisas del verdadero potencial del impacto.

La otra ventaja que proporciona este enfoque es que se asemeja más al tipo de datos de impacto que la gestión recibe de otros dominios de riesgo del negocio (por ejemplo, inversión, mercadeo, crédito). Esta alineación mejora la capacidad de la gerencia para tomar decisiones sobre el riesgo bien informadas y con comparaciones pertinentes.

Antes de dar inicio al análisis de impacto de un conjunto específico de activos, es necesario obtener la siguiente información:

- Misión del sistema (p. ej., objetivos de los procesos ejecutados por el sistema o el personal de TI)
- Criticidad del sistema (manual o técnica) y los datos (por ej., el valor o la importancia del sistema para una empresa)
- Criticidad del sistema, del personal y de los datos (los impactos asociados con divulgación no intencionada)
- Infraestructura de apoyo (en qué confía el sistema para operar conforme a lo esperado)

Esta información se puede obtener de la realización de un BIA o de la documentación organizacional con la que se cuente, tal como el informe del análisis de impacto a la misión o el informe de evaluación de la criticidad de los activos, de existir. Un análisis y evaluación de impacto a la misión o BIA prioriza los niveles de impacto que están relacionados con la inestabilidad de los activos de información de una empresa según una evaluación cuantitativa o cualitativa de la criticidad de dichos activos. Una evaluación de la criticidad de los activos o evaluación de dependencias de recursos identifica y prioriza los activos de información sensibles y críticos (por ejemplo, hardware, software, sistemas, servicios y activos tecnológicos relacionados) que apoyan las misiones críticas de la empresa.

Si no existe esta documentación o no se han realizado dichas evaluaciones para los activos de información de la empresa, se puede determinar la sensibilidad del sistema y de los datos en función del nivel de protección necesario para mantener la disponibilidad, la integridad y la confidencialidad del sistema y de los datos.

El impacto adverso de un evento de seguridad se puede describir en términos de pérdida o degradación o cualquier combinación de confidencialidad, integridad, disponibilidad y seguridad:

- **Pérdida de confidencialidad**: en este contexto, la confidencialidad de sistemas o datos se refiere a la protección de la información contra divulgación no autorizada. El impacto de una divulgación no autorizada de información confidencial puede variar desde poner en riesgo la seguridad nacional hasta la divulgación de datos protegidos por la Ley de Privacidad de los Consumidores. La desactivación no autorizada, no prevista e involuntaria del consumidor privado u otros datos regulados puede traer como consecuencia la pérdida de la confianza pública, pérdida de la base de clientes y acciones legales en contra de la empresa.
- **Pérdida de integridad**: la integridad del sistema y los datos se refiere al requisito de proteger la información contra una modificación indebida. La integridad se pierde cuando se hacen cambios no autorizados a los datos o al sistema de TI mediante actos premeditados o accidentales. Si no se remedia la pérdida de integridad del sistema o los datos, el uso continuo del sistema contaminado o los datos alterados podría resultar en imprecisión, fraude o toma de decisiones erróneas de manera generalizada. De igual forma, la violación de la integridad puede ser el primer paso hacia un ataque exitoso contra la disponibilidad o la confidencialidad del sistema.
- **Pérdida de disponibilidad**: si un sistema de TI que es crucial para la misión de una empresa no se encuentra disponible para sus usuarios finales, dicha misión puede verse afectada. Por ejemplo, la pérdida de la funcionalidad del sistema o la eficiencia operativa puede ocasionar una pérdida de tiempo productivo, lo cual impediría a los usuarios finales desempeñar sus funciones en apoyo a la misión de la empresa.

Algunos impactos tangibles pueden medirse en términos cuantitativos por una pérdida de ganancias, el costo de reparar el sistema, o el nivel de esfuerzo que se requiere para corregir los problemas ocasionados por un compromiso. Otros impactos (p. ej., pérdida de la confianza por parte del público, pérdida de credibilidad, daño a los intereses de la empresa) no pueden medirse en unidades específicas; sin embargo, sí pueden describirse de manera cualitativa en términos de impacto alto, medio o bajo.

Cuando se lleve a cabo un análisis de impacto, se deberán considerar tanto las ventajas como las desventajas de la evaluación cuantitativa en comparación con la evaluación cualitativa. La ventaja principal del análisis de impacto cualitativo es que prioriza el riesgo e identifica las áreas de mejora inmediata al tratar las vulnerabilidades. La desventaja del análisis cualitativo es que no ofrece mediciones específicas cuantificables de la magnitud de los impactos, dificultando así llevar a cabo un análisis de costo-beneficio de cualquier control recomendado.

La ventaja principal del análisis de impacto cuantitativo es que ofrece una medición de la magnitud de los impactos, la cual se puede utilizar en el análisis de costo-beneficio de los controles recomendados.

La desventaja es que, dependiendo de los rangos numéricos utilizados para expresar la medición, podría ser ambiguo el significado del análisis de impacto cuantitativo, lo que requeriría que el resultado se interpretara en términos cualitativos. A menudo también se tienen que considerar factores adicionales para determinar la magnitud del impacto, como por ejemplo el rango de posibles errores en las estimaciones o los cálculos.

Un BIA debe:

- Determinar la pérdida para la empresa que proviene de una función que no está disponible
- Establecer el aumento de esa pérdida con el paso del tiempo
- Identificar los recursos mínimos requeridos para la recuperación
- Priorizar la recuperación de los procesos y sistemas de soporte

El BIA tiene tres metas principales:

- **Priorización por criticidad**: se tiene que identificar y priorizar cada proceso crítico de la unidad de negocio. Se tiene que evaluar el impacto que tiene un incidente: cuanto mayor sea el impacto, más alta será la prioridad.
- **Cálculo de tiempo de inactividad**: la evaluación también se utiliza para calcular el tiempo de inactividad máximo tolerable (MTD) o el tiempo máximo tolerable de interrupción (MTO) que el negocio puede superar y seguir siendo viable. Esto también puede significar el periodo máximo de tiempo que un sistema puede no estar disponible antes de que se ponga en riesgo el logro de los objetivos de negocio de la empresa (es decir, la ventana de interrupción aceptable o AIW).

- **Requerimiento de recursos**: los requerimientos de recursos para procesos críticos también se identifican en esta etapa, y los procesos más sensibles con respecto al tiempo reciben la asignación de recursos.

Una evaluación incluye las siguientes actividades:
- **Recopilación de material de evaluación**: el paso inicial del BIA es identificar las unidades de negocio que son críticas para una empresa. Este paso puede cambiar rápidamente a las tareas críticas que tienen que llevarse a cabo y los recursos necesarios para garantizar la supervivencia del negocio.
- **Analizar la información recopilada**: durante esta fase, se lleva a cabo un gran número de actividades, por ejemplo, documentar los procesos y recursos requeridos, identificar las interdependencias y determinar el periodo de interrupción aceptable. Las tareas en estas fases incluyen las siguientes:
  - Identificar interdependencia entre las funciones y los departamentos clasificados como críticos o de alto impacto.
  - Descubrir todas las posibles interrupciones que pudieran afectar al mecanismo que se requiere para permitir que estos departamentos funcionen de manera conjunta.
  - Identificar y documentar posibles amenazas que pudieran interrumpir la comunicación entre los departamentos.
  - Recopilar información cuantitativa y cualitativa concerniente a dichas amenazas.
  - Proporcionar métodos alternos para restablecer la funcionalidad y la comunicación.
  - Proporcionar una breve declaración de la razón fundamental para cada amenaza y la información correspondiente.
- **Documentar el resultado y presentar recomendaciones**: el último paso de una evaluación es documentar los resultados de esta a partir de actividades previas y elaborar un reporte para las unidades de negocio y la alta gerencia.

Otra forma de percibir un BIA es como una función de negocio que está diseñada para identificar los recursos más importantes para una empresa y el impacto que resulta de una interrupción o pérdida de la disponibilidad. También puede resultar en un entendimiento de los flujos de procesos de la empresa que se necesitan para optimizar las prioridades de recuperación basándose en las dependencias e interdependencias del sistema. Si se lleva a cabo de forma apropiada, el BIA contribuye a estimar el volumen de la posible pérdida (y otros efectos indeseables) que podrían ocurrir como resultado de determinados tipos de eventos. La pérdida potencial incluye la pérdida financiera directa y tipos de pérdida menos tangibles, como el daño a la reputación, el incumplimiento regulatorio, etc.

A pesar del alto nivel de importancia que tiene conocer el impacto que ocasionan los incidentes en el proceso de negocio, muchas empresas no realizan esta evaluación. Otro problema común es la falta de actualización de los BIA cuando se agregan o se cambian sistemas o funciones de negocio. Un BIA es parte de la evaluación de riesgos en la medida en que el grado de exposición al riesgo se correlaciona con la posibilidad de que un evento produzca un impacto. El BIA también se utiliza para determinar las consecuencias, mientras que la determinación del riesgo calcula tanto la probabilidad como las consecuencias.

4.3.1 Elementos de un análisis de impacto al negocio

La forma en que se llevan a cabo los BIA varía de una empresa a otra. Sin embargo, existen coincidencias. En general, los BIA:
- Describen la misión de negocio de cada negocio/centro de costos en particular.
- Identifican las funciones que caracterizan cada función de negocio.
- Determinan dependencias tales como los insumos necesarios de otras operaciones.
- Determinan las operaciones posteriores dependientes de la función.
- Identifican los ciclos de procesamiento crítico (en términos de intervalos de tiempo) para cada función.
- Calculan el impacto que tiene cada tipo de incidente en las operaciones de negocio.
- Determinan el tiempo de recuperación requerido (es decir, el RTO).
- Identifican los recursos y las actividades que se requieren para restablecer un nivel de operación aceptable.
- Determinan la cantidad de datos que se pueden perder y que deben ser vueltos a crear para determinar los RPO.
- Determinan el trabajo en torno a las posibilidades como un manual o una operación basada en PC, o una carga de trabajo cambiante.
- Calculan el tiempo que probablemente sea necesario para la recuperación de cada tipo de incidente en relación al RTO Si el tiempo estimado es mayor que el RTO, es posible que se necesiten recursos adicionales para garantizar que se cumplan o se revisen los objetivos de recuperación para validar la necesidad comercial. Este esfuerzo debe considerar no solo el sistema que se está revisando, sino también la

restauración de todas las dependencias requeridas en las que se basa el sistema.

Un BIA habitual incluye la obtención de la siguiente información de las unidades de la empresa, como:

- **Descripción de la función**: ¿Cuál es el propósito de la unidad de negocio?
- **Dependencias**: ¿Qué es dependiente de esta función? ¿Qué tiene que pasar o debe estar disponible antes de que se pueda realizar la función?
- **Perfil del impacto**: ¿Hay alguna hora, día, semana o mes específico en que la función sería más vulnerable al riesgo/exposición o que el impacto del negocio sería mayor si la función no se realizara?
- **Impactos operativos**: ¿Cuándo se concretaría el impacto operativo al negocio si la función no se realizó?
- **Impactos financieros**: ¿Cuándo se concretaría el impacto financiero al negocio si la función no se realizó?
- **Acumulación de trabajo**: ¿En qué punto la acumulación de trabajo comienza a afectar el negocio?
- **Recursos de recuperación**: ¿Qué tipo de recursos son necesarios para respaldar la función, cuántos se necesitan y con qué rapidez son necesarios después de una interrupción (por ejemplo, teléfonos, mesas, PC)?
- **Recursos tecnológicos**: ¿Qué software y aplicaciones (tanto internos como externos) se necesitan para contribuir a la función?
- **Computadoras o estaciones de trabajo individuales**: ¿La función requiere de una estación de trabajo o PC individual?
- **Accesibilidad de la red**: ¿La función requiere acceso a los servicios de red? (p. ej., red de área local (LAN), nube, etc.)
- **Procedimientos de soluciones alternativas**: actualmente, ¿existen procedimientos manuales de soluciones alternativas vigentes que permitirían que se realice la función en caso de que la TI no esté disponible? De ser así, ¿cuánto tiempo podrían utilizarse estas soluciones alternativas para continuar la función?
- **Trabajo remoto**: ¿Se puede realizar la función de forma remota/desde casa?
- **Cambios en la carga de trabajo**: ¿Es posible cambiar la carga de trabajo para otra parte del negocio que no pudiera ser afectada por la interrupción?
- **Registros del negocio**: ¿Se necesitan registros del negocio para realizar la función? De ser así, ¿cuentan con una copia de seguridad? ¿Cómo? ¿Con qué frecuencia?
- **Informes regulatorios**: ¿Se crean documentos regulatorios como resultado de la función?
- **Entradas del trabajo**: ¿Qué aporte se recibe, sea interna o externamente, que sea necesario para realizar la función?
- **Resultados del trabajo**: ¿Adónde van las salidas después de que dejan el área funcional o, en otras palabras, a quién impactaría si la función no se realizó?
- **Experiencia de interrupción del negocio**: ¿Ha habido alguna vez una interrupción de la función? (De ser así, brindar una breve descripción.)
- **Análisis competitivo**: ¿Hubiera habido un impacto competitivo si la función no se realizaba? De ser así, ¿cuándo ocurriría el impacto y cuándo ocurriría una pérdida potencial del cliente?
- **Otros problemas e inquietudes**: ¿Qué otros problemas o preocupaciones son relevantes para el éxito de la realización de la función?

La recolección y el análisis de esta información para todas las funciones significativas en toda una empresa proporciona un panorama detallado de los flujos de trabajo, las dependencias y las interdependencias que determinan las opciones para el pedido requerido de esfuerzos de restauración (es decir, los recursos dependientes de otras funciones requieren de la restauración de esas funciones antes de que se vuelvan operativas). Brinda información sobre las opciones de operación de emergencia y restauración; el momento oportuno crítico; las opciones para soluciones alternativas u otras opciones operativas en caso de que falle la función; y otra información esencial necesaria para desarrollar IRP, DRP y BCP efectivos.

4.3.2 Beneficios de llevar a cabo un análisis de impacto al negocio

Llevar a cabo un BIA genera un gran número de beneficios, entre otros:

- Incrementar el entendimiento del monto de pérdida potencial y muchos otros efectos no deseados que pudieran ocurrir como resultado de determinados tipos de incidentes que surjan de la pérdida de una función específica, que incluyen eventos catastróficos que pueden poner en riesgo la supervivencia del negocio.
- Priorizar las actividades de restauración y comprender las opciones de recuperación.
- Comprender las dependencias de las diferentes funciones y sus interdependencias.
- Aumentar el nivel de concienciación para la gestión de respuestas dentro de una empresa.

4.4 Plan de continuidad del negocio

Es probable que se produzcan interrupciones de negocio. La habilidad de trabajar durante esas interrupciones requiere que la empresa establezca la capacidad de continuar entregando sus servicios o productos, aunque con una capacidad reducida tal y como defina la empresa, con la meta de reducir y limitar el impacto total. Esto requiere un plan que describa cómo la empresa seguirá operando durante una interrupción no planeada. Debería incluir un conjunto integral de planes que tengan en cuenta cada aspecto de la empresa que podría verse afectado durante una crisis, incluidos los procesos clave, los activos de personal, información y tecnología, junto con los terceros requeridos. El BCP debe informar del desarrollo de los procedimientos de DR, ya que la empresa define y prioriza los procesos y sistemas críticos que son absolutamente vitales para funcionar, incluso con una capacidad disminuida, para permitir que la empresa se recupere y reanude las operaciones normales.

4.4.1 Integración de la respuesta a incidentes con la continuidad del negocio

La integración efectiva de la respuesta a incidentes y la planificación de BC/DR requiere que las relaciones entre RTO, RPO, SDO y MTO se consideren cuidadosamente, ya que la transición de la respuesta a incidentes a las operaciones de recuperación ante desastres para cualquier solución, además de los sitios de procesamiento duplicados o espejados, requerirá tiempo. Es importante tener esto en cuenta, ya que los RTO, MTO y AIW están directamente influenciados por las capacidades de recuperación y la falta de planificación, en consecuencia, a menudo resulta en la incapacidad de lograr los objetivos previstos.

Históricamente, la DR incluye el plan para recuperar un equipo de procesamiento de TI o el plan por unidades de negocio para recuperar un equipo operativo. Con el crecimiento continuo y la adopción generalizada de los servicios en la nube, se está dejando de pensar en la TI en términos de instalaciones para ver la TI como una capacidad. El plan de gestión y recuperación de incidentes tiene que ser consistente con el plan general de TI de la empresa y apoyarlo. El plan de BC y DR y la respuesta a incidentes no necesariamente tienen que combinarse en un plan único; sin embargo, cada uno debe ser compatible e integrado con los demás para que la transición en la declaración de un desastre sea efectiva.

4.4.2 Métodos para proporcionar continuidad de los servicios de redes

Entre los métodos para proporcionar la continuidad de los servicios de redes están:

- **Redundancia**: lograr redundancia implica una variedad de soluciones, entre otras:
  - Proporcionar una capacidad adicional con un plan para utilizar la capacidad excedente en caso de que la capacidad de transmisión primaria normal no esté disponible. En el caso de una red de área local, se puede instalar un segundo cable a través de una ruta alterna para su uso en el caso de que el cable principal esté dañado.
  - Proporcionar múltiples rutas entre enrutadores.
  - Utilizar protocolos especiales de enrutamiento dinámico, como la ruta abierta más corta primero (OSPF) y el protocolo de enrutamiento de pasarela externa (EGRP).
  - Disponer de dispositivos de conmutación para fallas (failover) para evitar un único punto de fallo en los enrutadores (routers), conmutadores (switches), firewalls, etc.
  - Guardar archivos de configuración para recuperar dispositivos de redes, como routers y switches, en caso de que fallen.
- **Enrutamiento alternativo**: enrutamiento alternativo significa enrutar la información a través de un medio alterno, como cable de cobre o de fibra óptica. Esto implica utilizar diferentes redes, circuitos o puntos finales, si la red normal no está disponible. La mayoría de las operadoras locales utilizan anillos de fibra óptica de giros contrarios. Estos anillos tienen cables de fibra óptica que transmiten información en dos direcciones distintas y en revestimientos de cable separados para una mayor protección. En la actualidad, estos anillos se conectan a través de una central de conmutación. Sin embargo, una expansión futura de los anillos podría incorporar una segunda central de conmutación en el circuito. Algunas operadoras ofrecen rutas alternativas a diferentes puntos de presencia o centrales de conmutación alternativas. Otros ejemplos incluyen un circuito de marcación telefónica, como una alternativa a circuitos dedicados; un teléfono celular y comunicación por microondas como alternativas para enlaces terrestres, y mensajería como una alternativa a las transmisiones electrónicas.
- **Enrutamiento diverso**: este es el método para enrutar tráfico a través de equipos de cable dividido o de cable duplicado. Esto puede llevarse a cabo con revestimientos de cable duplicado o diferente. Si se utilizan revestimientos de cable diferentes, el cable

puede estar en el mismo conducto y, por consiguiente, estar sujeto a las mismas interrupciones que el cable que está respaldando. El suscriptor del servicio de comunicaciones puede duplicar los equipos al tener rutas alternativas, aun cuando la entrada y la salida en las instalaciones del cliente pueden estar en el mismo conducto. El suscriptor puede obtener enrutamiento diverso y alternativo de la operadora local, incluyendo equipos de doble entrada; sin embargo, adquirir este tipo de acceso toma tiempo y es costoso. Muchas operadoras proporcionan equipos de enrutamiento alternativo y diverso, aunque la mayoría de los servicios se trasmiten por medios terrestres. Estos equipos de cable por lo general se localizan en el suelo o el sótano de los edificios donde se encuentran los equipos de computación. Los equipos ubicados en el suelo están en riesgo debido a la antigüedad de la infraestructura de las ciudades. Además, los equipos basados en cables suelen compartir espacio con sistemas mecánicos y eléctricos que pueden representar un riesgo debido a errores humanos o eventos desastrosos.

- **Diversidad de redes de larga distancia**: muchos proveedores de equipos de recuperación proporcionan una disponibilidad diversa de redes de larga distancia, utilizando circuitos de datos de alta velocidad entre las operadoras mayoristas de telecomunicaciones de larga distancia. Esto garantiza el acceso de larga distancia en caso de que cualquier operadora experimente un fallo en la red. Muchas de las operadoras principales ahora tienen instalado software para volver a enrutar en forma automática así como también líneas redundantes que proporcionan una recuperación instantánea en caso de un fallo en sus líneas. El gerente de seguridad de la información debe confirmar que el equipo de recuperación cuenta con estas capacidades de telecomunicaciones esenciales.
- **Protección de un circuito de última milla**: la mayoría de los equipos de recuperación proporcionan una combinación redundante de circuitos de datos de alta velocidad de operadoras locales, microondas y/o cable coaxial de acceso al circuito de comunicaciones local. Esto permite que el equipo tenga acceso durante un desastre en las comunicaciones de la operadora local. También se utiliza una operadora local alternativa.
- **Recuperación por voz**: muchas industrias de servicios, financieras y minoristas dependen de la comunicación por voz. Por lo tanto, sus planes de recuperación deben proporcionar cableado redundante y enrutamiento alternativo para líneas de comunicación de voz y líneas de comunicación de datos.
- **Recuperación de telefonía**: con el aumento del uso de telefonía basada en redes con el protocolo de internet Voice Over (VOIP), hay que tener especial cuidado y considerar las funciones de negocio que requieren una alta disponibilidad y accesibilidad a los servicios de telefonía. Esto es especialmente cierto si la empresa es de un sector sensible al tiempo o proporciona servicios críticos, como atención sanitaria o servicios de urgencias. Aunque puede parecer rentable reducir y consolidar el número de proveedores para proporcionar tanto la red como la telefonía a través de los circuitos de datos del proveedor, esto conlleva el riesgo de crear un único punto de fallo. Los gerentes de seguridad de la información deben aconsejar la diversificación adecuada de los operadores y el uso de líneas de servicio telefónico simple (POTS) para reducir el impacto y las probabilidades asociadas con un fallo total de la comunicación si los servicios de datos se vieran interrumpidos.

4.4.3 Consideraciones de alta disponibilidad

La pérdida o la interrupción de servidores que gestionan procesos clave de negocio críticos y confidenciales pueden tener efectos catastróficos en la empresa. Los planes deben incluir métodos operativos de conexión de apoyo (failover) para evitar que los servidores estén fuera de línea durante un periodo prolongado. La recuperación del servidor debe incluirse en el DRP. Algunas de estas técnicas para proporcionar capacidades de conmutación para fallas (failover) o tolerantes a fallas incluyen el uso de fuentes de alimentación universales (UPS) y el uso de sistemas de conmutación para fallas (failover) que previenen falta de energía a distintos niveles.

El almacenamiento de conectado directo (DAS) es una solución de disponibilidad y almacenamiento de datos en el que el dispositivo de almacenamiento (por ejemplo, el disco duro) está directamente conectado a un servidor o cliente. Con el fin de que varios usuarios puedan acceder a DAS, cada uno debe tener acceso directo al servidor que aloja el dispositivo de almacenamiento. Si surge la necesidad de más almacenamiento, el servidor o el cliente debe ser desconectado para que los discos adicionales puedan ser instalados, lo que afecta la disponibilidad.

El almacenamiento conectado a la red (NAS) es un dispositivo de almacenamiento de datos conectado a la red dedicado con su propio sistema operativo

(p. ej., TrueNAS). El almacenamiento de archivos y la accesibilidad del usuario se proporcionan a través de una red Ethernet existente. Agregar almacenamiento al NAS causa un tiempo de inactividad mínimo porque la conexión es a la red y no al servidor; por lo tanto, la disponibilidad no se ve necesariamente afectada a medida que el almacenamiento necesita aumentar. La conectividad y el acceso a los archivos generalmente se facilitan a través de una variedad de protocolos, como Network File Share o Server Message Block. La capacidad de acceder a los archivos a través de un navegador web, una aplicación dedicada o herramientas de línea de comandos también puede estar disponible en los dispositivos NAS.

Una red de área de almacenamiento (SAN) es una red de alta velocidad para aplicaciones especiales que proporciona almacenamiento masivo empleando dispositivos remotos interconectados, tales como conjuntos de discos, bibliotecas de cintas o bibliotecas de discos ópticos, con los servidores de datos correspondientes que funcionan como si estuviesen localmente conectados. Las SAN normalmente forman parte de la red general de recursos informáticos de grandes empresas, pero también pueden servir como recursos remotos para el almacenamiento de copias de seguridad y de archivos. Las SAN normalmente soportan las funciones de espejado de discos, copias de seguridad y restauración, migración de datos entre dispositivos de almacenamiento y de datos compartidos entre distintos servidores en una o más redes.

Compatible con soluciones de almacenamiento DAS, NAS y SAN, un conjunto redundante de discos de bajo costo (o independientes) (RAID) brinda mejoras en el desempeño y las capacidades tolerantes a fallas mediante soluciones de hardware y software, descomponiendo datos y escribiéndolos en una serie de discos múltiples para mejorar el desempeño y/o guardar archivos grandes al mismo tiempo. Estos sistemas proporcionan la posibilidad de tener disponibilidad continua de datos de manera rentable, ya sea dentro o fuera del sitio.

Las estrategias para garantizar la disponibilidad de datos y la recreación en caso de un incidente dependen de los RPO y RTO, como se describió anteriormente. En la **figura 4.5** se muestra una ilustración de técnicas implementadas en relación con los RTO y RPO.

Figura 4.5—Técnicas implementadas en relación con los RTO y los RPO

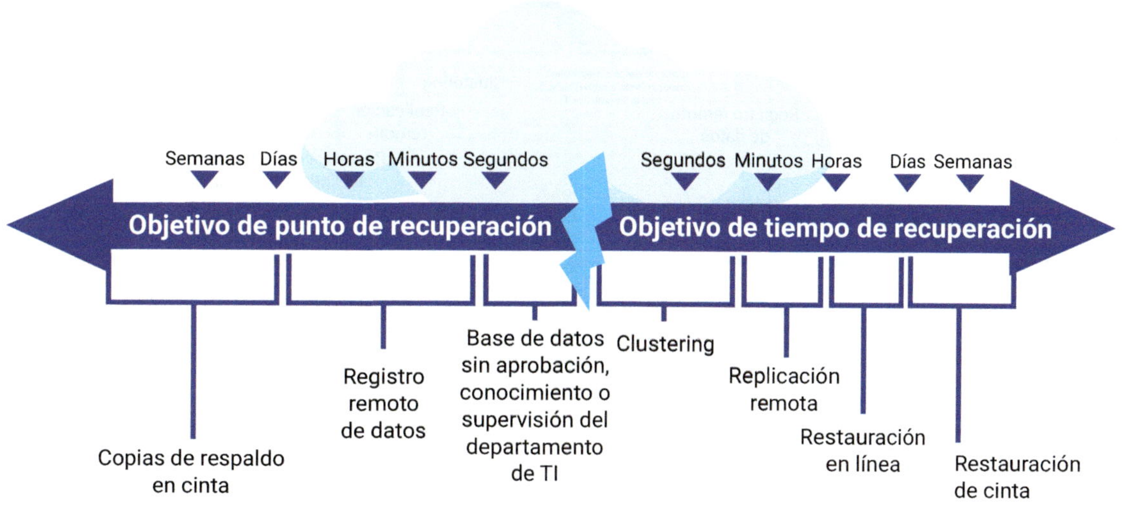

Fuente: Global Knowledge, *https://www.globalknowledge.com*

Después de un incidente que implica pérdidas de datos, el tiempo aceptable antes de que un sistema deba ser restablecido/recreado (es decir, el RTO) y el nivel de integridad, o el límite aceptable de pérdida de datos para el sistema recreado (es decir, el RPO), son requerimientos del negocio que se pueden obtener mediante el uso de soluciones de tolerancia a fallas o alta disponibilidad. Su uso depende de las necesidades del negocio y varía entre las diferentes industrias.

Si el RTO es instantáneo y el RPO es igual de riguroso (es decir, la meta es que los usuarios no sientan el tiempo de inactividad), se establece una solución de almacenamiento tolerante a fallas. Los servidores tolerantes a fallas brindan una redundancia segura en caso de fallas mediante imágenes duplicadas del servidor principal. El uso de este enfoque también implica el procesamiento distribuido de la carga del servidor, un concepto conocido como equilibrio de cargas o clustering, donde todos los servidores participan en el proceso. En esta distribución, una unidad de cluster inteligente incluye equilibrio de carga para un mejor desempeño. Este tipo de arquitectura de servidor no es transparente a los usuarios. Lo único que puede notar un usuario es una disminución en el desempeño, en caso de que el servidor falle.

El gerente de seguridad de la información debe estar al tanto de los altos costos asociados con las soluciones tolerantes a las fallas y las dificultades de lograr este estado de disponibilidad de datos. Por ejemplo, en un entorno virtual, deben existir múltiples casos (copias) de una máquina virtual (VM) que funcione en paralelo. Cualquier cambio del estado de la VM principal (tal como la modificación de un archivo) debe aplicarse en todas las VM secundarias en tiempo real.

Si el RTO y el RPO son más flexibles (es decir, el negocio tolerará una cantidad limitada de tiempo de inactividad), entonces se establece una solución de almacenamiento de alta disponibilidad. Un ejemplo de alta disponibilidad es una serie de servidores que tienen una relación traspaso a una conexión de apoyo (fail-over). Cuando una aplicación se está ejecutando y el servidor principal falla, la aplicación se reinicia en el servidor de la conexión de apoyo. Dentro de este acuerdo, el trabajo más actual en curso puede perderse; sin embargo, la aplicación podría estar instalada y funcionando en pocos segundos. Las soluciones de alta disponibilidad son menos costosas de implementar que las designadas para la tolerancia a fallas del 100 por ciento. Consulte la **figura 4.6**.

Figura 4.6—Relación de los RTO, RPO, alta disponibilidad y tolerancia ante fallas

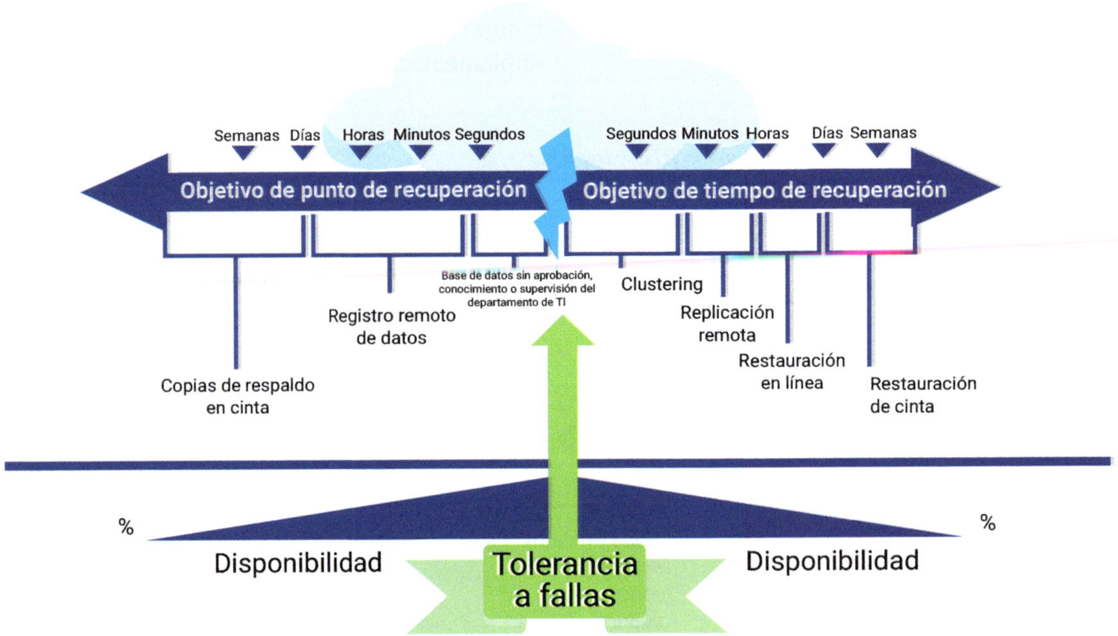

Fuente: Adapted from Global Knowledge, *https://www.globalknowledge.com*

4.4.4 Seguro

El IRP debe incluir información con respecto a los planes de seguros de la empresa, que incluye la cobertura general, la cobertura cibernética o el seguro relacionado con la TI. Algunos elementos de cobertura de la empresa, tales como una política de interrupción del negocio, pueden proporcionar algún nivel de protección y se deben considerar como parte del plan. Las pólizas de seguros actuales para el procesamiento de sistemas de información son, por lo general, pólizas contra múltiples daños diseñadas para brindar varios tipos de cobertura de TI. Estas políticas deben elaborarse modularmente, para que se puedan adaptar al ambiente particular de TI del asegurado.

Una empresa no puede normalmente contratar un seguro contra fallas por incumplir con los requerimientos legales y regulatorios o cualquier otra violación a la ley. Generalmente, existen una cantidad de otras exclusiones y deducibles, y se exige que el gerente de seguridad de la información revise cuidadosamente para que obtenga un claro entendimiento de la protección real provista.

Algunos tipos específicos de cobertura que están disponibles son:

- **Equipos e instalaciones de TI:** este tipo proporciona una cobertura contra daño físico a las instalaciones de procesamiento de información (IPF) y a los equipos propios. Una empresa también debe asegurar el equipo alquilado si este se obtiene cuando el arrendatario es responsable por la cobertura contra peligro. El gerente de seguridad de la información debe revisar estas políticas cuidadosamente; muchas políticas están elaboradas de forma tal que los aseguradores están obligados a reemplazar los equipos dañados o arruinados con otros del "mismo tipo y calidad", no necesariamente de la misma marca y modelo.
- **Reconstrucción de medios (software):** cubre contra daños a los medios informáticos que sean de la propiedad del asegurado y por los cuales el asegurado podría ser responsable. El seguro está disponible para desastres en las instalaciones, fuera de las instalaciones o en tránsito y cubre el costo de reproducción real del bien. Algunas consideraciones para determinar el monto de la cobertura necesaria son los costos de programación para reproducir los medios dañados, gastos por respaldo y reemplazo físico de dispositivos de medios, tales como cintas, cartuchos y discos.
- **Ciberseguridad**: cubre ciberataques de varios tipos, como ramsomware, denegación de servicio (DoS), DoS distribuido (DDoS) y pérdidas asociadas con brechas.
- **Responsabilidad profesional y comercial**: protección frente a reclamos de terceros por pérdidas y daños causados por el asegurado.
- **Gastos adicionales**: diseñada para cubrir los costos adicionales por continuar las operaciones después del daño o destrucción en IPF. El monto del seguro necesario se basa en la disponibilidad y el coste de los equipos y operaciones de respaldo. Los gastos adicionales también pueden cubrir la pérdida de ganancias netas ocasionadas por daños en medios informáticos. Esto implica el reembolso de pérdidas monetarias que resultan de la suspensión de operaciones debido a la pérdida física de equipos o medios como en el caso en el cual las IPF estuvieran en el sexto piso y se quemaran los primeros cinco pisos. En este caso, las operaciones se interrumpirían aun cuando las instalaciones de procesamiento de información (IPF) no se hubieran afectado.
- **Interrupción del negocio**: cubre la pérdida de ganancias debido a la interrupción de la actividad de la compañía ocasionada por alguna avería de TI o evento relacionado con la seguridad que estén cubiertos en el que un atacante o código malicioso ocasione la pérdida de la disponibilidad de los recursos informáticos.
- **Documentos y registros de valor**: cubre el valor real en efectivo de documentos y registros (no definidos como medios) en las instalaciones del asegurado contra revelación no autorizada, pérdida o daño físico directo.
- **Errores y omisiones**: brinda protección contra responsabilidad legal en caso de que un experto incurra en un acto, error u omisión que resulte en una pérdida financiera para el cliente. Este seguro se diseñó originalmente para agencias de servicio externo (service bureau), pero ahora está disponible con muchas aseguradoras para protegerse contra acciones de analistas de sistemas, diseñadores de software, programadores, consultores y otro personal de sistemas de información.
- **Cobertura de fidelidad**: por lo general, se trata de una fianza bancaria general, un seguro por exceso de fidelidad o fianzas generales comerciales. Cubre contra pérdida ocasionada por actos deshonestos o fraudulentos por parte de empleados. Este tipo de cobertura es común en instituciones financieras, que operan sus propias instalaciones de procesamiento de información (IPF).
- **Transporte de medios**: proporciona cobertura contra posible pérdida o daño de medios en tránsito a equipos de procesamiento de información (IPF) que estén fuera de las instalaciones. La redacción de la cobertura de tránsito en la póliza suele especificar que todos los documentos tienen que ser filmados o copiados por otros medios. Cuando la póliza no requiere específicamente que los datos se filmen antes de su transporte y el trabajo no se filma, la gerencia debe obtener del servicio de mensajería de la aseguradora una carta que describa específicamente la posición del servicio de mensajería de la compañía aseguradora y la cobertura en caso de destrucción de los datos.

4.5 Plan de recuperación de desastre

El gerente de seguridad de la información debe entender los procesos básicos requeridos para recuperar las operaciones de los incidentes a sistemas de información que resulten en brechas a la seguridad y fallas del sistema, desastres naturales y otros probables eventos, que pudieran ocasionar la posible interrupción de las operaciones del negocio.

La DR se ha definido tradicionalmente como la recuperación de los sistemas de TI después de eventos de interrupción que causan fallas en el sistema, tales como huracanes e inundaciones, que tienen como resultado la falta de acceso o interrupciones prolongadas de energía y comunicación. La recuperación del negocio se define como la recuperación de todos los procesos de negocio críticos que son necesarios para continuar o restablecer las operaciones. La recuperación del negocio incluye la DR y todos los otros aspectos operativos requeridos.

La planificación incluye la documentación de los requerimientos para declarar un desastre (es decir, determinar cuándo un incidente no puede ser resuelto por los procesos de recuperación disponibles). La declaración de un desastre de acuerdo con los criterios de declaración definidos requiere, por lo general, el traslado de las operaciones a la sede de procesamiento alternativa.

No todos los eventos, incidentes o interrupciones críticas deben clasificarse como incidentes de seguridad. Por ejemplo, la interrupción del servicio puede ser provocada por una falla en el sistema o por accidentes. Independientemente de la causa de la interrupción de las operaciones, la resolución satisfactoria requiere la acción inmediata para mantener o recuperar el estado operacional. Las acciones pueden, entre otras cosas, necesitar del restablecimiento del hardware, software y archivos de datos.

Por lo general, cada uno de estos procesos de planificación incluye muchas fases importantes, entre ellas:

- Realizar una evaluación de riesgo y BIA
- Definir una estrategia de respuesta y recuperación
- Documentar los planes de respuesta y recuperación
- Formación que incluya los procedimientos de respuesta y recuperación
- Actualización de los planes de respuesta y recuperación
- Pruebas de los planes de respuesta y recuperación
- Auditoría de los planes de respuesta y recuperación

Antes de elaborar un BCP detallado, es importante aplicar un BIA para determinar el creciente costo diario de perder los diferentes sistemas. Esto proporciona la base para decidir los RTO apropiados y los costos asociados. Esto, a su vez, afecta la ubicación y los costes de las instalaciones de recuperación alternativas, la composición y la misión de los equipos individuales de respuesta y recuperación, que resultan clave en la recuperación en caso de desastre.

4.5.1 Procedimientos de continuidad del negocio y recuperación ante desastres

Existen varias consideraciones que se deben establecer cuando se desarrollan los planes de respuesta y recuperación, que incluyen los recursos que están disponibles, los servicios esperados, y los tipos, las clases y la gravedad de las amenazas que enfrenta la empresa. Debe tenerse conocimiento del estado que guardan las capacidades de monitoreo y detección, y debe determinarse el nivel de riesgo que la empresa está dispuesta a aceptar, como se analiza en 2.4.1 Determinación de la Capacidad de Riesgo y el Riesgo Aceptable (Apetito de Riesgo). Una estrategia efectiva para los planes de recuperación es aquella en la que existe el equilibrio al mejor costo entre los esfuerzos de gestión de riesgo, la gestión y la respuesta a incidentes y los planes de BC/DR.

ISACA define la continuidad del negocio como "prevención, mitigación y recuperación de las interrupciones. Los términos 'planes de reanudación de negocios', 'planes de recuperación ante desastres' y 'planes de contingencia' también se pueden utilizar en este contexto; se centran en los aspectos de recuperación de la continuidad."

El Consorcio Internacional para la Resiliencia Organizacional[52] define la continuidad del negocio como "un proceso de gestión que identifica las amenazas potenciales para una organización y los impactos en las operaciones comerciales si esas amenazas se materializan". Por lo tanto, la relación entre la BC y la DR es tal que el DRP es un subconjunto del BCP. Específicamente, mientras que las metas del BCP incluyen la prevención y mitigación del incidente, el DRP está centrado en lo que debe hacerse para restablecer las operaciones después de que ya ha ocurrido un incidente. Un BCP puede verse como un proceso continuo que está implementado activamente en los escenarios habituales, mientras que el DRP es reactivo por naturaleza y se implementa solo cuando se cumple con una serie específica de condiciones (es decir, el negocio ha incurrido en un incidente).

52 International Consortium for Organizational Resilience, *https://www.build-resilience.org/*

4.5.2 Operaciones de recuperación

Una vez que la empresa esté en funcionamiento en modo de recuperación (lo cual en caso de daños o falta de acceso al sitio principal ocurre generalmente en sitio de recuperación ante desastres) los equipos de BC deberían monitorear el progreso de la restauración del sitio principal. Esto se realiza para evaluar cuándo es seguro regresar y realizar las pruebas de evaluación que determinan si las instalaciones y el centro de datos primarios son accesibles, están operativos y son capaces de funcionar con una carga de procesamiento y capacidades normales.

Los equipos responsables de trasladar las operaciones al sitio alternativo y ponerlo en funcionamiento podrían realizar una operación similar para regresar al sitio primario. Al momento de la restauración completa de las capacidades de procesamiento de datos y la instalación primaria, los equipos de recuperación actualizan al líder de BC, que luego declarará la normalidad en consultas con el equipo de gestión de crisis y migrará las operaciones de vuelta al sitio primario.

En el caso de que el sitio primario esté completamente destruido o severamente dañado, la empresa puede tomar una decisión estratégica para transformar el sitio de recuperación alternativo en el sitio de operaciones primario o identificar, adquirir y configurar otro sitio donde se restauren las operaciones y que funcione como el sitio primario. Esto se aplica especialmente en los casos en que la empresa utiliza un sitio de recuperación ante desastres de proveedores externos, debido a que los costos que representa operar desde un sitio de este tipo por un período extendido podrían ser extremadamente altos.

Para asegurar una planificación de contingencia efectiva y amplia, las empresas que configuran un BCP deberían ocuparse de los procesos, los roles y las responsabilidades de identificar un incidente, y declarar un desastre y gestionar las operaciones en un modo de desastre, pero también deben definir los procesos para restaurar las operaciones en el sitio primario y anunciar el regreso a la normalidad. Durante la fase de estrategia, se podría considerar un sitio en frío (cold site) como instalación de funcionamiento primaria en el caso de que el incidente afecte la instalación primaria.

Es importante recordar que los recursos de información deben estar protegidos, incluso durante el entorno potencialmente caótico de una interrupción del negocio o desastre. El gerente de seguridad de la información debe garantizar que se incorpore la protección de la información en todos los planes de respuesta y recuperación. El gerente de seguridad debe supervisar cuidadosamente estos planes para asegurar que su ejecución no comprometa los estándares y requerimientos de seguridad de la información. Si la exposición es inevitable, se deben explorar otras acciones de mitigación. Como mínimo, se debe realizar una evaluación de riesgo focalizada, para informar a la gerencia sobre el alcance y posible impacto de los riesgos de seguridad introducidos por la ejecución del plan.

En el caso de que la crisis no sea catastrófica y la empresa haya pasado al modo de recuperación ante desastres solo por tiempo limitado, es importante que el sitio de recuperación ante desastres sea restaurado a un estado de preparación aceptable después de que las operaciones se restituyan en la instalación primaria.

Es necesario registrar las lecciones aprendidas y las brechas identificadas en el plan tanto en la transferencia al sitio de recuperación ante desastres o durante el regreso a la instalación primaria, e implementar recomendaciones para mejorar la efectividad del plan. Un plan realista debería cubrir todos los aspectos del restablecimiento de las operaciones en el sitio primario, incluyendo las áreas de personas, instalaciones y tecnología.

4.5.3 Evaluación de las estrategias de recuperación

Existen diversas estrategias para recuperar recursos de información críticos. Posiblemente la estrategia más apropiada sea aquella que atienda efectivamente los eventos posibles con tiempos de recuperación aceptables a un costo razonable.

El costo total de la capacidad de recuperación es el costo de la preparación para las posibles interrupciones (por ejemplo, la compra, el mantenimiento y la prueba periódica de computadoras redundantes; el mantenimiento del enrutamiento de red alternativo, y los costos de capacitación y personal) y el costo de utilización en caso de un incidente. Los impactos de la interrupción pueden mitigarse hasta cierto punto con varias formas de seguros contra interrupción de negocios, los cuales se pueden considerar como una opción de estrategia.

Dependiendo del tamaño y de la complejidad de la empresa y del estado de la planificación de recuperación, el gerente de seguridad de la información debe comprender que el desarrollo de la gestión de incidentes de seguridad y del plan de respuesta puede ser un proceso difícil y costoso que puede llevar un tiempo considerable. Puede requerir el desarrollo de varias estrategias alternativas que combinen capacidades y costos diferentes, todo lo que deberá ser presentado ante la dirección para su decisión final. Cada alternativa debe desarrollarse suficientemente para que puedan comprenderse las compensaciones entre alcance, capacidades, riesgo y costo. Podría ser prudente considerar la externalización de algunas o de todas las capacidades necesarias y determinar los costos asociados para fines de comparación. Una vez que se ha decidido cuál estrategia satisface mejor los objetivos de la dirección, esa estrategia proporciona la base para el desarrollo de una gestión de incidentes de seguridad y planes de respuesta detallados.

4.5.4 Abordar las amenazas

Algunas de las estrategias que se han de tener en cuenta en la gestión de incidentes de seguridad cuando se responde a las amenazas son:

- **Eliminar o neutralizar una amenaza**: a pesar de que eliminar o neutralizar una amenaza podría parecer como la mejor alternativa, esto puede resultar poco realista cuando se trata de amenazas externas. Si la amenaza es interna y específica, puede ser posible su eliminación. Por ejemplo, la amenaza de una actividad particular que ocasione un incidente de seguridad se puede tratar cesando la actividad.
- **Minimizar la posibilidad de ocurrencia de una amenaza**: por lo general, la mejor alternativa es minimizar la posibilidad de ocurrencia de una amenaza al reducir o eliminar las vulnerabilidades o la exposición. Esta meta puede alcanzarse al implementar el conjunto apropiado de controles físicos, ambientales y de seguridad. Por ejemplo, hacer uso de los cortafuegos, IDS y métodos robustos de autenticación podría reducir de manera significativa el riesgo de un ataque exitoso. Se puede lograr reducir la exposición mediante la compartimentación, tal como la segmentación de redes.
- **Minimizar los efectos de una amenaza si ocurre un incidente**: existen varias formas de minimizar el impacto en caso de que ocurra un incidente, tales como una gestión y respuesta eficaces a los incidentes, póliza de seguro o sistemas redundantes con conmutación para fallas automática, u otros controles correctivos o compensatorios.

Cada sistema de procesamiento de información de importancia extrema requiere un enfoque para restaurar las operaciones en caso de interrupción. Existen varias estrategias alternativas que pueden considerarse tanto en términos de capacidad de gestión y respuesta a los incidentes como desde una perspectiva de DR. Estas pueden variar desde sistemas redundantes y duplicados hasta el aseguramiento de un alto grado de robustez y capacidad de recuperación de los sistemas o procesos.

4.5.5 Centros de recuperación

Las alternativas más apropiadas para un sitio de recuperación deben basarse en la probabilidad de que ocurran interrupciones importantes, la naturaleza y el alcance del impacto en la capacidad de la empresa para continuar con las operaciones, y el costo general. Es muy probable que los cortes a la energía eléctrica más prolongados y más costosos o los desastres que inhabilitan al equipo físico principal requieran de alternativas de respaldo fuera del sitio. Se pueden considerar, entre otros, los siguientes tipos de instalaciones fuera del sitio:

- **Hot sites**: están completamente configurados y listos para operar dentro de algunas horas. El software de los equipos, la red y los sistemas debe ser compatible con la instalación primaria que se esté respaldando. Las únicas necesidades adicionales son personal, programas, archivos de datos y documentación.
- **Warm sites**: los warm sites son infraestructuras completas, pero que están parcialmente configuradas en TI, normalmente con conexiones de red y equipos periféricos básicos tales como discos duros, unidades de cinta y controladores. En ocasiones un warm site está equipado con una unidad de procesamiento central menos potente (CPU) que el sitio primario.
- **Cold sites**: los cold sites son una opción viable solo cuando las empresas pueden permitirse un tiempo de interrupción relativamente largo. Los cold sites tienen solo el entorno básico (cableado eléctrico, aire acondicionado, piso, etc.) para operar un IPF. El cold site está listo para recibir equipo, pero no ofrece ningún componente en el sitio antes de que se presente la necesidad. La activación del sitio puede tomar varias semanas. Dado que para estas estrategias se requiere de datos y software, es necesario considerar arreglos especiales para su respaldo en medios extraíbles y su almacenamiento seguro fuera del sitio. Existen dos opciones para equipar un cold site:
  - **Proveedor o tercero**: los proveedores de hardware son en general la mejor fuente de equipos de reemplazo. Sin embargo, esto a menudo puede implicar un período de espera que es inaceptable para operaciones críticas. Es poco probable que un proveedor garantice una reacción específica ante una crisis. Los acuerdos con proveedores se utilizan mejor cuando una empresa planifica moverse de un hot site a un warm o cold site, por lo que una planificación anticipada es fundamental. Otra fuente de reemplazo de equipo

es el mercado de hardware de segunda mano. Este mercado puede abastecer de componentes críticos o sistemas enteros con poco tiempo de anticipación, a menudo a un costo muy bajo. Si la entidad está considerando adquirir hardware usado, se debe realizar una investigación previa de los distribuidores y la cadena de suministro para evitar la compra de dispositivos falsificados o de hardware que haya sido manipulado o modificado con malas intenciones. Es crucial establecer una relación con estos comerciantes con bastante anticipación a una emergencia real.
  - **Artículo disponible en inventario**: dichos componentes están frecuentemente disponibles en el inventario de proveedores con poca anticipación, pero pueden necesitar arreglos especiales. Para hacer uso de este enfoque, se tienen que utilizar muchas estrategias, entre otras:
    - Evitar el uso de equipo inusual y difícil de obtener.
    - Actualizar los equipos regularmente para mantenerlos al día.
    - Mantener la compatibilidad del software para permitir la operación de equipos más recientes.
- **Sitios móviles**: son tráilers de diseño especial que se pueden transportar con rapidez a una ubicación de negocio o un sitio alterno a fin de proporcionar una IPF acondicionada previamente. Estos sitios móviles se pueden unir para formar áreas de trabajo más grandes y se pueden configurar previamente con servidores, computadoras de escritorio, equipos de comunicación y enlaces de datos de satélite y microondas. Son alternativas útiles cuando no se cuenta con equipos de recuperación en el área geográfica inmediata. También son de utilidad en caso de un desastre extendido y pueden ser una alternativa rentable para las IPF duplicadas en empresas con múltiples oficinas.
- **Sitios duplicados**: estas instalaciones son sitios de recuperación dedicados funcionalmente similares o idénticos al sitio primario y pueden asumir rápidamente el control del sitio primario. Van desde un hot site de emergencia hasta un acuerdo recíproco con otra compañía. La premisa es que existen pocos problemas al coordinar la compatibilidad y la disponibilidad en el caso de los sitios duplicados. Las empresas grandes con varias instalaciones de datos pueden, por lo general, desarrollar capacidades de conexión de apoyo entre sus propios centros de datos geográficamente dispersos, siempre y cuando se consideren los siguientes principios:
  - Se deberá ubicar el sitio elegido de modo tal que no esté sujeto al mismo evento de desastre que el sitio primario. Si, por ejemplo, el sitio primario está en un área que es vulnerable a los huracanes, el sitio de recuperación no debe ser vulnerable a los mismos huracanes.
  - Debe existir una coordinación de estrategias de hardware/software. Tiene que existir un grado razonable de compatibilidad de hardware y software para que sirva como base para el respaldo.
  - Tiene que asegurarse la disponibilidad de los recursos. Es necesario monitorear las cargas de trabajo de los sitios para garantizar que se cuenta con una disponibilidad suficiente de respaldo en caso de emergencia.
  - Tiene que haber un acuerdo relativo a la prioridad de agregar aplicaciones (cargas de trabajo) hasta que se utilicen en su totalidad los recursos de recuperación.
  - Es necesario hacer pruebas periódicas. Sea que los sitios duplicados estén sujetos a la misma titularidad común o la misma gestión, es necesario hacer pruebas de la operación de respaldo regularmente para asegurarse de que funcionen en caso de un desastre.
- **Sitios espejo:** si se requiere de tiempo activo y disponibilidad continuos, un sitio espejo puede ser la mejor opción. Por definición, un sitio espejo es muy similar o idéntico al sitio primario. El sitio espejo opera en coordinación con el sitio primario en forma de reparto de carga. Por lo general, un programador automático ejecuta las aplicaciones y equilibra las cargas entre los sitios según la capacidad operativa; las aplicaciones pueden ejecutarse en cualquiera de ellos. Dado que existe una capacidad de reserva suficiente, las aplicaciones pueden cambiar de sitio de manera imperceptible sin ninguna interrupción. Una vez más, las empresas con varias instalaciones de datos pueden, por lo general, desarrollar esta capacidad entre sus propios centros geográficamente dispersos.
- **La recuperación ante desastres como servicio (DRaaS):** con el aumento del número y la disponibilidad de los proveedores de servicios en la nube, DRaaS es una categoría de computación en la nube utilizada para proteger un sistema o datos de interrupciones en un IPF al permitir una recuperación completa dentro de un entorno de nube. Difiere de un servicio de copia de seguridad/almacenamiento basado en la nube porque proporciona las capacidades de TI necesarias cuando se solicitan (pago por uso) y

garantizan que los sistemas se recuperen y funcionen según sea necesario, lo que reduce los costes generales de inversión asociados con los centros reflejados, los centros de emergencia alternativos completamente equipados y los centros de emergencia alternativos parcialmente equipados.
- **Acuerdos recíprocos:** nota: Los acuerdos recíprocos no son tan comunes como en el pasado. De acuerdo con el acuerdo tradicional, los participantes prometen brindarse tiempo informático y operaciones de redes entre sí cuando surja una emergencia. Si la estrategia de recuperación se basa en el uso de acuerdos recíprocos entre una o más entidades internas o externas, es esencial que se cuente con equipos y aplicaciones similares. Es importante considerar que los recursos de TI, por lo general, se utilizan hasta su máxima capacidad y es posible que no puedan admitir los requerimientos para las operaciones de recuperación. Las empresas casi nunca cuentan con los recursos de reserva suficientes para satisfacer siquiera razonablemente pequeños requerimientos de recuperación muy pequeños relacionados con las unidades de procesamiento central, el ancho de banda de redes o la capacidad de almacenamiento. También debe considerarse la disponibilidad del personal competente en una instalación alternativa. Es posible que en caso de un incidente o desastre grave, la disponibilidad de recurso humano sea afectada de manera adversa. Gastos adicionales, integración de personal externo en las operaciones y otras amenazas a la seguridad física son algunos de los problemas difíciles e inmediatos inherentes a este tipo de solución. Además, elaborar un contrato que proporcione una protección adecuada puede ser una tarea difícil y es probable que el costo de lidiar con los cambios al paso del tiempo sea significativo. Es de suma importancia que las disposiciones contractuales para el uso de sitios de terceros cubran temas cruciales como la configuración de hardware y software de terceros, rapidez en la disponibilidad, confiabilidad, duración de uso, naturaleza de las comunicaciones entre sitios y periodo de uso.

Este tipo de sitio más conveniente se basará principalmente en los requerimientos de operación que determine el BIA, los costos y beneficios, y el apetito de riesgo de la gerencia. Puede que se determine que algunos aspectos operativos de gran importancia deban duplicarse para cumplir con los requerimientos del nivel de servicio mientras que otros se pueden apoyar de manera adecuada en las capacidades de los hot, warm o cold sites en la misma instalación o en otras.

Además, parte de la recuperación de los equipos de TI incluye las telecomunicaciones, para las cuales las estrategias que suelen considerarse incluyen los elementos para la prevención de desastres de redes:
- Enrutamiento alternativo
- Enrutamiento diversificado
- Diversidad de redes de larga distancia
- Protección de recursos locales
- Recuperación por voz
- Disponibilidad de circuitos y ancho de banda apropiados
- Disponibilidad de comunicaciones fuera de banda en caso de fallos en los métodos principales de comunicación
- Proveedores de telecomunicación alternativos

Después de que se ha desarrollado una estrategia para la recuperación de equipos de TI suficientes para soportar los procesos de negocio críticos, es fundamental que las estrategias funcionen durante todo el periodo de recuperación hasta que se haya restablecido la totalidad de los equipos. Estas estrategias pueden incluir:
- No hacer nada hasta que los equipos de recuperación estén listos.
- Utilizar procedimientos manuales.
- Centrarse en los clientes, proveedores, productos, sistemas, etc. más importantes dentro de los recursos que aún están disponibles.
- Utilizar sistemas basados en PC para capturar datos para un procesamiento posterior o para realizar un procesamiento local sencillo.

4.5.6 Fundamentos para las selecciones de sitios de recuperación

El tipo de sitio elegido para una respuesta y estrategia de recuperación debe basarse en las siguientes consideraciones:
- **AIW:** Ventana de interrupción aceptable. El tiempo total que puede esperar la empresa a partir del punto de la falla hasta la restauración de los servicios/ aplicaciones críticas. Después de este tiempo, las pérdidas acumuladas ocasionadas por la interrupción pueden amenazar la existencia de la empresa.
- **RTO:** Objetivo de tiempo de recuperación (RTO) La duración desde la interrupción hasta el momento en que el proceso debe estar funcionando a un nivel de servicio suficiente como para limitar el impacto financiero y operativo a un nivel aceptable. Algunas empresas lo expresan como momentos parciales (es decir, desde el punto de fallo hasta la recuperación técnica, o desde el punto de declaración de desastre hasta las operaciones completas).

- **RPO:** Objetivo de punto de recuperación. La antigüedad de los datos que la empresa necesita ser capaz de restablecer en caso de un desastre (es decir, la cantidad de datos que se puede perder y debe recrearse). Algunas veces, esto se expresa como el último punto de datos válidos conocidos. Este será el punto de inicio para las operaciones en el sitio de recuperación. Si los respaldos completos son poco frecuentes, puede tomar demasiado tiempo recrear la cantidad de datos perdidos y el resultado sería que no se cumpliera con los RTO.
- **SDO:** Objetivo de entrega del servicio. Niveles de servicio que se respaldarán durante el modo alternativo de proceso hasta que se restablezca la situación normal. Deben estar directamente relacionados con las necesidades de negocio.
- **MTO:** Máximo tiempo tolerable de interrupción El tiempo máximo que la empresa puede continuar el proceso en modo alternativo. Varios factores determinarán el MTO, incluyendo las crecientes solicitudes atrasadas de procesamiento diferido. Esto, a su vez, se ve afectado por el SDO si es menor que lo requerido durante las operaciones normales.
- **Factores de proximidad**: la distancia de los peligros potenciales que pueden incluir riesgos de inundaciones desde los ductos de agua cercanos, de fabricación o almacenaje de materiales peligrosos, y otras situaciones que puedan presentar riesgos a la operación de un sitio de recuperación
- **Ubicación**: la distancia suficiente para minimizar la probabilidad de que tanto las instalaciones principales como las de recuperación se vean afectadas por el mismo incidente de un suceso ambiental. Cuando se efectúa la planificación, es necesario tener en cuenta el área de impacto típica de los tipos de eventos con más posibilidades de que ocurran en una ubicación dada. Por ejemplo, en el caso de huracanes comparados con los tornados, el área de impacto de un huracán es normalmente mucho mayor que el área de impacto de un tornado, y se requiere una distancia mayor entre sitios en lugares en los que ocurren huracanes con frecuencia.
- **Naturaleza de las interrupciones probables**: esto se debe considerar en términos de los MTO. Por ejemplo, un terremoto fuerte dejará posiblemente inoperativo un sitio primario durante varios meses. Naturalmente, el MTO en una región en la que ocurren con frecuencia estas interrupciones debe ser mayor que la duración probable de tal evento.

Para elaborar una estrategia de recuperación adecuada, es necesario que el gerente de seguridad de la información equilibre todos estos parámetros con las capacidades de los diferentes tipos de sitios de recuperación, sus costos, sus ubicaciones y las capacidades y habilidades del personal de la empresa.

La complejidad y el costo de los planes de respuesta y recuperación, así como el tipo y el costo del sitio de recuperación son proporcionalmente inversos a los objetivos de tiempo que ya se mencionaron. Por ejemplo, una ventana de interrupción de dos horas dicta una solución de hot site o de espejo que, por lo general, es muy costosa; sin embargo, es probable que el proceso de recuperación correspondiente sea más sencillo y asequible. Por el contrario, una ventana de interrupción de un mes podría permitir el uso de un cold site que sea económico; sin embargo, es probable que el proceso de recuperación relacionado sea complejo y costoso.

4.5.7 Implementación de la estrategia de respuesta y recuperación

Según la estrategia de respuesta y recuperación seleccionada por la gerencia, se debe desarrollar un plan detallado de respuesta y recuperación en caso de desastre. Debe incluir todos los temas que implica la recuperación de desastre. Se deben tener en cuenta varios factores cuando se desarrolle dicho plan, entre otros:

- Disponibilidad antes del incidente
- Procedimientos de evacuación
- Cómo declarar un desastre
- Pasos de transición para la DR si la respuesta a incidentes falla
- Identificación de los procesos de negocio y los recursos de TI que deben recuperarse
- Identificación de individuos con autoridad de decisión y responsabilidades en el plan
- Identificación de las personas (y alternativas) responsables de cada función en el plan
- Identificación de la información de contacto
- La explicación paso a paso de las opciones de recuperación
- Identificación de los diversos recursos que se requieren para la recuperación y la continuidad de las operaciones
- Asegurarse de que se consideren otras logísticas tales como la reubicación del personal y alojamiento temporal

El plan de respuesta y recuperación debe estar documentado y escrito en un lenguaje sencillo, que sea comprensible para todos. Es común identificar a los equipos de personal que son responsables de tareas específicas en caso de incidentes o desastres. La mayoría de los BCP se crean como un conjunto de procedimientos que incluyen estrategias de recuperación de sistemas, aplicación, usuarios y redes. Las copias del plan deben mantenerse fuera del sitio para asegurar que estén disponibles cuando se necesiten; tales sitios incluyen el sitio de recuperación, la instalación para el almacenamiento de medios y las casas del personal clave en la toma de decisiones.

4.6 Clasificación y categorización de incidentes

La capacidad de identificar, clasificar y categorizar la respuesta a un incidente es una práctica común, ya que no todos los incidentes son necesariamente iguales, ni la empresa tiene la capacidad de aprovechar recursos limitados simultáneamente.

Como resultado, la necesidad de clasificar de manera efectiva y adecuada los incidentes que ocurren permite a la empresa responder a los incidentes que tienen el mayor impacto utilizando los recursos limitados disponibles.

Se debe definir cómo responderá la empresa antes de la ocurrencia de un incidente; el enfoque para definir la clasificación y categorización de un incidente, debe adaptarse al entorno y los compromisos que la empresa ha establecido.

Las **figuras 4.7** y **4.8** presentan ejemplos de la clasificación y categorización de un incidente.

Figura 4.7—Clasificación de incidentes

Urgencia \ Impacto en la empresa	Bajo	Medio	Alto
Alto	3	2	1
Medio	4	3	2
Bajo	5	4	3

Figura 4.8—Categorización de incidentes

Prioridad	Resolución
1	2 horas
2	8 horas
3	24 horas
4	36 horas
5	160 horas

4.6.1 Proceso de escalamiento para un manejo efectivo de incidentes

El gerente de seguridad de la información debe trabajar con la gerencia para definir e implementar un proceso de escalamiento para establecer los eventos que deben ser gestionados (por ej. en el evento de caída de las telecomunicaciones). Eventos que parecen rutinarios pueden estar relacionados con un peligro a la seguridad y constituir un incidente (por ejemplo, la corrupción de datos podría deberse no a un problema de aplicación, sino a una infección por virus o gusanos). Como parte de las políticas y los procedimientos de gestión de emergencias e incidentes, una descripción detallada sobre el proceso de escalamiento y quién tiene que autorizar las distintas acciones de recuperación o declaración de desastre debe ser clara y estar documentada.

Para cada evento creíble y accionable se debe describir una lista de acciones en la secuencia en la que deben realizarse. Para cada acción mencionada en la lista, deberá identificarse a la persona responsable, las alternativas en caso de no disponibilidad y un tiempo estimado para su ejecución.

Cuando todas las acciones se han concluido con éxito, el proceso debe continuar en la sección dedicada al final de la emergencia. Si una acción no se puede ejecutar o se llega al tiempo estimado, el proceso debe continuar en la siguiente acción. Cada acción no exitosa implica tiempo perdido. Si el tiempo transcurrido acumulado alcanza un límite predeterminado, el estado de emergencia podría cambiar a una condición de alerta (es decir, baja, media, alta). Una situación de alerta da lugar a una notificación a las personas y empresas con responsabilidades de autoridad en la toma de decisiones, como sea apropiado y venga definido por el incidente. Las entidades y el personal que pueden recibir una notificación de alerta pueden ser, entre otras:

- Instalaciones de respaldo
- Socios de negocios
- Representantes de la asistencia al cliente
- Clientes
- Asesores generales/jurídicos
- Recursos Humanos
- Aseguradoras
- Auditoría interna
- Inversores/accionistas
- Operaciones de redes
- Departamento de privacidad
- Relaciones Públicas
- Reguladores
- Los equipos de respuesta y recuperación
- Gestión de riesgos
- Operaciones de seguridad
- Alta gerencia
- Proveedores/suministradores

El proceso debe continuar hasta que se haya resuelto la emergencia o haya ocurrido la última alerta. En este punto, el equipo de gestión de emergencias se reúne para evaluar los daños y las alternativas de mitigación, decide si se declara una situación de desastre y/o si se lanza el plan de respuesta y recuperación, y determina la estrategia pertinente. El gerente de seguridad de la información debe desarrollar un plan de comunicación en colaboración de relaciones públicas, asesoría legal y otros miembros de la alta gerencia que se consideren pertinentes, para garantizar la conveniencia de revelar información.

Después del proceso de escalamiento, se tienen que ejecutar tareas, tales como notificar al personal, activar los sitios alternos, contener las amenazas a la seguridad de los recursos de información, organizar la transportación y llevarla a cabo, recuperar y descargar datos, y realizar las pruebas. El total de tiempo transcurrido debe ser acorde con el RTO que se haya establecido.

El proceso de escalamiento incluye priorizar la información del evento y el proceso de decisión para determinar cuándo alertar a los diversos grupos, incluyendo a la alta gerencia, el público, los accionistas y las partes interesadas, asesoría legal, recursos humanos, proveedores y clientes.

El gerente de seguridad de la información debe desarrollar esos procesos de escalamiento y autoridad para la toma de decisiones, en coordinación con relaciones públicas, asesoría legal y miembros de la alta gerencia que se consideren pertinentes. Este proceso debe incluir a proveedores y servicios públicos.

Muchas empresas definen el nivel de eventos y los procedimientos de escalado de manera diferente para cada nivel. Estos niveles pueden basarse en la severidad del evento, así como en el número de empresas que pudieran resultar afectadas por dicho evento y su necesidad específica de recibir notificaciones. El gerente de seguridad de la información también debe contar con un mecanismo para comunicar información sobre crisis o eventos. Esos mecanismos pueden incluir el uso de correo electrónico (si los sistemas de cómputo y las redes están operativas), teléfonos móviles, sitos web o un número telefónico de emergencia en el cual se puedan dejar mensajes. Es necesario tener en cuenta que algunos tipos de comunicación, como el correo electrónico, están predeterminados en texto claro, lo cual los hace más susceptibles a una posible intercepción. El gerente de seguridad de la información también debe desarrollar métodos para encriptar el correo electrónico y otros medios de comunicación utilizados para transmitir información relacionada con el evento o crisis, para garantizar que esa información solo se divulgue cuando sea prudente hacerlo o de acuerdo con los planes.

4.6.2 Procesos de centro de asistencia/soporte para identificar los incidentes relacionados con la seguridad

El gerente de seguridad de la información debe contar con procesos definidos para el personal de los centros de soporte/servicio (help/service desks) a fin de distinguir entre una solicitud típica y la notificación de un posible incidente relacionado con la seguridad. Es probable que el centro de soporte/servicio reciba el primer informe de un problema relacionado con la seguridad. El reconocimiento inmediato de un incidente en progreso y su pronta canalización a las partes pertinentes son fundamentales para minimizar el daño que se derive de dichos incidentes.

Al definir los criterios apropiados y mejorar la concienciación del personal del centro de soporte/servicio, el gerente de seguridad de la información desarrolla otro método importante para detectar incidentes relacionados con la seguridad. Brindar una capacitación adecuada también contribuye a reducir el riesgo de que el centro de soporte/servicio pueda ser blanco de un ataque exitoso de ingeniería social diseñado para obtener acceso a cuentas, como cuando un atacante se hace pasar por un usuario al cual se le ha negado el acceso y requiere de acceso inmediato al sistema. Además de identificar el posible incidente relacionado con la seguridad, el personal del centro de soporte/servicio debe conocer los procedimientos apropiados para notificar y escalar un posible incidente.

4.7 Capacitación, pruebas y evaluación de la gestión de incidentes

Dado que un incidente puede ocurrir en cualquier momento, el gerente de seguridad de la información debe garantizar que el personal esté capacitado adecuadamente sobre el modo como la empresa gestiona los incidentes, ya sea que gestionen un incidente de principio a fin, si lo gestiona un tercero o si es una combinación de los dos.

La capacitación debe incluir todos los roles implicados en la gestión de incidentes, tanto técnicos como no técnicos. Esto es para garantizar un adecuado entendimiento de los deberes y capacidades fundamentales y habilidades necesarias para responder a lo largo del ciclo de vida de un incidente. La capacitación puede hacerse de diversas formas, desde clases formales con un instructor hasta formaciones mientras se trabaja. Es fundamental definir claramente y actualizar consistentemente las habilidades requeridas para cada rol en función del entorno operativo actual de la empresa.

Para garantizar y validar la eficacia de la gestión de incidentes de seguridad dentro del entorno operativo, deben llevarse a cabo pruebas periódicas. Esto es para asegurar que los individuos conocen y entienden sus responsabilidades a la vez que se determina la eficacia del plan en sí.

Para determinar la eficacia y el cumplimiento del plan, se deben realizar evaluaciones de procesos, prácticas y actividades independientes y objetivas, al menos una vez al año o cuando se den cambios significativos en el entorno. La evaluación en relación con el estándar de prácticas definido por la empresa para la gestión de incidentes debe considerar no solo los procesos, sino también las capacidades y niveles de habilidad individuales, la relevancia del plan en sí, la infraestructura de soporte y la capacidad general para lograr los objetivos definidos según lo planificado.

4.7.1 Roles y responsabilidades para la Gestión de Incidentes

La capacidad de gestión de incidentes de seguridad de una empresa actúa como el primero en responder ante una variedad de incidentes, entre otros, los procesos y el procesamiento de información. Responde y gestiona incidentes para contener y minimizar daños, limitar las interrupciones en los procesos del negocio y restaurar las operaciones tan rápido como sea posible. Los incidentes gestionados de forma deficiente tienen la capacidad de transformarse en desastres.

En teoría, la gestión de incidentes es un componente de la gestión de riesgos y puede considerarse un elemento tanto reactivo como operativo. Si gestionar el riesgo no es suficiente como para evitar que una amenaza se materialice y ocasione un impacto, se debe contar con capacidades de gestión y respuesta a incidentes para reaccionar de forma apropiada a fin de limitar el daño y restablecer las operaciones.

El gerente de seguridad de la información debería comprender las diferentes actividades involucradas en un programa de respuesta y recuperación. Esto incluye reunirse con autoridades de gestión de emergencias (por ejemplo, federales, estatales/provinciales, municipales/locales) para comprender qué capacidades gubernamentales están disponibles. Es probable que estos funcionarios tengan información sobre la naturaleza del riesgo al que es susceptible la localidad o área. La mayoría de los países y gobiernos cuentan con agencias de defensa civil y gestión de emergencias encargadas de asesorar y ayudar a la población a enfrentar una amplia variedad de amenazas naturales y creadas por el hombre. Esto brinda información histórica sobre los eventos que la empresa podrá utilizar para preparase para gestionar otros eventos nuevos.

Por lo general las actividades de gestión de emergencias se centran en las que se llevan a cabo inmediatamente después de que ha ocurrido un incidente. Estos eventos pueden requerir tomar una acción inmediata para recuperar el estado operativo. Las acciones pueden necesitar del restablecimiento del hardware, software y archivos de datos. Las actividades de gestión de emergencias incluyen medidas para proteger la integridad física del personal, por ejemplo, planes de evacuación y la creación de un centro de mando desde el cual se puedan ejecutar procedimientos de emergencia. Es importante que la información sobre un incidente se comunique solo cuando sea estrictamente necesario para controlar la exposición de información potencialmente confidencial.

Es importante comprender la jerarquía y la estructura organizacional asociadas con los diversos roles comunes dentro de la gestión de incidentes. Cada rol tiene que definirse y comunicarse claramente a fin de reducir la mala comunicación en tiempos de crisis.

Los roles relacionados con la gestión de incidentes de seguridad varían de una empresa a otra. Los roles habituales que suelen estar implicados en las actividades de gestión de incidentes de seguridad son, entre otros:
- Representante de la unidad de negocio afectada
- Comunicaciones corporativas
- Patrocinador ejecutivo
- Asesor general
- Recursos humanos
- Responsables de la comunicación de incidentes
- Coordinadores de incidentes (documentación y cronograma)
- Equipo principal de respuesta a incidentes
- El gerente de seguridad de la información
- Auditoría interna
- Investigador principal
- Relaciones Públicas
- Gestión de riesgos
- Analista de seguridad
- Expertos técnicos en la materia (p. ej., aplicaciones, infraestructura, ingeniería)
- Analistas de tecnología
- Analistas de la inteligencia de la amenaza

Compromiso de la alta gerencia

Tal como sucede con otros aspectos de la seguridad de la información, un factor crucial para el éxito del proceso de gestión y respuesta a incidentes es contar con el compromiso de la alta gerencia y las actividades de respuesta.

Un caso de negocio (business case) puede demostrar que, bajo muchas circunstancias, la gestión y respuesta a incidentes eficaces sea una opción menos costosa que intentar implementar controles para todas las condiciones posibles. La gestión y respuesta a incidentes que ha sido probada, también pueden permitir a la empresa mayores oportunidades de negocio para la empresa, al permitir niveles más altos de riesgo aceptable basados en una capacidad demostrada para manejar incidentes de seguridad. La respuesta a incidentes suficiente, junto con la seguridad de la información efectiva, podría ofrecer el enfoque de gestión de riesgos más rentable y podría ser la decisión de gestión de recursos más prudente. Estos puntos deben incluirse en el caso de negocio, que puede utilizarse para obtener el compromiso de la alta gerencia, necesario para garantizar el éxito del programa.

Responsabilidades

Existe una serie de responsabilidades con respecto a la gestión de incidentes que debe llevar a cabo el gerente de seguridad de la información, que incluye:
- Desarrollar planes de gestión y respuesta a incidentes de la seguridad de la información.
- Manejar y coordinar las actividades de respuesta a incidentes relacionados con la seguridad de la información de manera eficaz y eficiente.
- Validar y reportar soluciones de salvaguardas o contramedidas, ya sean lógicas, físicas o administrativas.
- Llevar a cabo la planificación, la elaboración de presupuesto y el desarrollo del programa para todos los aspectos relativos a la gestión y respuesta a incidentes relacionados con la seguridad de la información.

El enfoque de respuesta a incidentes varía según la situación y el tipo de eventos que puedan ocurrir; sin embargo, las metas son constantes e incluyen:
- Mantener lista la respuesta a incidentes.

- Contener y minimizar los efectos del incidente para que el daño y las pérdidas no aumenten de manera descontrolada.
- Notificar a las personas adecuadas el propósito de la recuperación o para proporcionar la información necesaria.
- Recuperarse rápida y eficazmente de los incidentes relacionados con la seguridad.
- Responder de forma sistemática y reducir la probabilidad de que el incidente vuelva a ocurrir.
- Equilibrar los procesos operativos y de seguridad.
- Resolver problemas legales y relacionados con el cumplimiento de las leyes.

El gerente de seguridad de la información también necesita definir qué constituye un incidente relacionado con la seguridad. Por lo general, entre los incidentes se encuentran los siguientes:

- Ataques de código malicioso
- Acceso no autorizado a recursos de información o de TI
- Uso no autorizado de los servicios
- Cambios no autorizados a sistemas, dispositivos de red o información
- Ataques de DoS
- Ataques de DDoS
- Mal uso/abuso de los recursos
- Vigilancia y espionaje
- Engaños/ingeniería social
- Ransomware

Muchos incidentes que al inicio parecen ser de naturaleza maliciosa resultan ser producto del error humano. Por lo general, las empresas sufren casi el doble de incidentes ocasionados por el error humano que los ocasionados por violaciones de la seguridad iniciadas desde el exterior.

4.7.2 Métricas e indicadores de la gestión de incidentes

Las métricas, las medidas y los indicadores de la gestión de incidentes son los criterios utilizados para medir la eficacia y eficiencia de la función de gestión de incidentes.

Las métricas basadas en los KPI y las metas del programa (KGI) establecidos para la gestión de incidentes deben presentarse a la alta gerencia como una base para justificar el apoyo y la financiación continuos. Permiten a la alta dirección comprender la capacidad de la gestión de incidentes de la empresa y las áreas de riesgo que deben tenerse en cuenta.

Los KPI son una medida de actividad cuantificable (por ejemplo, la cantidad de incidentes resueltos por año dentro de los dos minutos de que ocurra). Los KGI son cuantitativos o cualitativos, según la situación, y su finalidad es mostrar progreso hacia o estar relacionados con una meta predefinida.

Por ejemplo, una meta del negocio para el año es tener 1.000 incidentes resueltos dentro de los dos minutos posteriores a la ocurrencia del incidente. En el punto de medición, el KPI de incidentes actualmente resueltos en el marco de tiempo objetivo es 100; por lo tanto, el KGI en el punto de medición es del 10 por ciento (100 incidentes resueltos de 1000 incidentes establecidos como objetivo).

Las medidas y los reportes sobre la gestión de incidentes resultan de utilidad para el IMT a fin de llevar a cabo una autoevaluación y saber lo que se ha hecho satisfactoriamente y las mejoras que es necesario hacer. Algunos criterios comunes que se utilizan como parte de las métricas de la gestión de incidentes se mencionan a continuación:

- Número total de incidentes notificados
- Número total de incidentes detectados
- Cantidad de días sin incidentes
- Tiempo promedio para responder a un incidente en relación al RTO
- Tiempo promedio para resolver un incidente
- Número total de incidentes resueltos satisfactoriamente
- Incidentes no resueltos con éxito
- Medidas proactivas y preventivas tomadas
- Número total de empleados que reciben cursos de concienciación sobre seguridad
- Daño total ocasionado por incidentes reportados y detectados en caso de que la respuesta al incidente no haya sido efectiva o no se haya llevado a cabo
- Ahorros totales de los posibles daños que se hubieran generado por incidentes resueltos
- Recursos totales implicados en la respuesta a incidentes
- Tiempos de detección y notificación

Objetivos de tiempo de recuperación

El gerente de seguridad de la información debe comprender los objetivos de tiempo de recuperación (RTO) y cómo se aplican a los recursos de información de la empresa, como parte de la evaluación general del riesgo. Las necesidades de negocio de la empresa determinarán el RTO, que generalmente se define como el tiempo necesario para recuperar las operaciones a un nivel aceptable. El nivel aceptable se define mediante el objetivo de entrega del servicio (SDO). La criticidad funcional del activo de información, las prioridades de recuperación y las interdependencias compensadas por los costos son variables que determinarán el RTO.

La determinación de los RTO puede depender de varios factores, que incluyen la necesidad cíclica (por ejemplo, hora del día, semana, mes o año) de la información y la empresa, las interdependencias entre la información y los requerimientos de la empresa, y el costo de las opciones disponibles. Los requisitos de la empresa pueden basarse en las necesidades del cliente, obligaciones contractuales o acuerdos de nivel de servicio (SLA) y, posiblemente, requisitos regulatorios.

El gerente de seguridad de la información debe considerar que el RTO puede variar dependiendo del momento del mes o año. La información financiera podría no ser tan crítica al inicio del mes cuando acaba de comenzar un nuevo mes fiscal. Esta misma información será altamente crítica al final del mes cuando se estén preparando los informes financieros mensuales y se esté cerrando el período contable. Será necesario tener en cuenta el momento específico en que ocurren los ciclos de negocio y su dependencia de la información como parte de la clasificación de información.

Los RTO se determinan mediante un BIA realizado junto con el desarrollo de un BCP. La interconexión de los sistemas y sus dependencias, por lo general, requerirá un BIA para la mayoría o todos los sistemas relacionados con las funciones de negocio críticas, ya que esto afectará el orden de restablecimiento.

Generalmente, el BIA se lleva a cabo mediante entrevistas a los dueños de la información para conocer la perspectiva que tienen sobre el costo que se relaciona con una interrupción en el servicio de un sistema o proceso de negocio. A menudo, se tienen dos perspectivas para los RTO. Una es la perspectiva de las personas cuyo trabajo es utilizar la información, y la otra es la visión de la alta gerencia, que debe considerar los costos y probablemente tenga que servir de árbitro entre unidades de negocio que compiten por los recursos. Un activo de información que un supervisor de división considere crítico puede no serlo a los ojos del vicepresidente de operaciones, quien puede incluir el riesgo general de la organización en la evaluación del RTO.

El gerente de seguridad de la información debe comprender que ambas perspectivas son importantes y están enfocadas a un RTO que las considere. El resultado se dividirá entre el plan de continuidad del negocio (BCP), el alcance de los servicios reactivados y el orden de prioridad para la recuperación de los sistemas. Al final, es la alta gerencia quien toma la última decisión. La alta gerencia está en la mejor posición de actuar como mediadora en lo referente a las necesidades y los requerimientos de los diferentes componentes del negocio (tales como los requerimientos regulatorios a los que está sujeta la empresa) y para determinar qué procesos son los más críticos para la supervivencia continua del negocio, además de determinar los costos aceptables.

El RTO y su relación con los objetivos y procesos de los planes de contingencia y de continuidad del negocio

Es necesario que una empresa conozca el RTO para los recursos de información a fin de que desarrolle e implemente un plan de BC efectivo. Una vez determinados los RTO, la empresa puede identificar y desarrollar estrategias de contingencia que permitan alcanzar los RTO de los recursos de información. Los RTO determinarán el orden de prioridad para el restablecimiento de los servicios y, en determinados casos, la selección de tecnologías de recuperación específicas en situaciones en las que el RTO es muy corto.

Un factor crítico cuando se desarrollan los procesos de contingencia es el costo. Los dueños de los sistemas invariablemente prefieren los RTO que son más cortos; sin embargo, el equilibrio en los costos puede no estar asegurado. Es posible lograr una recuperación casi instantánea, cuando se necesita, mediante el uso de tecnologías como la réplica de datos en espejo (mirroring) de los sistemas de información y la duplicación de la información, de forma tal que, en caso de una interrupción, los sistemas de información siempre estén disponibles casi de inmediato. Por lo tanto, el costo de recuperación suele ser más bajo si el RTO para un recurso determinado es más extenso.

Existe un punto de equilibrio del tiempo para determinar el RTO, en el que el impacto que tiene una interrupción comienza a ser mayor que el costo de la recuperación. La duración depende de la naturaleza de la interrupción del negocio y de los activos afectados. Deben tenerse en cuenta los temas tanto cualitativos como cuantitativos, ya que perder la confianza del cliente, aun si no puede calcularse, puede tener un impacto negativo a largo plazo para la empresa. La mayoría de las empresas pueden reducir sus RTO, pero hay un coste.

Objetivos de punto de recuperación

El objetivo de punto de recuperación (RPO) se determina tomando como base la pérdida de datos aceptables en el caso de interrupción de las operaciones. Indica el punto más reciente de tiempo para el cual es aceptable la recuperación de los datos, que por lo general es la última copia de respaldo. El RPO cuantifica efectivamente la cantidad permitida de pérdida de datos en caso de interrupción. Según el volumen de datos, se aconseja reducir el tiempo entre las copias de respaldo para evitar una situación en la que la recuperación se torne imposible debido al volumen de datos que debe restaurarse. También podría darse el caso que el tiempo que se requiere para restaurar un gran volumen de datos hace que sea imposible lograr el RTO.

Si bien esto suele ser el alcance de la planificación de BC y DR, es importante considerar cuándo desarrollar una estrategia de gestión de riesgos.

Objetivos de entrega del servicio

Los objetivos de entrega del servicio (SDO) se definen como el nivel mínimo de servicio que se debe restaurar después de un evento para cumplir con los requerimientos del negocio hasta que se reinicien las operaciones normales. Los SDO afectarán a los RTO y los RPO y deben considerarse para la estrategia de gestión de riesgos y aplicación. Los niveles más altos del servicio generalmente requerirán mayores recursos así como más RPO actuales.

Interrupción máxima tolerable

El máximo tiempo tolerable de interrupción (MTO) se refiere al tiempo máximo en que una empresa puede operar en un modo alternativo (o de recuperación). Varios factores pueden afectar el MTO, como la disponibilidad de combustible para operar generadores de emergencia, la accesibilidad de un sitio de recuperación que podría localizarse de manera remota y la capacidad operativa limitada del sitio de recuperación. Esta variable afectará el RTO que, a su vez, afectará el RPO.

Desde el punto de vista de la gestión de riesgos, se debe considerar la relación entre el MTO, el RTO y el RPO para minimizar el riesgo de recuperación inadecuada en la empresa.

Ventana de interrupción aceptable

La ventana de interrupción aceptable (AIW) es la cantidad de tiempo que las operaciones normales pueden estar interrumpidas antes de que la empresa enfrente dificultades financieras importantes que amenacen su existencia. El MTO debe ser, ante cualquier evento, tan prolongado como la AIW para minimizar el riesgo en la empresa en caso de un desastre.

4.7.3 Medición del rendimiento

Las mediciones del desempeño para gestión y respuesta a incidentes se centran en alcanzar los objetivos definidos y optimizar la rentabilidad. Las partes interesadas deben definir y acordar los KGI y los KPI para la actividad, los cuales deben ser ratificados por la alta gerencia. El rango típico de KGI abarca el manejo exitoso de los incidentes, ya sea mediante pruebas en vivo o en condiciones reales. Las medidas de desempeño clave pueden identificarse mediante el manejo exitoso de los incidentes que amenacen las operaciones dentro de los RTO.

4.7.4 Actualización de los planes de recuperación

Debido a que las empresas están en constante evolución y cambio, los planes de respuesta y recuperación también necesitan cambiar. El gerente de seguridad de la información tiene que establecer un proceso en el cual los planes de recuperación se actualicen a medida que ocurran cambios dentro de una empresa. Evaluar los requerimientos del plan de respuesta y recuperación durante el proceso de gestión de cambios dentro de una empresa es un componente fundamental para una gestión eficaz de respuestas.

Tanto los planes como las estrategias de respuesta y recuperación se deben revisar y actualizar de acuerdo con un programa para reflejar el reconocimiento continuo de los requerimientos cambiantes. Los factores que se describen a continuación, entre otros, pueden tener un impacto en los requisitos y resultar en la necesidad de actualizar el plan:

- Una estrategia que sea apropiada en un momento determinado podría no serlo a medida que cambien las necesidades de una empresa.
- Se podrían desarrollar o adquirir nuevas aplicaciones.
- Los cambios en la estrategia del negocio podrían alterar la importancia de las aplicaciones críticas o resultar en que se consideren críticas otras aplicaciones.
- Cambios en el software o hardware podría hacer que las provisiones actuales estén obsoletas o sean inapropiadas.
- También podría ser necesario considerar las circunstancias cambiantes, tanto físicas como ambientales.

La responsabilidad de mantener el BCP/DRP frecuentemente recae en un coordinador del BCP, y el gerente de seguridad de la información puede ser responsable de mantener el IRP (Plan de respuesta a incidentes). Sin importar cómo se asignen estas responsabilidades, las actividades específicas para el mantenimiento del plan incluyen las siguientes:

- Desarrollar un programa para la revisión y el mantenimiento periódico del plan e informar al personal sobre sus roles y las fechas límite para recibir modificaciones y comentarios.
- Pedir revisiones cuando se producen cambios significativos.
- Revisar las modificaciones y los comentarios y actualizar el plan dentro de un periodo razonable (por ejemplo, 30 días) después de la fecha de revisión.
- Organizar y coordinar las pruebas programadas y no programadas del plan con el fin de evaluar lo adecuado del mismo.
- Participar en las pruebas del plan programadas, que deben realizarse al menos una vez al año. Para las pruebas, tanto programadas como no programadas, el coordinador debe redactar evaluaciones e integrar cambios para resolver los resultados fallidos de las pruebas en el plan de respuesta dentro de un periodo razonable (por ejemplo, 30 días).
- Desarrollar un programa para capacitar al personal en lo relativo a procedimientos de recuperación y emergencia, tal como se estableció en el plan. Las fechas de capacitación deben programarse dentro de un periodo razonable (por ejemplo, 30 días) después de cada revisión del plan y prueba programada del plan.
- Mantener registros de las actividades de mantenimiento del plan, tales como pruebas, capacitación y revisiones.
- Actualizar, al menos cada tres meses, el directorio de notificaciones para incluir todos los cambios relativos al personal, como cambios en los números telefónicos y las responsabilidades o su situación dentro de la empresa.

4.7.5 Pruebas a la respuesta a incidentes y a los planes de continuidad del negocio/ recuperación ante desastres

A fin de garantizar el éxito en la respuesta a incidentes, todos los aspectos del IRP deben comprobarse periódicamente. El objetivo principal de las pruebas es garantizar que la ejecución de los planes genere la recuperación exitosa de los procesos de negocios críticos y de la infraestructura.

Las pruebas deben enfocarse en:

- Identificar deficiencias
- Verificar supuestos
- Programas de pruebas
- Determinar la efectividad de las estrategias
- Evaluar el desempeño del personal
- Determinar la precisión y el uso de la información sobre el plan

Las pruebas fomentan la colaboración y coordinación entre equipos y es una herramienta de capacitación útil. Muchas empresas requieren pruebas completas anualmente. Además, es necesario considerar las pruebas al concluir o revisar cada proyecto de plan o planes complementarios y ante cambios en el personal clave, la tecnología o el entorno de negocio/regulación.

Es necesario planificar y controlar cuidadosamente las pruebas para evitar colocar el negocio en mayor riesgo. Para asegurar que todos los planes se prueben regularmente, el gerente de seguridad de la información debería mantener un cronograma de pruebas de fechas y pruebas que se realizarán para todas las funciones críticas.

Antes de cada prueba, el gerente de seguridad debería asegurar que:

- El riesgo y el impacto de la interrupción de las pruebas se minimicen.
- El negocio comprenda y acepte el riesgo inherente a las pruebas.
- Existan acuerdos de contingencia para restaurar las operaciones en cualquier punto durante la prueba.

Todas las pruebas deben estar plenamente documentadas, con informes de pruebas preliminares, pruebas y pruebas posteriores. Es necesario mantener la documentación de prueba para efectos de referencia y revisión de auditoría. El gerente de seguridad debe garantizar que la seguridad de la información también se pruebe y no se ponga en riesgo durante las pruebas.

4.7.6 Pruebas periódicas de los planes de respuesta y recuperación

Tal como se mencionó en secciones anteriores, el alcance y la naturaleza de los equipos de recuperación y respuesta a incidentes y sus capacidades variarán según la organización, así como también las operaciones de BC y DR. Es necesario definir claramente la relación exacta entre estas funciones y comprender e integrar su alcance y capacidades. Independientemente del alcance específico en cualquier empresa particular, es esencial que el gerente de seguridad de la información comprenda bien todo el proceso de BC, incluyendo la gestión de incidentes de seguridad y recuperación ante desastres.

Cualquiera que sea la estructura, el alcance completo de las responsabilidades de la gestión de incidentes de seguridad debe de ser probado hasta el punto de realizar una declaración de desastres, incluyendo el escalamiento, y la participación o transferencia de la operación de gestión y recuperación ante desastres si es responsabilidad de otro grupo. El tema de esta sección incluye la recuperación total ante desastres, que el gerente de seguridad de la información debería comprender independientemente del alcance específico de las responsabilidades de gestión y respuesta a incidentes.

El gerente de seguridad de la información, con la ayuda de los equipos de recuperación, debe llevar a cabo pruebas periódicas de los planes de respuesta y recuperación cuando sea apropiado. Estas pruebas deben incluir:

- Desarrollar los objetivos de la prueba
- Ejecutar la prueba
- Evaluar la prueba
- Desarrollar recomendaciones para mejorar la eficacia del proceso de prueba y los planes de respuesta y recuperación
- Implementar un proceso de seguimiento que garantice que se han implementado las recomendaciones

Los planes de respuesta y recuperación no probados dejan a la empresa con una falsa sensación de seguridad, ya que existe una gran probabilidad de que los planes no funcionen, aunque se tenga cuidado al desarrollarlos y documentarlos. Puesto que probar los planes cuesta tiempo y recursos, una organización debe planificar las pruebas con detenimiento y desarrollar objetivos de pruebas que sean metódicos, así como contribuir a garantizar que se puedan obtener beneficios cuantificables.

Una vez que se hayan definido los objetivos de la prueba, el gerente de seguridad de la información debe asegurarse de que un tercero independiente esté presente para monitorear y evaluar la prueba. El personal de auditoría interna o externa u otro personal de aseguramiento puede asumir esta función. Un resultado del paso de evaluación debe ser obtener una lista de hallazgos y recomendaciones correspondientes, que la empresa debe considerar completar, para mejorar sus planes de respuesta y recuperación. Es en extremo improbable que no se hagan recomendaciones y que todo funcione según lo planificado. Si todo funciona a la perfección, el gerente de seguridad de la información debe elaborar una prueba mucho más robusta con objetivos de prueba más desafiantes.

El gerente de seguridad de la información debe implementar también un proceso de seguimiento para garantizar que las recomendaciones que resulten de la prueba se hayan implementado oportunamente. Se deberá encomendar al personal la tarea de hacer los cambios necesarios.

4.7.7 Pruebas a la infraestructura y las aplicaciones de negocio críticas

Las pruebas a los planes de respuesta y recuperación deben incluir la infraestructura y las aplicaciones críticas, aunque no necesariamente al mismo tiempo. Con la alta dependencia que se tiene hoy en día en las empresas de TI, el gerente de seguridad de la información tiene la tarea de proteger estos sistemas no solo durante las operaciones normales sino también durante los eventos de desastre.

Según la evaluación de riesgos y la información de impacto al negocio, el gerente de seguridad de la información debe identificar las aplicaciones críticas que la empresa requiere y la infraestructura necesaria para soportarlas. A fin de garantizar que estas serán recuperadas en forma oportuna, el gerente de seguridad de la información necesita llevar a cabo pruebas de recuperación apropiadas.

4.7.8 Tipos de pruebas

Las pruebas deben ser simples al inicio y aumentar su complejidad gradualmente, ampliando los objetivos y criterios de éxito de pruebas anteriores de manera que se cree confianza y se minimice el riesgo para el negocio.

Como mínimo, las pruebas de interrupción total se deberían realizar anualmente después de que los planes individuales se hayan probado por separado con resultados satisfactorios. Los tipos de pruebas se describen en la **figura 4.9**.

Figura 4.9—Tipos de pruebas del plan de respuesta a incidentes

Tipo	Descripción
Lista de comprobación	Es un paso preliminar antes de una prueba real. Las listas de verificación de recuperación se distribuyen a todos los miembros de un equipo de recuperación para revisar y asegurar que la lista de recuperación esté vigente.
Recorrido estructurado	Los miembros del equipo implementan físicamente los planes en el papel y revisan cada paso para evaluar su efectividad, e identificar mejoras, limitaciones y deficiencias.

Figura 4.9—Tipos de pruebas del plan de respuesta a incidentes (cont.)

Tipo	Descripción
Prueba de simulación	El equipo de recuperación representa una situación de desastre preparada sin proceso de activación en el sitio de recuperación.
Prueba paralela	El sitio de recuperación se lleva a un estado de preparación operacional, pero las operaciones en el sitio primario continúan normalmente.
Prueba de interrupción completa	Las operaciones se interrumpen en el sitio primario y se transfieren al sitio de recuperación de acuerdo con el plan de recuperación; esta es la forma más rigurosa de prueba, pero también es costosa y potencialmente perjudicial.

Las pruebas que son progresivamente más desafiantes pueden incluir:

- Verificación sobre la mesa de los planes
- Verificación sobre la mesa con escenarios de desastres simulados
- Pruebas a la infraestructura y los componentes de comunicación del plan de recuperación
- Pruebas a la infraestructura y la recuperación de aplicaciones críticas
- Pruebas a la infraestructura, aplicaciones críticas y participación de usuarios finales
- Pruebas de restauración y recuperación completa con personal no familiarizado con los sistemas
- Pruebas sorpresa.

Existen tres categorías principales de pruebas de recuperación:

- **Pruebas en papel**: las pruebas en papel son un repaso teórico en papel del plan que involucra a los participantes más importantes de la ejecución del plan, quienes reflexionan sobre lo que podría suceder en un tipo particular de interrupción del servicio. Pueden dar un repaso completo del plan o solo de una parte de él. La prueba en papel suele anteceder a las pruebas de preparación.
- **Pruebas de preparación**: las pruebas de preparación son por lo general versiones localizadas de una prueba completa, en las cuales se gastan recursos reales en la simulación de una caída del sistema. Estas pruebas se aplican a diferentes aspectos del plan y pueden ser una forma rentable de obtener gradualmente evidencia sobre qué tan bueno es el plan. También brindan los medios para mejorar el plan en incrementos.
- **Pruebas operativas completas**: estas pruebas están a un paso de una interrupción real del servicio. Una empresa debe haber probado bien el plan en papel y a nivel local antes de intentar interrumpir completamente las operaciones.

La mayoría de las empresas comienzan con pruebas en papel antes de intentar las pruebas de preparación y operativas, ya que éstas presentan creciente dificultad e introducen el riesgo de interrumpir las operaciones. Independientemente de qué pruebas se estén realizando, durante cada fase de la prueba, se debe mantener documentación detallada de las observaciones, los problemas y las soluciones. Cada equipo debe llevar un diario con los pasos específicos y la información registrada. Esta documentación sirve como una información histórica importante que puede facilitar la recuperación real durante un desastre real. La documentación ayuda a realizar un análisis detallado tanto de las fortalezas como de las debilidades del plan.

Es común que las pruebas de respuesta y recuperación estén lejos de ser una prueba de escala total de todas las partes operativas de la empresa. Esto no descarta hacer pruebas totales o parciales, porque uno de los propósitos de la prueba al plan de continuidad del negocio es determinar qué tan bien funciona el plan o qué partes del plan requieren mejoras. Aun cuando las pruebas sorpresa resultan ser potencialmente ventajosas en el sentido de que se asemejan a las situaciones de la vida real en las que hay que responder a un incidente, presentan algunas posibles desventajas. Pueden ser muy perjudiciales para la producción y las operaciones. El gerente de seguridad de la información debe considerar cuidadosamente las ramificaciones antes de recomendar los distintos enfoques de pruebas. Ha habido casos de interrupciones de servicio prolongadas causadas por la incapacidad de restaurar los sistemas según lo planeado.

Las pruebas potencialmente perjudiciales deben programarse durante un tiempo que minimice el impacto en las operaciones normales. Los fines de semana son, por lo general, un buen momento para realizar las pruebas. Es importante que todos los miembros clave del equipo de recuperación participen en el proceso de prueba de recuperación. La prueba debe incluir todos los componentes críticos y simular las condiciones reales de procesamiento de mayor audiencia, aun si se lleva a cabo fuera de las horas pico.

4.7.9 Resultados de las pruebas

Cada prueba debe ofrecer un conjunto esperado de resultados. En otras palabras, existen resultados específicos que deben esperarse como resultado de ejecutar una prueba.

Una prueba de recuperación debe hacer todo lo posible por cumplir, como mínimo, con las siguientes tareas:

- Verificar la integridad y la precisión del plan de respuesta y recuperación.
- Evaluar el rendimiento del personal que ha participado en el ejercicio.
- Evaluar el nivel demostrado de formación y concienciación de las personas que no forman parte del equipo de respuesta y recuperación.
- Evaluar la coordinación entre los miembros del equipo y los contratistas y proveedores externos.
- Medir la habilidad y la capacidad del sitio de respaldo para realizar el procesamiento prescrito.
- Evaluar la capacidad de recuperación de registros vitales.
- Evaluar el estado y la cantidad de equipos e insumos que se han reubicado en el centro de recuperación.
- Medir el desempeño general de las actividades de procesamiento de sistemas de información y operativos para mantener la entidad de negocio.

Para realizar las pruebas de recuperación operativa o de preparación, se debe llevar a cabo cada una de las siguientes fases de prueba:

- **Pretest**: El pretest consiste en el conjunto de acciones necesarias para preparar el escenario para la prueba real. Esta fase incluye desde colocar mesas en el área de recuperación de operaciones hasta transportar e instalar equipo telefónico de respaldo. Estas actividades quedan fuera del ámbito de aquellas que se llevarían a cabo en caso de una emergencia real, en la cual, por lo general, no hay advertencia previa del evento y, por tanto, no hay tiempo para tomar medidas preparatorias.
- **Test**: Se ejecutan actividades operativas reales para probar los objetivos específicos del plan. Se deben hacer capturas de datos, llamadas telefónicas, procesamiento de sistemas de información, manejo de pedidos y movimiento de personal, equipo y proveedores. Los evaluadores deben revisar a los miembros del personal mientras realizan las tareas designadas. Ésta es la prueba real de preparación para responder a una emergencia.
- **Prueba posterior**: la prueba posterior es la depuración de las actividades de grupo. Esta fase comprende asignaciones como regresar todos los recursos a su lugar apropiado, desconectar los equipos, regresar al personal a sus ubicaciones normales y borrar todos los datos de la compañía de los sistemas de terceros. La depuración en la prueba posterior también incluye evaluar formalmente el plan e implementar las mejoras indicadas.

4.7.10 Métricas de pruebas de recuperación

Al igual que con casi todo lo demás relativo a la seguridad de la información, se deben desarrollar y utilizar métricas para medir el éxito del plan y realizar pruebas frente a los objetivos establecidos. Los resultados deben registrarse y evaluarse cuantitativamente, en lugar de estar sujetos a una evaluación basada únicamente en descripciones verbales. Las métricas resultantes deben utilizarse no solo para medir la efectividad del plan, sino, más importante aún, para mejorarlo. Aun cuando las mediciones específicas varían dependiendo de la prueba y la empresa, por lo general se aplican los tipos generales de métricas que se presentan a continuación:

- **Tiempo**: El tiempo transcurrido para completar las tareas establecidas, la entrega del equipo, la reunión del personal y la llegada al sitio establecido previamente. Esto es fundamental para optimizar el tiempo de respuesta calculado para cada tarea en el proceso de escalamiento.
- **Cantidad**: La cantidad de trabajo realizado por el personal administrativo en el sitio alterno y la cantidad de operaciones de procesamiento de los sistemas de información.
- **Porcentaje o número:** El número de registros vitales llevados con éxito al sitio alterno, en comparación con el número requerido, así como el número de suministros y equipos solicitados en comparación con los realmente recibidos. Asimismo, el número de sistemas críticos que se recuperaron con éxito puede medirse con el número de transacciones procesadas.
- **Exactitud**: Exactitud en la entrada de datos en el sitio de recuperación frente a la exactitud normal (como porcentaje). De igual forma, la precisión de los ciclos de procesamiento real se puede determinar comparando los resultados de salida con aquellos del mismo periodo procesados en condiciones normales.
- **Planes**: El número de planes probados que cubren cada proceso crítico de negocio. Esto es necesario para asegurar que las funciones críticas de negocio se han tenido en cuenta, ya que la criticidad de dichas funciones puede cambiar con el tiempo.

Este proceso de prueba le permite al gerente de seguridad de la información lograr éxitos iniciales y modificar el plan según la información obtenida de las pruebas iniciales. Llevar a cabo una prueba operativa o de preparación cuesta recursos y requiere de la coordinación entre varios departamentos participantes.

Esta página se ha dejado en blanco deliberadamente

Parte B: Operaciones de gestión de incidentes

El gerente de seguridad de la información necesita ser plenamente consciente de y entender el entorno en el que opera la empresa. El aumento del uso, la dependencia y la naturaleza generalizadas de la tecnología cuando se combina con la conectividad omnipresente y la accesibilidad global no solo introducen, sino que aumentan en gran medida la probabilidad y el impacto de que ocurra un incidente de seguridad de la información.

Para contrarrestar el riesgo que enfrentan las empresas, es más importante contar con procesos de gestión de incidentes bien definidos, personal adecuadamente capacitado y la capacidad de monitorear y alertar sobre lo que realmente importa. Las empresas deben asegurarse de que sus equipos puedan identificar, contener, resolver y recuperarse rápidamente de los incidentes, ya que los tiempos de respuesta más rápidos reducen el impacto general de los incidentes, mitigan los daños que pueden sufrir las empresas y devuelven los sistemas y servicios a las operaciones según sea necesario para lograr las metas de negocio definidas.

Las capacidades de gestión de incidentes operativos evitan que la empresa sufra pérdidas no planificadas de mayor magnitud, ya que los incidentes que se identifican antes se responden y resuelven con mayor rapidez, lo que, en última instancia, reduce el impacto en la empresa.

4.8 Herramientas y tecnologías para la gestión de incidentes

La infraestructura necesaria para permitir las capacidades de gestión de incidentes de seguridad es significativa: desde conjuntos de herramientas disponibles en el mercado hasta aplicaciones caseras y todo lo que se encuentra entre una cosa y la otra. Como tal, el IMT aprovechará varias tecnologías.

4.8.1 Sistemas para la gestión de incidentes

La cantidad de información y actividades en sistemas cada vez más complejos ha contribuido al desarrollo de sistemas automatizados para la gestión de incidentes en años recientes. Estos sistemas automatizan muchos procesos manuales que proporcionan información filtrada que puede identificar posibles incidentes técnicos y alertar al Equipo de Gestión de Incidentes (IMT).

> **Nota**
>
> Algunas empresas pueden contar con un IMT designado que determine cómo gestionar los incidentes y es diferente al IRT. En otras empresas, el IMT y el IRT pueden ser el mismo grupo de personas. Para los fines de este manual, el IMT será diferenciado cuando sea necesario pero, en muchos casos, el IRT llevará a cabo estas funciones. Un ejemplo de un sistema distribuido para la gestión de incidentes es uno que contenga múltiples capacidades específicas de detección de incidentes (por ejemplo, sistemas de detección de intrusos basados en red [NIDS], sistemas de detección de intrusos basado en anfitrión (host) [HIDS] y registros de servidores/dispositivos).

Un ejemplo de un sistema centralizado para la gestión de incidentes de seguridad es un SIEM. Esta herramienta es un lector automatizado de registros que combina eventos críticos y los registros de muchos sistemas y dispositivos diferentes y los correlaciona en información de incidentes más significativa. Esto se logra mediante la recopilación de datos de muchos registros de sistemas y dispositivos que se normalizan en una única base de datos donde se aplica minería de datos utilizando herramientas de correlación e inferencia para crear notificaciones y alertas casi en tiempo real. El lector de registros también puede identificar infracciones de políticas. Es posible llevar a cabo un procesamiento mayor (por ejemplo, priorizando incidentes con base en su potencial severidad o impacto para el negocio; o realizar notificaciones/escalamientos específicos según las calificaciones de impacto).

Otra característica importante de los sistemas para la gestión de incidentes es su capacidad para dar seguimiento a un incidente durante su ciclo de vida. El seguimiento es una función altamente eficaz que garantiza que no se pasen por alto los incidentes; sino que reciban la atención necesaria según su criticidad. El seguimiento permite a los usuarios proporcionar más información y recibir actualizaciones de estado a lo largo del ciclo de vida del evento hasta que éste se cierre. El sistema se ofrece más a menudo en un formato basado en Web para una fácil accesibilidad.

Un SIEM eficaz debe:

- Consolidar y correlacionar datos provenientes de varios sistemas
- Identificar incidentes reales o posibles
- Notificar al personal
- Priorizar los incidentes según el impacto en el negocio
- Dar seguimiento a los incidentes hasta que se hayan cerrado

- Proporcionar seguimiento y notificaciones del estado de los incidentes
- Integrarse con los principales sistemas de gestión de TI
- Implementar buenas prácticas (p. ej., configuración, flujos de trabajo, etc.)

Es posible obtener rentabilidad y ahorros en los costos mediante el uso de sistemas automatizados para la gestión de incidentes, que pueden mejorar la eficacia también, una vez que estén correctamente configurados. Sin embargo, en general es una actividad compleja que consume tiempo y que lleva, a menudo, varios años. Algunos factores que debe considerar el gerente de seguridad de la información son:

- **Costos de operación**: En ausencia de un sistema automatizado y centralizado de gestión de incidentes, es posible que se requiera que el personal de seguridad de la información monitoree diferentes dispositivos de seguridad, correlacione eventos y procese información manualmente. Con este enfoque, existen costos adicionales para capacitar y mantener al personal a un largo plazo. Existe también una mayor probabilidad de error humano.
- **Costos de recuperación**: Un sistema automatizado, cuando se configura correctamente, puede detectar y escalar incidentes significativamente más rápido que cuando se utiliza un proceso manual. El volumen de daño se puede controlar y es posible evitar un daño mayor cuando las acciones de recuperación se inician más temprano que tarde. En el caso de un sistema de gestión manual, un proceso de análisis prolongado podría contribuir a que ocurra un daño mayor antes de frenar los incidentes.

Otra solución que ha ganado popularidad es la seguridad de punto final, específicamente la detección y respuesta de punto final (EDR), la detección y respuesta extendida (XDR) y la detección y respuesta gestionada (MDR). Un estudio de 2020 realizado por Ernst & Young afirma: "casi el 70 % de todas las brechas se originan en los endpoints."[53] Esto es importante, considerando que muchas empresas han extendido su fuerza laboral más allá de una oficina centralizada, lo que ha llevado a los equipos de seguridad de la información a aumentar su visibilidad en sus entornos y desarrollar capacidades para investigar y remediar eventos de manera oportuna.

Detección y respuesta de puntos finales

Históricamente, la seguridad del punto final tendía a ser reactiva por naturaleza, detectando amenazas de seguridad potenciales o percibidas, usando firmas para los patrones de ataque conocidos. Los EDR tratan de ser predictivos por naturaleza, centrándose en la identificación de amenazas y software nocivo diseñado para evadir las defensas de seguridad habituales. La mayoría de las soluciones EDR aprovecharán algún tipo de inteligencia de las ciberamenazas, con capacidades de aprendizaje automático, junto con el análisis de archivos y la detección de amenazas.

Las soluciones EDR normalmente crean una pista histórica de auditoría en la que se capturan el comportamiento del sistema/usuario y los eventos de seguridad, para el análisis de seguimiento por parte de los analistas de seguridad. Las soluciones EDR no solo ayudan en los esfuerzos de respuesta a incidentes, sino que también contribuyen al análisis de la causa raíz.

Detección y respuesta ampliadas (XDR)

Una versión evolucionada de EDR, XDR adopta un enfoque holístico para la detección y respuesta de puntos finales. Como su propio nombre indica, los esfuerzos de detección y respuesta van más allá del punto final individual. XDR no solo les proporciona a los equipos de seguridad de la información de la empresa una visión unificada de sus puntos finales, sino que realiza un análisis de los servidores, la nube y las redes.

XDR crea las capacidades de EDR, mejora la automatización, el aprendizaje automático y las capacidades de la inteligencia artificial para proporcionar un contexto en torno a los eventos de seguridad.

Gestión de detección y respuesta (MDR)

MDR es una combinación de una tecnología y un proveedor de servicios. El valor es para aquellos entornos que carecen de la experiencia y las habilidades adecuadas o tienen recursos limitados necesarios para supervisar de forma adecuada a los posibles vectores de ataque. Por lo general, el proveedor de servicio será responsable de proporcionar los instrumentos.

---

[53] EY, "Por qué un programa de cambio cultural es clave para una ciberseguridad efectiva," 3 de noviembre de 2020, *www.ey.com/en_se/giss/why-a-culture-change-program-is-key-to-effective-cybersecurity*

4.8.2 Fundamentos de la Tecnología de Respuesta a Incidentes (IRT)

Los IRT deben estar familiarizados con los siguientes conceptos de seguridad:

- **Principios de seguridad**: El conocimiento de los principios de seguridad es importante para entender los posibles problemas que pueden surgir en caso de que no se implementen correctamente las medidas de seguridad adecuadas o si estas medidas fallan, y para apreciar los posibles impactos en los sistemas de la organización: Estos principios de seguridad incluyen:
  - Control de acceso
  - Autenticación
  - Disponibilidad
  - Cumplimiento
  - Confidencialidad
  - Integridad
  - No repudio
  - Privacidad
- **Vulnerabilidades/debilidades en la seguridad**: Esto supone el entendimiento de cómo se manifiesta un ataque específico en una determinada tecnología contra personas, procesos, software o hardware. Los tipos más comunes de vulnerabilidades y ataques relacionados incluyen los siguientes:
  - Ataques de seguridad en la nube (p. ej., malas configuraciones, ausencia de cifrado de datos, etc.)
  - Deficiencias en la configuración
  - Fallas en la implementación (por ejemplo, desbordamiento de búfer, ventanas de tiempo/condiciones de conexión (race conditions))
  - Código malicioso (p. ej., virus, gusanos, caballos de Troya)
  - Errores operativos
  - Phishing que surja como resultado de la falta de concientización del usuario
  - Aspectos relevantes de seguridad física
  - Fallas en el diseño de protocolos (por ejemplo, ataques "man-in-the-middle" (intermediario), suplantación (spoofing))
  - Fallos de hardware/codificación
  - Errores de usuario o falta de concienciación
- **Internet**: Debe haber seguridad en los protocolos y servicios subyacentes utilizados en Internet. Es importante tener una buena comprensión para anticipar las amenazas que podrían ocurrir en el futuro. El programa de respuesta a incidentes debe incluir las siguientes tecnologías que habilitan Internet:
  - **Protocolos de red**: Algunos protocolos de red comunes (o fundamentales) como el Protocolo de Internet (IPv4 versus IPv6), el Protocolo de Control de Transmisión (TCP), el Protocolo de Datagrama de Usuario (UDP), el Protocolo de Mensajes de Control de Internet (ICMP), el Protocolo de Resolución de Direcciones (ARP) y el Protocolo de Descubrimiento de Vecinos (NDP) y el Protocolo de Resolución Inversa de Direcciones (RARP); cómo se utilizan; tipos comunes de amenazas o ataques contra los protocolos; estrategias para mitigar o eliminar dichos ataques; y tecnologías de Internet.
  - **Aplicaciones y servicios de red**: Por ejemplo, sistema de nombres de dominio (DNS), sistema de archivos de red (NFS) y Shell seguro (SSH); cómo funcionan; uso común; configuraciones seguras; y los tipos comunes de amenazas o ataques lanzados contra la aplicación o el servicio, así como las estrategias de mitigación.
  - **Problemas de seguridad de la red**: Reconocimiento de puntos vulnerables en las configuraciones de red. La seguridad perimetral básica, los firewalls de red (diseño, filtrado de paquetes, sistemas proxy, zona desmilitarizada [DMZ], hosts bastión, etc.) y la seguridad del enrutador son relevantes para reconocer la posibilidad de divulgación de información de datos que viajan a través de la red (por ejemplo, monitoreo de paquetes o sniffers) o amenazas relacionadas con la aceptación de información no confiable.
- **Sistemas operativos**: Es importante tener conocimiento de sistemas operativos como UNIX, Windows, Mac, iOS, Linux, Android y cualquier otro sistema operativo utilizado por el equipo o la comunidad de usuarios, específicamente en cómo:
  - Configurar (fortalecer) el sistema
  - Revisar los archivos de configuración para determinar deficiencias en la seguridad
  - Identificar métodos de ataques comunes
  - Determinar si ocurrió un intento para comprometer al sistema
  - Determinar si un intento para comprometer al sistema tuvo éxito
  - Revisar los archivos de log para detectar anomalías
  - Analizar los resultados de los ataques
  - Gestionar los privilegios del sistema
  - Recuperarse de una situación comprometida
- **Código malicioso (virus, gusanos, programas troyanos, malware personalizado o dirigido):** Estos pueden tener distintos tipos de payloads que pueden generar un ataque con diferentes resultados. Algunos códigos maliciosos consumirán los recursos del sistema hasta el punto de provocar un ataque DoS contra el sistema. El código puede contener más

cargas explosivas dinámicas que puedan configurarse para producir portadores de ataques multifacéticos. Es importante entender cómo se propaga el código malicioso a través de algunos de los métodos obvios (por ejemplo, unidades USB [universal serial bus], correo electrónico, programas, sitios web) y cómo se puede propagar a través de otros medios, tales como macros, extensiones de correo de Internet multipropósito (MIME), intercambio de archivos punto a punto, o virus que afectan a los sistemas operativos.
- **Habilidades de programación**: Esto incluye la variedad de lenguajes de programación utilizados por los sistemas y las aplicaciones de la empresa, conceptos y técnicas para una programación segura, y cómo se podrían introducir vulnerabilidades en el código (por ejemplo, a través de malas prácticas de programación y diseño, falta de validación de entrada, susceptibilidad a la inyección de lenguaje de consulta estructurado [SQL], cross-site scripting, autenticación rota y redirecciones no válidas).

Nota

Las tecnologías no dejan de cambiar y evolucionar. Esta lista no pretende ser exhaustiva; tan solo proporciona la base del conocimiento técnico para la respuesta a incidentes. El gerente de seguridad de la información debería ser consciente de los cambios e innovaciones que se producen en el área.

4.8.3 Personal

Un IMT suele estar conformado por un gerente de seguridad de la información, comité directivo o consejo consultor y miembros del equipo de apoyo. Los miembros del equipo pueden ser identificados ad hoc, pertenecer a la asistencia del IMT a tiempo completo o ser contratados temporalmente durante los incidentes. La composición de los miembros del equipo asignados y cómo asisten al IMT varía de una empresa a otra.

Por lo general, el gerente de seguridad de la información dirige al equipo. En empresas grandes, sería más eficaz designar a un líder/gerente de IRT independiente que esté centrado en responder a incidentes. Por encima del gerente de seguridad de la información, se encuentra un conjunto de ejecutivos de la alta gerencia que forman parte de un grupo directivo de seguridad (SSG), un consejo asesor de seguridad o un comité ejecutivo. Independientemente de cómo se le llame, el SSG es responsable de aprobar los estatutos y actúa como un punto de escalamiento para el IMT. El SSG también aprueba desviaciones y excepciones a la práctica normal.

Los miembros del equipo especializados realizan las tareas principales del IMT/IRT. Puesto que los sistemas de información son amplios y complejos, resulta ineficiente y costoso tener a todos los individuos cubriendo todas las disciplinas en la realización de tareas del IMT/IRT. Los miembros de los equipos con acceso remoto o temporales pueden tener habilidades específicas y son reclutados cuando sea necesario para cubrir y reforzar las habilidades del equipo interno.

Organización de equipos de respuesta a incidentes

Las personas que intervienen en el tratamiento de incidentes analizan los datos de los incidentes, determinan el impacto del incidente y recomiendan las acciones adecuadas para limitar el daño a la empresa y restaurar los servicios normales. A menudo, el equipo colabora con grupos complementarios, gerentes de negocio y usuarios en general. Los modelos de IRT que han demostrado funcionar en muchas empresas son:
- **IRT central**: Un IRT único maneja todos los incidentes de la empresa y generalmente se utiliza en empresas pequeñas o de ubicación centralizada.
- **IRT distribuido**: Cada uno de los equipos es responsable de un segmento lógico o físico de la infraestructura, generalmente utilizado en empresas grandes o geográficamente dispersas.
- **IRT de Coordinación**: El equipo central puede proveer orientación a los IRT distribuidos, desarrollar políticas y estándares, proporcionar capacitación, realizar ejercicios y coordinar o apoyar respuestas a incidentes específicos. Los equipos distribuidos gestionan e implementan la respuesta a incidentes.
- **IRT de proveedor externo**: Los IRT exitosos pueden estar conformados totalmente por empleados de la empresa o pueden estar total o parcialmente compuesto por proveedores externos.

Los miembros permanentes del equipo pueden incluir administradores de incidentes, investigadores y expertos forenses y especialistas de seguridad física y de TI. Los miembros temporales del equipo, por lo general, son representantes del negocio (por ejemplo, gerencia media), personal del área legal, personal de comunicaciones (por ejemplo, relaciones públicas), personal de recursos humanos, otros grupos de seguridad (por ejemplo, seguridad física), especialistas de gestión de riesgos y de TI.

La composición del personal de respuesta a incidentes varía entre un equipo y otro y depende de una serie de factores, tales como:

- Tipo (es decir, centralizada/descentralizada) y tamaño de la empresa
- Misión y metas del programa de respuesta a incidentes
- Naturaleza y variedad de los servicios ofrecidos
- Conocimientos especializados del personal disponible
- Tamaño de la comunidad de usuarios y base tecnológica
- Carga de incidentes anticipada
- Gravedad o complejidad de los informes de incidentes
- Financiación

Roles y responsabilidades

La **figura 4.10** presenta los roles y las responsabilidades comunes del personal del IRT. Tenga en cuenta que cada puesto de trabajo debe contar con un recurso alternativo en caso de que el asignado esté incapacitado o no esté disponible.

Figura 4.10—Roles y responsabilidades

Posición	Roles	Responsabilidades
Grupo directivo de seguridad (SSG)	Estructura más alta de las funciones relativas a la seguridad de la información de una empresa	1. Asume responsabilidad por concepto de gestión y respuesta a los incidentes generales 2. Aprueba los estatutos del equipo de gestión de incidentes (IMT) 3. Aprueba las excepciones/desviaciones 4. Toma las decisiones finales
El gerente de seguridad de la información	Líder del IMT e interfaz principal del SSG	1. Desarrolla y mantiene la capacidad de gestión y respuesta a incidentes 2. Gestiona eficazmente los riesgos y los incidentes 3. Toma medidas proactivas y reactivas para controlar el nivel de riesgo de información 4. Informa sobre el programa a los directivos
Gerente de respuesta a incidentes	Líder del equipo de respuesta a incidentes (IRT)	1. Supervisa las tareas de respuesta a los incidentes 2. Coordina los recursos para llevar a cabo de manera efectiva las tareas de respuesta a los incidentes 3. Asume la responsabilidad de la ejecución efectiva del plan de respuesta a incidentes (IRP) 4. Presenta un informe sobre la respuesta a los incidentes y las lecciones aprendidas a los miembros del SSG
Administrador de incidentes	Miembro del equipo IMT/IRT	1. Lleva a cabo las tareas de respuesta a los incidentes para contener la exposición derivada de un incidente 2. Documenta los pasos tomados al ejecutar el IRP 3. Mantiene la cadena de custodia y observa los procedimientos de manejo de incidentes para fines procesales 4. Redacta un informe sobre la respuesta a los incidentes y las lecciones aprendidas
Investigador	Miembro del equipo IMT/IRT	1. Realiza las tareas de investigación para un incidente específico 2. Determina el origen de la causa de un incidente 3. Redacta un informe sobre los hallazgos de la investigación
Especialista de seguridad de TI	Miembro del equipo IMT/IRT; experto en el área de seguridad de TI	1. Realiza las tareas complejas y exhaustivas relativas a la seguridad de TI como parte del IRP 2. Realiza la evaluación/auditoría de seguridad de TI como medida proactiva y parte de la gestión de vulnerabilidades (es decir, llevando a cabo escaneo rutinario de vulnerabilidades y las remediaciones asociadas)

Figura 4.10—Roles y responsabilidades (cont.)

Posición	Roles	Responsabilidades
Gerentes de negocio	Propietarios de la función del negocio; propietarios de los activos/ sistema de información	1. Toman decisiones sobre los asuntos relacionados con los activos/sistemas de información cuando ocurre un incidente, según las recomendaciones del IMT/IRT 2. Ofrece un entendimiento claro sobre el impacto del negocio en los procesos del BIA o en el IRP
Especialistas/ representantes de TI	Expertos en materia de servicios de TI	1. Proporcionan apoyo al IMT/IRT en la resolución de un incidente 2. Mantienen los sistemas de información en buenas condiciones de acuerdo con la política de la compañía y las buenas prácticas
Representante legal	Experto en materia legal	1. Garantiza que las acciones y los procedimientos de respuesta a incidentes cumplan con los requisitos legales y regulatorios. 2. Actúa como enlace con las agencias externas y fuerzas de la ley.
Recursos humanos (RR. HH.)	Experto en el área de RR. HH.	1. Proporciona asistencia en la gestión/respuesta a incidentes cuando sea necesario investigar a un empleado sospechoso de causar un incidente 2. Integra la política de RR. HH. para apoyar la gestión/respuesta a incidentes (sanciones a los empleados cuando se determine que han violado el uso aceptable de la política o que estén involucrados en un incidente)
Representante de relaciones públicas	Experto en el área de Relaciones Públicas	1. Proporciona una comunicación controlada a las partes interesadas tanto internas como externas para minimizar cualquier impacto adverso en las actividades de respuesta al incidente en curso y protege la marca y la reputación de la empresa 2. Proporciona asistencia al IMT/IRT en aspectos relacionados con la comunicación, con el fin de apoyar al equipo para que pueda trabajar en los temas críticos para la resolución de un incidente
Especialista en gestión de riesgos	Experto en materia de gestión de riesgos	1. Trabaja de forma estrecha con los gerentes del negocio y la gerencia ejecutiva para determinar y manejar el riesgo 2. Proporciona información (p. ej., un análisis del impacto en el negocio o una estrategia de gestión de riesgo) a la gestión de incidentes
Gerente de seguridad física/ instalaciones	Debe saber acerca de las capacidades de la planta física y las emergencias	1. Es responsable de la planta física y de las instalaciones. 2. Asegura la seguridad física durante incidentes

4.8.4 Habilidades

Para conformar un IRT con administradores de incidentes capaces, las empresas requieren de personas con una determinada serie de habilidades y conocimientos técnicos y sociales, habilidades que les permitan responder a los incidentes, llevar a cabo tareas de análisis y comunicarse de forma efectiva con la comunidad de usuarios y otros contactos externos. También deben ser capaces de solucionar problemas de manera competente, adaptarse al cambio rápidamente y ser eficientes en el desempeño de sus actividades diarias. El conjunto de habilidades básicas con las que deben contar los miembros del IRT se puede clasificar en dos grandes grupos: habilidades técnicas y personales. Las habilidades personales son las partes principales de la actividad diaria del administrador de incidentes. Entre ellos se incluyen:

- **Comunicación:** La capacidad de comunicarse de forma eficaz es un componente fundamental de las habilidades que necesitan los IRT. Necesitan ser comunicadores efectivos para garantizar que obtendrán y proporcionarán la información que se requiere para que sean de utilidad. Necesitan ser buenos oyentes, comprender lo que se ha dicho (o lo que no se ha dicho) para que puedan obtener detalles sobre el incidente que se esté reportando. Asimismo, mantienen el control de estas comunicaciones para determinar de la manera más efectiva lo que está sucediendo, los hechos que son importantes y la asistencia que se necesita.

- Los miembros de un IRT deben comunicarse con:
  - Miembros del equipo
  - Personal de TI
  - Dueños de las aplicaciones
  - Usuarios de los sistemas
  - Expertos técnicos
  - Personal de la gerencia y otro personal administrativo
  - Recursos Humanos
  - Autoridades policiales
  - Personal de comunicación/RR. PP.
  - Proveedores
- La comunicación puede adoptar muchas formas, entre otras:
  - Respuestas de correo electrónico concernientes a los incidentes
  - Documentación de reportes de eventos o incidentes, vulnerabilidades y otra información técnica
  - Notificaciones y directrices que se proporcionan a la comunidad de usuarios
  - Políticas y procedimientos de desarrollo interno
  - Otros comunicados externos al personal, la gerencia u otras partes pertinentes

- **Habilidades de liderazgo**: Los miembros de un IRT, por lo general, se enfrentan con la necesidad de dirigir y obtener el apoyo de otros miembros de la empresa, por lo que el liderazgo es un atributo importante.
- **Habilidades de presentación**: Un IRT debe contar con las habilidades necesarias para llevar a cabo presentaciones técnicas, reuniones informativas con la gerencia o los patrocinadores, un panel de discusión en una conferencia, o alguna otra forma de participación que implique hablar en público. Las habilidades del especialista podrían extenderse a proporcionar el testimonio de un experto en procedimientos legales o de otro tipo en representación del equipo o de los usuarios.
- **Habilidad para seguir las políticas y los procedimientos**: Los miembros del equipo necesitan contar con la capacidad de seguir y apoyar las políticas y los procedimientos establecidos para la gestión de respuesta a incidentes.
- **Habilidades de equipo**: Los miembros de un IRT deben tener la capacidad de trabajar en un ambiente de equipo como miembros de equipo productivos y cordiales, ser conscientes de sus responsabilidades, contribuir a los objetivos del equipo y trabajar de manera conjunta para compartir información, carga de trabajo y experiencias. Los miembros tienen que ser flexibles y estar dispuestos a adaptarse al cambio. Podría existir la necesidad de que uno o más miembros del equipo actúen en un rol de liderazgo para apoyar a grupos o equipos técnicos más reducidos.
- **Integridad**: Los miembros del equipo a menudo tratan con información sensible y, ocasionalmente, pueden tener acceso a información de interés público. Los miembros deben ser confiables, discretos y tener la capacidad de manejar información con la debida confidencialidad.
- **Conocimiento de sí mismo**: Es fundamental que los miembros del equipo sean capaces de reconocer sus limitaciones y, con base en este reconocimiento, busquen activamente apoyo de los demás miembros de su equipo, de otros expertos o de la gerencia.
- **Hacer frente al estrés**: es probable que el IRT enfrente situaciones estresantes. Es necesario que sus miembros reconozcan cuándo comienzan a sucumbir a la tensión, estén dispuestos a concienciar a sus compañeros de equipo acerca de la situación y tomen las medidas necesarias para controlar y mantener la serenidad.
- **Solución de problemas**: Si no se cuenta con buenas habilidades para la solución de problemas, los miembros del equipo podrían sentirse abrumados con los volúmenes de datos que están relacionados con incidentes y otras tareas que es necesario atender. Las habilidades para solucionar problemas también incluyen una habilidad para echar a volar la imaginación o ver los problemas desde múltiples perspectivas para identificar información o datos que sean relevantes. Esto incluye saber a quién más contactar o acudir para obtener información adicional, ideas creativas o perspectivas técnicas adicionales.
- **Gestión del tiempo**: Los miembros del equipo podrían enfrentarse a una multitud de tareas que van desde analizar, coordinar y responder a los incidentes, hasta llevar a cabo actividades como priorizar su carga de trabajo, preparar y asistir a reuniones, completar hojas de tiempo, recopilar estadísticas, realizar investigaciones, dirigir sesiones informativas y presentaciones, viajar a conferencias, proporcionar soporte técnico en sitio y priorizar tareas. Los miembros del equipo deben equilibrar los esfuerzos entre concluir las tareas y reconocer cuando necesitan ayuda o asesoría.

Las habilidades técnicas son las habilidades básicas que deben tener los miembros del IRT y se clasifican en dos tipos:

- **Habilidades de conocimientos técnicos**: Estas requieren de un entendimiento básico de las principales tecnologías que utiliza la empresa.
- **Habilidades para el tratamiento de incidentes**: Estas requieren una comprensión de las técnicas, puntos de decisión y herramientas de soporte (software o aplicaciones) requeridas en la ejecución de las actividades diarias.

4.8.5 Concienciación y formación

Si bien las infracciones de alto perfil y los incidentes de seguridad han aumentado la conciencia de seguridad de la mayoría de las personas, los usuarios finales son la primera línea de defensa para prevenir las infracciones de seguridad. Asimismo, es esencial que el gerente de seguridad de la información se asegure de que una campaña de concienciación continua destaque la importancia de ser consciente para reducir la susceptibilidad a las actividades que pueden conducir a una violación de la seguridad (p. ej., ataques de phishing, sitios web maliciosos).

Periódicamente, es útil realizar una evaluación de habilidades para determinar si la experiencia requerida está disponible en la empresa para el IRT. En algunos casos, la formación y la capacitación relevantes pueden servir para brindar las habilidades necesarias. En el supuesto de que una empresa no pueda encontrar expertos internos ni contratar/capacitar al personal para proporcionar las habilidades especializadas de respuesta a incidentes que se requieren, la organización podría entablar relaciones con expertos en el campo para aportar las habilidades necesarias. Cuando surgen situaciones en las cuales el conocimiento interno no es suficiente, se puede recurrir a especialistas técnicos para cubrir esos vacíos de conocimientos especializados.

4.8.6 Auditorías

Las auditorías internas y externas se realizan para verificar el cumplimiento de las políticas, las normas y los procedimientos definidos por una empresa. Las auditorías internas las realizan especialistas dentro de la empresa y, por lo general, se diseñan para apoyar los requisitos de cumplimiento o mejorar la gestión de riesgos e incidentes. Por su parte, las auditorías externas implican a un tercero que lleva a cabo dichas tareas. Aun cuando la mayoría de las auditorías externas se aplican como parte de un requerimiento obligatorio, se imponen como parte de la colaboración del negocio.

Ambos tipos de auditorías pueden ser útiles para revisar los planes y capacidades de la gestión y respuesta a los incidentes. Las auditorías periódicas de los procesos y procedimientos especificados en los planes pueden proporcionar la validación de que la seguridad no se verá comprometida en el caso de un incidente y de que se realiza adecuadamente el cumplimiento de las políticas y de los requisitos legales. Las auditorías pueden proporcionar una visión objetiva de la totalidad y funcionalidad global de los planes de gestión y respuesta a los incidentes y ofrecer la seguridad de que no existen brechas importantes en los procesos.

4.8.7 Proveedores externos de seguridad

El outsourcing de la capacidad de gestión de incidentes puede ser una opción económica, especialmente para las empresas más pequeñas (consulte 3.13.2 Proveedores de servicios externos). Estas empresas simplemente no pueden tener los recursos internos para proporcionar de manera adecuada las habilidades IMT/IRT necesarias.

Las empresas que contratan sus operaciones de TI pueden beneficiarse de una integración estrecha en caso de que se contrate la gestión de incidentes de seguridad al mismo proveedor. Estas empresas de todas maneras requieren de un IRP supervisado por un IRT, aunque los componentes de la gestión de incidentes de seguridad sean contratados. Será fundamental entender claramente las capacidades del proveedor externo, los tiempos de respuesta, etc., y desarrollar SLA adecuados que incluyan cláusulas apropiadas de indemnización.

El gerente de seguridad de la información debe tener en cuenta lo siguiente cuando las funciones de seguridad se contratan de manera parcial o completa:

- **Hacer coincidir los números de referencia de cada incidente reportado en la empresa con los de los proveedores para cada incidente aplicable:** Esto garantiza un entendimiento común de los detalles del incidente entre las empresas. También ayuda a identificar el tiempo real de recuperación de la organización. Por ejemplo, el proveedor puede informar que el servicio se restableció a las 4:00 p. m.; sin embargo, la empresa contratada puede indicar que el incidente finalizó a las 6:00 p. m. Esto significa que la organización tardó dos horas adicionales en recuperarse internamente del incidente. Esto se puede determinar al hacer coincidir los números de referencia de los incidentes de la empresa con los del proveedor.

- **Integración de las funciones de gestión de cambios de la empresa en las del proveedor (en la medida de lo posible):** Dependiendo de la naturaleza del servicio suministrado, las funciones de gestión de cambios de la empresa pueden vincularse mediante los directores en el consejo consultor de cambios o tener una plataforma donde el grupo de seguridad pueda visualizar los cambios y el seguimiento del proveedor con los puntos claves de contacto del proveedor. Además, esto contribuye a que ambas empresas estén enteradas de los cambios en el sistema.
- **Requerimiento del proveedor para una revisión periódica de incidentes que ocurra regularmente (por ejemplo, mensualmente, anualmente):** Las autoridades operativas de la empresa y del proveedor asisten a estas reuniones, y se revisan todos los incidentes/eventos. En general, se toman los elementos del seguimiento de estas reuniones para ayudar a impedir la recurrencia de los incidentes.

4.9 Investigación y evaluación de incidentes

No todos los eventos son incidentes, y el gerente de seguridad de la información debe ser consciente de la sutil diferencia existente entre ambos. Un evento es algo que ocurre en un lugar y momento determinados: un inicio de sesión de cuenta, la apertura de una puerta, la finalización de un proceso automatizado. Todos estos son eventos sin contexto, que ocurren con una preocupación mínima. Los datos contextuales adyacentes o relacionados con el evento deben investigarse para determinar si el evento fue de hecho normal o anómalo.

Por ejemplo, el inicio de sesión de una cuenta de usuario durante el horario comercial es un evento que, de acuerdo con una línea base establecida (consulte 2.2.1 Niveles mínimos de control de seguridad), ocurre normalmente durante el día laboral. Cualquier desviación de eso, como una cuenta de usuario que intenta iniciar sesión después del horario comercial, es un evento que puede justificar una mayor investigación, ya que está fuera de las normas establecidas. La información contextual adicional puede arrojar esto como un evento legítimo (es decir, el usuario está viajando actualmente al extranjero, con el inicio de sesión coincidiendo con el día laboral local del usuario) o podría ser un evento malicioso (es decir, las credenciales fueron adquiridas por un tercero no autorizado y se están utilizando para acceder a los recursos de la empresa). Hasta que el evento no se investigue adecuadamente, la determinación de la legitimidad del evento es desconocida.

Una vez que se conoce la legitimidad de un evento, se puede tomar la acción apropiada. El inicio y la escalada de un evento hasta convertirse en incidente se lleva a cabo a través de la investigación inicial y luego se evalúa el impacto en la empresa. Como se mencionó anteriormente, no todos los incidentes son iguales. Hay que tener en cuenta los siguientes escenarios:

En un mundo ideal, todos los registros de puntos finales, sistemas, aplicaciones e infraestructura se recopilan y se envían a un centro de operaciones de seguridad (SOC) con un personal completo que supervisa la empresa en busca de amenazas. Con una visibilidad completa del perímetro, los puntos finales y la infraestructura, el SOC puede identificar, clasificar y responder a las amenazas porque la empresa ha establecido una línea de base de seguridad además de ajustar adecuadamente toda su instrumentación empresarial. El gerente de SOC, Jordan, tiene cinco analistas SOC en su turno actual: Peyton, Zhang, Kelly, Ushma y Mohamed. Jordan encarga a cada analista que investigue cinco eventos separados.

Peyton está asignado para revisar las alertas que se originan en un IDS utilizado en el entorno de desarrollo. Las alertas coinciden con cambios recientes realizados en el puerto y los protocolos de una aplicación desarrollada internamente.

A Zhang se le ha asignado que revise todas las alertas de una aplicación de negocio clave. Su rendimiento ha disminuido un 12 % en las últimas 24 horas, pero aún se encuentra dentro de los umbrales de rendimiento definidos.

A Kelly se le ha asignado que revise las alertas que se originan en los servicios de directorio que informan una cuenta de red privada virtual con un número excesivamente alto de intentos fallidos de inicio de sesión desde una fuente externa, un ataque clásico de fuerza bruta. La empresa está en el proceso de implementar la autenticación multifactorial en toda la empresa para cada cuenta.

Ushma debe revisar una serie de alertas de los cortafuegos perimetrales que indican que se ha producido un inicio de sesión satisfactorio utilizando una cuenta privilegiada desde dentro de la empresa.

Mohammed tiene que revisar una alerta sobre la instalación de un software no autorizado en una estación de trabajo de una cuenta de usuario final.

¿Cuál de los cinco eventos debe ser evaluado y declarado como un incidente y por qué? Un usuario final que instala una aplicación de software no autorizada debe ser evaluado con respecto a la referencia de control de seguridad de la empresa, las políticas definidas y la arquitectura. Dado que el evento no forma parte de las operaciones estándar de la empresa y puede causar una interrupción o reducir la calidad del servicio, además de exponer a la empresa a riesgos inaceptables, debe declararse un incidente.

Una vez que se ha investigado y evaluado el contexto adecuado y suficiente en torno a un evento, se pueden tomar las medidas adecuadas. Esto puede resultar en la implementación y ejecución de los planes de respuesta y recuperación de la empresa en diversos grados, según la gravedad y el impacto del incidente en la empresa.

4.9.1 Ejecución de los planes de respuesta y recuperación

Dado que un incidente grave suele ocasionar mucha confusión y varias condiciones inesperadas, es fundamental que los planes de manejo y respuesta de incidentes se hayan probado en condiciones realistas. Es posible que los planes no probados no funcionen como se esperaba. Asimismo, es prudente asumir que mientras más grave sea el incidente, mayor será el caos, la confusión y los problemas que podrían enfrentar los equipos de manejo y respuesta de incidentes. Los incidentes pueden variar desde un ataque que colapse a los sistemas de TI hasta un terremoto que colapse al edificio. A fin de brindar una certeza razonable de que la empresa se preserva en circunstancias previsibles, tienen que anticiparse y preverse todos los eventos que sean posibles en términos razonables, y todos los planes tienen que ser probados y deben ser minuciosos y realistas.

Garantizar la ejecución según lo requerido

Garantizar la ejecución de los planes de respuesta y recuperación según lo requerido implica que una persona actúe como facilitador para coordinar las tareas que formen parte de los planes, supervisar su ejecución, coordinarse con la alta gerencia y tomar decisiones según sea necesario. El gerente de seguridad de la información podría ser o no la persona apropiada que ejerza como coordinador del plan de recuperación; sin embargo, debe asegurarse de que dicho rol se asigne a una persona que pueda desempeñar tan importante función.

En el proceso general para ejecutar los planes de respuesta y recuperación es importante desarrollar las estrategias y las alternativas de respuesta y recuperación apropiadas. Brindará una certeza razonable de que la empresa puede recuperar sus funciones de negocio clave en caso de una interrupción y responder de manera apropiada a un incidente relacionado con la seguridad.

Probar los planes es fundamental para asegurar que los planes se puedan ejecutar según se requiera. También ayudará a los empleados a familiarizarse con el proceso para que cuando ocurra un incidente, éstos puedan responder como corresponde.

El gerente de seguridad de la información debe designar a un observador independiente que registre el avance y documente cualquier excepción que ocurra durante las pruebas y durante un evento real. A través de una revisión posterior al incidente, el gerente de seguridad de la información y el personal clave de recuperación pueden entonces revisar las observaciones hechas y hacer ajustes al plan en consecuencia.

4.10 Métodos de contención de incidentes

Puesto que cada incidente es único, los métodos para contener el incidente deben adaptarse. Entender los beneficios y las desventajas relacionados con la contención es crucial. La alta gerencia debe ser plenamente consciente y entender las implicaciones, ya que pueden tener un impacto significativo en los esfuerzos de respuesta inmediatos y podrían resultar en resultados inesperados.

La contención incluye todas las actividades, las tareas y los pasos tomados en el intento de limitar o reducir el impacto de un incidente. La contención es una acción táctica a corto plazo que está destinada únicamente a detener el sangrado, no necesariamente a identificar o corregir la causa raíz que permitió que ocurriera el incidente.

Las actividades de contención comunes realizadas durante un incidente de seguridad pueden incluir las siguientes:

- Notificación y escalamiento a las partes interesadas relevantes
- Capturas y análisis de memoria
- Cambios de contraseña de todas las cuentas de la empresa
- Actualizaciones de conjuntos de reglas de cortafuegos para bloquear/denegar/eliminar tráfico
- Actualizaciones de firmas de IDS
- Recopilación, revisión y análisis de registros
- Sistemas afectados por imágenes forenses
- Eliminación del dispositivo de la red

Por ejemplo, si el incidente involucra un sistema infectado con malware que está siendo controlado activamente por un adversario, la empresa puede optar por desconectar el sistema de la red, actualizar las reglas del firewall para bloquear las direcciones IP identificadas y los dominios asociados con el adversario o buscar indicadores de compromiso para identificar otros sistemas comprometidos. La finalidad es identificar todos los sistemas potencialmente afectados a fin de retirar al adversario del entorno.

Sopesar los beneficios y los riesgos en cuanto a cuándo iniciar los esfuerzos de contención no es una decisión que deba tomarse sin la plena comprensión y aprobación de la alta gerencia. En última instancia, la alta gerencia, con las recomendaciones del asesor legal, el gerente de seguridad de la información y el IMT, deberá tomar una decisión de en qué momento y hasta qué punto está preparada la empresa para contener el incidente. Esto se debe a que una vez que se inician los esfuerzos de contención, el adversario sabrá que se nota su presencia y puede tomar represalias.

4.11 Comunicaciones de respuesta a incidentes

Dado que un incidente tiene el potencial de afectar varios aspectos de una empresa, es necesario definir con anticipación líneas claras de canales de comunicación autorizados. Esto se hace con el fin de reducir lo máximo posible las probabilidades de que haya una mala comunicación. Debido a que las cosas pueden cambiar a medida que se desarrolla un incidente, hay que tener en cuenta que lo que era cierto cuando se informó inicialmente puede volverse inexacto en los hechos con una investigación adicional y deberá abordarse de manera adecuada.

Dado el número de componentes del personal asociados con la respuesta a incidentes, es indispensable establecer una fuente autorizada de comunicación. A menudo, la especulación puede tomarse como un hecho o los hechos pueden minimizarse debido a malentendidos o falta de información y contexto apropiados. Habrá diferentes canales y métodos de comunicación que deben definirse antes de que se declare un incidente. Estos deben documentarse y transmitirse a cada miembro para garantizar que durante un incidente todos sepan de quién y de dónde proviene la información autorizada relacionada con los incidentes.

Existe una serie de canales de comunicación que deben establecerse durante un incidente, puesto que las comunicaciones necesitarán darse entre el gerente de IMT y la alta gerencia respecto a las decisiones de si comunicarse con el personal de la empresa, terceros externos y socios de negocio afectados. Cada canal de comunicación debe estar claramente definido, ser entendido y transmitirse a todos los miembros afectados para garantizar que se comuniquen los mensajes adecuados a sus respectivas audiencias.

Desde un punto de vista técnico, los miembros de IMT necesitarán un método para facilitar las comunicaciones fuera de banda o para comunicarse por métodos de comunicación distintos a los normales. Por ejemplo, al responder a una supuesta intrusión en la red, los usuarios no deben comunicarse a través de una infraestructura sospechosa comprometida que pueda alertar a los intrusos de que han sido identificados. Siendo así, los miembros de IMT cambian a una plataforma de correo electrónico basada en navegador aprobada (p. ej., Google Business) en lugar del correo electrónico comercial empresarial normal (p. ej., Microsoft 365).

4.11.1 Requisitos de notificación

Los requisitos de notificación son partes clave del IRP y la gestión de incidentes. El IRP debe incluir un directorio del personal clave de la toma de decisiones, miembros del IRT, propietarios de los sistemas de información, usuarios finales y otras personas que se requieren para iniciar y llevar a cabo los esfuerzos de respuesta. Este directorio debe incluir múltiples métodos de comunicación (teléfono fijo, móvil, texto, correo electrónico, etc.) en caso de que algún canal de comunicación falle.

El directorio deberá incluir como mínimo el siguiente personal:

- Representantes de los proveedores del equipo y del software.
- Contactos dentro de compañías que se hayan designado para proporcionar servicios, equipo o insumos.
- Contactos en las instalaciones de recuperación, incluso representantes en el centro de emergencia alternativo completamente equipado o servicios para volver a enrutar comunicaciones de red predefinidas.
- Contactos en centros de almacenamiento de medios fuera del centro y contactos dentro de la compañía que estén autorizados para recuperar medios desde la locación fuera de las instalaciones.
- Agentes de compañías aseguradoras.
- Información de contacto para los organismos reguladores.
- Contactos en recursos humanos (RR. HH.) y servicios de contratación de personal.
- Contactos con encargados del cumplimiento de la ley.

Cabe hacer notar que la decisión de introducir el cumplimiento de leyes durante dicho incidente recae exclusivamente en la alta gerencia. En general, no es una función del gerente de seguridad de la información informar a las organizaciones externas. Existen empresas que se encargan de las comunicaciones automatizadas de respuesta a emergencias. Sin embargo, al igual que con los demás servicios externos, hay que considerar con mucho cuidado los procesos necesarios que deben aplicarse para asegurar la efectividad de esta solución.

4.11.2 Redes de comunicación

El plan debe contener los detalles de las redes de telecomunicaciones de la empresa necesarios para restaurar las operaciones del negocio. Debido a la importancia de estas redes, se debe asignar una prioridad alta a los procedimientos para asegurar la continuidad de las capacidades de telecomunicaciones. Las redes de telecomunicaciones son susceptibles a los mismos desastres naturales que los centros de datos, pero son también vulnerables a varios tipos de incidentes disruptivos exclusivos de las telecomunicaciones. Entre estos se encuentran desastres en centrales telefónicas, cortes de cableado, señales deformadas y errores en el software de comunicaciones, violaciones a la seguridad por intrusión (hacking) (los intrusos (hackers) telefónicos se conocen como “phreakers”) y muchos otros errores humanos. Comúnmente, la operadora local no tiene la responsabilidad de prestar servicios de respaldo. Aun cuando muchas operadoras normalmente respaldan componentes importantes dentro de sus sistemas, la empresa debe tomar provisiones para respaldar sus propios equipos de telecomunicaciones.

Las capacidades de telecomunicaciones que se debe considerar incluyen circuitos telefónicos de voz, redes de área amplia (WAN) (conexiones a centros de datos distribuidos), LAN y proveedores externos. Las opciones pueden incluir los enlaces por satélite y vía microonda, y según los niveles de importancia y la ubicación, los enlaces inalámbricos o incluso las comunicaciones de radiotelefónicas de banda lateral única. Deben identificarse los requerimientos de capacidad críticos para los diversos umbrales de cortes a la energía eléctrica, por ejemplo, 2 horas, 8 horas o 24 horas, para cada capacidad de telecomunicaciones. Una fuente de energía ininterrumpida (UPS) debe ser suficiente para respaldar los equipos de telecomunicaciones, así como los equipos de computación.

4.12 Erradicación y recuperación de incidentes

Si bien la contención es un enfoque a corto plazo para limitar un incidente y evitar que se propague, la erradicación incluye las actividades, las tareas y los pasos que se toman para corregir la causa raíz que provocó que ocurriera el incidente. Esto se debe planificar adecuadamente y ejecutarse una vez que los esfuerzos de contención se hayan considerado satisfactorios.

4.12.1 Actividades de erradicación

Las actividades de erradicación comunes realizadas durante un incidente de seguridad incluyen, entre otras, las siguientes:

- Limpieza y eliminación de cualquier artefacto dejado por el incidente
- Aplicación de parches pendientes
- Enrutamiento nulo de DNS (sumidero) de direcciones IP maliciosas y nombres de dominio totalmente calificados
- Cambios adicionales a los cortafuegos e IDS según sea necesario
- Escaneo de indicadores adicionales de compromiso (IoC)
- Eliminación de software malicioso
- Limpiar/reconstruir sistemas afectados
- Restauración desde copias de seguridad

4.12.2 Recuperación

Los esfuerzos de recuperación se dan solo después de las fases exitosas de contención y erradicación del ciclo de vida del proceso de respuesta a incidentes. Una vez que el incidente se ha abordado por completo y se han solucionado los problemas de causa raíz, el enfoque cambia para garantizar que la empresa pueda volver a las operaciones con éxito, lo que significa restaurar los sistemas afectados a la normalidad. Durante esta fase, el gerente de seguridad de la información debe permanecer alerta, ya que acelerar el regreso a la producción de un sistema afectado puede volver a introducir las mismas vulnerabilidades y causas que iniciaron el incidente original.

Durante la fase de recuperación, las actividades deben planificarse e implementarse para evitar que ocurran eventos similares. Las actividades de recuperación comunes realizadas después de que un incidente de seguridad se haya erradicado con éxito incluyen, entre otras, las siguientes:

- Probar y validar la línea de base de seguridad.

- Red de monitoreo para indicadores conocidos de ataque (IoAs) e IoCs.
- Búsqueda activa de artefactos adversarios identificados en toda la empresa.
- Volver a poner en producción los sistemas afectados una vez recuperados y verificados para cumplir con la línea de base de seguridad.

Nota

Se debe evitar la recuperación precipitada. Una vez que un sistema se ha visto comprometido por un adversario, la fidelidad en ese sistema es cero. Puede parecer más fácil intentar eliminar los artefactos adversarios identificados (p. ej., puertas traseras, juegos de herramientas, etc.) del sistema en un esfuerzo por restaurar rápidamente los servicios al negocio. Sin embargo, una vez que un sistema se ha visto comprometido, no hay seguridad de lo que pudo haber pasado desapercibido o perdido.

Una vez que se inician los esfuerzos de recuperación, la mayoría de las empresas se conforman con simplemente volver a las operaciones habituales (BAU). Hay que tener en cuenta que estas son las mismas operaciones BAU que permitieron que ocurriera el incidente inicialmente. La necesidad de abordar y remediar adecuadamente la causa raíz del incidente es importante para garantizar que el riesgo empresarial se gestione correctamente. Aunque el incidente inmediato ya se haya resuelto, el trabajo acaba de empezar.

4.13 Prácticas de revisión pos-incidente

Entender el propósito y la estructura de las revisiones posteriores al incidente y los procedimientos de seguimiento permite al gerente de seguridad de la información mejorar continuamente el programa de seguridad. Se debe adoptar una metodología consistente dentro de la empresa de la seguridad de la información, para que cuando se encuentre un problema, se desarrolle un plan de acción para reducirlo/mitigarlo. Una vez que se haya creado el plan de acción, se deben seguir los pasos necesarios para implementar la solución. Al seguir estos principios básicos, el programa de seguridad de la información puede adaptarse a los cambios que ocurran en la empresa y a las amenazas que enfrenta. Además, reduce el tiempo que requiere el personal para reaccionar ante incidentes relacionados con la seguridad, por lo que pueden invertir más tiempo en actividades proactivas.

El proceso de seguimiento en la respuesta a incidentes es posiblemente la parte más valiosa de este esfuerzo. Las lecciones aprendidas durante el manejo de incidentes pueden mejorar la práctica de la seguridad, así como el proceso mismo de respuesta a incidentes. Además, el gerente de seguridad de la información necesita calcular el costo del incidente una vez que se han llevado a cabo todas las actividades de respuesta al sumar el costo de cualquier pérdida o daño al costo del trabajo y cualquier software o hardware especial que se haya necesitado para manejar el incidente. El costo proporciona una métrica útil, en particular para justificar ante la alta gerencia la existencia del equipo de respuesta y podría usarse como evidencia en un juicio.

Al concluir y cerrar un incidente, se deben planificar y llevar a cabo actividades comunes posteriores al incidente. Una vez que el negocio se haya recuperado satisfactoriamente, las actividades pueden incluir las siguientes:

- Documentación del incidente
- Llevar a cabo la revisión de las partes interesadas e implementar los comentarios
- Finalizar el informe para la alta gerencia
- Identificar cambios necesarios
- Identificar cualquier problema de proceso
- Actualizar los procedimientos según sea necesario
- Desarrollar planes de remediación para mitigar la causa raíz del incidente
- Buscar recursos y aprobación de fondos

El gerente de seguridad de la información debe dirigir revisiones posteriores a los eventos con la finalidad de aprender del incidente y del esfuerzo resultante de respuesta y recuperación, y esta información puede ser luego utilizada para mejorar los procedimientos de respuesta y recuperación de la organización. El gerente de seguridad de la información puede llevar a cabo estas revisiones con la ayuda de especialistas externos, en caso de que se requiera de habilidades forenses específicas.

4.13.1 Identificación de causas y acciones correctoras

Los incidentes de seguridad pueden ser el resultado de ataques iniciados desde el exterior, ataques iniciados desde el interior o fallas en los controles de seguridad que se han implementado. Para una revisión sistemática de los incidentes relacionados con la seguridad, el gerente de seguridad de la información debe designar a un equipo encargado de revisar los incidentes. Este equipo deberá revisar cualquier evidencia y formular recomendaciones a fin de mejorar el programa de seguridad de la información mediante la identificación de las causas raíz de un incidente específico y las medidas que sean necesarias tomar para evitar que los mismos eventos o similares vuelvan a ocurrir. La causa raíz de muchos sistemas comprometidos es, por ejemplo, un esfuerzo deficiente o inexistente de la evaluación de la vulnerabilidad y la aplicación de parches.

Es preciso llevar a cabo dicho análisis para determinar respuestas a preguntas, como las siguientes:

- ¿Quién está involucrado?
- ¿Qué sucedió?
- ¿Dónde se originó el ataque?
- ¿Cuándo (qué margen de tiempo)?
- ¿Por qué sucedió?
- ¿Cómo se vulneró el sistema o cómo ocurrió el ataque?
- ¿Cuál fue la razón para perpetrar el ataque (es decir, la motivación del perpetrador)?

4.13.2 Documentación de eventos

Durante y después de cualquier incidente de seguridad real o potencial, el gerente de seguridad de la información debe disponer de los procesos adecuados para desarrollar un registro claro de los eventos. Preservar esta información permitirá investigar los eventos y proporcionar información a las autoridades o al equipo forense en caso de ser necesario. Para garantizar que se lleve a cabo este mantenimiento de registros, una o más personas deben encargarse específicamente de la documentación del incidente y la preservación de la evidencia. La documentación de cualquier evento que tenga posibles implicaciones de seguridad puede proporcionar claridad en cuanto a si un incidente es un accidente, un error o un ataque deliberado.

Un incidente grave suele ser caótico. Una buena documentación será de gran valor en la investigación y el análisis forense posteriores al incidente y también será útil para la resolución del incidente.

4.13.3 Establecimiento de procedimientos legales para asistencia en actividades posterior al incidente.

Tener procedimientos sólidos y legalmente defendibles antes de que se declare un incidente es clave para una recuperación y respuesta exitosas.[54] A medida que el delito cibernético ha aumentado en los últimos años, los reguladores, las legislaturas y los abogados de los demandantes han puesto en el foco la preparación cibernética y la respuesta a incidentes. Esto ha llevado a un riesgo y exposición potencialmente significativos derivados del cumplimiento de un conjunto de nuevas leyes y reformas regulatorias. Dado este panorama, es imperativo que las empresas involucren asesoría legal en la preparación y participación en la respuesta a incidentes.

Preparar un IRP integral es un primer paso importante para garantizar una respuesta eficiente y eficaz a un incidente de seguridad y la inevitable oleada de minas terrestres legales y reglamentarias. Un buen IRP es aquel que se adapta a la empresa y ha sido desarrollado, examinado y probado por asesores legales y partes interesadas internas clave. Aunque puede ser fácil obtener un formulario IRP estándar de Internet, el enfoque de marcar la casilla no es útil cuando realmente ocurre un incidente. Un IRP debería:

- Identificar un equipo central de personas que gestionarán la respuesta.
- Proporcionar un procedimiento para la documentación de los eventos previos y posteriores al momento en que se descubre un elemento comprometido (incluidos los terceros que tienen acceso a la información de la organización).
- Establecer un plan de comunicación claro e inmediato que incluya comunicaciones con contactos internos, terceros (incluidos los encargados de hacer cumplir la ley y los reguladores), asesores (incluidos los asesores legales y las compañías de seguros), clientes y medios de comunicación.
- Establecer puntos de decisión clave que deben tomarse.
- Incluir formularios para notificaciones que se puedan modificar rápidamente para enviar a los reguladores y clientes con tiempo suficiente para cumplir con los plazos de notificación.

En un entorno altamente regulado, un IRP debe posicionar a la empresa frente a los obstáculos legales y técnicos que puede encontrar al responder a un incidente. Cuando ocurre un incidente de seguridad, se debe consultar a un asesor legal de inmediato, ya que esto ayudará a garantizar que la investigación esté cubierta por el privilegio abogado-cliente. El asesoramiento legal también es vital para analizar y cumplir con los requisitos de notificación dentro del número de horas legalmente exigido después del descubrimiento. Cada estado, jurisdicción y/o país tiene diferentes requisitos de

[54] En el desarrollo de esta sección específicamente, se consultó a la empresa estadounidense Vorys, Sater, Seymour and Pease LLP, expertos reconocidos especializados en TI, privacidad y seguridad de datos, para identificar algunas preocupaciones y consideraciones clave desde el aspecto legal, con consideraciones relacionadas con respuesta a incidentes.

notificación aplicables tanto a individuos como a agencias estatales, y puede haber requisitos de notificación adicionales a terceros, como compañías de seguros o socios comerciales. Cumplir con estos diversos requisitos de notificación es un proceso complicado plagado de un riesgo significativo de errores y exposición legal y reglamentaria.

Una vez que una empresa ha desarrollado su IRP, debe probarse con un equipo que incluya un asesor legal. Para muchas empresas, se requiere una prueba anual del IRP. Las formaciones por ordenador evalúan la capacidad de la empresa para ejecutar el IRP de manera efectiva mediante la simulación de un incidente de seguridad de datos del mundo real. Los beneficios de las pruebas de ordenador incluyen la revisión del plan en un escenario del mundo real, la preparación de los miembros de la gerencia ejecutiva para sus responsabilidades en un incidente y la identificación y el cierre de las brechas y los cuellos de botella que se descubran. Los ejercicios por ordenador requieren un compromiso modesto en términos de tiempo, inversión y recursos, pero son críticos para las partes interesadas clave, a la vez que fomentan la creación de equipo entre los participantes.

El caso de negocio para la preparación proactiva de respuesta a incidentes es bastante convincente. Según el informe de 2021 de IBM Security, las infracciones respecto a los datos medios en Estados Unidos le cuestan a una empresa 4,24 millones de USD, lo que supone un 10 % de aumento respecto a 2020. El trabajo a distancia ha aumentado el coste total medio de las infracciones de datos. Sin embargo, las empresas que preparan y comprueban sus IRP antes de un incidente presentan una media de diferencia de coste de respuesta de 54,9 % menos que aquellas sin planes ni pruebas.[55]

Es importante contar con un buen marco legal para ofrecer opciones a la empresa que incluyan encontrar acciones legales civiles o criminales contra los perpetradores. El gerente de seguridad de la información debe desarrollar procedimientos para la preservación de datos con la asesoría y la asistencia del área jurídica, los gerentes de la empresa y funcionarios instruidos en el cumplimiento legal, para garantizar que los procedimientos brinden la orientación suficiente al personal de TI y de seguridad. Con la ayuda de estos recursos especializados, el gerente de seguridad de la información puede desarrollar procedimientos para manejar los eventos relacionados con la seguridad en una forma que preserve evidencia, garantice que se cuente con una cadena de custodia que sea suficiente en términos legales, y sea apropiada para cumplir con los objetivos de negocio.

Existen unas cuantas acciones básicas que tiene que conocer el personal de sistemas de información, incluido el no hacer nada que pueda cambiar, modificar o contaminar las pruebas potenciales o reales. El personal de expertos forenses puede inspeccionar los sistemas informáticos que hayan sido atacados; sin embargo, si el personal de la empresa contamina la información, los datos podrían no ser aceptados en los tribunales y el personal forense no podría utilizarlos para investigar un incidente. La informática forense y la obtención y el manejo de información y objetos físicos relevantes para un incidente de seguridad de manera sistemática para que puedan ser utilizados como evidencia en un tribunal, deben estar a cargo de personal con capacitación especial, especialistas externos, el IRT de seguridad o funcionarios encargados del cumplimiento de las leyes. La respuesta inicial por parte del administrador del sistema debe incluir lo siguiente:

- Determinar la investigación privilegiada vs. investigación no privilegiada mediante consejo legal.
- Recuperar la información necesaria para confirmar el incidente.
- Identificar el alcance y la magnitud del ambiente afectado (p. ej., redes, sistemas, aplicaciones).
- Determinar el grado de pérdida, modificación o daño (si los hubiere).
- Identificar posibles rutas o medios de ataque.

4.13.4 Requerimientos de evidencia

El gerente de seguridad de la información debe saber que cualquier contaminación en la evidencia después de un incidente puede evitar que una empresa ejerza acción penal en contra del atacante. Además, la modificación de datos puede impedir la actividad de la informática forense que se necesita para identificar al atacante, así como todos los cambios y repercusiones que se derivan del ataque. Asimismo, podría afectar la posibilidad de determinar cómo ocurrió el ataque y cómo se debe cambiar y mejorar el programa de seguridad a fin de reducir el riesgo de un ataque exitoso similar en el futuro.

La recomendación típica para una computadora que se ha visto comprometida es desconectarla para maximizar la conservación de la evidencia en el disco duro. Este enfoque es por lo general la recomendación del cumplimiento de la ley basada en el riesgo de que

[55] IBM Security, "Cost of a Data Breach Report 2021", *www.ibm.com/security/data-breach?mhsrc=ibmsearch_a&mhq=cost%20of%20a%20data%20breach%20report%202021*

se comprometa la evidencia. Esto puede ocurrir como resultado de que el sistema de archivos de intercambio sobrescriba la evidencia o de que un intruso o malware borren evidencia. También existe el riesgo de contaminar la evidencia.

Este enfoque no es universalmente aceptado como la mejor solución. Uno de los argumentos en contra de la desconexión de la energía es que los datos en la memoria se pierden y la pérdida repentina de la energía puede dar lugar a la corrupción de información crítica en el disco duro. Debido a que ciertos tipos de malware solo residen en la memoria, la causa de un incidente y la vía de ataque pueden ser difíciles de establecer.

Dado que el mejor enfoque es objeto de controversia, el gerente de seguridad de la información tendrá que establecer el método más apropiado para la empresa y formar al personal en los procedimientos adecuados.

Cualquiera que sea el procedimiento que se utilice para proteger un sistema que se ha visto comprometido, el personal capacitado deberá utilizar herramientas forenses para crear una copia bit por bit (o imagen de disco físico) de cualquier evidencia que pudiera existir en discos duros u otros medios a fin de garantizar su admisibilidad legal. A fin de evitar la posible alteración o destrucción de datos relacionados con algún incidente, se debe llevar a cabo cualquier prueba o análisis de datos mediante dicha copia. El original debe entregarse a un custodio designado, quien deberá guardar la evidencia en un lugar seguro. El soporte original debe permanecer intacto y se deberá mantener un registro de quién ha tenido su custodia, la cadena de custodia, para que dicha evidencia sea admisible en un tribunal.

Cuando toma una copia de un disco duro, el técnico debe tomar una imagen a nivel de bits de todos los datos del disco, utilizando un cable con un diodo que proteja contra escritura para evitar que se vuelva a escribir algo en el disco fuente. Los valores de comprobación (hash) del disco de destino y del fuente deben ser calculados para garantizar que el disco copiado sea una imagen exacta del original.

4.13.5 Aspectos legales de las pruebas forenses

Para que la evidencia sea admisible en los procesos legales, es necesario que ésta se obtenga mediante un análisis forense y se mantenga su cadena de custodia. El gerente de seguridad de la información a cargo de un incidente debe haber establecido y documentado los procedimientos para la obtención de evidencia por parte del personal capacitado independiente.

La documentación requerida para mantener la evidencia admisible desde el punto de vista legal debe incluir:

- Formularios de cadena de custodia que proporcionan:
    - Nombre e información de contacto de custodios
    - Cuándo, por qué y por quién fue adquirida o movida la evidencia
    - La identificación detallada de las pruebas (números de serie, información sobre el modelo, etc.)
    - Dónde está guardada (física o lógicamente)
    - Cuándo fue devuelta, si lo fue
- Listas de verificación para los técnicos que consiguen la información (incluidos los detalles de prácticas forenses legalmente aceptables)
- Plantillas detalladas de registro de actividades para los técnicos que consiguen la información
- Formularios firmados de confidencialidad/no divulgación para todos los técnicos que participan en la recuperación de las pruebas
- Un registro actualizado de casos que detalle:
    - Fechas en que se recibieron las solicitudes
    - Fechas en que se asignaron las investigaciones a los investigadores
    - Nombre e información de contacto de investigadores
    - Identificar el número de caso
    - Notas básicas sobre el caso y sus requisitos y procedimientos completos
    - Fecha en que se completó
- Plantillas de informes de investigación que incluyan:
    - Nombre e información de contacto de investigadores
    - Fecha de la investigación y un número de caso
    - Detalles de entrevistas o comunicaciones con la gestión o personal relacionado con la investigación
    - Detalles de dispositivos o datos que se adquirieron (números de serie, modelos, ubicaciones físicas o lógicas)
    - Detalles de herramientas de software o hardware utilizadas para la adquisición o el análisis (deben ser herramientas reconocidas desde el punto de vista forense)
    - Detalles de resultados, incluyendo muestras o copias de datos relevantes y referencias a la ubicación donde se almacenan
    - Firmas finales del investigador a cargo

Procedimientos para iniciar una investigación forense que sea acordada, documentada, seguida cuidadosamente y comprendida por todos en la empresa El gerente de seguridad de la información debería trabajar con la administración y recursos humanos (y otras partes interesadas) para establecer un proceso que asegure que todas las investigaciones sean justas, imparciales y bien documentadas.

Es importante estar consciente de que los requerimientos legales varían en diferentes jurisdicciones. Como resultado, se requerirá asesoría legal para los procesos apropiados que cumplan con los estándares judiciales.

Esta página se ha dejado en blanco deliberadamente

Estudio de caso 1

Un sistema de aprovisionamiento de servicio crítico para el negocio, suministrado por un proveedor, para las funciones internas de la organización (es decir, no dirigido al cliente) tiene picos de uso en el horario entre las 7:00 a. m. y las 7:00 p. m. los días de semana.

Los lunes a las 6:00 a. m., el sistema dejó de responder. El centro de operaciones de red trabajó con el IMT y abrió un puente de conferencia a las 6:30 a. m. A las 11:00 a. m., un gerente del grupo de usuarios notificó al dueño de la aplicación del lado de la empresa del usuario sobre el incidente. La aplicación fue restablecida en línea a la 1:00 p. m.

Tres semanas después del primer incidente, ocurrió otra interrupción del servicio de la aplicación. Un miércoles a las 2:00 p. m., el sistema dejó de responder para una parte de la base de usuarios (es decir, algunas áreas no fueron afectadas, incluida la ubicación de la oficina del dueño de operaciones del sistema para los usuarios de la empresa). El centro de operaciones de red abrió un puente de conferencia a las 2:40 p. m. A las 3:00 p. m., el dueño de la aplicación del lado de la empresa del usuario fue notificado sobre el incidente por el proveedor. La aplicación se restableció en línea para toda la comunidad de usuarios a las 4:00 p. m.

En el futuro, la aplicación sufrió una interrupción del servicio, en promedio, una vez al mes por los siguientes tres meses. El impacto de la interrupción del servicio varió e incluyó pérdidas parciales de disponibilidad para ciertas funciones, así como también una pérdida de aprovisionamiento de servicio completo.

Después del lapso en la notificación del primer incidente y la inconsistencia causada por la notificación del segundo incidente, la empresa comenzó a renovar sus procesos internos. Las revisiones del proceso interno se llevaron a cabo mediante la creación de un procedimiento de comunicación de incidentes, que fue distribuido a todo el personal de TI a cargo de operar la aplicación. Los procedimientos designaron metas de comunicación y revisiones posteriores al incidente necesarias que identificaran las causas raíz de los incidentes a más tardar una semana después de la resolución.

Para una respuesta a más largo plazo, la empresa ejecutó varias decisiones de negocio que resultaron en la continuación del sistema de aprovisionamiento de servicio actual y una reducción en las interrupciones del servicio después de un período de tres meses. Estas incluían la catalogación del historial de incidentes y una reunión con el proveedor para establecer acuerdos de nivel operativo y un plan integral de mejoramiento del servicio, incluido el monitoreo de los resultados operativos.

1. Teniendo en cuenta el primer incidente, ¿cuándo debería haber sido notificado el dueño del negocio acerca del incidente?

   A. Dentro de los acuerdos de nivel operativo que informan incidentes.
   B. A más tardar a las 6:15 a. m.
   C. Dentro de los acuerdos de nivel de servicio que informa incidentes del proveedor.
   D. A más tardar a las 6:30 a. m.

2. En una empresa con madurez en los procesos, ¿cómo debería haberse enviado la notificación inicial al dueño del negocio por el segundo incidente?

   A. Mediante diferentes notificaciones a las partes interesadas cuando se descubre el incidente.
   B. Por medio de la herramienta de seguridad de la información y gestión de eventos.
   C. Por medio del proveedor de la aplicación.
   D. Por medio del centro de operaciones de red.

3. Al catalogar los incidentes en la preparación para las reuniones con el proveedor, ¿cuál de las siguientes opciones es la **MEJOR** elección para el conjunto de acciones iniciales que debe realizar el gerente de seguridad de la información?

   A. Crear una revisión posterior al incidente para cada incidente involucrado.
   B. Llevar a cabo un análisis del impacto en el negocio.
   C. Actualizar los planes de recuperación y respuesta a incidentes.
   D. Realizar una evaluación de riesgo

Respuestas en la página 352

Capítulo 4 Clave de respuestas

Estudio de caso 1

1. **A. El lapso de tiempo para la respuesta a incidentes debe ser determinado por acuerdos de nivel operativo (OLA) internos de la empresa de usuarios.**
   B. El lapso de tiempo para la respuesta a incidentes debe ser determinado por OLA internos. Estos se deben determinar según las categorizaciones de los incidentes, según lo aplica el IMT.
   C. Los OLA de la empresa de usuarios tienen precedencia sobre los SLA internos del proveedor. Si los SLA del proveedor no son suficientes, el proveedor y la empresa deben trabajar para desarrollar una solución mejorada para llevar a esos SLA a un nivel aceptado por la empresa de usuarios. El proveedor puede notificar sobre una interrupción del servicio; sin embargo, la empresa debe contar con sistemas de monitoreo internos vigentes.
   D. El lapso de tiempo para la respuesta a incidentes debe ser determinado por OLA internos. Estos se deben determinar según categorizaciones de incidentes según las aplica el IMT. Las 6:30 a. m. representa la hora en que se abrió el puente de conferencia; sin embargo, eso puede o no ser proporcional a los OLA que informan incidentes de la empresa de usuarios.

2. A. Dependiendo de la manera en que fue configurada la herramienta de gestión de eventos y seguridad de la información (SIEM) de una empresa, es posible que el mismo incidente se reporte varias veces a través de numerosas fuentes. Sin embargo, si el reporte llega varias veces al propietario del negocio, deja de ser una notificación inicial. De hecho, todas las notificaciones posteriores a la primera serán notificaciones auxiliares.
   B. La herramienta SIEM debería haber notificado al propietario de la aplicación de negocio sobre el incidente.
   C. El proveedor de la aplicación podría haber notificado al propietario del negocio de la empresa de usuarios sobre el incidente (como se establece en el caso); sin embargo, esta no debería haber sido la primera (o inicial) notificación. La notificación inicial debería haber provenido de la herramienta SIEM. Si la alerta provenía primero del proveedor, o el incidente es algo extremadamente atípico que la herramienta SIEM no capturó o la empresa no cuenta con la madurez de procesos que se presupone en esta pregunta.
   D. La red de la empresa de usuarios podría haber enviado la alerta inicial, si esta estuviera integrada con la herramienta SIEM; sin embargo, no existe suficiente información dentro del estudio de caso o esta pregunta para determinar eso como una certeza.

3. A. Una revisión posterior al incidente ya fue creada para incidentes que han ocurrido durante los tres meses anteriores, basado en la documentación actualizada que fue creada después del primer incidente.
   B. Realizar un análisis de impacto al negocio es el primer paso en el proceso de gestión de respuesta a incidentes. En este escenario, los incidentes ya han ocurrido y fueron respondidos; sin embargo, el impacto de negocio combinado de la actividad del incidente combinado debe ser tenido en cuenta antes de las discusiones con el proveedor. El proveedor debe entender el daño que causó al negocio ese tiempo de inactividad del sistema porque esto, junto con la consistencia de incidentes, serán la base desde donde se puede determinar una estrategia de respuesta.
   C. Se puede realizar la actualización de los planes de recuperación y respuesta a incidentes simultáneamente con la preparación para una reunión con el proveedor. Sin embargo, los planes de recuperación y respuesta sirven para ayudar a cuestiones que avanzan, mientras que la reunión con el proveedor es para tratar el impacto de los incidentes a medida que ocurren y constituir una respuesta consolidada para la capacidad de penetración en la falta de disponibilidad consistente del sistema.
   D. Los incidentes ya han ocurrido; por lo tanto, debe realizarse una evaluación del impacto, no una evaluación de riesgos.

Estudio de caso 2

En una importante institución financiera de EE. UU., el personal de bajo nivel que supervisa el centro de operaciones de red (NOC) notó una actividad de red inusual un domingo en la noche cuando el banco estaba cerrado. Sin tener certeza de lo que estaban viendo, decidieron observar el evento en lugar de arriesgarse a molestar a la gerencia un fin de semana. La empresa no había desarrollado criterios de severidad, requerimientos de notificación ni procesos de escalamiento. A las 3 a. m. del lunes, el tráfico siguió aumentando en la instalación principal y de repente comenzó a crecer significativamente en el sitio espejo, a cientos de millas de ahí. El personal de NOC continuó sin preocuparse y creyó que podía manejar el aumento en el tráfico.

A las 7:00 a. m. del lunes, el personal del NOC estaba lo suficientemente preocupado como para notificar a los gerentes de TI que había un problema y los monitores mostraban que la red se estaba saturando. Una hora más tarde, cuando el equipo externo de CIRT llegó, la red no estaba operativa y el equipo determinó que la red había sido afectada por el gusano Slammer. El gerente del equipo CIRT informó al gerente de TI que el gusano Slammer residía en la memoria y que el reinicio de toda la red y el sitio espejo resolvería el problema. El gerente manifestó que no tenía la autoridad para apagar el sistema y que el CIO necesitaría aprobar la acción. No se pudo ubicar al CIO, y los números actuales de teléfono de emergencia y de celular estaban guardados en un nuevo sistema de localización de emergencia que requería acceso a la red. Cuando se le preguntó sobre el DRP y lo que tenía que decir en relación a los criterios de declaración, surgieron tres planes diferentes que habían sido preparados por equipos de diferentes partes de la empresa, sin el conocimiento del trabajo del resto. Ninguno contenía criterios de declaración o roles, responsabilidades o autoridad específicos. La resolución final requirió que el CEO, quien estaba viajando al exterior y no estaba disponible de inmediato, diera instrucciones la mañana siguiente (el martes) para apagar la red con falla. La institución no pudo operar durante un día y medio, con más de 30 000 empleados que no pudieron realizar su trabajo. El equipo posterior al incidente calculó los costos directos finales en más de 50 millones de USD.

1. ¿Cuál de las siguientes opciones podría haber ayudado a los empleados de NOC a identificar la gravedad del incidente?

   A. Políticas de seguridad actualizadas
   B. Métricas de seguridad significativas
   C. Capacitación adicional sobre seguridad
   D. Mayor autonomía en la toma de decisiones

2. ¿Cuál es un ejemplo de una métrica que sería la **MÁS** significativa para el NOC en este escenario?

   A. Cantidad de tráfico durante un tiempo de interrupción típico
   B. Cantidad de transacciones por hora
   C. Duración del aumento en el tráfico antes de contactar a la gerencia
   D. El número de sistemas que muestran el tráfico

3. ¿Cuál de las siguientes opciones hubiera ayudado **MEJOR** al gerente de la red a contener el incidente de una manera más oportuna?

   A. Un plan único y aprobado de recuperación ante desastres
   B. Notificación temprana del NOC
   C. Mejor estructura de gobierno organizacional
   D. Capacitación adicional sobre seguridad para el personal

4. ¿Quién sería el responsable, en última instancia, por garantizar que esté implementado un único DRP para la empresa?

5. ¿Quién sería responsable por la falta de un DRP efectivo?

Respuestas en la página 354

Capítulo 4 Clave de respuestas

Estudio de caso 2

1. A. Las políticas de seguridad actualizadas hubieran ayudado a establecer los procedimientos de presentación de informes y escalamiento; sin embargo, las métricas de seguridad significativas ayudarían mejor a los empleados del centro de operaciones de red (NOC) a reconocer que está ocurriendo un incidente, lo que hubiera ayudado a reaccionar de una manera más efectiva.
   B. Para los que supervisan el NOC, las métricas indicaron un problema, pero no fueron lo suficientemente significativas como para que los empleados tomaran decisiones activas, mucho menos correctas. Mejores métricas o una mayor capacidad del personal pudo haber resuelto el problema rápidamente en las etapas iniciales del incidente antes de que este se convirtiera en un problema.
   C. La capacitación adicional sobre seguridad ayudaría a que los empleados supieran qué hacer si ocurriera un incidente; sin embargo, deben establecerse métricas significativas con el fin de hacer que la capacitación sea lo más impactante posible para que los incidentes puedan reconocerse y manejarse de manera oportuna.
   D. Mayor autonomía en la toma de decisiones es útil cuando hay implementadas métricas significativas que ayuden a los empleados a reconocer que están ocurriendo incidentes. Según esa información, pueden tomar decisiones informadas sobre cómo contener mejor los incidentes y responder ante ellos.

2. **A. Conocer el tráfico normal que ocurre en esa hora de la noche hubiera aclarado que la situación no era normal y que existía un grave problema.**
   B. Sin un punto de referencia, la cantidad de transacciones no hubiera sido especialmente significativa.
   C. La duración del tráfico sin un punto de referencia no hubiera sido significativa.
   D. El número de sistemas sin un punto de referencia no hubiera sido útil.

3. A. Un único plan de recuperación de desastres podría haber sido útil, pero sin ninguna autoridad definida no hubiera ayudado por sí mismo.
   B. La notificación temprana hubiera sido útil pero solo si la autoridad para actuar estuviera definida.
   C. Un mejor gobierno pudo haber conferido una autoridad adecuada al gerente de red para ejecutar la acción apropiada.
   D. La capacitación del personal hubiera sido útil para reconocer el evento pero la autoridad para actuar era fundamental.

4. Un plan de recuperación de desastres (DRP) para toda la empresa es un problema de gobierno; por lo tanto, es responsabilidad del consejo de dirección garantizar que esté implementado un DRP.

5. Un mejor gobierno hubiera garantizado que la gestión de riesgos estaba implementada; sin embargo, aquellos involucrados en el gobierno dirigen el programa. El CISO o CIO, a quienquiera que el gerente de seguridad de la información le presente los informes, sería el responsable del DRP ineficiente. El gerente de seguridad de la información y el IRT serían los responsables de revisar y probar periódicamente el DRP para asegurarse de que funciona como se espera.

Apéndice A: Información general para el examen CISM

ISACA es una asociación de miembros profesional compuesta por individuos interesados en auditoría de SI, aseguramiento, control, seguridad y gobierno. El Grupo de Trabajo de Certificación de CISM es responsable de establecer las políticas para el programa de certificación de CISM y de desarrollar el examen.

Nota

Debido a que la información con respecto al examen CISM podría cambiar, consulte en *https://www.isaca.org/credentialing/CISM* para obtener la información más actualizada.

Requisitos para la certificación

La designación del CISM se adjudica a aquellos individuos que han cumplido con los siguientes requisitos: 1) lograr una calificación de aprobado en el examen CISM, 2) cumplir con el Código de Ética Profesional, 3) cumplir con la política de educación continua, y 4) demostrar la experiencia laboral mínima requerida dando soporte al gobierno de la contribución relacionada con la TI de una empresa.

La aprobación del examen CISA

El examen está abierto a todas las personas que deseen presentarse. Los candidatos que hayan aprobado el examen no estarán certificados hasta que soliciten la certificación (y demuestren que han cumplido todos los requisitos) y reciban la aprobación de ISACA.

Experiencia en la seguridad de la información

Los candidatos a CISM deben cumplir los requisitos de experiencia estipulados para obtener la certificación. Consulte *www.isaca.org/credentialing/cism/get-cism-certified* para obtener los requerimientos de experiencia y una lista de exclusiones.

La experiencia se debe haber obtenido dentro del período de 10 años que precede a la fecha de solicitud de certificación o en los cinco años posteriores a la fecha de haber aprobado el examen inicialmente. La solicitud completada para obtener la certificación deberá presentarse dentro de un plazo de cinco años a partir de la fecha en que se haya aprobado el examen CISM. Toda la experiencia tiene que comprobarse en forma independiente con los respectivos empleadores.

Descripción del examen

El Grupo de Trabajo de Certificación de CISM supervisa el desarrollo del examen y garantiza la vigencia del contenido. Las preguntas del examen CISM se desarrollan a través de un proceso de varias capas diseñado para consolidar la calidad final del examen.

El propósito del examen es evaluar el conocimiento y la experiencia de un candidato en privacidad de datos. El examen consta de 150 preguntas de elección múltiple, administradas durante una sesión de tres horas.

Registro para el examen de certificación CISM

El examen CISM se realiza de forma continua en aulas de examen cualificadas. Consulte la Guía de Información para el Candidato al Examen de ISACA en *www.isaca.org/credentialing/cism* para obtener información específica sobre la inscripción al examen, incluyendo la inscripción, el calendario y los idiomas, así como información relevante para el día del examen. Las inscripciones para el examen se pueden realizar en línea en *www.isaca.org/credentialing/cism*.

Acreditación del programa CISM renovada según ISO/IEC 17024:2018

El Instituto Nacional de Normalización Estadounidense (ANSI) ha votado continuar con la acreditación para las certificaciones CISA, CISM, CGEIT, CRISC y CISM bajo norma ISO/IEC 17024:2018, Requisitos Generales para los Organismos que Operan Sistemas de Certificación de Personal. ANSI, una organización privada sin fines de lucro, acredita a otras organizaciones para que sirvan como certificadores de productos, sistemas y personal de terceros.

ISO/IEC 17024 especifica los requisitos a cumplir por las organizaciones que certifican a individuos en cuanto a requerimientos específicos. Según ANSI, de ISO/IEC 17024 "se espera que desempeñe un papel vital a la hora de facilitar una estandarización global de la comunidad de certificación, aumentar la movilidad de los medios de desplazamiento entre países y mejorar la seguridad pública y proteger a los consumidores".

La acreditación de ANSI:

- Promueve la pericia y las calificaciones exclusivas aportadas por las certificaciones de ISACA.
- Protege la integridad de las certificaciones y brinda defensa legal.
- Mejora la confianza del consumidor y del público en cuanto a las certificaciones y las personas que las poseen.
- Facilita la movilidad a través de fronteras o entre industrias.

La acreditación de ANSI significa que los procedimientos de ISACA cumplen con los requisitos esenciales de ANSI en cuanto a transparencia, equilibrio, consenso y debido proceso. Con esta acreditación, ISACA anticipa que seguirá habiendo oportunidades significativas abiertas para las certificaciones CISA, CISM, CGEIT y CRISC en los Estados Unidos y en todo el mundo.

Programación del examen

El examen CISM puede programarse directamente desde su panel de control de certificación My ISACA. Consulte la Guía de información del candidato a examen para ver las instrucciones completas. Los exámenes pueden reprogramarse en cualquier franja horaria disponible. Los exámenes pueden reprogramarse con un mínimo de 48 horas antes de la cita programada originalmente. Si está dentro de las 48 horas antes de su cita original, debe tomar el examen o perderá el importe de inscripción.

Durante el examen

Antes del día del examen asegúrese de que:

- Ubique el centro examinador y confirme la hora de inicio.
- Programe su llegada 15 minutos antes del inicio del examen.
- Planifique guardar sus pertenencias personales.
- Revise las reglas del día del examen.

Debe presentar una identificación (ID) aceptable para ingresar al centro examinador. Consulte la Guía de información del candidato al examen para ver las identificaciones aceptables.

Está prohibido traer lo siguiente al centro examinador:

- Materiales de consulta, documentos en papel, cuadernos o diccionarios de idiomas
- Calculadoras
- Cualquier tipo de dispositivo de comunicación, vigilancia o grabación, tales como:
  - Teléfonos celulares
  - Tabletas
  - Relojes o gafas inteligentes
  - Dispositivos móviles
- Equipaje de cualquier tipo, incluyendo bolsas, carteras o maletines
- Armas
- Productos de tabaco
- Alimentos o bebidas
- Visitantes

Si se detecta que los candidatos al examen tienen cualquier tipo de dispositivos de comunicación, vigilancia o grabación durante la administración del examen, sus exámenes serán invalidados y se les solicitará que abandonen inmediatamente la sala de examen.

Los artículos personales deben guardarse en un casillero u otra área designada hasta que el examen se haya completado y entregado.

Evite realizar actividades que pudieran invalidar la calificación de su examen.

- Crear molestias.
- Proporcionar o recibir ayuda, utilizar notas, documentos u otro tipo de ayuda.
- Intentar tomar el examen en lugar de otra persona.
- Tener en su poder dispositivos de comunicación, vigilancia o grabación, que incluyen, entre otros, teléfonos móviles, tabletas, gafas inteligentes, relojes inteligentes, dispositivos móviles, etc., durante la administración del examen.
- Intentar compartir preguntas o respuestas del examen u otro tipo de información incluida en el examen (ya que es información confidencial de ISACA); lo que incluye compartir preguntas del examen después de realizado el mismo.
- Retirarse del área examinadora sin autorización. (Estas personas no podrán regresar a la sala del examen).
- Acceder a elementos almacenados en el área de pertenencias personales antes de finalizar el examen.

Planificar el tiempo

El examen tiene lugar en un periodo de tres horas. Esto le permite poco más de un minuto y medio por pregunta. Por lo tanto, es recomendable que los candidatos controlen su ritmo para contestar todo el examen.

Calificación del examen

Las calificaciones de los candidatos se reportan como calificaciones escaladas. La calificación escalada es la conversión de la calificación bruta del candidato, en un examen, a una escala común. ISACA utiliza y reporta las calificaciones en una escala común de 200 a 800.

Un candidato deberá recibir una calificación de 450 o mayor para aprobar el examen. La calificación de 450 representa un estándar consistente mínimo de conocimiento de acuerdo con lo establecido por el Grupo de Trabajo de Certificación de CISM de ISACA. Si un candidato recibe una calificación aprobatoria, puede proceder a solicitar la certificación si cumple con el resto de los requisitos.

Aprobar el examen no otorga la acreditación CISM. Para recibir dicha certificación, el candidato deberá reunir todos los requisitos, incluyendo presentar una solicitud y recibir la aprobación de certificación.

El examen CISM contiene algunas preguntas que se incluyen solamente con propósitos de investigación y análisis. Estas preguntas no están identificadas en forma separada y su calificación final se basará solamente en las preguntas con calificación común. Hay varias versiones de cada examen pero solo las preguntas comunes se evalúan para calcular su calificación.

Un candidato que reciba una puntuación menor de 450 no habrá tenido éxito y podrá volver a examinarse registrándose y pagando el importe del examen correspondiente. Para asistir con los estudios futuros, la carta de resultados que reciba cada candidato incluirá un análisis de calificación en cada área de contenido.

Podrá recibir calificación preliminar en la pantalla, inmediatamente después de finalizar su examen. **Su calificación oficial será enviada por correo electrónico en un plazo de 10 días hábiles**. No se proporcionarán resultados a nivel de pregunta.

Para conseguir la certificación CISM, los candidatos deben aprobar el examen CISM, así como completar y enviar una solicitud de certificación (también deberán recibir la confirmación de ISACA de que aprobaron el examen). La solicitud está disponible en el sitio web de ISACA en *www.isaca.org/credentialing/cism*. Después de aprobar la solicitud, el solicitante recibirá confirmación de la aprobación. El candidato no recibe la certificación CISM ni puede utilizar la designación CISM hasta que se apruebe su solicitud. Las aplicaciones para la certificación en CISM deben estar acompañadas del pago de la tarifa de procesamiento.

Los candidatos que obtengan una calificación de suspenso en el examen pueden solicitar la recalificación de su examen en el plazo de 30 días desde la publicación de los resultados del examen. Todas las solicitudes deben incluir el nombre del candidato, el número de identificación del examen y la dirección de correo. La solicitud debe venir acompañada de la cuota de $75 dólares estadounidenses.

Esta página se ha dejado en blanco deliberadamente

Apéndice B: Práctica laboral de CISM

Subdominios de conocimientos relacionados

Dominio 1: Gobierno de seguridad de la información

A. Gobierno de la empresa
1. Cultura organizativa
2. Requisitos legales, regulatorios y contractuales
3. Estructura, roles y responsabilidades organizativas

B. Estrategia de seguridad informacional
1. Desarrollo de estrategias de seguridad de la información
2. Marcos y normas de gobierno de la información
3. Planificación estratégica

Dominio 2: Gestión de riesgo de la seguridad de la información

A. Evaluación del riesgo de seguridad de la información
1. Riesgo emergente y escenario de amenazas
2. Análisis de vulnerabilidades y deficiencias de controles
3. Evaluación y análisis del riesgo

B. Respuesta al riesgo de seguridad de la información
1. Opciones de tratamiento del riesgo/respuesta al riesgo
2. Propiedad del riesgo y del control
3. Supervisión y presentación de informes de riesgos

Dominio 3: Programa de seguridad de la información

A. Desarrollo de un programa de seguridad de la información
1. Recursos del programa de seguridad de la información
2. Identificación y clasificación de los activos de información
3. Estándares y marcos de la industria para la seguridad de la información
4. Políticas, procedimientos y estándares de seguridad de la información
5. Métricas del programa de seguridad de la información

B. Gestión del programa de seguridad de la información
1. Diseño y selección de controles de seguridad de la información
2. Implementación e integración de controles de seguridad de la información
3. Pruebas y evaluación de los controles de seguridad de la información
4. Concienciación y capacitación de la seguridad de la información
5. Gestión de servicios externos
6. Comunicación y entrega de informes para el programa de seguridad de la información

Dominio 4: Gestión de incidentes

A. Preparación para la gestión de incidentes
1. Plan de respuesta a incidentes
2. Análisis del impacto en el negocio
3. Plan de continuidad del negocio
4. Plan de recuperación de desastre
5. Clasificación y categorización de incidentes
6. Capacitación, pruebas y evaluación de la gestión de incidentes

B. Operaciones de gestión de incidentes
1. Herramientas y tecnologías para la gestión de incidentes
2. Investigación y evaluación de incidentes
3. Métodos de contención de incidentes
4. Comunicaciones de respuesta a incidentes
5. Erradicación y recuperación de incidentes
6. Prácticas de revisión posterior al incidente

Tareas de apoyo
1. Identificar las influencias internas y externas para la empresa que tienen un impacto con la estrategia de seguridad de la información.
2. Establecer y mantener una estrategia de seguridad de la información alineada con las metas y objetivos de la organización para orientar el establecimiento y la

administración continua del programa de seguridad de la información.
3. Establecer y mantener un sistema de gestión de seguridad de la información.
4. Integrar el gobierno de la seguridad de la información dentro del gobierno corporativo.
5. Establecer y mantener políticas de seguridad de la información para orientar el desarrollo de normas, procedimientos y pautas.
6. Desarrollar casos de negocio para apoyar la inversión en seguridad de la información.
7. Obtener el compromiso constante del personal directivo y de otras partes interesadas para apoyar la implementación exitosa de la estrategia de seguridad de la información.
8. Definir, comunicar y monitorear las responsabilidades de seguridad de la información en toda la empresa y las líneas de autoridad.
9. Compilar y presentar informes a las partes interesadas clave sobre las actividades, las tendencias y la efectividad general del programa de seguridad de la información.
10. Evaluar y presentar informes sobre las métricas de seguridad de la información a las partes interesadas clave.
11. Establecer y mantener el programa de seguridad de la información alineado con la estrategia de seguridad de la información.
12. Alinear el programa de seguridad de la información con los objetivos operativos de otras funciones del negocio.
13. Establecer y mantener procesos de seguridad de la información y recursos para ejecutar el programa de seguridad de la información.
14. Establecer, comunicar y mantener a nivel organizativo políticas de seguridad de la información, estándares, guías, procedimientos y otra documentación.
15. Establecer, promover y mantener un programa de concienciación y formación sobre seguridad de la información.
16. Conocimiento de los métodos para integrar los requisitos de seguridad de la información en los procesos de la empresa.
17. Integrar los requisitos de seguridad de la información en contratos y actividades de partes externas.
18. Supervisar el cumplimiento de las partes externas de los requisitos de seguridad establecidos.
19. Definir y supervisar las métricas de gestión y operativas para el programa de seguridad de la información.
20. Establecer un proceso para la identificación y clasificación de activos de la información.
21. Identificar los requisitos legales, regulatorios, organizativos y otros requisitos de cumplimiento aplicables.
22. Participar y/o supervisar el proceso de identificación, evaluación y tratamiento de riesgos.
23. Participar y/o supervisar el proceso de evaluación de vulnerabilidades y análisis de amenazas.
24. Identificar, recomendar o implementar opciones adecuadas de tratamiento y respuesta al riesgo para llevar el riesgo a niveles aceptables en función del apetito por el riesgo de la organización.
25. Determinar si los controles de seguridad de la información son adecuados y gestionan el riesgo de manera efectiva hasta un nivel aceptable.
26. Facilitar la integración de la gestión de riesgos de la información entre el negocio y los procesos de TI.
27. Supervisar factores internos y externos que pueden requerir la reevaluación del riesgo.
28. Reportar sobre el riesgo de seguridad de la información, incluyendo el incumplimiento legal y los cambios en los riesgos de la información, a las partes interesadas clave para facilitar el proceso de toma de decisiones en la gestión de riesgos.
29. Establecer y mantener el plan de respuesta a incidentes, en línea con el plan de continuidad del negocio y el plan de recuperación ante desastres.
30. Establecer y mantener un proceso de clasificación y categorización de los incidentes de seguridad de la información.
31. Desarrollar e implementar procesos para garantizar la identificación oportuna de los incidentes de seguridad de la información.
32. Establecer y mantener procesos para investigar y documentar los incidentes de seguridad de la información según los requisitos legales y regulatorios.
33. Establecer y mantener los procesos de gestión de incidentes, como la contención, la notificación, el escalamiento, la erradicación y la recuperación.
34. Organizar, formar, equipar y asignar responsabilidades a los equipos de respuesta a incidentes.
35. Establecer y mantener los planes de comunicación de incidentes y los procesos de comunicación para entidades internas y externas.
36. Evaluar los planes de gestión de incidentes de seguridad mediante pruebas y revisiones, como ejercicios por ordenador, revisión de listas de comprobación, pruebas de simulación e intervalos previstos.
37. Realizar revisiones posteriores al incidente para facilitar la mejora continua, incluido el análisis de la causa raíz, las lecciones aprendidas, las acciones correctivas y la reevaluación del riesgo.

Glosario

A

Acceso Wi-Fi protegido II (WPA2)—Un protocolo de seguridad inalámbrica que soporta los estándares de cifrado 802.11i para proporcionar mayor seguridad. Este protocolo utiliza el Estándar de Encriptación Avanzada (AES) y el protocolo de integridad de clave temporal (TKIP) para un cifrado fuerte.

Acción de recuperación—Una respuesta o tarea ejecutada para recuperarse de una interrupción en las operaciones de acuerdo con un procedimiento escrito.

Aceptación del riesgo—Una decisión de aceptar un riesgo, tomada conforme al apetito de riesgo y la tolerancia al riesgo establecida por la alta gerencia, donde la empresa puede asumir el riesgo y absorber cualquier pérdida.

Activo—Algo de valor tangible o intangible que vale la pena proteger, incluyendo a las personas, la información, la infraestructura, las finanzas y la reputación.

Acuerdo de nivel de servicio (SLA)—1. Un acuerdo, preferiblemente documentado, entre un proveedor de servicios y el cliente/usuario que define los objetivos mínimos de rendimiento para un servicio y cómo se cuantificarán (ISACA).

2. Un contrato entre un proveedor de servicios interno o externo y el cliente o el usuario final que define el nivel de servicio que se espera del proveedor de servicios. Los SLA se basan en definir lo que el cliente recibirá. Los SLA no definen cómo se proporcionará o entregará el propio servicio. (CMMI®)

Acuerdo recíproco—Un acuerdo de procesamiento de emergencia entre dos o más empresas con aplicaciones y equipos similares.

Notas de alcance: Por lo general, quienes celebran un acuerdo reciproco prometen proporcionarse tiempo de procesamiento entre sí cuando surja una emergencia.

Agente de amenaza—Los métodos y las cosas utilizados para explotar una vulnerabilidad.

Notas de alcance: Algunos ejemplos son la determinación, la capacidad, la motivación y los recursos.

Algoritmo—Conjunto finito de reglas bien definidas e inequívocas para la solución de un problema en un número finito de pasos. Es una secuencia de acciones operativas que conducen a un objetivo deseado y es el componente básico de un programa.

Almacén de datos (DW)—Término genérico para un sistema que almacena, recupera y administra grandes volúmenes de datos.

Notas de alcance: El software de almacén de datos a menudo incluye técnicas complejas de comparación y fragmentación (hashing) para búsquedas rápidas y filtración avanzada.

Almacenamiento externo—La locación que contiene copias de respaldo que se van a utilizar en caso de que sea necesaria la recuperación o restablecimiento cuando ocurre un desastre.

Alojamiento web—El negocio de proporcionar el equipo y los servicios que se requieren para alojar y mantener archivos para uno o más sitios Web, así como para proporcionar conexiones rápidas de Internet a dichos sitios.

Notas de alcance: La mayor parte del alojamiento es "compartido", lo que significa que los sitios Web para múltiples compañías están en el mismo servidor a fin de compartir/reducir los costos.

Amenaza—Cualquier cosa (por ejemplo, un objeto, una sustancia, un ser humano) que es capaz de actuar contra un activo de una manera que pueda dañarlo.

Notas de alcance: Causa potencial de un incidente indeseado (ISO/IEC 13335).

Amenaza persistente avanzada (APT)—Un adversario que posee un alto nivel de experiencia y una cantidad relevante de recursos, que le permiten crear oportunidades para lograr sus objetivos mediante múltiples vectores de ataque, por ejemplo, a través de medios cibernéticos, físicos y del engaño. Estos objetivos, normalmente, incluyen establecer y extender las bases dentro de la infraestructura de tecnologías de la información de las organizaciones objetivo, con el propósito de extraer información, perjudicar o dificultar los aspectos críticos de una misión para llevar a cabo estos objetivos en el futuro. Una amenaza persistente avanzada (APT):

- Persigue sus objetivos repetidamente durante un periodo de tiempo prolongado.

- Se adapta a los esfuerzos de los defensores para resistir.
- Se propone mantener el nivel de interacción necesario para ejecutar sus objetivos.

Fuente: CMMC-NIST SP800-39

Análisis comparativo (benchmark)—Enfoque sistemático para comparar el desempeño de una empresa con el de sus pares y competidores a fin de aprender la mejor forma de hacer negocios

Notas de alcance: Los ejemplos incluyen el análisis comparativo de calidad, la eficiencia logística y algunos otros indicadores.

Análisis de amenazas—Una evaluación del tipo, el alcance y la naturaleza de los eventos o las acciones que pueden ocasionar consecuencias adversas; la identificación de las amenazas que existen contra los activos de la empresa.

Notas de alcance: El análisis de amenazas suele definir el nivel de amenaza y la probabilidad de que esta se materialice.

Análisis de causa raíz—Un proceso de diagnóstico para establecer los orígenes de los eventos que pueden ser utilizados para aprender de las consecuencias, típicamente de errores y problemas.

Análisis de criticidad—Evaluación de los recursos o funciones del negocio para identificar su importancia para la empresa, y el impacto si una función no se puede completar o un recurso no está disponible.

Análisis de impacto—Un estudio para priorizar la criticidad de los recursos de información para la empresa basado en los costos (o consecuencias) de eventos adversos. En un análisis del impacto se identifican amenazas a los activos y se determinan pérdidas de negocio potenciales para diferentes periodos. Esta evaluación se utiliza para justificar la protección requerida y los tiempos de recuperación. Este análisis es la base para establecer la estrategia de recuperación.

Análisis de impacto en el negocio (BIA)—El proceso de evaluación de la criticidad y sensibilidad de los activos de información, mediante la determinación del impacto para una empresa de la pérdida del soporte de cualquier recurso. Establece el proceso de escalamiento de una pérdida a lo largo del tiempo, identifica los recursos mínimos necesarios a recuperar y prioriza la recuperación de los procesos y el sistema de soporte.

Notas de alcance: Este proceso captura la pérdida de ingresos, gastos inesperados, problemas legales (cumplimiento regulatorio o contractual), procesos interdependientes y pérdida de la reputación y de la confianza públicas.

Análisis de rentabilidad—Un análisis de resultados netos que se basa en la adición de factores positivos y la sustracción de factores negativos para construir un caso de negocio que respalde una respuesta al riesgo.

Análisis de riesgos—1. Un proceso por el cual se calculan la frecuencia y la magnitud de los escenarios de riesgo de TI.

2. Los pasos iniciales de la gestión de riesgos: el análisis del valor de los activos para el negocio, la identificación de las amenazas a esos activos y la evaluación de la vulnerabilidad de cada activo a esas amenazas.

   Notas de alcance: El análisis de riesgos a menudo involucra la evaluación de la probable frecuencia de un evento en particular, además del impacto probable de ese evento.

Análisis de vulnerabilidades—Un proceso de identificación y clasificación de vulnerabilidades.

Antimalware—Una tecnología ampliamente utilizada para prevenir, detectar y eliminar muchas categorías de malware, incluyendo virus, gusanos, troyanos, keyloggers, plug-ins de explorador maliciosos, adware y spyware.

Antiphishing—Software que identifica el contenido de phishing y trata de bloquear contenido o advertir al usuario sobre la naturaleza sospechosa de este.

Apetito de riesgo—La cantidad de riesgo que, en términos generales, una entidad está dispuesta a aceptar para llevar a cabo su misión.

Archivo particionado—Formato de un archivo en el que se divide al archivo en varios subarchivos y se establece un directorio para localizar cada subarchivo.

Archivos de firma de virus—El archivo de los patrones de un virus que se comparan con los archivos existentes para determinar si están infectados con algún virus o gusano.

Archivos fuera de línea—Medios de almacenamiento de archivos informáticos que no están físicamente conectados a un ordenador. Los ejemplos típicos incluyen cintas o cartuchos de cinta utilizados con fines de copia de seguridad.

Arquitectura—1. Descripción del diseño de los componentes del sistema de negocio o de uno de sus elementos (por ejemplo, la tecnología), las relaciones entre ellos y la manera en la que están alineados con los objetivos de la empresa (ISACA).

2. Conjunto de estructuras que se deben considerar para definir una solución. Estas estructuras están formadas por componentes o elementos más pequeños, por las relaciones entre esas estructuras y por los elementos y las propiedades de ambos (CMMI).

   Consulte Arquitectura funcional.

Atacantes que suplantan/secuestran identidades—Atacantes que penetran los sistemas mediante el uso de la identidad y las credenciales de acceso de usuarios legítimos.

Ataque de denegación de servicio (ataque de DoS)—Un ataque a un servicio desde un único origen que lo inunda con tantas solicitudes que queda sobrecargado y se detiene completamente o funciona a una velocidad significativamente menor.

Ataque de denegación de servicio distribuido (DDoS)—Un ataque de denegación de servicio (DoS) desde múltiples orígenes.

Ataque de fuerza bruta—Un ataque que intenta de forma metódica todas las posibles combinaciones de contraseñas y claves de encriptación hasta que se encuentra la correcta.

Ataque "man-in-the-middle" (MitM)—Una estrategia en la cual el atacante intercepta el flujo de comunicación entre dos partes del sistema objetivo y luego reemplaza el tráfico con el propio sistema del intruso, asumiendo eventualmente el control de la comunicación.

Autenticación—1. El acto de verificar la identidad, es decir, un usuario, un sistema.

Notas de alcance: También puede referirse a la verificación de la exactitud de un dato.

2. El acto de verificar la identidad de un usuario o la elegibilidad del usuario para acceder a información

   Notas de alcance: La autenticación está diseñada para proteger contra actividades de inicio de sesión fraudulentas. También puede referirse a la verificación de la exactitud de un dato.

Autenticación de dos factores—El uso de dos mecanismos independientes para autenticación (por ejemplo, solicitar tanto una tarjeta inteligente como una contraseña); en general, la combinación de algo que se conoce, que es o tiene.

Autoridad de certificación (CA)—Un tercero de confianza que sirve a infraestructuras de autenticación o empresas, registra entidades y emite certificados de entidades.

Autorización—El proceso de determinar si el usuario final puede tener acceso a un activo de información o al sistema de información que contiene el activo.

B

Bit (Bit)—Contracción del término "dígito binario", y la unidad más básica y pequeña de información informática. Un bit puede encontrarse en uno de estos dos estados: lógica 1 o lógica 0. Se puede pensar como un interruptor encendido o apagado. Los bits suelen combinarse en palabras informáticas de varios tamaños, llamados "bytes".

Bloqueador de escritura—Un dispositivo que permite la adquisición de información en una unidad sin crear la posibilidad de dañar accidentalmente la unidad.

Botnet—Término derivado de un "robot network" (red de robots); es una red numerosa, automatizada y distribuida de ordenadores previamente comprometidos que pueden ser controlados simultáneamente para lanzar ataques a gran escala, tales como un ataque de denegación de servicios a víctimas determinadas.

C

Cadena de custodia—El proceso de gestión de pruebas (desde la recopilación hasta su presentación) necesario para mantener la validez e integridad de las pruebas.

Notas de alcance: Incluye documentación sobre quién tuvo acceso a las pruebas y cuándo, así como la capacidad de identificar la evidencia como el elemento exacto que se recuperó o probó. La falta de control sobre las pruebas puede conducir a su desacreditación. La cadena de custodia depende de verificar que las pruebas no se hayan podido alterar. Esto se logra sellando la evidencia para que no se pueda cambiar, y proporcionando un registro documental de la custodia para probar que las pruebas han estado, en todo momento, bajo estricto control y no sujetas a manipulación.

Caso de negocio—Documentación del razonamiento para que una empresa haga una inversión, utilizada para apoyar una decisión sobre si proceder o no con la inversión y como herramienta operativa para apoyar la gestión de la inversión a través de su ciclo completo de vida económica

Centro de control—Alberga las reuniones de recuperación que manejan operaciones de recuperación de desastre.

Centro de respaldo—Instalación alterna para continuar con las operaciones de TI/SI cuando el centro principal de procesamiento de datos no está disponible

Centro de soporte (help desk)—Servicio que ofrece una empresa a sus clientes o empleados a través del teléfono o de Internet, que proporciona información, ayuda y consejos para solucionar problemas en materia de software, hardware o redes.

Notas de alcance: Un centro de soporte (help desk) es atendido por gente que puede resolver el problema por su cuenta o escalar el problema al personal especializado. Un centro de soporte está a menudo equipado con software para la gestión de relaciones con el cliente (CRM) que registra los problemas y les da seguimiento hasta que se resuelven.

Certificado digital—Una credencial electrónica que permite a una entidad intercambiar información de forma segura a través de Internet usando la infraestructura de clave pública (PKI)

Cifrado—El proceso de tomar un mensaje no cifrado (texto plano), aplicarle una función matemática (algoritmo de cifrado con una clave) y producir un mensaje encriptado (texto codificado).

Clasificación de datos—La asignación de un nivel de sensibilidad a los datos (o información) que resulta en la especificación de controles para cada nivel de clasificación. Los niveles de sensibilidad de datos se asignan de acuerdo a categorías predefinidas a medida que los datos se crean, modifican, mejoran, almacenan o transmiten. El nivel de clasificación es un indicador del valor o importancia que tienen los datos para la empresa.

Clave asimétrica (clave pública)—Una técnica de encriptación por la cual se usan distintas claves criptográficas para encriptar y desencriptar un mensaje.

Notas de alcance: Consulte cifrado de clave pública.

Clave de desencriptación—Una pieza digital de información que se utiliza para recuperar texto plano de su texto cifrado correspondiente mediante desencriptación.

Clave privada—Una clave matemática (que el propietario mantiene en secreto) que se utiliza para crear firmas digitales y, según el algoritmo, para descifrar mensajes o archivos encriptados por motivos de confidencialidad con la correspondiente clave pública.

Clave pública—Es un esquema criptográfico asimétrico donde la clave puede publicarse abiertamente para permitir el funcionamiento del esquema.

COBIT—1. **COBIT 2019**: La iteración actual de COBIT, que se integra y se basa en más de 25 años de desarrollo en este campo del gobierno empresarial de información y tecnología (TI). No solo incorpora nuevos conocimientos de la ciencia, sino que también los aplica en forma de prácticas. COBIT es un marco de gestión y gobierno de TI amplio y exhaustivo que sigue estableciéndose como un marco generalmente aceptado para el gobierno de TI.

Notas de alcance: Las versiones anteriores de COBIT se centraban en tecnología de la información (TI), mientras que COBIT 2019 se centra en información **y** tecnología dirigidas a la empresa completa, reconociendo que TI se ha convertido en algo fundamental para el soporte, la sostenibilidad y el crecimiento de las empresas. (Consulte *www.isaca.org/cobit* para obtener más información).

2. **COBIT 5**: Un marco completo, internacionalmente aceptado, para el gobierno y la gestión de la información de la empresa y la tecnología de la información (TI) que soporta a los ejecutivos de la empresa y los gestores en la definición y consecución de las metas de negocio y de TI relacionadas. Conocido antiguamente como Objetivos de Control para Tecnologías de Información o Relacionadas (COBIT) y en esta iteración solo por el acrónimo. COBIT describe cinco principios y siete facilitadores que apoyan a las empresas en el desarrollo, la implementación, la mejora continua y la monitorización de buenas prácticas de gobierno y gestión relacionadas con TI.

   Notas de alcance: Las versiones previas de COBIT se enfocaban en objetivos de control relacionados con los procesos de TI, gestión y control de los procesos de TI y aspectos del gobierno. La adopción y el uso del marco COBIT se ve apoyada por una creciente familia de productos de soporte.
3. **COBIT 4.1 y anteriores**: Un marco completo, internacionalmente aceptado para TI que apoya el negocio y los ejecutivos y gerentes de TI en la definición y consecución de las metas de negocio y de TI relacionadas, a través un modelo extenso de gobierno, gestión, control y aseguramiento. Conocido formalmente como Objetivos de Control para Tecnologías de Información o Relacionadas (COBIT). COBIT describe los procesos de TI y objetivos de control asociados, directrices de gestión

(actividades, responsabilidades sobre ejecución, otras responsabilidades, métricas de rendimiento) y modelos de madurez. COBIT da soporte a los gerentes de la empresa en el desarrollo, implementación, mejora continua y supervisión de buenas prácticas relacionadas con TI.

Notas de alcance: La adopción y el uso del marco COBIT están respaldados por directrices para ejecutivos y directivos (Instrucciones del Consejo sobre gobierno de TI, 2.a edición), implementadores de gobierno de TI (COBIT Quickstart, 2.a edición; Guía de implementación de gobierno de TI: Uso de COBIT y Val IT, 2.a edición; y Prácticas de control de COBIT: Guía para lograr objetivos de control para un gobierno de TI exitoso) y profesionales de auditoría y garantía de TI (Guía de garantía de TI mediante COBIT). También existe orientación para contribuir a su aplicabilidad para determinados requisitos legislativos y regulatorios (p. ej., IT Control Objectives for Sarbanes-Oxley, IT Control Objectives for Basel II) y su relevancia para la seguridad de la información (línea base de seguridad con COBIT). COBIT se asigna a otros marcos y estándares para ilustrar la cobertura completa del ciclo de vida de la gestión de TI y respaldar su uso en empresas que utilizan múltiples marcos y estándares relacionados con TI.

Código de autenticación de mensajes (MAC)—Una suma de verificación estándar del ANSI que se calcula mediante el Estándar de encriptación de datos (DES).

comité de dirección de TI—Comité ejecutivo a nivel gerencial que asiste a los ejecutivos en la entrega de la estrategia de TI, supervisa la gestión diaria de la prestación de servicios de TI y los proyectos de TI y se centra en los aspectos de implementación.

Comité de estrategias de TI—Un comité a nivel de la junta directiva para garantizar que el consejo esté involucrado en las principales cuestiones y decisiones de TI.

Notas de alcance: El comité es principalmente responsable de la gestión de las carteras de inversiones habilitadas por TI, de los servicios de TI y de otros recursos de TI. El comité es el titular de la cartera.

Comprobación en oficina del plan de recuperación ante desastres (DRP)—Por lo general una lectura de un plan de recuperación de desastre (DRP) sin que se tome ninguna acción real.

Notas de alcance: En general implica leer el plan, discutir los puntos de acción y definir cualquier brecha que pudiera identificarse.

Confidencialidad—Preservar restricciones autorizadas al acceso y a la divulgación, incluyendo medios para la protección de la privacidad y la propiedad de la información.

Conjunto redundante de discos económicos (RAID)—Una configuración de almacenamiento que utiliza hardware o software para escribir información en varios discos para mejorar el rendimiento y las capacidades tolerantes a fallos y/o guardar archivos grandes simultáneamente.

Conmutación de paquetes—Proceso de transmisión de mensajes en piezas convenientes que se pueden volver a ensamblar en el destino.

Conocimiento dividido/clave dividida—Una técnica de seguridad en la que dos o más entidades mantienen por separado elementos de datos que individualmente no transmiten ningún conocimiento de la información resultante de la combinación de los elementos. Esta es una condición bajo la cual dos o más entidades tienen componentes clave por separado que individualmente no transmiten ningún conocimiento de la clave de texto sin formato que se producirá cuando los componentes clave se combinen en el módulo criptográfico.

Continuidad de negocio—Término que contempla la prevención, mitigación y recuperación de una interrupción.

Notas de alcance: Los términos "plan de reanudación de negocio", "plan de recuperación ante desastres" y "plan de contingencia" también se pueden utilizar en este contexto, ya que se centran en los aspectos de recuperación de la continuidad. Por ese motivo, también debe tenerse en cuenta la "resiliencia".

Notas de alcance: Perspectiva de COBIT 5 y COBIT 2019

Contramedida—La reducción de amenazas o vulnerabilidades a través de cualquier proceso directo

Control—Los medios para gestionar el riesgo, incluyendo políticas, procedimientos, guías, prácticas o estructuras organizacionales, los cuales pueden ser de naturaleza administrativa, técnica, gerencial o legal.

Notas de alcance: También se utiliza como sinónimo de salvaguarda o de contramedida.

Consulte Control interno

Control Compensatorio—Un control interno que reduce el riesgo de que una debilidad de control existente o potencial tenga como resultado errores y omisiones.

Control de acceso—Los procesos, las reglas y los mecanismos de implementación que controlan el acceso a los sistemas de información, a los recursos y al acceso físico a las instalaciones.

Control de acceso discrecional (DAC)—Filtros de control de acceso lógicos que pueden configurarse o modificarse por los usuarios o propietarios de los datos.

Control de acceso obligatorio (MAC)—Son filtros lógicos de control de acceso usados para validar las credenciales de acceso que no pueden ser controladas o modificadas por usuarios normales o propietarios de los datos.

Control de redundancia cíclica (CRC)—

Control dual—Un procedimiento en el que dos o más entidades (por lo general, personas) operan en conjunto para proteger un recurso de un sistema, de tal forma que ninguna otra entidad que actúe sola pueda acceder a dicho recurso.

Controles administrativos—Las reglas, los procedimientos y las prácticas que están relacionados con la efectividad operativa, la eficiencia y el cumplimiento con las regulaciones y las políticas establecidas por la Dirección.

Controles de acceso de los medios (MAC)—Subcapa inferior de la capa de enlace de datos del modelo OSI.

Controles de aplicación—Las políticas, los procedimientos y las actividades diseñadas para proporcionar una seguridad razonable de la consecución de los objetivos relevantes para una determinada solución automatizada (aplicación).

Controles internos—Las políticas, los procedimientos, las prácticas y las estructuras organizacionales que están diseñados para brindar una confianza razonable de que se alcanzarán los objetivos de negocio y que se evitarán, o bien, detectarán y corregirán los eventos no deseados.

Copia de bits—

Copia de la imagen de un disco duro—Las copias de respaldos bit-stream, también conocidos como respaldos espejo, implican respaldar todas las áreas de una unidad de disco duro de una computadora u otro tipo de medio de almacenamiento.

Notas de alcance: Dichos respaldos replican exactamente todos los sectores de un determinado dispositivo de almacenamiento, incluyendo todos los archivos y las áreas de almacenamiento de datos ambientales.

Cortafuegos—Un sistema o combinación de sistemas que impone un límite entre dos o más redes normalmente formando una barrera entre un ambiente seguro y un ambiente abierto como el de Internet.

COSO (COSO)—The Committee of Sponsoring Organizations of the Treadway Commission

Notas de alcance: "Control Interno: un Marco Integrado" de COSO es un estándar aceptado internacionalmente para el gobierno corporativo. Consulte *www.coso.org*.

Costo total de la propiedad (TCO)—Incluye el costo original del equipo computacional más el costo del software, hardware y actualizaciones de software, mantenimiento, soporte técnico, entrenamiento y ciertas actividades llevadas a cabo por usuarios.

Criptografía—Estudio de técnicas matemáticas relacionadas con aspectos de la seguridad de la información, como la confidencialidad, la integridad de los datos, la autenticación de entidades y la autenticación del origen de los datos.

Criticidad—La importancia de un activo o una función particular para la empresa, y el impacto si ese activo o función no está disponible.

Custodio de datos—Individuo(s) y departamento(s) responsable(s) del almacenamiento y salvaguarda de datos informatizados.

D

Debido cuidado—El nivel de cuidado que se espera de una persona razonable de competencia similar en condiciones similares.

Declaración de desastre—La comunicación a las partes internas y externas pertinentes de que se ha puesto en operación el plan de recuperación de desastre (DRP).

Declaración de práctica de certificación (CPS)—Un conjunto detallado de leyes que gobierna las operaciones de la autoridad de certificación (CA). Proporciona una comprensión del valor y confiabilidad de los certificados entregados por una CA determinada.

Notas de alcance: En cuanto a los controles que observa una empresa, este es el método que usa para validar la autenticidad de los solicitantes de certificados y las expectativas de la CA de cómo se pueden usar sus certificados.

Defensa en profundidad—La práctica de dividir en capas las defensas para proporcionar una mayor protección. La defensa en profundidad mejora la seguridad al aumentar el esfuerzo necesario en un ataque, colocando múltiples barreras entre un atacante y los recursos informáticos y de información de la empresa.

Derechos de acceso—Los permisos o privilegios concedidos a usuarios, programas o estaciones de trabajo para crear, modificar, eliminar o visualizar datos y archivos dentro de un sistema, de acuerdo a lo definido por las reglas establecidas por los propietarios de datos y la política de seguridad de la información

Descentralización—Proceso de distribución del procesamiento informático a diferentes lugares dentro de una empresa.

Desimantación—La aplicación de niveles variables de corrientes alternas con el propósito de desmagnetizar medios magnéticos de registro.

Notas de alcance: El proceso implica aumentar en forma gradual el campo de corriente alterna de cero a un valor máximo y otra vez de vuelta a cero, lo que deja un residuo mínimo de inducción magnética en el medio. Por lo general, la desimantación significa borrar.

Detección de anomalías—Detección si la actividad del sistema coincide con lo definido como anormal.

Detección de intrusiones—El proceso de monitorear los eventos que ocurren en un sistema o red informático para detectar señales de accesos no autorizados o ataques.

Diligencia debida—La realización de acciones que suelen considerarse prudentes, responsables y necesarias para llevar a cabo una investigación, revisión o análisis objetivo y exhaustivo.

Director de informática (CIO)—El más alto funcionario de la empresa que es responsable de la promoción de TI, del alineamiento de TI y de las estrategias empresariales y de la planificación, financiamiento y gestión de la prestación de servicios de TI, de información y de la utilización de los recursos humanos asociados.

Notas de alcance: En algunos casos, la función del CIO se ha ampliado para convertirse en el director de servicios de gestión del conocimiento (CKO). El CKO trata el conocimiento, no solo la información. Consulte también director general de tecnología (CTO).

Director de seguridad de la información (CISO)—La persona a cargo de la seguridad de la información en una empresa

Director general de seguridad (CSO)—La persona que, por lo general, es responsable de todas las cuestiones de seguridad física y digital en una empresa.

Director general de tecnología (CTO)—La persona que se centra en los aspectos técnicos de una empresa.

Notas de alcance: Se considera a menudo sinónimo de director de información (CIO).

Directriz—Una descripción de una determinada manera de lograr algo que es menos prescriptivo que un procedimiento.

Disponibilidad—La capacidad de garantizar el acceso y uso de la información de una forma oportuna y fiable.

Duplicación (o copia espejo) de discos—La práctica de duplicar datos en volúmenes separados en dos discos duros para hacer que el almacenamiento sea más tolerante a las fallas. El copiado protege los datos en caso de un fallo en el disco, ya que los datos se actualizan constantemente en ambos discos.

E

El propietario de los datos—La persona o personas responsables de la integridad, precisión de los informes y uso de los datos computarizados

Encriptación por clave simétrica—Un sistema en el cual una clave diferente (o conjunto de claves) es utilizada por cada par de socios comerciales para asegurar que nadie más que ellos puedan leer sus mensajes. La misma clave se utiliza para la encriptación y la desencriptación.

Consulte Criptosistema de clave privada.

Equipo azul—Un grupo que realiza proactivamente exámenes sistemáticos de sistemas o productos de información para determinar la idoneidad de las medidas de seguridad, identificar deficiencias de seguridad, responder a incidentes técnicos de seguridad y confirmar la idoneidad de dichas medidas después de la implementación. Los equipos azules suelen estar formados por personal de seguridad interno que puede formar parte o no del centro de operaciones de seguridad de una empresa.

Equipo rojo—Un grupo autorizado y organizado para simular agentes maliciosos utilizando técnicas y procedimientos similares y proporcionar retroalimentación desde una perspectiva ofensiva. Los equipos rojos suelen ser contratados por las organizaciones con equipos de seguridad grandes y difieren de las pruebas de intrusión. Aunque ambos comparten la meta de mejorar la seguridad, las pruebas de intrusión suelen centrarse en identificar vulnerabilidades técnicas con un enfoque estrecho basado en las reglas de implicación, mientras que los equipos rojos funcionan en mayor profundidad y durante más tiempo. Los equipos rojos evalúan mejor las capacidades de detección y respuesta al mejorar la ingeniería social y la explotación de aplicaciones, servicios de red e instalaciones físicas. Los equipos rojos también se emplean en otros campos, como la seguridad de los aeropuertos y las agencias militares y de inteligencia.

Erradicación—El proceso de identificar y eliminar de la red la causa raíz de un incidente cuando se han desplegado medidas de contención después de que ocurre el incidente.

Estándar—Un requisito obligatorio, un código de práctica o una especificación aprobada por una organización normalizadora externa reconocida, como ISO.

Estándar de encriptación avanzada (AES)—Un algoritmo público que soporta claves desde 128 bits hasta 256 bits en tamaño

Evaluación de las dependencias del negocio (BDA)—El proceso de identificar los recursos que son críticos para la operación de un proceso de negocio.

Evaluación de riesgos—Un proceso utilizado para identificar y evaluar los riesgos y sus efectos potenciales.

Notas de alcance: Las evaluaciones de riesgo son utilizadas para identificar aquellos ítems o áreas que presentan la exposición, la vulnerabilidad o el riesgo más alto para la empresa para la inclusión en el plan de auditoría anual de SI. Las evaluaciones de riesgo también se utilizan para gestionar el riesgo de beneficios del proyecto y entrega del proyecto.

Evasión del riesgo—El proceso para evitar un riesgo en forma sistemática, lo cual constituye un método para administrar el riesgo.

Evento de amenaza—Cualquier evento durante el cual un elemento/agente de amenaza actúa en contra de un activo de una manera que tiene el potencial de derivar directamente en un daño.

Examinación forense—El proceso de recopilar, evaluar, clasificar y documentar la evidencia digital para ayudar a la identificación de un delincuente y el método utilizado para comprometer un sistema.

Expectativas de pérdida anual (ALE)—

Explotación de día cero—Una vulnerabilidad que se explota antes de que el creador o proveedor del software tenga conocimiento de su existencia. También puede hacer referencia a las fallas que no cuentan con un parche disponible.

Exposición (EF)—La pérdida potencial de un área debido a la ocurrencia de un evento adverso.

F

Filtrado de contenido—Forma de controlar el acceso a una red mediante el análisis de atributos de los paquetes de entrada y salida, dejándolos pasar, o bien, rechazándolos según una lista de reglas predefinidas.

Notas de alcance: Difiere del filtrado de paquetes en que el filtrado de contenido analiza los datos en el paquete y el filtrado de paquetes analiza los atributos del paquete en sí, por ejemplo, dirección IP de origen / destino y banderas de protocolo de control de transmisión (TCP).

Filtrado de paquetes—Forma de controlar el acceso a una red mediante el análisis de atributos de los paquetes de entrada y salida, dejándolos pasar, o bien, rechazándolos según una lista de reglas predefinidas.

Firma del virus—El archivo de los patrones de un virus que se comparan con los archivos existentes para determinar si están infectados con algún virus o gusano.

Firmado digital del código—El proceso de firmar en forma digital un código informático para garantizar su integridad.

Fuga de datos—Transmisión no autorizada de datos desde una organización ya sea electrónica o física

Función hash—1. Un algoritmo que traslada o traduce un conjunto de bits en otro (generalmente más pequeño) de manera que el mensaje dé el mismo resultado cada vez que se ejecuta el algoritmo usando el mismo mensaje como entrada.

2. Valores fijos derivados matemáticamente de un mensaje de texto.

G

Gestión de cambios—1. Un enfoque holístico y proactivo para administrar la transición de un estado organizacional actual a un estado deseado de organización, enfocándose específicamente en los elementos de cambio críticos humanos o "leves" (ISACA).

Notas de alcance: Incluye actividades tales como el cambio cultural (valores, creencias y actitudes), desarrollo de sistemas de recompensas (medidas e incentivos apropiados), diseño organizacional, gestión de partes interesadas (stakeholders), políticas y procedimientos de recursos humanos, coaching ejecutivo, formación en liderazgo del cambio, construcción de equipos y planificación y ejecución de las comunicaciones.

2. Un enfoque metódico para controlar e implementar cambios de forma planificada y estructurada (CMMI).

Gestión de identidades y acceso (IAM)—Un marco que encapsula personas, procesos y productos para identificar y gestionar los datos utilizados en un sistema de información para autenticar usuarios y otorgar o denegar derechos de acceso a datos y recursos del sistema. El objetivo de IAM es proporcionar un acceso adecuado a los recursos empresariales.

Gestión de la configuración—1. El control de cambios en un conjunto de elementos de configuración sobre un ciclo de vida de un sistema (ISACA).

2. Proceso de la gestión de la integridad de los productos de trabajo mediante el uso de la identificación de la configuración, el control de las versiones, el control de cambios y las auditorías (CMMI).

   Consulte Identificación de la configuración, Elemento de configuración, Auditoría de configuración y Control de versiones

Gobierno corporativo—El sistema mediante el cual se dirigen y controlan las empresas. El consejo de administración es el responsable del gobierno de su empresa. El gobierno corporativo se compone del liderazgo, las estructuras organizativas y los procesos que garantizan que la empresa mantenga y amplíe sus estrategias y objetivos.

Gobierno de la empresa—Un conjunto de responsabilidades y prácticas ejercidas por la junta directiva y la administración ejecutiva con el objetivo de proporcionar dirección estratégica, asegurar que se logren los objetivos, determinar que el riesgo se gestione adecuadamente y verificar que los recursos de la empresa sean utilizados de manera responsable.

Gobierno de la seguridad de la información—El conjunto de responsabilidades y prácticas ejercidas por la junta directiva y la administración ejecutiva con el objetivo de proporcionar dirección estratégica, asegurar que se logren los objetivos, determinar que el riesgo se gestione adecuadamente y verificar que los recursos de la empresa sean utilizados de manera responsable.

gobierno de TI—Responsabilidad de los ejecutivos y el consejo de administración; consiste en el liderazgo, las estructuras organizacionales y los procesos que aseguran que la TI de la empresa sostiene y extiende las estrategias y los objetivos de la empresa.

Gusano—Un ataque programado a la red en el que un programa autoreplicable no se ataca a los programas en sí, sino que se propaga independientemente de las acciones de los usuarios.

H

Honeypot—Servidor configurado especialmente, también conocido como un servidor señuelo, diseñado para atraer y controlar los intrusos de tal manera que sus acciones no afecten a los sistemas de producción

Hot site—Un sitio externo completamente operativo para el procesamiento de datos equipado con software del sistema y hardware para su uso en caso de un desastre.

I

Impacto en el negocio—El efecto neto, positivo o negativo, en el logro de los objetivos del negocio.

Incidente—Una violación o una amenaza inminente de violación de las políticas de seguridad informática, las políticas de uso aceptable o las guías o prácticas de seguridad estándar.

Indicador clave de objetivos (KGI)—Una medida que le dice a la gerencia, después de los hechos, si un proceso de TI ha alcanzado las exigencias del negocio; por lo general se expresa en términos de criterios de información.

Indicador clave de rendimiento (KPI)—Un tipo de medición del rendimiento

Indicador clave de riesgo (KRI)—Un subconjunto de los indicadores clave de riesgo altamente relevantes y que tienen una alta probabilidad de predecir o de indicar un riesgo importante.

Notas de alcance: Consulte también Indicador de riesgo.

Información de seguridad y gestión de eventos (SIEM)—Las soluciones SIEM son una combinación de las antiguas categorías de productos dispares de SIM (gestión de la información de seguridad) y SEM (gestión de eventos de seguridad). La tecnología de SIEM ofrece análisis en tiempo real de las alertas de seguridad generados por el hardware y las aplicaciones de red. Las soluciones SIEM vienen como software, dispositivos o servicios administrados, y también se utilizan para registrar datos de seguridad y generar informes para propósitos de cumplimiento. Entre las funcionalidades se incluyen:

- **Agregación de datos:** Las soluciones SIEM/LM (gestión de registros) agregan datos de muchas fuentes, incluyendo red, seguridad, servidores, bases de datos y aplicaciones, lo que ofrece la capacidad de consolidar los datos monitoreados para ayudar a evitar la pérdida de eventos cruciales.
- **Correlación:** Busca atributos comunes, y enlaza eventos en paquetes significativos. Esta tecnología ofrece la capacidad de llevar a cabo una variedad de técnicas de correlación para integrar distintas fuentes, para convertir a los datos en información útil.
- **Alertas:** El análisis automatizado de eventos correlacionados y producción de alertas, para notificar a los destinatarios sobre problemas inmediatos.
- **Paneles:** Las herramientas de SIEM/LM toman los datos de los eventos y los convierten en gráficos informativos para ayudar a ver patrones o identificar actividades que no formen parte del patrón estándar.
- **Cumplimiento:** Las aplicaciones de SIEM pueden emplearse para automatizar la recopilación de datos de cumplimiento, generando informes que se adapten a la seguridad, el gobierno y los procesos de auditoría existentes.
- **Retención:** Las soluciones de SIEM/SIM emplean almacenamiento a largo plazo de datos históricos para facilitar la correlación de los datos en el tiempo, y para ofrecer la retención necesaria para los requerimientos de cumplimiento.

Información personal identificable (PII)—Cualquier información que puede usarse para establecer un vínculo entre la información y la persona natural con la que se relaciona dicha información, o que está o pudiera estar directa o indirectamente relacionada con una persona natural.

Informática forense—La aplicación del método científico a medios digitales para establecer información factual para revisión jurídica.

Notas de alcance: Este proceso suele involucrar sistemas informáticos de investigación para determinar si se usan o han usado para actividades ilegales o no autorizadas. Como disciplina, combina elementos de la ley y la informática para recolectar y analizar datos de sistemas de información (por ejemplo, computadoras personales, redes, dispositivos de comunicaciones inalámbricas y almacenamiento digital) de una manera que lo hace admisible como evidencia en un tribunal de justicia.

Infraestructura como un servicio (IaaS)—Una forma de computación en la nube que ofrece la capacidad de proveer procesamiento, almacenamiento, redes y otros recursos de computación fundamentales, permitiendo al cliente implementar y ejecutar software arbitrario, incluyendo sistemas operativos (SO) y aplicaciones.

Ingeniería social—Un ataque basado en engañar a los usuarios o administradores en el sitio objetivo para que revelen información confidencial o sensible.

Instalaciones alternas—Locaciones e infraestructuras desde las cuales se ejecutan procesos de respaldo o de emergencia, cuando las instalaciones principales no están disponibles o están destruidas.

Notas de alcance: Esto incluye otros edificios, oficinas o centros de procesamiento de datos.

Integración de modelos de capacidad y madurez (CMMI)—Modelo integrado de mejores prácticas que permite a las empresas mejorar los procesos para mejorar el rendimiento. Este modelo lo han desarrollado equipos de producto con miembros globales del sector. El modelo CMMI proporciona un marco de mejores prácticas para crear, mejorar y mantener la capacidad de los procesos.

Consulte el conjunto de productos de CMMI

Integridad—La protección contra la modificación o destrucción indebida de la información. Esto incluye garantizar que la información no se repudie y sea auténtica.

Integridad de los datos—El grado en el que una recopilación de datos es completa, coherente y precisa

Intercambio electrónico de datos (EDI)—La transmisión electrónica de transacciones (información) entre dos empresas, promoviendo un entorno sin papel más eficiente y a menudo sustituyendo el uso de documentos estándar, incluidas facturas u órdenes de compra

Interfaz de programación de aplicaciones (API)—Conjunto de rutinas, protocolos y herramientas, que son la base del desarrollo de software de aplicaciones para las áreas de negocio.

Inventario de activos—Un registro usado para recopilar todos los activos relevantes.

ISO/IEC 17799—Esta norma define los controles de disponibilidad, integridad y confidencialidad de la información en un sistema integral para la gerencia de la seguridad de información.

Notas de alcance: Emitido originalmente como parte de la Norma Británica para la Seguridad de la Información en 1999 y luego como el Código de Práctica para la

Gerencia de la Seguridad de Información en octubre de 2000, recibió la categoría de código internacional de práctica para la gerencia de la seguridad de información por parte de la Organización Internacional para la Estandarización (ISO). La versión más recientes es ISO/IEC 17799:2005.

ISO/IEC 27001—Un estándar para la Gestión de seguridad de la información: Especificación con orientación para su uso; sustitución para BS7799-2. Su objetivo es proporcionar la base para la auditoría de terceros y está armonizado con otros estándares de gestión, como ISO/IEC 9001 y 14001.

L

Lista de revocación de certificados (CRL)—Un instrumento para verificar si los certificados por los que la autoridad de certificación (CA) es responsable siguen siendo válidos.

Notas de alcance: La CRL detalla los certificados digitales que ya no son válidos. La brecha de tiempo entre dos actualizaciones es crítica y representa un riesgo en la verificación de los certificados digitales.

Localizador uniforme de recursos (URL)—La cadena de caracteres que forman una dirección web.

Lógica de ramificación—Un código optimizado basado en una predicción de ramificación que predice de qué manera un programa se va a ramificar cuando se presenta una aplicación

M

Máximo tiempo tolerable de inoperatividad (MTO)—El tiempo máximo que una compañía puede continuar el proceso en modo alternativo.

Medición de resultados—Una medición que representa las consecuencias de acciones tomadas previamente; a menudo referido como un indicador de retraso.

Notas de alcance: La medición de resultados se enfoca frecuentemente en los resultados al final de un período de tiempo y describe el desempeño histórico. También se le conoce como un indicador clave de meta (KGI) y se utiliza para indicar si se han cumplido las metas. Se puede medir solo después del hecho y, por lo tanto, se le llama "indicador de retraso".

Metodología de pruebas de seguridad de código abierto—Metodología y manual abiertos y libremente disponibles para realizar pruebas a la seguridad.

Métricas de seguridad—Un estándar de medición utilizado en la gestión de actividades relacionadas con la seguridad.

Minería de datos—Generalmente, el uso de ordenadores para analizar grandes conjuntos de datos para patrones que asisten al personal en la toma de decisiones de negocio.

Mitigación del riesgo—1. La administración de un riesgo mediante el uso de controles y contramedidas (ISACA).

2. Un conjunto de actividades planificadas que, si se llevan a cabo, pueden reducir la probabilidad o el efecto del riesgo (CMMI).

Modelo de negocio para la seguridad de la información—Un modelo holístico y orientado a los negocios que admite el gobierno y la administración empresarial de la seguridad de la información, y proporciona un idioma común para los profesionales de la seguridad de la información y la administración de negocios.

Monitoreo continuo—El proceso que se implementa para mantener el estado de seguridad actual para uno o más sistemas de información o para toda la serie de sistemas de información de los que depende la misión operativa de la empresa.

El proceso incluye: 1) el desarrollo de una estrategia para evaluar de forma regular los controles/las métricas de SI, 2) registrar y evaluar los eventos relevantes al SI y la efectividad de la empresa para lidiar con dichos eventos, 3) registrar los cambios en los controles de SI, o cambios que afecten a los riesgos de SI y 4) publicar el estado de seguridad actual para tomar decisiones sobre el uso compartido de la información que involucren a la empresa.

Monitoreo contra intrusos—El uso de investigaciones o rastros transportados para reunir información, rastrear tráfico e identificar vulnerabilidades.

N

Niveles mínimos (baselines) de seguridad—

No repudio—Garantía de que un ente no puede negar a posteriori los datos que originó; provisión de pruebas de la integridad y origen de los datos, verificable por terceros.

Notas de alcance: Una firma digital puede proporcionar el no repudio.

Normalización de datos—Un proceso estructurado para organizar datos en tablas de tal forma que conserva las relaciones entre los datos.

O

Objetivo de entrega de servicios (SDO)—El nivel de servicios directamente relacionados con las necesidades de negocio que se deben alcanzar durante el modo de proceso alterno hasta que se vuelva a la situación normal.

Objetivo de punto de recuperación (RPO)—El punto más temprano en el tiempo que es aceptable para recuperar datos, determinado en función de la pérdida de datos aceptable en caso de una interrupción en las operaciones. El RPO cuantifica con eficacia la cantidad permisible de pérdida de datos en caso de interrupción.

Objetivo de tiempo de recuperación (RTO)—Tiempo establecido para la recuperación de una función o recurso de negocio después de que ha ocurrido un desastre.

P

Paquete—Unidad de datos de protocolo que se enruta del origen al destino en una red de conmutación de paquetes.

Notas de alcance: Un paquete contiene tanto información de enrutamiento como datos.

Phishing—Un tipo de ataque por correo electrónico que trata de convencer a un usuario de que el originador es auténtico, pero con la intención de obtener información para uso en ingeniería social.

Notas de alcance: Por ejemplo, los ataques de phishing pueden disimularse como un atacante que pasa por una organización de lotería que avisa al destinatario o el banco de un usuario sobre un gran premio; en cualquier caso, la intención es obtener los detalles de la cuenta y el número de identificación personal (PIN). Otras alternativas pueden intentar obtener información de negocio aparentemente inofensiva que pueda ser usada en otra forma de ataque activo.

Pista de auditoría—Una ruta lógica que vincula una secuencia de eventos, en forma de datos, que se utilizan para rastrear las transacciones que han afectado el contenido de un registro.

Fuente: ISO

Plan de contingencia—Un plan que utiliza una empresa o unidad de negocios para responder a fallas o interrupciones específicas del sistema.

Plan de continuidad de negocio (BCP)—Plan utilizado por una empresa para responder a la interrupción de los procesos críticos de negocio (depende del plan de contingencia para la restauración de sistemas críticos).

Plan de recuperación de desastre (DRP)—Una serie de recursos humanos, físicos, técnicos y de procedimientos orientados a recuperar, dentro de tiempos y costos definidos, una actividad interrumpida por una emergencia o desastre.

Plan de respuesta a incidentes (IRP)—El componente operativo de la gestión de incidentes (también denominado IRP).

Notas de alcance: El plan incluye procedimientos documentados y guías para la definición de la criticidad de los incidentes, los procesos de presentación de informes y escalado, y los procedimientos de recuperación.

plan estratégico de TI—Un plan a largo plazo (es decir, un horizonte de tres a cinco años) en el que las empresas y la administración de TI describen cooperativamente cómo los recursos de TI contribuirán a los objetivos estratégicos de la empresa (metas).

Planificación de contingencia—Proceso de desarrollo de procedimientos y arreglos anticipados que permiten que una empresa responda a un evento que pudiera ocurrir por casualidad o en circunstancias imprevistas.

Plataforma como servicio (PaaS)—Ofrece la capacidad de implementar en la infraestructura en la nube las aplicaciones adquiridas o creadas por el cliente que son creadas utilizando lenguajes de programación y herramientas respaldadas por el proveedor.

Política—Un documento que comunica actividades y conductas requeridas y prohibidas.

Política de seguimiento—Un conjunto de reglas que describen o definen la forma en que se captura e interpreta la información sobre el uso de computadoras, redes, aplicaciones e información.

Política de uso aceptable (AUP)—Una política que establece un acuerdo entre los usuarios y la empresa y define, para todas las partes, los rangos de uso que están aceptados antes de obtener acceso a una red o a Internet.

Prevención de pérdida de datos (DLP)—Detectar y abordar brechas de datos, filtraciones o destrucción involuntaria de datos

Privacidad—El derecho de un individuo de confiar que otras personas utilizarán, almacenarán, compartirán y eliminarán, de manera adecuada y respetuosa, su información personal y sensible asociada dentro del contexto y de acuerdo con los fines para los que fue recogida o derivada.

Procedimiento—Un documento que contiene una descripción detallada de los pasos necesarios para realizar operaciones específicas conforme a las normas aplicables. Los procedimientos se definen como partes de los procesos.

Proceso alterno—Un proceso manual o automático diseñado y establecido para continuar con los procesos críticos de negocio desde el punto de falla hasta el regreso a la normalidad.

Programa de seguridad de la información—La combinación de las medidas técnicas, operativas y de procedimientos, así como las estructuras administrativas implementadas para asegurar la confidencialidad, integridad y disponibilidad de la información según los requerimientos de negocio y el análisis de riesgos.

Programación en shell—Un script escrito para el shell o intérprete de línea de comando de un sistema operativo, y a menudo es considerado un lenguaje de programación simple, específico del dominio.

Notas de alcance: Entre las operaciones que llevan a cabo los scripts de interfaz de comandos (shell) se encuentran la manipulación de archivos, ejecución de programas y texto de impresión. Por lo general, los scripts de interfaz de comandos (shell) se refieren a scripts escritos para un shell de Unix, mientras que los scripts de línea de comando command.com (DOS) y cmd.exe (Windows) normalmente se denominan archivos en lote. Muchos intérpretes de scripts de interfaz de comandos (shell) funcionan también como varios comandos UNIX, Windows PowerShell o command.com de MS-DOS. Otros, tales como AppleScript, agregan una capacidad de programación (scripting) para ambientes informáticos que no cuentan con una interfaz de línea de comandos. Otros ejemplos de lenguajes de programación dirigidos en esencia a la programación de shell incluyen el lenguaje de comando digital (DCL) y el lenguaje de control de trabajos (JCL).

Propietario del sistema—

Protocolo de configuración dinámica del servidor (DHCP)—Un protocolo utilizado por las computadoras conectadas en red (clientes) para obtener direcciones IP de servidores DHCP y parámetros como pasarelas (gateway) predeterminadas, la máscara de subred y direcciones IP de los servidores del sistema de nombres de dominio (DNS).

Notas de alcance: El servidor DHCP asegura que todas las direcciones IP sean únicas, por ejemplo, no se asigna ninguna dirección IP a un segundo cliente mientras la asignación del primer cliente sea válida (su arrendamiento no ha expirado). De este modo, la gestión del banco de direcciones IP es realizada por el servidor y no por el administrador humano de la red.

Protocolo de control de transmisión (TCP)—Un protocolo de Internet basado en la conexión que respalda conexiones de transferencia de datos confiables

Notas de alcance: Los paquetes de datos son verificados empleando checksums y son retransmitidos si hay faltantes o están corrompidos. La aplicación no participa en la validación de la transferencia.

Protocolo de transferencia de hipertexto (HTTP)—Un protocolo de comunicación utilizado para conectar servidores en World Wide Web. Su función principal es establecer una conexión con un servidor web y transmitir lenguaje de marcado de hipertexto (Hypertext markup language-HTML), lenguaje de marcado extensible (Extensible markup language-XML) u otras páginas a los navegadores clientes.

Protocolo seguro de transferencia de hipertexto (HTTPS)—Un protocolo para acceder a un servidor web seguro mediante el cual se cifran todos los datos transferidos. Un número de puerto estándar es 443.

Proveedor de servicios de aplicación (ASP)—Un proveedor de servicios administrados (MSP) que implementa, alberga y administra el acceso a una aplicación en paquete para múltiples partes desde una instalación administrada centralmente.

Notas de alcance: Las aplicaciones se entregan a través de redes mediante una suscripción.

Proveedor de servicios de Internet (ISP)—Un tercero que proporciona acceso a Internet a personas y organizaciones, así como a una variedad de otros servicios relacionados con Internet.

Prueba en papel—Explicación detallada de los pasos de una prueba regular, pero sin ejecutar los pasos en realidad.

Notas de alcance: Normalmente se usa en la recuperación de desastres y pruebas de contingencia; los miembros del equipo deben revisar y familiarizarse con los planes y sus funciones y responsabilidades específicas.

Pruebas de penetración—Una prueba en vivo de la eficacia de las defensas de la seguridad mediante la imitación de acciones que llevan a cabo atacantes en la vida real

Puerto—Proceso o software de aplicación específica que sirve como punto final de comunicación para la capa de transporte de los protocolos IP (UDP y TCP).

R

Recorrido del plan de recuperación ante desastres (DRP)—Generalmente una prueba sólida del plan de recuperación que requiere que algunas actividades de recuperación se materialicen y pongan a prueba. A menudo se establece un escenario de desastre y los equipos de recuperación discuten los pasos que necesitan tomar para la recuperación. Deben probar tantos aspectos del plan como sea posible.

Recuperación en caso de desastres (DR)—Actividades y programas diseñados para que la empresa vuelva a un estado aceptable. La capacidad para responder a una interrupción de los servicios implementando un plan de recuperación ante desastres (DRP) para restaurar las funciones empresariales críticas de la empresa.

Red de área amplia (WAN)—Una red informática que conecta diversas oficinas o edificios en un área amplia.

Redes virtuales privadas (VPN)—Una red privada segura que utiliza la infraestructura de telecomunicaciones pública para transmitir datos.

Notas de alcance: En comparación con un sistema mucho más costoso de líneas propias o alquiladas que solo pueden ser utilizadas por una empresa, las VPN son utilizadas por empresas tanto para extranets como para áreas amplias de Intranets. Mediante el uso de encriptación y autenticación, una VPN encripta todos los datos que pasan entre dos puntos de Internet, manteniendo la privacidad y la seguridad.

Reforzado—El proceso de configurar una computadora u otro dispositivo de red para resistir ataques.

Rendición de cuentas—La capacidad de asociar una determinada actividad o incidente con su responsable.

Resistencia ante fallas y ataques—Un sistema o componente que se pone automáticamente en modo operativo seguro en caso de fallas.

Fuente: IEEE

Respuesta a incidentes—Respuesta de una empresa a un desastre u otro evento significativo que pueda afectar considerablemente a la empresa, su gente o su capacidad para funcionar de manera productiva. Una respuesta a un incidente puede incluir la evacuación de una instalación, iniciar un plan de recuperación de desastre (DRP), realizar una evaluación de daños y cualquier otra medida necesaria para llevar a una empresa a un estado más estable.

Respuesta al riesgo—Cualquier combinación para evitar el riesgo, aceptar el riesgo, compartir o transferir el riesgo, o mitigar el riesgo, que conduce a una situación en la que tanto riesgo residual futuro (es decir, riesgo actual con la respuesta al riesgo definida e implementada) como sea posible (normalmente dependiendo de los presupuestos disponibles) cae dentro de los límites del apetito de riesgo.

Respuesta pasiva—Opción de respuesta a la detección de intrusos en la cual el sistema simplemente notifica y registra el problema detectado, confiando en que el usuario tomará acciones posteriores.

Retorno de la inversión (ROI)—1. Una medida de rendimiento y eficiencia operativos, calculada en su forma más sencilla dividiendo la utilidad neta entre la inversión total en el período considerado (ISACA).

2. La proporción del beneficio de la mejora de un proceso o una solución comparado con los costes de implementación para determinar el valor (CMMI).

Riesgo—1. La combinación de la probabilidad de un evento y su impacto (ISACA).

2. Posible acontecimiento incierto que puede ser dañino o afectar de manera negativa el logro de objetivos (CMMI).

Riesgo residual—El riesgo restante después de que la gerencia ha implementado una respuesta al riesgo.

Rootkit—Un conjunto de herramientas de software que tiene como finalidad ayudar a un intruso a obtener acceso no autorizado a un sistema de computación.

Ruta de acceso—La ruta lógica que un usuario final toma para tener acceso a la información computarizada.

Notas de alcance: Típicamente incluye una ruta a través del sistema operativo, software de telecomunicaciones, software de aplicación seleccionado y el sistema de control de acceso.

S

Secure Shell (SSH)—Protocolo de red que utiliza criptografía para asegurar la comunicación, inicio de sesión de línea de comando y ejecución de comando remoto entre dos computadoras en red.

Segregación/separación de funciones (SoD)—Un control interno básico que evita o detecta errores e irregularidades asignando la responsabilidad de iniciar y registrar las transacciones y la custodia de los activos a individuos separados.

Notas de alcance: La segregación/separación de funciones suele utilizarse en organizaciones de TI grandes de manera que no haya una sola persona en la posición de introducir código fraudulento o malicioso sin detección.

Seguridad como servicio (SecaaS)—La próxima generación de servicios de seguridad gestionados dedicados a la entrega, a través de Internet, de servicios especializados de seguridad de la información.

Seguridad de IP (IPSec)—Un conjunto de protocolos desarrollados por el Grupo de trabajo de ingeniería de Internet (IETF) para soportar el intercambio seguro de paquetes

Seguridad de la información—El aseguramiento de que la información esté protegida frente a usuarios no autorizados (confidencialidad), la modificación indebida (integridad) y la imposibilidad de acceso cuando sea necesario (disponibilidad). La seguridad de la información se ocupa de todos los formatos de la información: documentos en papel, recursos digitales, propiedad intelectual, y las comunicaciones verbales o visuales.

Sensibilidad—Medida del impacto que la divulgación indebida de información puede tener en una empresa.

Servidor de proxy—Un servidor que actúa a nombre de un usuario.

Notas de alcance: Los proxies típicos aceptan una conexión de un usuario, toman la decisión en cuanto a si se permite que el usuario o dirección IP utilicen el proxy, tal vez realizan una autenticación adicional, y completan la conexión al destino remoto en nombre del usuario.

Servidor de retransmisión/intermediador de correo—Un servidor de correo electrónico que retransmite mensajes de tal forma que ni el emisor ni el receptor sea un usuario local.

Servidor Web—Hardware de punto final o software que ofrece páginas web a los usuarios.

Síntesis del mensaje—El resultado de una función hash criptográfica que toma una entrada de longitud arbitraria y genera un producto que es una cadena binaria de tamaño estándar. El producto es único a la entrada, e incluso un cambio menor en la entrada resulta en un producto completamente diferente. Las funciones hash criptográficas modernas también son resistentes a las colisiones (situaciones en las que diferentes entradas producen un producto idéntico). Aunque es posible, una colisión es estadísticamente improbable. Se desarrollan funciones hash criptográficas para que la entrada no pueda determinarse fácilmente a partir del producto.

Consulte Hash.

Sistema de confianza—Un sistema que emplea las medidas de garantía suficientes de hardware y software para permitir su uso para procesar una amplia gama de información sensible o clasificada.

Sistema de detección de intrusos (IDS)—Un sistema que inspecciona la actividad en la seguridad del host y la red para identificar patrones sospechosos que pudieran ser indicadores de un ataque al sistema o la red.

Sistema de prevención de intrusiones (IPS)—Un sistema diseñado no solo para detectar ataques, sino también para prevenir que los servidores víctimas se vean afectados por dichos ataques.

Sitio espejo—Un sitio alterno que contiene la misma información que el original.

Notas de alcance: Los sitios espejo se establecen como centros de respaldo y recuperación de desastres y para equilibrar la carga de tráfico para numerosas solicitudes de descarga. Dichos espejos de descarga con frecuencia se colocan en diferentes ubicaciones a lo largo de Internet.

Sitio móvil—Una instalación móvil/temporal que sirve como lugar de reanudación de negocios. Por lo general, la instalación se puede implementar en un sitio alternativo y puede alojar tecnología de la información y personal.

Sitio redundante—Una estrategia de recuperación que implica la duplicación de los componentes claves de TI, incluidos los datos u otros procesos claves del negocio, para que una rápida recuperación pueda tener lugar.

Situación de alerta—El punto en un procedimiento de emergencia en el cual el tiempo transcurrido atraviesa un valor umbral y la interrupción no se resuelve. La empresa que entra en una situación de alerta inicia una serie de pasos de escalado.

Sniffing—El proceso mediante el cual los datos que atraviesan una red son capturados o monitoreados.

Software antivirus—Un software de aplicación utilizado en múltiples puntos de una arquitectura de TI. Está diseñado para detectar y eliminar posibles virus antes de que hagan daño y reparar o poner en cuarentena los archivos que ya han sido infectados.

Software como servicio (SaaS)—Ofrece la capacidad de utilizar las aplicaciones del proveedor al ejecutarse en la infraestructura en la nube. Las aplicaciones son accesibles desde varios dispositivos del cliente a través de una interfaz de cliente delgada, como un navegador web (p. ej., el correo electrónico basado en la web).

Software de rompimiento de contraseñas—Herramienta que prueba la resistencia de las contraseñas de los usuarios y busca aquellas que sean fáciles de adivinar. Intenta en repetidas ocasiones palabras de diccionarios elaborados especialmente y a menudo generan miles (y en algunos casos incluso millones) de combinaciones de caracteres, números y símbolos.

Software malintencionado (malware)—Software malintencionado diseñado para infiltrar o dañar un sistema informático u obtener información sin el consentimiento del propietario. Algunos ejemplos de software malintencionado son los virus informáticos, gusanos, troyanos, spyware y adware.

Solicitud de propuesta (RFP)—Documento distribuido a los proveedores de software, solicitándoles que presenten una propuesta para desarrollar o proporcionar un producto de software.

Solidez—El grado en el que un sistema o componente de software puede funcionar correctamente en presencia de insumos inválidos o condiciones ambientales estresantes.

Consulte Fiabilidad del software.

Suma de comprobación (checksum)—Un valor generado por un algoritmo y asociado con un valor de entrada y/o un archivo de entrada completo. El valor de la suma de comprobación se puede utilizar para evaluar los datos de entrada o el archivo correspondientes más tarde y verificar que la entrada no se haya alterado de forma malintencionada. Si un valor de suma de comprobación posterior ya no coincide con el valor inicial, es posible que la entrada haya sido alterada o dañada.

Superficie de ataque—

Suplantación—El acto de falsificar la dirección de envío de una transmisión con el fin de ganar acceso ilegalmente a un sistema seguro.

T

Tarifa ante notificación de desastre—La tarifa que cobra el proveedor del sitio de recuperación cuando el cliente le notifica que ha ocurrido un desastre y que se requiere del sitio de recuperación.

Notas de alcance: Esta tarifa se cobra para desalentar notificaciones falsas de desastres.

Token—1. En los sistemas de seguridad, un dispositivo físico que se utiliza para autenticar a un usuario, generalmente además de un nombre de usuario y contraseña; en el lenguaje de programación, un elemento simple del lenguaje.

2. En el procesamiento del lenguaje natural (NLP), una unidad de datos que representa palabras, subpalabras o caracteres individuales que se utilizan normalmente como entrada para modelos.

Token de desafío/respuesta—Un método de autenticación del usuario que se lleva a cabo a través del uso del Protocolo de autenticación por desafío mutuo (CHAP).

Notas de alcance: Cuando un usuario intenta iniciar sesión en el servidor utilizando el CHAP, el servidor envía al usuario un "desafío", que es un valor aleatorio. El usuario ingresa una contraseña, que se utiliza como una clave de encriptación para encriptar el "desafío" y devolverlo al servidor. El servidor conoce la contraseña. Por lo tanto, encripta el valor de "desafío" y lo compara con el valor recibido del usuario. Si los valores coinciden, el usuario es autenticado. La actividad de desafío/respuesta continúa durante toda la sesión y la protege de ataques de búsquedas (sniffing) de contraseñas. Además, CHAP no es vulnerable a ataques del tipo "hombre en el medio" ya que el valor de desafío es un valor aleatorio que cambia en cada intento de acceso.

Tolerancia al riesgo—El nivel aceptable de variación que la gerencia está dispuesta a permitir para cualquier riesgo en particular mientras la empresa persigue sus objetivos.

Traducción de direcciones de red (NAT)—Metodología de modificación de la información de la dirección de red en las cabeceras de los paquetes de datagramas cuando están en tránsito a través de un dispositivo de enrutamiento de tráfico, con el fin de asociar un espacio de dirección IP a otro.

Transferencia de riesgo—Proceso de ceder el riesgo a otra empresa, por lo general, mediante la suscripción de una póliza de seguro o por la externalización del servicio.

Notas de alcance: También conocido como compartir el riesgo.

Transferencia electrónica de fondos (EFT)—El intercambio de dinero por medio de telecomunicaciones; se refiere a cualquier transacción financiera que se origine en una terminal y que transfiera una suma de dinero de una cuenta a otra.

Traspaso de la operación a su backup (fail over)—La transferencia de servicio desde un componente primario no capacitado hasta su componente de respaldo.

Tunelización—Utilizada comúnmente como puente entre anfitriones/enrutadores incompatibles o para proporcionar encriptación, un método mediante el cual un protocolo de red encapsula a otro protocolo dentro de sí mismo.

Notas de alcance: Cuando el protocolo A encapsula al protocolo B, un encabezado de protocolo A y encabezados opcionales de tunelización se adjuntan al paquete original de protocolo B. El Protocolo A entonces se convierte en la capa de enlace de datos del protocolo B. Los ejemplos de los protocolos de tunelización incluyen IPSec, Protocolo Punto a Punto sobre Ethernet (PPPoE), y Protocolo de Tunelización de Capa 2 (L2TP).

V

Valor del activo (AV)—El valor de un activo para la empresa y para sus competidores.

Valor presente neto (NPV)—Cálculo basado en la tasa de descuento después de impuestos de una inversión y una serie de flujos salientes de efectivo incrementales esperados (inversión y costos operativos iniciales) y de flujos entrantes de efectivo (ahorro de costos o ingresos) que suceden en períodos regulares durante el ciclo de vida de la inversión.

Notas de alcance: Para obtener un cálculo preciso del NPV, también deben tenerse en cuenta los flujos entrantes de efectivo obtenidos por la empresa por un período de alrededor de cinco años después de la implementación del proyecto.

Vector de amenazas—El itinerario o recorrido utilizado por el adversario para conseguir el acceso al objetivo.

Ventana de interrupción—El tiempo que una compañía puede esperar desde el punto de fallo hasta el restablecimiento de los servicios o aplicaciones mínimos y críticos. Después de ese tiempo, las pérdidas progresivas ocasionadas por la interrupción son excesivas para la empresa.

Ventana de interrupción aceptable (AIW)—El período máximo de tiempo que un sistema puede no estar disponible antes de comprometer el logro de los objetivos del negocio de la empresa.

Voz por protocolo de Internet (VoIP)—También llamada telefonía IP, telefonía de Internet y teléfono de banda amplia, tecnología que permite mantener una conversación de voz a través de Internet u otra red dedicada con Protocolo de Internet (IP) en lugar de líneas de transmisión de voz dedicadas.

Vulnerabilidad—Una debilidad en el diseño, la implementación, la operación o el control interno de un proceso que podría exponer al sistema a amenazas adversas provenientes de eventos de amenazas.

W

Warm site—Un sitio que es similar al hot site pero no equipado totalmente con todo el hardware necesario para la recuperación.

Z

Zona desmilitarizada (DMZ)—Una red pequeña y aislada que actúa como una zona divisoria entre una red confiable y otra no confiable.

Notas de alcance: Una zona desmilitarizada se utiliza normalmente para alojar sistemas como servidores web que deben ser accesibles tanto desde las redes internas como desde Internet.

Esta página se ha dejado en blanco deliberadamente

Acrónimos

AIW	Ventana de interrupción aceptable
ALE	Expectativas de pérdida anual
API	Interfaz de programación de aplicaciones
ASP	Proveedor de servicios de aplicación
ataque de DoS	Ataque de denegación de servicio
BCP	Plan de continuidad de negocio
BIA	Análisis de impacto en el negocio (BIA)
BYOD	Trae tu propio dispositivo (BYOD)
CA	Autoridad de certificación
CEO	Director general ejecutivo
CERT	Equipo de respuesta a emergencias informáticas
CFO	Director de finanzas
CIO	Director de informática
CIRT	Equipo de respuesta a incidentes informáticos
CISO	Director de seguridad de la información
CMMI	Integración de modelos de capacidad y madurez
CMU/SEI	Carnegie Mellon University Software Engineering Institute
COO	Director de operaciones
COSO	Committee of Sponsoring Organizations of the Treadway Commission
CPO	Director de privacidad
CPU	Unidad central de procesamiento
CRO	Director de riesgos
CSF	Factor de éxito crítico
CSIRT	Equipo de respuesta ante incidentes de seguridad informática
CSO	Director general de seguridad
CTO	Director general de tecnología
CVE	Vulnerabilidades y exposiciones comunes
DAC	Control de acceso discrecional
DBMS	Sistemas de gestión de bases de datos
DDoS	Ataque de denegación de servicio distribuido
DHCP	Protocolo de configuración dinámica del servidor
DMZ	Zona desmilitarizada
DNS	Sistema de nombres de dominio
DR	Recuperación en caso de desastres
DRP	Plan de recuperación de desastre
EDI	Intercambio electrónico de datos
EGIT	Gobierno de información y la tecnología de la empresa
EGRP	Protocolo de enrutamiento de pasarela externa
FAIR	Análisis de factores de riesgo de la información
FAR	Tasa de aceptación falsa
HARM	Enfoque holístico de la gestión de riesgos
HIDS	Sistema de detección de intrusos basada en el alojamiento
HIPAA	Ley de portabilidad y responsabilidad de seguros médicos
HTML	Lenguaje de marcado de hipertexto
HTTP	Protocolo de transferencia de hipertexto
HTTPS	Protocolo seguro de transferencia de hipertexto
I/O	Entrada/salida
IaaS	Infraestructura como un servicio
ICMP	Protocolo de mensajes de control de Internet
ID	Identificación
IDS	Sistema de detección de intrusos
IEC	Comisión electrotécnica internacional
IMT	Equipo de gestión de incidentes
IoT	Internet de las cosas
IP	Internet Protocol
IPF	Instalaciones para el procesamiento de información
IPS	Sistema de prevención de intrusiones
IPSec	Seguridad de IP
IRP	Plan de respuesta a incidentes
IRT	Equipo de respuesta a incidentes
ISO	Organización internacional de normalización
ISP	Proveedor de servicios de Internet
ITIL	Biblioteca de Infraestructura de Tecnologías de la Información
KCI	Indicador clave de control
KGI	Indicador clave de objetivos
KPI	Indicador clave de rendimiento
KRI	Indicador clave de riesgo
LAN	Red de área local
MAC	Control de acceso obligatorio
MIME	Extensiones de correo de internet multipropósito
MitM	Ataque "man-in-the-middle"
MTD	Máximo tiempo improductivo tolerable
MTO	Máximo tiempo tolerable de inoperatividad
NAT	Traducción de direcciones de red
NCP	Protocolo de control de red
NDA	Acuerdo de no divulgación
NIST	Instituto Nacional de Normas y Tecnología
NPV	Valor presente neto
OSI	Modelo de interconexión de sistemas abiertos (OSI)
PaaS	Plataforma como servicio
PAN	Redes de área personal
PCI DSS	Estándares de Seguridad de Datos de la Industria de Tarjetas de Pago
PDCA	Planificar-hacer-verificar-actuar
PKI	Infraestructura de clave pública
POS	Sistemas de punto de venta (POS)
PRA	Evaluación probabilística de riesgo
QA	Aseguramiento de la calidad
RACI	Responsable
RAID	Conjunto redundante de discos económicos
Recursos humanos	Recursos humanos
ROI	Retorno de la inversión

ROSI	Retorno de la inversión en seguridad
RPO	Objetivo de punto de recuperación
RTO	Objetivo de tiempo de recuperación
SaaS	Software como servicio
SABSA	Arquitectura aplicada de seguridad de negocios de Sherwood
SCADA	Supervisión, control y adquisición de datos
SDLC	Ciclo de vida del desarrollo de sistemas
SDO	Objetivo de entrega de servicios
SEC	Comisión de Bolsa y Valores (EE. UU.)
SI	Sistemas de información
SIEM	Información de seguridad y gestión de eventos
SIEM	Información de seguridad y gestión de eventos
SLA	Acuerdo de nivel de servicio
SMART	SMART
SO	Sistema operativo
SOAP	Protocolo simple de acceso a objetos
SOP	Procedimientos operativos estándar
SQL	Lenguaje estructurado de consultas
SSH	Secure Shell
SSL	Secure Sockets Layer
SSO	Inicio único de sesión
SWOT	Fortalezas, debilidades, oportunidades y amenazas
TCO	Costo total de la propiedad
TCP	Protocolo de control de transmisión
TI	Operaciones de información y tecnología (I&T) y riesgo de prestación de servicios
TI	Tecnología de la información
TLS	Seguridad de la capa de transporte
UDP	Protocolo de datagrama de usuario
URL	Localizador uniforme de recursos
USB	BUS serial universal
VAR	Valor en riesgo
VoIP	Voz por protocolo de Internet
VPN	Redes virtuales privadas
XML	Lenguaje de marcado extensible
XSS	Secuencias de comandos en sitios cruzados

9798892270618